L'ÉTRANGER
ET LE SIMULACRE

ÉPIMÉTHÉE

ESSAIS PHILOSOPHIQUES

*Collection fondée par Jean Hyppolite
et dirigée par Jean-Luc Marion*

L'ÉTRANGER
ET LE SIMULACRE

Essai sur la Fondation
de l'ontologie platonicienne

JEAN-FRANÇOIS MATTÉI
Professeur à l'Université de Nice

PRESSES UNIVERSITAIRES DE FRANCE

Pour mon père,
pour Philippe et Alexandre,
cet essai sur la *filiation* du philosophe.

ISBN 2 13 037672 X

Dépôt légal — 1ʳᵉ édition : 1983, mars
© Presses Universitaires de France, 1983
108, boulevard Saint-Germain, 75006 Paris

Seuil

La tâche de la philosophie est décidément bien singulière : il lui faut saisir au vif l'instant secret où son élan éclôt, mais en même temps se brise et se sépare des moments antérieurs, voué à l'illusoire désir d'apparaître à la réflexion comme l'origine unique de son déploiement. Le commencement, qui s'avance masqué, interdit alors de faire retour à l'initial, et assigne au chemin de pensée un point fixe dont il feindra d'être issu, en se gardant bien, selon une injonction fameuse, de regarder en arrière. Il est tout aussi singulier d'imposer au discours du philosophe l'ascendance d'un avant-propos par lequel l'auteur, oublieux de la parole du *Phèdre*, en vient à suppléer au bord de sa propre écriture cette suppléance même, et fait ainsi bon marché de l'intelligibilité de son œuvre. Dans le cas d'une enquête sur ce que nous considérons comme la source première de l'ontologie platonicienne, la préface s'avère d'autant plus superflue que Platon est toujours resté étranger à l'impudique projet de mettre l'auteur au premier plan de son texte, et de laisser rejaillir sur celui-ci la confiance que l'on voudrait bien accorder à celui-là. Dans les coulisses des dialogues, pourtant, son ironie nous oriente peut-être vers d'autres seuils plus dissimulés — comme ces étranges prologues dont nous sommes, à son exemple, précisément parti. Nous n'avons pas cru devoir pousser la témérité jusqu'à courir le risque du dialogue platonicien, n'aurions-nous pas perdu espoir de retrouver, quelque jour, cette forme originelle de la dialectique dont le traité nous paraît, en dernier ressort, un fort infidèle substitut.

Notre dessein naquit d'une première et déjà ancienne rencontre avec le *Sophiste* de Platon, dont une particularité de composition nous avait frappé, et dont nous sentions confusément qu'elle n'était pas étrangère à la chasse au faiseur de simulacres comme au détour ontologique par la communauté des cinq genres de l'être. Nous soupçonnions même que la forme du texte, ou plutôt la *figure* des personnages, pour parler avec Pascal, portait « absence et présence », et constituait le lien voilé qui rapproche, en leur perpétuel déchirement, Philosophie et Sophistique. Nous ne pensions pas, alors, découvrir que cette figure avait été faite sur un *chiffre*, en son double sens que l'on ne réduira pas seulement au clair et au caché, et exprimait la vérité ontologique de l'acte de *fondation*. Il fallait donc lever le sceau et reconnaître chez Platon, chez d'autres penseurs aussi sans doute, cette reprise continue d'une parole à l'écoute de sa propre origine et qui se tourne vers l'être, au croisement du temps et de l'éternité. Nous fascinaient en effet la répétition du voyage du philosophe, à la recherche du royaume perdu, et sa volonté tranquille de sauver de l'anéantissement, face aux écueils symétriques d'un Parménide et d'un Gorgias — le *langage*, voué aux mirages de la Mimésis, tant qu'il n'a pas restauré sa droite filiation ; — l'*être*, dont le visage menace de se figer dans la paralysie éléatique ou de se dissoudre dans les convulsions sophistiques ; — le *pouvoir* enfin, qui conquiert sa légitimité en s'ancrant dans la parole du Maître, seul à *dire l'être*. Et certes, l'enjeu ultime de l'Odyssée du philosophe — la Maîtrise — semblera peu conforme au goût d'une époque qui a cru bon d'assujettir la pensée au désir de Rebellion, malgré çà et là quelques résurgences incertaines, à l'écho de Nietzsche, et qui ne partagent l'intempestivité du penseur de l'Aurore que pour mieux atténuer l'éclat de la lumière platonicienne.

Mais précisément, tel nous paraissait le domaine propre d'une enquête qui devait retrouver, à la fin du périple, l'intégrité de l'héritage platonicien chez Nietzsche et Heidegger : assurer l'*intempestivité* du chemin de pensée philosophique, confronté à la dévorante tentation du nihilisme sophistique. Convaincu que nous étions de l'originelle et équivoque parenté des deux formes de savoir, au temps des Grecs comme au nôtre, nous ne pouvions éviter de partir de la gigantomachie du *Sophiste* et de suivre l'Etranger sur les pas du Simulacre, pour élargir notre propos à l'ensemble des dialogues métaphysiques, puis, en un détour plus vaste encore, en quoi nous assurions le retour à son intuition première, à la pensée platonicienne en sa totalité. Se dessinait peu à peu, comme en filigrane, la figure de la philosophie elle-même, marquée au chiffre de la Fondation. Dès lors, l'insistance avec laquelle nous revenons sur la « modernité » ne surprendra que ceux qui en oublient l'illusion permanente, et croient encore que l'intempestivité philosophique doit se manifester par une conduite de fuite à l'égard des querelles du temps. Platon nous avait enseigné une tout autre leçon : n'avait-il pas, le premier, intégré le mouvement négateur de la sophistique à sa propre recherche, non pas seulement dans la rencontre occasionnelle des thèses et des personnages, mais dans la forme pure de la réflexion elle-même ? Au demeurant, Protagoras, Gorgias ou Prodicos n'ont jamais parlé aussi haut et fort que chez Platon, et sans doute ont-ils dû s'étonner, à leur tour, de ce que la philosophie naissante, en son étrange asile, les conduisait à dire !

Aussi avons-nous consenti à jouer le jeu du langage et à emporter avec nous, tel le ventriloque Euryclée, la voix même de celui qui nous contredisait à tout instant. Nous n'ignorions pas l'imminence du danger, moins encore son immanence, à prendre le sophiste à la lettre et à trop critiquer ce que nous reconnaissions de sophistiquerie dans l'écriture contemporaine. Comme contaminé par un adversaire qui se jouerait de notre dénonciation, nous risquions de rencontrer, en lieu et place du philosophe, l'authentique sophiste lui-même ! A l'inverse d'un Agathon qui espérait une transfusion spirituelle au seul contact du compagnon d'un soir, nous ne croyions pas, pourtant, que le moindre brin de laine pût faire passer l'eau de la coupe la plus vide à la coupe la plus pleine. Il fallait donc accepter de recevoir à notre table quelque sophiste de haut rang. Et notre familiarité forcée avec tel auteur contemporain, que l'on ne s'étonnera de voir trop présent en ces pages qu'à oublier son analogie avec l'hôte du *Banquet*, ivre déjà de sa modernité, et leur commun éloge d'un Eros libéré de toute filiation, ne nous laisse pas craindre la brutale métamorphose du chien en loup. Ici encore, l'ironie de Socrate, étendu à droite du poète couronné, mais séparé de lui par une infinie distance, saura nous protéger des risques d'une *sunousia* bien équivoque...

Nous aurions aimé conduire cette interprétation à l'aide du seul principe d'exégèse formulé par Aristarque à propos d'Homère, et repris ensuite par Porphyre : expliquer Platon par Platon. Il n'était pas possible de suivre jusqu'au bout un idéal dont l'impeccable circularité répudie aussi évidemment l'histoire, parce que notre projet tendait à renouer le fil d'une fort ancienne tradition, des premiers penseurs grecs aux commentateurs contemporains. Nous avons donc cité, avec excès peut-être, les uns et les autres, afin de procurer à notre chemin des bornes qui, si elles n'indiquaient pas toujours la direction à suivre en un domaine somme toute peu exploré, nous interdisaient du moins de nous égarer dans les sentiers battus du platonisme. Il reste cependant, tel est le risque qu'il faut assumer, que Platon et, à un moindre degré, les néoplatoniciens, furent les sources uniques de notre interprétation. Sans doute est-ce là l'ultime justification de cet essai, et du nom qu'il porte. Si nous pouvions en effet entendre l'énoncé aristotélicien d'une *thèse* comme la défense d'une assertion contraire à l'opinion courante appliquée à un philosophe illustre, à défaut de provenir de lui, nous aimerions soutenir ce paradoxe : la figure originaire de la philosophie s'inscrit avec un éclat tel dans l'œuvre entière de Platon, comme dans celle des deux plus grands penseurs qui ont feint de croire à son renversement, qu'elle demeure encore, après vingt-cinq siècles, dissimulée au regard du philosophe par son excès de clarté même.

Notre méthode était ainsi toute tracée. Il fallait encore emprunter une voie peut-être hasardeuse en ses pages initiales, certainement trop longue dans ses premiers détours. Nous guidait cependant, et même nous rassurait, la démarche constante de Platon qui ne répugne pas à égarer son lecteur par des circuits intempestifs — intempestifs du moins pour un esprit moderne, pressé d'atteindre le noyau du texte, et qui n'hésitera pas à sauter les premiers étonnements de la nuit du *Banquet* pour accéder au sanctuaire d'Eros, comme si l'aspirant aux Mystères pouvait faire l'économie des étapes préliminaires afin de jouir sans délai de sa félicité avec le dieu. Une marche synthétique ou régressive a conduit nos pas dans les quatre premières parties, fidèles à la lettre du *Sophiste* où se révèle l'expérience immédiate du langage, sinon du lieu commun sophistique, pour dégager peu à peu les conditions fondamentales de sa mise en cause et rassembler les multiples éléments de l'ontologie platonicienne afin de faire retour à son principe suprême. Le lecteur comprendra alors la légitimité d'un préambule dont le regard naturellement rétrospectif *ouvrait* une réflexion vouée tout entière à la rétrospection. La cinquième et dernière partie, en son mouvement d'analyse, redescend au contraire de la figure de la Fondation vers la pensée contemporaine, déchirée entre philosophie et sophistique, et qui en constitue, pourrait-on dire, comme une application.

Il va de soi que, dans la circularité de ce pas en arrière suivi d'un pas en avant, notre propos n'était pas de réduire Platon en système, pour accéder au vœu leibnizien, ni de succomber au désir hégélien de sacrifier l'originel « amour du savoir » à un savoir effectivement réel. Nous ne croyons guère à une possible réconciliation de la pensée avec le monde, non plus d'ailleurs avec elle-même. Que la philosophie soit un chemin n'implique pas pour autant qu'elle cherche à mettre un terme à son inquiétude, serait-elle hantée par le souvenir de la crucifixion. Ecartelée au carrefour de l'être, la figure de l'ontologie platonicienne évoque pour nous un chemin de croix plus initial que le calvaire de l'Esprit hégélien, et dessine l'espace du retour sans jamais se clore en un système. Qui pourrait d'ailleurs s'y enfermer ? Pour être fini, le Monde n'est jamais clos.

« *Les dieux prennent les traits de lointains étrangers et, sous toutes les formes, s'en vont de ville en ville inspecter les vertus des humains et leurs crimes.* »

HOMÈRE.

« *Eh bien, Socrate, tu entends ce que dit Socrate ?* »

PLATON.

Prologue

... la terre. *L'Etranger marche en silence sur cette terre nouvelle où, la veille au soir, il a accosté de son vaisseau lointain. Alors qu'une légère brise dissipe peu à peu les nuées de l'aurore, il se retourne une dernière fois pour laisser errer son regard sur la rade arrondie. Le vaste port étend ses digues et ses bassins à l'est, depuis l'arsenal bordé par les loges des navires jusqu'aux entrepôts marchands dominés par les toits rouges de cinq portiques. Des images oubliées se lèvent dans sa mémoire, et il ne fait rien pour les écarter. Il revoit l'immobile et sévère promontoire où il est né, au-delà des mers fugitives qui l'ont longtemps retenu, mais il ne peut en même temps résister au destin qui l'appelle. Indécis, il hésite un instant devant le sol inconnu, puis reprend sa marche lente sur le chemin qui monte. Il suit pour quelque trente stades encore la voie poussiéreuse près du long mur, à sa droite, qui l'accompagne comme un ami depuis le port. Etroite entre les montagnes proches et dénudées, la plaine s'élève doucement parmi les oliviers noués. Çà et là, accrochées aux premières pentes, les vignes piquées de rares figuiers entourent de petites fermes frottées à la chaux. Un chien, au loin, salue de son aboiement rauque l'ombre qui passe dans le silence du matin. Il continue de monter vers la cité, s'étonnant de reconnaître, comme si un dieu le guidait, ce pays qu'il voit pourtant pour la première fois. L'Etranger pense au vieillard qui donna des lois à sa patrie, auxquelles il a juré de rester fidèle...*

... Il fait une courte halte pour souffler un instant et, debout, lève son visage vers le ciel. En cette matinée d'été, la lumière laisse insensiblement éclore son espace doré et découpe avec rigueur les contours des choses. Il se souvient de l'ancienne rencontre que son maître lui conta, et songe au conseil

solennel de revenir sur ses traces. Lui-même pourra-t-il reconnaître maintenant le jeune garçon qui avait montré un tel courage, et sauront-ils répéter, une seconde fois, un entretien vieux de tant d'années ? Autour de lui s'est formé un petit monde de paysans et de négociants qui se pressent au carrefour des deux routes venues de la mer. Près de la borne au quadruple visage, l'Etranger se prépare à ce qu'il a longtemps imaginé, au point de n'en avoir peut-être nulle surprise. Le soleil brille déjà haut dans le ciel, cerne les ombres des bourgs désséchés plantés aux flancs des remparts. Bientôt la large porte de pierre s'ouvrira sur les premières venelles tortueuses. Là-bas, dans la cité solitaire, celui qu'il appelait son père le poussa à partir pour lui rester fidèle. Quelqu'un maintenant l'attend, dont il croisera le regard dans la plus riche cité du monde connu.

La ville bourdonnante est tout entière affairée au marché. Les campagnards tirent rudement leurs chèvres bêlantes, tandis que les chasseurs apportent les pièces de gibier sur de longs bâtons ; d'autres encore soutiennent de leur tête d'énormes sacs de légumes ou des corbeilles de fruits. L'odeur forte des peausseries court le long des ruelles aux échoppes enfoncées, mêlée à celle, plus entêtante, du bois fraîchement coupé. Au détour d'un escalier étroit, une place s'ouvre, brusquement, et dévoile dans l'air brillant la colline massive de la ville haute. L'immense déesse casquée, toute de bronze, déchire le ciel de sa lance étincelante comme pour rapprocher les mortels et les dieux. Elle garde les temples aux marbres vifs, et veille sur la terre qui a pris d'elle son nom.

Il marche maintenant près d'un homme d'âge mûr et de joviale apparence qui a bien voulu lui servir de guide. Curieusement, c'est un étranger aussi, venu des rivages de Cyrène pour enseigner ici la géométrie ; mais il a dû suivre les leçons de quelque rhéteur, si l'on en juge par son flot de paroles. Sur le banc couvert de nattes, près d'une fontaine où ils se rafraîchissent, le géomètre bavard lui présente ses deux jeunes compagnons. Presque des enfants encore, ils se tiennent avec réserve en arrière. L'Etranger a souri de la laideur généreuse du premier, avec ses joues épaisses et son nez aplati : mais il a beau se troubler, son œil brillant d'ironie dément son attitude modeste. Quand il apprend le nom du second, il dissimule un tressaillement et pense une nouvelle fois à son lointain ami. C'était à la grande fête de la cité... Ils s'étaient tous rencontrés ce jour-là chez Pythodore, afin de goûter en commun les arguments du plus subtil des dialecticiens. L'autre était là, bien jeune encore : il aurait eu ce visage, ce corps, ces mains ; il aurait répondu à l'appel de ce nom singulier.

Ils ont repris leur promenade et devisent avec gaieté au milieu de la foule. Le premier garçon l'écoute parler de son pays et paraît curieux de tout, alors que l'autre se tait, dans l'ombre de son camarade. Il en vient à les interroger sur l'enseignement de leur maître et sur ces hommes habiles qui, de ville en ville, font profession d'un merveilleux savoir. Lequel vaut le mieux, à leur gré, de tous ces diseurs de bonnes paroles ?

La rue débouche enfin sur l'agora, dont la taille et la beauté le surprennent. Toute empierrée, la place largement ombragée d'arbres se trouve ceinte sur deux côtés de somptueux monuments, face à la voie sacrée qui monte vers les dieux. La masse grouillante de marchands et de magistrats, de fonctionnaires et de simples oisifs, se bouscule parmi les cris autour des inventaires épars. Tous les dialectes grecs, et même quelques sonorités barbares, se croisent et se répondent dans la confusion bariolée des accords et des disputes. Ils sont allés près de l'orchestra, où les libraires les invitent à consulter leurs manuscrits les plus rares, longent l'autel des Douze dieux couvert de suppliants, et s'approchent du Portique Royal.

De la stoa décorée aux figures divines, voici que s'avance vers eux un nouveau venu à l'allure assez rustique. Le plus curieux de tous, pense l'Etranger, devant cet homme trapu, au visage tourmenté avec ses yeux à fleur de tête. Il n'a même pas pris la peine de chausser des sandales. Le masque de Silène le fixe un moment de son regard oblique, mais ne dit mot. Chacun sait maintenant que c'est l'autre qu'il attendait, avant même qu'il ne parle ; aussi gardent-ils calmement le silence. Mais déjà, tout réjoui, Théodore présente le voyageur à Socrate :

« Nous voici, Socrate, fidèles au rendez-vous convenu hier et voici, avec nous, cet étranger : originaire d'Elée, il appartient au cercle des disciples de Parménide et Zénon; c'est d'ailleurs tout à fait un philosophe... »

PREMIÈRE PARTIE

La rencontre

CHAPITRE PREMIER

LE PROCÈS

I

Les métamorphoses sophistiques

L'étrange rencontre ! Elle avait si bien commencé cependant ! Non sans audace, le vieux Théodore a pris l'initiative d'inviter un voyageur inconnu au rendez-vous donné la veille par Socrate à ses trois amis. Et sans la moindre précaution oratoire, avec son admirable naïveté — « *Nous voici, Socrate...* » — le mathématicien de Cyrène introduit un cinquième homme dans le cercle socratique, le prie de participer à leur recherche commune. Comme un chien dans un jeu de quilles, ou plutôt comme la cinquième roue du carrosse, l'Etranger d'Elée se trouve dès l'abord en trop, peut-être même *déplacé*. N'aurons-nous pas besoin, pourtant, d'un *substitut*, si quelque autre personnage vient à manquer inconsidérément ? La rencontre du *Sophiste* se joue, hésitante, sur un coup de dés, dont nous ne savons pas encore s'il est heureux ou malheureux.

Commencer un texte philosophique avec cette belle insouciance, presque avec insolence, voilà qui peut paraître surprenant, surtout en un dialogue où les interprètes s'accordent à voir le sommet de la pensée platonicienne ! Ne convenait-il pas de « commencer la philosophie par la philosophie même », ainsi que l'écrivait Hegel avec admiration à propos de « cette simplicité de Spinoza », qui ouvre son *Ethique* sur Dieu[1] ? Et ne peut-on craindre qu'un si aventureux

---

1. HEGEL, *Différence des systèmes philosophiques de Fichte et de Schelling*, p. 98.

départ, « qui fait le plus étrange contraste avec le fondement » — le hasard d'une rencontre, brutale irruption de la contingence au sein de la nécessité — ne fausse les démarches ultérieures de la recherche ? Saurons-nous là-dessus interroger Platon qui, à son habitude, garde le silence ? Si, dans ses tumultes et ses égarements, la modernité aime à faire retour aux grands penseurs, elle ne se décide guère à s'avancer à la rencontre de Platon. Peut-être cependant devrions-nous risquer ce pas en arrière, avec l'égalité d'âme de Théodore, et regarder du côté d'un Platon que nous ne voyons plus, trop attentifs sans doute aux charmes du platonisme — ou de son renversement. Oserons-nous *avancer* à la rencontre de Platon, en cet étrange retour qui serait en même temps un pas en avant ?

Car Platon aussi commence par *Dieu*, du moins par une question rapportée à Socrate : « Ne serait-ce point, Théodore, au lieu d'un étranger, un dieu que tu amènes, comme dit Homère, à ton insu ? » (244 *b*). Sans crier gare, sous le voile d'une réminiscence du poète, la rencontre inattendue esquisse le mouvement propre de la philosophie, cette forme de pensée paradoxale qui ne se trouve jamais à sa juste place. Nous disons bien : le *mouvement*, première des formes ontologiques étudiées par le *Sophiste*, mais que la tradition s'obstine vertueusement à répudier du platonisme. Ne lisons-nous pas, ici et là, que le regard de Platon, levé sur le ciel calme des Idées, ne saurait plus concerner notre temps qui a donné l'avantage au mouvement sur le repos, aux constructions opératoires sur les essences immobiles, et aux processus effectifs de la pensée sur la contemplation sereine de l'être ? Nous voulons mettre en évidence l'injustice de ces critiques trop pressées qui s'abstiennent de faire halte aux côtés de Platon pour se satisfaire à bon compte d'un paresseux platonisme. Approche fortuite ou concertée de deux êtres dont la présence va s'échanger à travers la musique des paroles, la rencontre pourrait bien être le souci essentiel de la pensée platonicienne, qui cherche avec amour à ressourcer le multiple dans l'Un. Et comme Socrate découvrait la philosophie au hasard de ses promenades innocentes, en compagnie de Ménon, Phèdre ou Théétète, Platon conduit son

lecteur à la rencontre de la Rencontre, c'est-à-dire au rendez-vous
fixé par la philosophie. En ce sens, toute rencontre est philosophique,
et toute philosophie une rencontre naturelle de Platon. Le mouvement
platonicien se prouve dès lors, sinon en marchant, malgré le charme
de ces quelques pas en commun dans l'Ilissus, du moins en dialoguant.
Si dépaysé qu'il soit dans la contrée philosophique, le brave Théodore
a cependant le mérite d'*ouvrir* l'espace de son inquiétude — ou de sa
sérénité. A la vérité, le mathématicien possède une qualité inestimable :
c'est lui qui nous a présenté l'Etranger...

Modèle de la communion philosophique, le dialogue platonicien
propose l'unité d'une double rencontre : celle, dramatique, des
personnages autour de Socrate, en ces lieux privilégiés que sont à
Athènes les portiques, les gymnases ou les places publiques, et celle,
ontologique, de l'Etre qui les assaille au détour d'une question
anodine — « qu'*est*-ce que la vertu... le courage... la justice ? » — c'est-à-
dire, en réalité : « qu'est-ce que l'*être* ? », aveugle et naïve copule qui
régit pourtant la nature de chaque prédicat qu'elle interroge — et
les plonge dans l'étonnement stupéfait d'un Théétète. La rencontre
littéraire constitue comme l'image de la rencontre ontologique qui
ne s'annonce jamais, elle non plus, mais surgit avec violence, saisis-
sant chacun des protagonistes au vif.

Certains, Ménon ou Alcibiade, pouvaient résister, par indifférence ou malignité, à la collision de l'être et jouer de leur mémoire
sélective. Ils n'oublieraient cependant jamais le choc de cette torpille
de Socrate ou la surprise émerveillée devant le Silène entrouvert.
Socrate incarnait pour ses compagnons, incarne encore pour nous,
ce que Jean Beaufret a heureusement nommé la « rupture inaugurale »
de la philosophie[2] : la découverte inopinée de l'être dans l'éblouissement du quotidien. Théodore a donc bien raison de s'exclamer,
heureux de la convergence inattendue de leurs propos : « Au fait,
cela tombe bien, Socrate ! » (217 *b*). Sans doute est-ce d'abord *cela*,
philosopher : « bien tomber », et même tomber dans le bien, toucher
juste alors que l'on n'a pas encore visé la cible. La pensée instaure

---

2. J. BEAUFRET, *Le Poème de Parménide*, p. 49.

une heureuse rencontre pour ceux qui savent accueillir l'hôte imprévu, une brève rencontre pour d'autres : comme le bel Alcibiade qui tombait bien lui aussi, en cette soirée mémorable, mais qui finalement tomba de plus en plus mal, et de plus en plus bas, du buste des Hermès à la poitrine des courtisanes. A défaut de vivre dans le lit de Socrate, il sut mourir dans celui d'une femme bien étrangère aux amours platoniques.

Mais le mouvement de la Rencontre se retourne vite, dans le *Sophiste*, en la rencontre du Mouvement. Nous ne pensons pas à la maïeutique que l'Etranger va emprunter au fils de Phénarète, en se substituant à lui; nous voulons parler du mouvement de la *sophistique*. A chaque nouvel interlocuteur, quel démon lutte sans arrêt en Socrate, se dérobe derrière ses paroles et lui renvoie sa propre image renversée ? « Comment Socrate s'y reconnaîtrait-il (...) comment pourrait-il encore se distinguer du sophiste ? », s'inquiète, ou se réjouit, tel commentateur contemporain[3]. Rencontrer Socrate, pour l'Etranger, mais aussi bien l'Etranger, pour Socrate, ne serait-ce pas affronter l'un de ces « habiles » contre lesquels le maître de Platon lutta corps à corps au point de se confondre avec eux, assemblages hétérogènes de membres inquiétants, purs simulacres d'une pensée aventureuse ? Le philosophe n'étouffa-t-il son rival que pour l'embrasser, et puis, au soir de sa vie, en mourir ? Lointain écho d'un Anytos, sinon d'un Aristophane, Jean Bollack peut ainsi voir tranquillement en Socrate un « sophiste qui ne savait rien »[4]. Celui que l'oracle d'Apollon avait nommé le plus sage des hommes ne savait-il même pas la *différence* entre celui qui sait et celui qui prétend savoir ? Ou bien cette différence ironique, dans la bouche du dieu, n'était-elle à son tour que... *simulation ?*

Toujours est-il que la rencontre de la philosophie se mue aussitôt en rencontre de la sophistique : car Socrate ne reçoit pas sans prudence le voyageur anonyme. S'il n'est pas le dieu d'Homère, ne serait-il pas alors, ombre plus menaçante, « l'un de ces êtres supérieurs » venu

---

3. G. Deleuze, Platon et le simulacre, in *Logique du Sens*, p. 358.
4. J. Bollack, *Athènes au temps de Périclès. Les sophistes*, p. 227.

réfuter, en sophiste, « les piètres raisonneurs que nous sommes » ?
Masqué dans la claire lumière d'Athènes, l'Etranger ne dit mot et
attend. Et Théodore de protester devant le soupçonneux Socrate :
leur hôte n'a pas les mauvaises manières de tous ces querelleurs, et
possède bien plus de mesure. Ni un dieu ni un sophiste, mais balançant
entre les deux, l'homme mérite pourtant le qualificatif de « divin »,
car il appartient à la gent philosophique.

Emerveillement ! Face au voyageur arraché aux rives d'Elée,
Socrate retrouve l'écho de la voix magistrale de Parménide. L'Etre
se lève de nouveau, en un vent tonique et fort, qui fait frissonner
l'âme des quatre compagnons. Comme elle va bien tomber alors, la
question que lance Socrate d'un ton détaché ! Elle rejoint admirablement le sujet dont s'entretenaient, sur l'heure, les nouveaux arri-
vants : au jugement des gens d'Elée, le sophiste, le politique et le
philosophe constituaient-ils un seul et même homme, diffracté en
trois divins reflets, ou bien « comme il y a là trois noms, y distin-
guait-on aussi trois genres » ? (217 *a*).

Point ici le mouvement troublant des Métamorphoses. Socrate
la torpille, Socrate le Silène, mais aussi, pour d'autres, satyre ou
centaure, s'interroge sur la nature véritable de l'Etranger. Et nous-
mêmes sommes en droit de nous demander : le voyageur sans nom ne
serait-il qu'un nouvel avatar de Socrate qui, en s'effaçant derrière
son hôte, manquerait une fois de plus à son propre lieu ? Phèdre
déjà se troublait devant l'étrangeté de son insaisissable compagnon,
à la parole vagabonde, « atopique », même à l'abri des murs d'Athènes.
Mais alors, pourquoi favoriser la rencontre du Voyageur et du Sédentaire, du disciple de l'Eléate et du maître de Platon, si le second doit
se cantonner dans une prudente réserve ? Socrate en effet, après ces
brèves paroles, n'interrogera plus l'Etranger; le débat espéré avorte
à peine entrepris. Et l'Etranger, à son tour, quel rôle joue-t-il en
ce dialogue ? Doit-on reconnaître en lui l'inutile doublure grâce à
laquelle Platon ravive, sur le tard, l'image pâlie de son maître ? Ou
doit-on plutôt penser au rappel nostalgique de l'éléatisme ? Sans
doute y a-t-il plus grave : les jeux de reflets innocents entre les deux
hommes laissent craindre leur commune métamorphose en sophiste.

Etranger d'Elée ou citoyen d'Athènes, le philosophe incarnerait toujours l'une des multiples formes de celui qui joue à se perdre, un temps, d'un simulacre à l'autre. Philosophe *ou* sophiste ? Qui donc s'amuse à simuler ou à dissimuler ? Le chien — *ou le loup* ?

Telles sont les inquiétudes encore jeunes de cette première rencontre. Dès que nous entrons dans l'espace de l'écriture platonicienne, à défaut de nous confier à la parole socratique, la métamorphose nous fascine de ses mouvements fous qui dissolvent la permanence et l'identité des êtres : vérité de Protagoras dans la prosopopée du *Théétète* ! Comment distinguer Socrate de l'Etranger si celui-ci joue le rôle du premier et celui-là s'absente ? Comment les séparer tous deux du sophiste implacable qui, de gibier chassé, pourrait se retourner en cruel chasseur ? Les autres personnages ne sont pas épargnés. Théétète et Théodore, notait déjà Socrate, risquent de se confondre pour qui a la vue basse, ou trop rapide : le survol d'une première syllabe, une belle découverte mathématique peut-être — et l'élève ne se distingue plus du maître. Ni d'ailleurs de son propre camarade, le jeune Socrate : dans les trois grands dialogues platoniciens, *Théétète*, *Sophiste* et *Politique*, l'un ne va jamais sans l'autre. N'ont-ils pas découvert, ensemble, la racine carrée incommensurable d'une aire rationnelle ? Quant au rôle que le premier a tenu face à Socrate et à l'Etranger, le second le jouera à son tour, en une irréprochable symétrie, avec l'Etranger puis avec Socrate. A force de se fondre irrésistiblement l'un dans l'autre, les deux garçons ne tardent pas à se confondre avec Socrate lui-même ! Rien ne saurait arrêter le carrousel des métamorphoses, et Protagoras triomphe : si Théétète est le jeune *sosie* de Socrate, par le visage comme par l'esprit, le jeune Socrate, quant à lui, est l'*homonyme* du philosophe. A répéter indéfiniment les mêmes *répliques*, la houle du langage sophistique épuise les différences et aliène les plus sûres identités.

Parcourons par exemple l'*Euthydème*, et voyons les deux frères, Dioscures indifférenciés, répondre « d'une seule voix » (274 *a*) à leur interlocuteur pour déployer ces habiles sortilèges qui transforment en un instant l'individu vicieux en homme vertueux. Si Euthydème et Dionysodore imitent Protée, le sophiste égyptien[5], confie Socrate au bouillant Ctésippe, à nous d'imiter Ménélas et de ne pas les laisser s'échapper, quelles que soient les formes qu'ils revêtent, lion, dragon, panthère ou porc ! Il faut avoir le courage d'affronter « l'hydre, sophiste femelle » (297 c), qui nous ensorcelle dans le vertige de ses métamorphoses. Socrate fait même mine de croire, un instant, d'être transformé en pierre par Dionysodore, comme ailleurs, à l'instar d'Ulysse, par cette Gorgone de Gorgias (Banquet, 198 c). Et pourquoi la pierre, telle Galatée, ne s'animerait-elle pas sous les traits de Socrate, nous laissant à notre tour pétrifiés ? Socrate travesti en Etranger et l'Etranger en Socrate, Théétète confondu avec Théodore puis avec son compagnon d'études, celui-ci enfin prenant la place du philosophe déjà par le nom, sinon par quelque parenté plus secrète, tous emportés dans le tourbillon sophistique des simulacres...

... le premier mouvement du Sophiste, fidèle au dialogue précédent, jaillit ainsi dans l'éclat brisé et l'ivresse protéiforme du mobilisme universel. L'Etranger le reconnaîtra quand il interrogera Théétète sur la possibilité de distinguer le chien du loup. Mais est-ce bien utile ? Ce je ne sais quoi ou ce presque rien importent-ils encore au sophiste, — ce lycanthrope ? La conversation qui va maintenant s'instaurer essaiera pourtant de dissiper les ombres inavouées du prologue. Car le Sophiste est aussi bien le procès que le processus des métamorphoses. Et si, à la fin du Théétète, Socrate se rendait au Portique du Roi afin de répondre à la plainte d'Anytos, le dialogue suivant voit en retour l'Etranger convoquer le sophiste aux mille chimères devant le tribunal du Logos.

---

5. Euthydème, 288 b-c; Ion, 541 e - 542 a (Odyssée, IV, 454 sq.) Platon envisage généralement les métamorphoses comme le châtiment des âmes impures et criminelles : Phédon, 81 e - 82 b; Timée, 91 d - 92 c; Lois, 904 c-d. Cf. la métamorphose de Thersite en singe (Rép., x, 620 c).

2

L'arrêt du Logos

Une question hante Platon. La pensée parviendra-t-elle à établir un arrêt, si bref soit-il, dans le flux incessant des sensations, afin de rendre raison des mouvements d'action et de passion que les initiés du *Théétète* voient constamment à l'œuvre dans le cosmos[6] ? Translations et frictions, générations et disparitions demeurent-elles à jamais inachevées, en leurs tensions inépuisables, sans qu'aucune attache n'instaure de repos dans les lignes de fuite du réel ?

L'enjeu n'est pas mince. Si les mobilistes de tous bords, poètes anciens, partisans d'Héraclite ou sophistes, réussissent à nous convaincre de la justesse de l'écoulement universel, non seulement l'*être* sera banni de ces flux évanouissants, mais le *langage* lui-même devra s'effacer, incapable de recueillir *une* signification fermement subsistante. Sans un point fixe, la ruine de l'ontologie et celle de la logique se trouvent consommées; dorénavant, on ne peut plus penser ou dire les êtres, tournés et retournés « dans une sorte d'Euripe, tantôt montant, tantôt descendant, et qui ne laisse en aucun point aucun moment de repos » (*Phédon*, 90 c; cf. *Banquet*, 439 c). Seules règnent les relations des multiples purs, écartelées par le devenir-fou, dissoutes aux quatre vents d'une poussière indéterminée de phénomènes. L'être calme du *logos* dénoncé comme une illusion, la maîtrise philosophique laisse le champ libre à la misologie pitoyable d'une âme incapable de « trouver son repos dans la vérité et en s'y fixant » (*Protagoras*, 356 e).

Le *Théétète*, il est vrai, semble avoir victorieusement réfuté la thèse de Protagoras, en montrant de quelle façon le langage est possible. « Une forme unique, μίαν τινὰ ἰδέαν » (184 d), l'âme, oriente

---

6. Le *Cratyle* s'amuse, dans le jeu de ses étymologies, à rapprocher ἐπιστήμη de στῆναι, *science* et *repos*, 437 a. ARISTOTE, à son tour, constatera : « La raison pense par repos et arrêt » (*Physique*, VII, 3, 247 b, 10).

le poudroiement impressionniste des sensations et les organise selon certaines déterminations *communes* (τὰ κοινά, 185 *e*) : ressemblance et dissemblance, identité et différence, etc. En considérant ces catégories, l'âme tire de leur confrontation le « raisonnement » (λόγος) et *statue* (190 *a*). Il reste, cependant, que le sophiste n'a pas encore été débusqué de son repaire; le *logos* menace à tout instant de tomber dans l'un de ses pièges. Et d'abord dans celui-ci : comment le philosophe pourra-t-il établir la légitimité d'un langage exposé aux jeux équivoques de son adversaire, sans emprunter les voies du langage lui-même, c'est-à-dire sans utiliser ce qui est précisément en question ?

Or le *Sophiste* évite avec soin de poser les deux préalables de la recherche. En admettant en effet que l'on sache pourquoi la chasse a été engagée, *qui* doit la mener, et *comment* poursuivre le gibier ? Avec la belle insouciance de Théodore qui amène l'hôte inattendu, tout le monde se lance à la poursuite du sophiste, comme d'autres, plus tard, partiront à la chasse au Snark. Personne, pourtant, ne connaît l'identité de cet étranger qui accepte de payer de sa peine. Le chasseur inconnu ne cacherait-il pas l'âme d'un sophiste dont l'extrême fourberie égarerait ses compagnons sur les traces d'un leurre, semblable à l'anonyme capitaine du conte de Lewis Carroll, dont le caractère *divin* frappait aussi, dès l'abord, son équipage ?

> « L'homme à la cloche, lui, tous aux nues le portaient,
> Un si noble maintien, tant d'aisance et de grâce !
> Et cet air solennel ! On le devinait sage,
> Rien qu'à l'expression de son mâle visage »[7].

Comment d'ailleurs atteindrait-il sa fabuleuse proie, puisque celle-ci a jeté la confusion dans ses propres armes, le poussant à confondre gouvernail et beaupré ? Nous ignorons si l'Etranger, à l'image de l'étonnant marin du conte, ne mène pas la recherche à partir d'une carte qui n'indique pas la moindre terre, au demeurant la meilleure des cartes maritimes, « parfaitement et absolument

7. Lewis CARROLL, *La chasse au Snark*, tr. H. PARISOT, Pauvert, p. 15.

blanche » ! Dès le départ, en effet, l'Etranger s'est donné à lui-même
« carte blanche », lorsqu'il a décidé d'utiliser la dialectique, postulant
ainsi que l'arme du logos, contestée par le sophiste, permettrait de
traquer ce dernier et de le capturer. On voit aisément la pétition
de principe que dénonce aussitôt l'objection sophistique : le philosophe emploie pour conduire sa recherche l'objet problématique de
celle-ci, et, en voulant dénoncer les contradictions de son adversaire,
succombe du même coup aux siennes propres. En clair, il devient à
son tour un sophiste : le chasseur se découvre gibier et la chasse,
rêvée, plus encore simulée, aboutit finalement à la disparition de tous
les invités de la fête — en premier lieu du Snark lui-même. Comme un
pur fantasme, le conte soudain se dissipe, rejoignant dans le néant
le *Sophiste* de Platon ainsi que la question philosophique de l'être et
du langage.

A moins que nous ne découvrions l'existence d'une sorte de
métalangage qui poserait, à un niveau différent, les rapports du logos
et de l'être, pour envisager selon quelles formes l'être se repose dans
le langage sans pourtant se confondre avec lui. Or ce second niveau
du logos se trouve bien présent dans l'entretien du *Sophiste* qui est,
d'abord, *un dialogue de Platon,* et ensuite seulement, *une enquête dialectique* de l'Etranger. La chasse au sophiste a beau saisir le lecteur, elle
dépend initialement de la mise en scène philosophique de cette
chasse. C'est donc le texte de Platon, en son intégralité, qu'il convient
en premier lieu d'examiner, sans se limiter à l'évidence, en toute
rigueur seconde, du discours de l'éléate. L'unité de la question
ontologique (τί τὸ ὄν ; qu'est-ce que l'être ?) et de la question *logique*
(comment la prédication est-elle possible ?) s'enracine dans le contexte
dramatique d'une œuvre dont on ne peut dissocier sans arbitraire les
éléments spécifiques.

La remarque, certes, ne prétend pas à la nouveauté. Dans ses
Leçons sur l'histoire de la Philosophie, Hegel revient à plusieurs reprises
sur la dualité des deux langages qui obscurcit la lecture de Platon.
« La forme du dialogue », écrit-il, « contient des éléments très hétérogènes; j'entends par là ceci : dans le dialogue, le philosopher proprement dit, qui porte sur l'essence absolue, se mêle de diverses

manières à la représentation de cette (...) essence »[8]. Mais si Hegel
met en évidence le rapport intime du langage de la représentation (la
forme dialoguée) et du langage de la spéculation (le contenu effectif
de la démarche dialectique), c'est pour mieux séparer les deux niveaux
dont le premier tombe alors dans l'inessentiel. « Il faut faire le départ
entre cette forme et ce qui, chez (Platon), est la philosophie comme
telle » reconnaît-il ainsi plus loin. Méthodologiquement vérifiée,
cette distinction risque cependant d'appauvrir la signification originale
du projet platonicien, désormais limité par l'aspect fortuit de sa forme
littéraire. Si on considère en particulier leurs introductions, « les
dialogues (...) se présentent parfois à la manière de l'entretien, *avec
l'aspect d'une progression contingente* »[9]. Ne pourra-t-on supposer que le
« développement de la chose en question », comme l'écrit Hegel, se
trouve approprié à « l'élément subjectif de la conversation », et que
la contingence d'une rencontre hasardeuse laisse éclater la nécessité
de l'essence ?

Que la critique moderne privilégie les dimensions métaphysiques,
épistémologiques ou linguistiques de l'œuvre platonicienne, elle
semble en général assez indifférente à sa forme spécifique, préférant
détacher les thèses ou les arguments, à l'évidence seuls dignes d'intérêt philosophique, de leur contexte dramatique. S'il est vrai que
nous trouvons aujourd'hui peu de goût au genre dialogué, et lui
substituons l'exposé plus rigoureux du traité scientifique, avons-nous
pour autant le droit d'imposer à une œuvre antique des normes qui
ne sont pas les siennes ? Une interprétation plus avisée devrait plutôt
acquiescer au principe de méthode énoncé par Stanley Rosen en tête
de son *Plato's Symposium* : « In general, if we reduce the dramatic
structure of the dialogues to the status of an external contingency, we
arbitrarily ignore their most obvious and persuasive feature (...) We
cannot take the dialogues seriously as expressions of Plato's thought
unless we take seriously the extraordinary complexity of their lite-
rary form »[10].

8. HEGEL, *Leçons sur l'histoire de la Philosophie*, pp. 397-398.
9. *Ibid.*, p. 400; p. 402.
10. S. ROSEN, *Plato's Symposium*, p. XIV.

On peut sans doute faire un pas de plus, et reprendre l'argument
de Schleirmacher, qui rejetait l'éventualité d'un enseignement ésotérique de Platon distinct de celui des œuvres écrites, en dépit du
témoignage d'Aristote. Nous supposerons que les dialogues ne
séparent pas plus l'aspect ésotérique de l'aspect exotérique qu'ils ne
détachent la forme dramatique du développement spéculatif de l'idée.
Rosen marque un point contre Krämer et Gaiser, qui se penchent
moins, dans leurs savantes reconstructions de l'enseignement oral de
Platon, sur les dialogues effectifs que sur des témoignages au caractère
conjectural : « In order to « save the phaenomena » of dialogues,
letters and the tradition of esoterism, I suggest as a working hypo-
thesis, (...), that the dialogues themselves contain both an exoteric
and an esoteric teaching » (*ibid.*, XVII).

En reprenant pour notre compte ce principe de recherche, nous
essaierons de vérifier les relations de convenance entre le langage
platonicien et ses conditions formelles. Nous lirons le *Sophiste*,
ainsi que le groupe de dialogues dits « métaphysiques » auquel il
appartient, en suivant le fil conducteur de la rencontre des cinq
personnages qui prépare leur découverte des cinq genres de l'être,
afin de proposer une interprétation générale de l'œuvre platonicienne,
— et nous suivrons Platon, à l'ombre de son écriture, avec la même
confiance que l'Etranger attaché aux pas de Théodore. Le dialogue
et son enseignement sont tous deux ontologiquement premiers, malgré
la différence méthodologique que l'interprétation doit assurer entre
les deux niveaux du langage. Il devient dès lors inopérant de chercher
le noyau ontologique sous sa gangue dramatique, en se débarrassant
au plus tôt de cette dernière : l'ontologie affleure de toutes parts à la
surface du texte. Peut-être même est-elle un peu trop apparente, à
l'image de certaine lettre mise abusivement en lumière. Dans le dialogue platonicien, « l'élément ésotérique est le spéculatif qui est écrit
en toutes lettres, mais demeure caché à ceux pour qui il ne présente
pas un intérêt suffisant... », lisons-nous une dernière fois chez Hegel[11].

---

11. HEGEL, *op. cit.*, p. 446.

C'est à partir de l'unité dissimulée de ces deux éléments que Platon a su poser de façon légitime la question de l'être et du langage, en échappant au reproche sophistique de pétition de principe.

3
Le Snark

Mais d'abord, qui *est* le sophiste ? Pourquoi, d'un commun accord, les compagnons de Socrate acceptent-ils en confiance de suivre l'Etranger et de se mettre en peine d'un gibier hypothétique ? Cette chasse paraît décidément fort mal engagée. Pour arrêter le mouvement incessant des métamorphoses et assurer la réalité de sa propre recherche, elle essaie de saisir au vif une proie dont on ne connaît encore que « le nom » (πέρι τοὔνομα : 218 *c*). Comment savoir alors si le gibier existe réellement, en chair et en os, si son nom signifie quelque *chose*, puisque le langage s'égare dans ses propres lacets, incapable d'appréhender un être lui-même illusoire. Peut-être n'y a-t-il d'ailleurs pas plus de *nom* de l'être que d'*être* du nom, seulement des apparences, qui se dissolvent et se recomposent dans l'instant, indifférentes à toute saisie physique ou intellectuelle. En conséquence, le sophiste, dans l'illusion évanouissante de ses apparitions, est aussi introuvable que le Snark. Le chercherait-on avec patience, des mois et des semaines, que l'on n'attraperait jamais « la moindre queue de Snark », malgré les cinq indubitables caractéristiques dont l'Homme à la Cloche fait état, pour permettre à l'équipage de reconnaître à première vue les véritables Snarks, garantis authentiques. On peut les rapprocher, en une même vanité, des cinq ou six définitions du sophiste que l'Etranger voit bourdonner comme un inquiétant essaim autour des chasseurs égarés. A quoi bon cette prolifération de signes, si le langage doit échouer sur l'être d'un fantasme, moins encore sur le fantasme d'un fantasme, l'esquisse d'une ombre, le double d'un simulacre ?

> « ... le Snark est un drôle que l'on ne peut guère
> Capturer selon les méthodes ordinaires. »

Le prologue platonicien menace ainsi de sombrer dans une dissolution universelle que le langage tente en vain d'enrayer, lui qui n'est autre que cet étrange lieu où les jeux sophistiques dissipent cruellement l'illusion philosophique. Si le logos ne parvient jamais à exorciser ses inquiétants sortilèges, c'est parce qu'il les produit lui-même à tout moment, le sortilège de la dénonciation annulant aussitôt, comme en miroir, la dénonciation du sortilège. Essaie-t-il de pêcher, au fil de la dichotomie, ou de chasser, au plomb de l'ontologie, le monstre insaisissable, qu'il tombe dans les embûches d'un sophiste dont il ne se distingue plus que par la mauvaise conscience. Devant une telle confusion, certains lecteurs modernes du *Sophiste* ne se tiennent plus de joie — ainsi le Dr Xavier Audouard : « L'Etranger et Théétète vont se prendre au jeu d'un énorme sophisme qui consistera à utiliser, d'entrée de jeu, comme base essentielle de leur rencontre, cela même qu'ils cherchent à obtenir dans leur rencontre : que la participation, la communauté, la *koinônia*, donne, dans le jeu de ce qui est et ce qui est autre, un statut redevable aux φαντάσματα, aux simulacres. » Avec une jubilation toute lacanienne, le psychanalyste — de son propre aveu *le sophiste de la modernité*[12] — accuse de « sophisme » l'enquête philosophique sur l'être et le langage, multiplie contre elle simulacres, illusions et métamorphoses du signifiant, en un écho tardif d'*Euthydème*[13]. Le jeu peut séduire un instant, mais la question revient, inévitable : quel est le magicien qui produit ces simulacres ? Sur quoi se fonde cette prétention sophistique qui exige de l'ontologie qu'elle rende un statut, à défaut d'un culte, aux fantasmes, en négligeant de se demander si ceux-ci ne devraient pas plutôt leur statut à celle-là ? Si le sophiste n'accepte pas la réalité de

---

12. X. Audouard, Le simulacre, *Cahiers pour l'analyse*, nº 3, p. 58 ; p. 72 : « Le sophiste — fasse le Ciel qu'il existe ! — ne serait rien de moins, ayant perdu ses références dans l'écart constituant du simulacre, que l'analyste lui-même. » Déjà, pour Gorgias (*Eloge d'Hélène*, 14), les discours sont à l'esprit ce que les drogues sont au corps, et peuvent, en provoquant joie ou chagrin, peur ou confiance, constituer une *catharsis* qui serait comme la thérapeutique de l'âme. Selon Plutarque (*Vies des dix orateurs*, 833 c), Antiphon le sophiste avait loué une maison à Corinthe où il soignait par la parole les personnes affligées, en les interrogeant sur les causes de leurs ennuis.

13. *Ibid.* « Le poisson est le véritable pêcheur, le pêcheur se fait plutôt le poisson de son poisson, et le poisson passe dans le pêcheur... » (p. 58).

l'être, il conviendra du moins de la réalité de ses propres simulations. Ainsi les deux compères, Euthydème et Dionysodore, chacun simulant l'autre, rejettent allégrement la distinction du vrai et du faux et identifient, vingt-quatre siècles avant les maîtres modernes du Semblant, le Même et l'Autre : le père et le non-père, la mère des oursins, des hommes et de toutes choses, le frère des veaux, des chiots et des cochons de lait, le père du chien de Ctésippe et ce chien de père de Ctésippe... Dans la mesure où les sophistes acceptent d'enseigner leur troublant savoir, la *production* des simulacres fait signe, malgré leurs dénégations, vers ses producteurs réfugiés dans la source aveugle de leurs propres fantasmes.

Mais Platon, avec un calme étrange, ose poser la question *originaire* à ceux qui prétendent sauter par-dessus l'origine — la case vide du discours : « Qu'*est*-ce qu'un simulacre ? » Il ne s'agit plus de les faire scintiller, d'égrener leur répétition ou de dénoncer leur envahissement, il faut discerner leur *généalogie* et remonter des *simulacres* du langage au *langage* des simulacres. Car les simulacres tiennent de plus longs discours que les modèles qu'ils simulent, ils bavardent même beaucoup, en dérobant sans cesse leur être fugace dans la redondance des surfaces et des ombres. On comprend alors que, d'emblée, le sophiste, rebelle à l'idée d'une identité originaire, se trouve impossible à identifier : « Ce sophiste n'est-il pas insaisissable parce qu'il est posé comme *pure origine* du discours que l'on va tenir à son sujet ? »[14]. Peut-être faudrait-il ici se montrer plus prudent. Le sophiste, qui s'avoue sans vergogne l'origine des simulacres, s'avère-t-il pour autant l'origine de leur contestation ? Ou bien la question provient-elle d'un tout autre *lieu*, aussi dissimulé au sophiste que sa propre origine le serait aux yeux du philosophe ?

A la vérité, le sophiste ne tente jamais d'interroger l'origine, ce point aveugle qui fait du philosophe un voyant; son existence répugne à l'initial et se perd dans les dérives anarchiques des identités brisées. Pour lui, il n'y a pas d'être, de monde ni de sujet, rien que des simu-

---

14. X. AUDOUARD, *op. cit.*, p. 61. Comment pourtant *tenir* un discours dans un univers dissolu où plus rien n'est *ferme* ?

lacres mouvants, séries hétérogènes d'écarts entre lesquels les multiples doublures simulent l'absence de modèle. Le domaine du simulacre — là où, tout à l'heure, nous irons le chercher — c'est la *répétition du Même* qui, en deçà de la distinction du vrai et du faux, du modèle et de la copie, bref de l'origine et de la dérivée, régresse vers l'univers fourmillant des fantasmes. Gilles Deleuze, qui s'y connaît, a magnifiquement exalté les furtives beautés de ces mouvements subversifs qui mettent à bas le platonisme. Contre la volonté du λόγος, ancré originellement dans la haute idée de *fondation*, l'anarchie dispersée et le nomadisme titubant des semblances : « Le pur devenir, l'illimité, est la matière du simulacre en tant qu'elle esquive l'action de l'idée. »

Le simulacre, cette *esquive de l'être*, glorifie ses prétentions et exige le Pouvoir « à la faveur d'une agression, d'une insinuation, d'une subversion » à l'encontre du père, et, « sans passer par l'idée », veut destituer à jamais l'*origine* répressive (le père) et l'*essence* souveraine (l'idée). « C'est le triomphe du faux prétendant »[15], nous assure-t-on avec sérénité, triomphe assurément décisif s'il est vrai que le sophiste, à force de simulations, s'est identifié au philosophe ou a contraint ce dernier à s'identifier à lui. Insinuation, mais aussi fascination : le chasseur et la proie, unis par leur anonymat, ne tardent pas à échanger leurs visages brouillés. Deleuze n'épargnera pas Socrate, à son tour *confondu* : « La définition finale du sophiste nous mène à un point où nous ne pouvons plus le distinguer de Socrate lui-même »; et inversement : « Comment (Socrate) pourrait-il encore se distinguer du sophiste ? »[16]. Oserons-nous demander, à notre tour : comment Deleuze ne se distinguerait-il pas, lui aussi, du philosophe ?

Saluons pour l'heure l'étonnant pouvoir du Même chez le seul être qui répugne à la présence de l'Identité ! Ses mouvements protéiformes parviennent à reproduire tous les visages et à incarner les plus étranges fantasmes. Aveugle au principe des indiscernables, le sophiste nie avec dédain l'écart qui le sépare du philosophe, répudie

15. G. DELEUZE, *Log. sens*, p. 9; p. 358.
16. *Ibid.*, p. 350; p. 358.

la différence du chien et du loup, et ne perd son identité qu'à dérober celle d'autrui. Non, certes, en la copiant ou en l'imitant, ce qui impliquerait, par la distorsion, un rapport au modèle originaire, mais en s'identifiant subversivement à elle, dans l'exclusion de la plus infime séparation. On peut dire, en ce sens, que le sophiste a pris l'initiative du combat et qu'il impose à son adversaire, sur le terrain de ses jongleries verbales, la stratégie irrécusable du Semblant. Socrate avait beau essayer, dans les premiers dialogues, d'assurer l'*écart ontologique* propre à chaque réalité : « Le même est aussi le même, et l'autre est autre. Car l'autre n'est évidemment pas le même, et pour moi je n'eusse pas cru un enfant capable de douter que l'autre fût autre » (*Euthydème*, 301 *b-c*) — le maître d'illusions n'en avait cure. Puisque « le sophiste porte toutes choses à l'état de simulacres »[17], l'autre simule le même et le même l'autre, abolissant la différence dans les mouvements instantanés des semblances. Le Snark lui-même ne saurait plus être distingué de ses poursuivants, par exemple de l'Homme à la Cloche, cet étrange capitaine qui *confond* dans son langage gouvernail et beaupré, mais aussi « le plein Est et le plein Ouest ».

L'animal fabuleux est alors aussi bien le fantasme du capitaine que le capitaine le fantasme du Snark. Plus encore : pour étouffer l'être sous le délire de présomption des fantasmes, il faut que le Snark se dissipe en même temps que celui qui le découvre. Et le passager effrayé, nouvel Etranger qui avait oublié en montant sur le navire jusqu'à son propre *nom*, lorsqu'il réussit enfin, avec un cri de joie, à découvrir le Snark dans sa tanière, s'abîme instantanément dans le gouffre avec sa prise. D'un *double* mouvement, les deux fantasmes se dissolvent avec l'apparition d'un nouveau fantasme, celui de Carroll. Ou de son lecteur. Le simulacre, une fois de plus, aura eu le dernier *mot* :

« Car ce Snark, c'était un Boujeum, figurez-vous. »

---

17. G. DELEUZE, *Différence et Répétition*, p. 93.

4
Un simulacre de procès

Les commodes images de la chasse, dont Platon s'amuse à parsemer le dialogue, ne doivent pas dissimuler l'intention réelle d'une entreprise qui n'est rien moins que cynégétique. La prétendue proie se révèle en effet, dès le premier assaut (222 *a* - 223 *b*), comme le véritable chasseur qui exerce ses ravages sur la classe appétissante des jeunes gens riches. Il s'agit donc moins de l'imiter, en une quête désordonnée qui s'épuiserait sur le terrain douteux des semblances, que d'entamer juridiquement des *poursuites* à l'égard du contrefacteur qui attribue l'être à ce qui n'est pas et le non-être à ce qui est.

L'enquête met ainsi en œuvre une procédure délicate pour faire rendre justice au philosophe. D'un côté, l'adroit faussaire emprunte sans vergogne l'identité de son accusateur et se substitue à lui, à chaque prise de parole; mais de l'autre, certains citoyens soupçonneux, lassés de ces échanges, reprochent au philosophe d'avoir des faiblesses coupables envers son ennemi. Pourtant, si Platon prend soin de situer la conversation du *Sophiste* au lendemain de la convocation de Socrate au tribunal, où il doit répondre à l'accusation intentée par Mélétos, c'est pour rafraîchir les mémoires oublieuses. Le procès de l'homme qui se disait au service du dieu (*Apol.*, 23 *c*) ne fut pas un vain débat de paroles, sur l'agora, ou un jeu d'écriture, dans l'*Apologie*, et la peine infligée ne gardait aucun goût de fantasme. Que dirons-nous, en regard, du procès de la sophistique ? A peine engagé, il se dissout, dès que le maître du Semblant, mettant en cause la légitimité de l'accusation, retourne ironiquement le procès du simulacre en simulacre de procès. Au temps de Socrate comme au nôtre, où la réhabilitation des sophistes se poursuit avec une vigueur d'autant plus singulière que leur procès ne s'est jamais ouvert[18], le

---

18. De Clémence RAMNOUX (Nouvelle réhabilitation des sophistes, in *Etudes présocratiques*) à Samuel IJSSELING (« De nos jours, on peut observer une réhabilitation de la rhétorique et de la sophistique », Rhétorique et Philosophie, in *Rev. phil. Louvain*,

fantasme esquive le jeu du philosophe sans interrompre le sien, et l'accusé mystifie joyeusement le langage propre de son accusateur. Repoussant la réalité du non-être où il s'est pourtant réfugié, le sophiste échappe à ce discours inexprimable qui vise un prévenu inexistant; le procès se clôt avant même que de s'ouvrir par un *non-lieu*. Nous l'entendons en trois sens. Non-lieu parce que l'être n'est pas — il n'y a donc pas de victime. Non-lieu parce que le philosophe n'est pas — il n'y a donc pas d'accusateur. Non-lieu parce que le sophiste n'est pas — pourquoi chercher encore un quelconque coupable ? On comprend la lassitude de l'Etranger : « Le sophiste s'est enfoncé dans un refuge inextricable » (239 *c*). Si rien n'est, ou que tout n'est pas, on ne saurait déloger qui que ce soit de l'absence de place à laquelle il manque.

L'*alibi* est si parfait, en son ailleurs fugace, que le sophiste n'apparaît ni ne comparaît à son propre procès. Alors que tous les autres dialogues platoniciens introduisent avec complaisance « le sophiste aux cent têtes » (240 *e*), parfois même sous la forme d'une prosopopée, comme dans le *Théétète*, Platon néglige curieusement, dans l'entretien qui lui est consacré, d'esquisser ne serait-ce que l'un de ses visages. Mais symétriquement, son adversaire traditionnel, Socrate, qui trouvait là enfin l'occasion de prendre une éclatante revanche, s'efface sans protester derrière l'éléate et se contente, en quelques touches brèves, d'indiquer la direction à suivre. Est-ce un adieu, comme on l'a dit, du philosophe vieillissant au maître de sa jeunesse, sinon encore une trahison à son égard ? Comment rendre raison alors de ces deux traits divergents : la disparition simultanée de Socrate et du sophiste, dans le dialogue qui nous intéresse, suivie de l'éclatant retour du philosophe dans le *Philèbe* ?

Les deux acteurs principaux du procès écartés, dans le silence ou dans l'obscurité, deux personnages singuliers font leur entrée, comme

---

mai 1976, p. 194), de DUPREEL *(Les Sophistes)* à Régine PIETRA (« Renaissance de la sophistique. A cette renaissance, il semble que nous assistions aujourd'hui », Les sophistes, nos contemporains, in *RMM*, n° 3, juillet 1972, p. 265) se poursuit inlassablement le même processus d'*actualisation* d'une pensée qui n'a jamais fini d'exercer son extraordinaire puissance de *fascination*. Faut-il rappeler que, pour l'Etranger, le sophiste est un *magicien* ?

en matière de compensation, et occupent le devant de la scène. Le premier, voyageur inconnu, sans visage et sans nom, dissimule son identité et demeure aux yeux de tous *l'étranger*, rien de plus pour certains interprètes qu'une fiction littéraire. Face au précédent, l'autre manque encore davantage d'épaisseur, si c'est possible; son nom, pourtant, nous retient. Il s'agit du jeune *homonyme* de Socrate, dont la présence accuse en quelque sorte en négatif celle du nouvel arrivant : il se tait tout autant que l'autre parle, mais possède en revanche une identité presque superflue, qui forme un étrange contraste avec l'altérité de son compagnon. Pourquoi Platon a-t-il choisi de convoquer ces deux personnages à la barre des témoins, aux dépens de son porte-parole habituel et du sophiste aux mille tours ? La question préalable se pose à nouveau : devons-nous écarter ces éléments dramatiques, maladroits ou futiles, au profit de la seule enquête dialectique, ou bien supposerons-nous que Platon a quelque raison de construire ainsi son dialogue, entrant par ce biais en contact avec son lecteur ? Une symétrie muette s'esquisse en effet au cœur de l'écriture platonicienne : face au sophiste et à Socrate, absents *dans* le texte, Platon et son lecteur, silencieux *hors du* texte. Deux interventions convergentes s'avèrent alors nécessaires. Celle de Platon d'abord, présence secrète au sein d'un drame qu'il agence, mais auquel il demeure étranger lui-même, comme aux derniers moments de Socrate. Celle du lecteur ensuite, dont l'interprétation appelée au secours d'un texte sans défense occupe toujours la place médiane, *entre* le questionneur et le répondant. Le dialogue platonicien serait ainsi, dans sa structure propre, inachevé, plus encore inachevable, pour des raisons directement philosophiques sur lesquelles nous reviendrons.

Nous n'envisagerons pas, pour le moment, les liens secrets de Platon avec son hypocrite lecteur. Nous proposerons une hypothèse de recherche dont nous avouons, avec la même hésitation, ou la même feinte, que l'Etranger, que nous ne savons guère où elle nous mènera. Nous ignorons si notre chemin mène quelque part, ou bien si, à peine frayé, il ne va pas se perdre en cette utopie du langage sophistique, nous laissant aussi désemparé que Théétète, aussi silencieux que son camarade. Mais la règle de *méthode* aussitôt énoncée par l'Etranger nous incite à tenter l'aventure à la suite de l'éléate :

> « Quant à la race qui fait l'objet de notre enquête, ce n'est point la tâche la plus facile de comprendre ce que c'est que le sophiste ! Mais quelques grandes œuvres qu'il faille mener à bonne fin, la règle admise, en ce cas, par tous et de tout temps, c'est qu'il faut d'abord s'y essayer sur des exemples réduits et plus faciles avant que d'aborder en eux-mêmes les tout grands sujets » (218 *c-d*).

Il est peut-être inutile de songer tout de suite à l'exemple du pêcheur à la ligne, qui présente l'inconvénient d'être, à l'orée du *Sophiste*, un paradigme un peu trop manifeste. Nous choisirons, ou plutôt, nous laisserons venir à nous, un *fil* plus immédiat encore, mais sans doute plus secret : les personnages eux-mêmes. Déjà les néoplatoniciens avaient entrepris de relever les analogies entre les protagonistes des dialogues et les réalités intelligibles qui font l'objet de leurs entretiens. Dans son *Commentaire sur le Parménide*, Proclus justifiait en ces termes son interprétation allégorique du contexte existentiel : « De même que des phénomènes on monte aux intelligibles, de même il nous faut, en partant des données purement circonstancielles qui servent de fondement aux dialogues, nous élever à l'exposition des doctrines principales, au but unique de tout ce traité, y coordonner, autant que possible, tout le reste, personnages, occasions de temps, lieux, enfin tous les détails que nous avons considérés jusqu'ici pour eux-mêmes »[19].

Sans succomber à la tentation des exégèses néoplatoniciennes, parfois extravagantes, nous sommes cependant en droit d'appliquer le principe d'interprétation de Proclus au *Sophiste* et de postuler, selon l'ironique remarque de Paul Friedländer, que Platon ne fait rien en vain[20]. Pour que la découverte des genres de l'être, au plein cœur du *Sophiste*, ne se réduise pas à l'énoncé dogmatique de propo-

---

19. PROCLUS, *Comm. Parm.*, IV, 21, col. 630, p. 61.
20. FRIEDLÄNDER, *Plato*, III, p. 91. « Plato could not tolerate any accidental elements in his work. He was compelled to select the participants and to integrate them into the work according to aesthetic requirements, to attune the surroundings to the inner content, to strip the natural setting of accidental factors so that it could become an effective agent in the total work » (I, p. 158).

sitions ontologiques arbitrairement *séparées* de leur contexte, il faut établir que l'ensemble des genres dirige déjà la recherche des participants et régit même leur rencontre. La question de l'être et du langage met, à l'évidence, aussi bien en cause le discours de l'Etranger que le discours de Platon sur l'Etranger. Le mouvement effectif du texte instaure donc un cercle, celui de la philosophie elle-même : si la communauté dramatique des cinq personnages parvient à dévoiler, sous la direction de l'éléate, la figure de la communauté ontologique des cinq genres, ne peut-on penser que celle-ci, en retour, fonde la première communauté dans l'être ? Peut-être, « si l'on n'a pas les yeux absolument fermés par le sommeil pour les analogies »[21], osera-t-on assurer la correspondance originelle qui lie la *rencontre* dramatique des cinq participants à l'entretien (Théodore, Socrate, l'Etranger, Théétète et Socrate le jeune) et la *rencontre* ontologique des cinq catégories (mouvement, repos, même, autre et être).

Nous le faisions remarquer plus haut : le dialogue platonicien ne jouit pas, par rapport à son introduction, « d'une indépendance presque absolue »[22], comme on se plaît parfois à l'affirmer; il ne demeure pas « indépendant, parfaitement isolable et valant par soi »[23]. Sans doute serait-il plus sage d'y regarder à deux fois avant de réduire une œuvre philosophique en éléments hétérogènes, surtout lorsque sa réflexion porte explicitement sur la notion de *communauté* ! Nous poserons donc par hypothèse qu'une figure permanente règle le mouvement des textes platoniciens et trouve sa plus haute élaboration dans le *Sophiste*. Si l'intime correspondance entre le contenu du dialogue et sa forme littéraire rend l'œuvre platonicienne unique dans l'histoire de la philosophie qui, par ailleurs, s'enracine en elle, peut-être aussi est-ce cette figure qui fait de Platon, non pas seulement le fondateur de la philosophie, mais le philosophe de la *fondation*. En conséquence, nous examinerons d'abord le texte du *Sophiste* à son niveau le plus élémentaire, celui de la forme dialoguée où s'expriment

21. PROCLUS, *op. cit.*, IV, 93; col. 688, p. 128.
22. R. SCHAERER, *La question platonicienne*, p. 202.
23. DIÈS, Notice du *Théétète*, p. 122.

les rapports vécus des cinq protagonistes, afin de mettre en évidence les diverses correspondances que cette *figure unique* développe dans la communauté des cinq genres, la rencontre des cinq personnages, et l'ensemble des cinq dialogues métaphysiques. Nous établirons comment, du *Parménide* au *Philosophe*, comme des vagues de plus en plus hautes, se répète et s'accentue le même projet platonicien : instaurer, contre l'impuissante ascèse de l'éléatisme et les vertiges confus de la sophistique, *la fondation de l'ontologie*. Et peut-être irons-nous jusqu'à envisager, cette fois selon des cercles de plus en plus vastes, commandés par la même figure, non seulement la *pentalogie* inachevée des dialogues métaphysiques, mais encore la secrète unité du cheminement platonicien qui, des classifications politiques aux théories cosmologiques et de la spéculation de l'être à la parole du mythe, a le premier assuré, à rebours de l'utopie sophistique, l'enracinement originaire de la philosophie.

5

FONDATION

Réel ou illusoire, le procès du sophiste n'épuise pas, à l'évidence, les enseignements du dialogue, et risque même d'en masquer les intentions profondes. Il faut le répéter avec vigueur contre les interprétations historisantes : le grand débat entre la philosophie et la sophistique, dont l'issue demeure incertaine dans l'œuvre propre de Platon, ne se situe à aucun moment sur le plan de la contingence historique ou de la polémique littéraire. Peu importe alors que nous ne possédions pas la totalité des pièces du dossier. Serait-elle plus abondante en fait, notre documentation ne saurait cependant jamais poser en droit la question *inactuelle* des relations entre la philosophie et la sophistique, et nous orienter vers l'origine commune de leur conflit : la nature de la connaissance et l'existence de l'être.

Devrions-nous ainsi chagriner la curiosité positiviste et histori-

ciste, nous avouons nous soucier assez peu de savoir qui étaient ces
éristiques que Platon attaque dans le *Sophiste* : mégariques, disciples
d'Antisthène, étudiants tardifs aux remords d'éléatisme, mais déjà écla-
boussés de sophistique; — ces matérialistes qui se présentent comme
de fiers et intraitables fils de la terre; — ou encore ces amis des
formes, pythagoriciens décadents, platoniciens dissidents et idéalistes
de diverses obédiences. Nous pensons que Platon élabore une doctrine
philosophique, de dialogue en dialogue, à travers un réseau serré de
correspondances littéraires, dramatiques et ontologiques, sans prendre
la peine de reconstituer historiquement les doctrines adverses. La
confusion d'origine hégélienne, qui prétend trouver dans la philosophie une récapitulation dialectique des systèmes antérieurs, est
d'autant plus néfaste qu'elle tend à limiter les *conflits* doctrinaux à des
luttes idéologiques fort éloignées de la spéculation philosophique.
La fameuse γιγαντομαχία περὶ τῆς οὐσίας (246 *a*), combat de géants
au sujet de l'être, entre ce que la tradition nommera matérialisme
et idéalisme, monisme et pluralisme, en un mot les grandes écoles
historiques de la pensée, naquit originellement sur le terrain de l'*être*.
L'opposition que nous jugeons irréductible entre Philosophie et
Sophistique, toujours dénoncée par le sophiste, habile à attirer son
adversaire dans son propre camp, se tient sur le plan des nécessités
permanentes de la pensée. Nous n'étudierons donc pas l'ensemble
des courants sophistiques de la Grèce classique, les doctrines ensei-
gnées, connues seulement par des fragments dispersés, leurs divergences et leurs évolutions; seul compte à nos yeux ce que l'Etranger
appelle, avec à peine un grain d'ironie, « l'authentique et noble
sophistique » (ἡ γένει γενναία σοφιστική, 231 *b*) : son utopie et son
uchronie ne le cèdent en rien à l'intempestivité de la philosophie.
Leur constant différend à travers l'histoire, peut-être aussi leur
lutte à mort, nous interpellent aujourd'hui comme au temps d'Athènes.
Nous sommes plus que jamais les contemporains de Socrate et de
Protagoras.

Nous ne nous dissimulons pas que ces remarques témoignent
d'un pari d'emblée philosophique, qui se donne originairement pour
acquis — la distinction *ontologique* de la philosophie et de la sophis-

tique — ce qu'elle se propose justement de démontrer. Nous acceptons de bon cœur le reproche de *pétition de principe* ou de *pétition de
philosophie*, s'il est vrai que la philosophie tourne, depuis son commencement socratique, dans le cercle de la *question* et du *principe*. Inlassablement reprise, cette pétition devient dans le dialogue platonicien
ré-pétition, retour éternel de la question première : *qu'est-ce que l'être ?*
désormais vécue dans la tension même du terme grec qui désigne ce
mouvement du désir : φιλοσοφία.

Mais il faut bien commencer et, à défaut de premier pas, faire,
avec l'*audace* platonicienne du *Sophiste* (cinq occurrences du terme
τόλμα : 237 *a*, 237 *b*, 241 *a*, 247 *c*, 258 *e*), le premier saut à l'intérieur
de la connaissance elle-même. Le sophiste convaincra difficilement
le philosophe de contradiction, ce ne sont pas là ses armes. Le cercle
dans lequel il désire enfermer son adversaire n'est pas le cercle de
l'origine, mais l'aporie du commencement qu'un Ménon aimait
parfois à caresser : « On ne peut chercher ni ce qu'on connaît ni ce
qu'on ne connaît pas : ce qu'on connaît parce que, le connaissant,
on n'a pas besoin de le chercher; ce qu'on ne connaît pas, parce
qu'on ne sait même pas ce qu'on doit chercher » (*Ménon*, 80 *e*). C'est
contre cette *double dénégation* qui, en annulant toute initialité, empêche
l'âme de s'élancer vers l'être, que s'élève Platon dans l'ensemble
de son œuvre. La philosophie ne s'épuisera donc pas à chercher l'origine du logos en une genèse ontique, comme dirait Heidegger, mais
la situera d'emblée dans l'être, selon un coup d'audace ontologique
qui pose le principe absolu vers lequel la pensée doit généalogiquement
remonter. *Ontologie* et *Généalogie* échangent sans fin leurs déterminations, à suivre les chemins sinueux de la recherche *dialectique*. L'enseignement constant de Platon rend ainsi manifeste l'homonymie de
l'âme et des idées, selon l'antique loi héritée d'Homère qui voit le
semblable connaître le semblable : le *Phédon* (76 *e* - 77 *a*), la *République*
(VI, 500 *c-d* ; 508 *a*), comme le *Timée* (35 *b*), nous apprennent que
l'âme se trouve originellement apparentée à la source dont la véritable connaissance procède. Et lorsque les néoplatoniciens exposeront,
selon la formule de Damascius, que « la connaissance est le retour du
sujet connaissant vers le connaissable. Or cette conversion (ou retour)

est contact »[24], ils ne se montreront pas infidèles à l'inspiration de
leur maître. Le Socrate de la *République* n'affirmait-il pas à Glaucon
que « la vraie philosophie » (φιλοσοφίαν ἀληθή) consiste en « une
voie montante vers l'être » (ἐπάνοδον τοῦ ὄντος, 521 c) dont l'âme
se sent cruellement séparée ?

Aussi nommerons-nous *Fondation* ce mouvement de « conversion
de l'âme » (ψυχῆς περιαγωγὴ, *Rép.* VII, 521 c; cf. 518 d, 518 e) qui,
à rapprocher le philosophe au plus près de la source de sa parole,
fait de lui, en dépit de sa pauvreté apparente, un *être de ressource*.
La Fondation est la marche de retour (ἐπανοδος) vers la commune
origine de l'être et de la connaissance, qui permet seule de *fonder*
le langage — ontologique, éthique ou politique — et de lui donner
une assise stable. On peut voir dans la philosophie la ferme volonté
de l'âme de revenir à sa patrie d'origine, cette demeure (οἶκος) dont
la fondation proprement politique (οἴκισις) est l'aspect le plus apparent, dès lors que les hommes se demandent en commun *où* ils pourront
se sentir enfin chez eux. Il y a chez Platon, pourrait-on dire, une
véritable *anabase* de l'âme (le mot revient à cinq reprises dans l'interprétation du mythe de la caverne : *Rép.* VII, 515 e, 517 a, 517 b,
et 519 d, deux fois, sans compter les multiples occurrences d'ἀνίστασθαί,
515 c; d'ἀνάγειν, 517 a; d'ἀνέρχομαι, 521 c; d'ἀνάξει, 521 c; d'ἐπαναγωγὴν,
532 c; d'ἄνω et d'ἀνα-); mais cette ascension vers le vrai, si elle tou-
chait à son but, arracherait au philosophe un autre cri que celui des
mercenaires du Grand Roi, lorsque viendrait enfin le moment de
conquérir la *terre* ferme.

Il importe donc peu de savoir, comme dans les querelles d'enfants,
« qui a commencé ? » des partisans de Socrate ou des adeptes de
Protagoras. Il faut partir de la chasse elle-même, ou du procès, qui
fondent le déchirement des deux attitudes. Nous croyons que l'opposition Philosophie/Sophistique trouve son *lieu* propre dans la communauté des cinq genres de l'être, que le philosophe essaie sans cesse
d'arracher à la subversion des simulacres, alors que le sophiste
cherche à la dissoudre dans la pratique aveugle de ses fantasmes. La

---

24. DAMASCIUS, *Problèmes et solutions touchant les Premiers Principes*, I, 27; p. 82.

conception sensualiste de la pensée, base de l'enseignement des sophistes, n'aboutissait pas en effet à un *phénoménisme* généralisé, mais, si l'on ose risquer le terme, à un *phantasmatisme* intégral. D'après Sextus-Empiricus, Gorgias soutenait que « le langage est formé à partir des impressions causées par les objets extérieurs ou sensibles; car de la rencontre de leur saveur prend naissance en nous la parole, proférée à l'endroit du goût, comme de la perception de la couleur naît la parole relative à la couleur[25] ». Dans la mesure où les φαινόμενα qui frappent nos sens ne possèdent aucune permanence et se dispersent en des séries indéfinies d'accidents, agrégats passagers de poussières qui font lever en nous de fugaces mirages — les φαντάσματα —, la rencontre sophistique de ce qui *est* et de ce qui est *dit* se réduit à une errance perpétuelle. On ne peut atteindre aucun être, ni communiquer quelque chose, si le monde informe des fantasmes s'évanouit dans les souffles labiles de la parole.

La suppression de l'unité et de l'identité du réel amène naturellement la disparition de l'être lui-même, comme chez Lycophron qui, au témoignage d'Aristote, n'hésitait pas à retrancher la copule « est » de ses discours; se trouvent dès lors ouvertes les voies du nihilisme le plus radical. Une brève notation de Xéniade énonce que « tout est faux, que toute imagination et opinion sont trompeuses, que c'est du non-être que tout ce qui est engendré est engendré, et que c'est en non-être que se corrompt tout ce qui se corrompt ». De son côté Gorgias avance, dans son traité *Du non-être*, trois grandes thèses propres à ruiner, en leur régression indéfinie, l'être, la connaissance et la communication : « Premièrement, rien n'existe; deuxièmement, s'il existe quelque chose, ce quelque chose ne peut être appréhendé par l'homme; troisièmement, même s'il est appréhendé, il ne peut être énoncé et expliqué à autrui. » Toute saisie du réel dénoncée comme impossible, on ne peut pas plus dire « il existe quelque chose » (οὐκ ἄρα ἔστι τι) qu' « il n'existe rien » (οὐδὲν ἔστιν); l'être n'est ni éternel ni engendré, ni un ni multiple, et le non-être, à son tour, ne satisfait à aucune de ces déterminations. « Il s'ensuit que c'est le

---

25. SEXTUS EMPIRICUS, *Adv. Math.*, *in* J.-P. DUMONT, *Les Sophistes*, p. 75.

néant (τὸ μηδέν) qui est », que pourtant notre pensée, à son tour,
ne saurait en aucun cas atteindre, puisque « nos pensées ne sont
nullement des êtres »[26]. Le mode de réalité du langage, hors de
l'être et de la substance, se dissout désormais dans les évasives disparités des semblances dénuées de mémoires et d'exils veufs de
rivages.

La sophistique dénie ainsi à la parole le droit de transcender,
par son exigence du *sens*, les échanges éphémères entre les hommes :
il n'y a jamais de *communication de* la chose (τινός), pas même quelque
chose de *commun*, ou d'*un*, dans ce que l'on nomme le réel, parce qu'il
n'y a jamais quelque *chose*, hormis les purs fantasmes du discours.
Comme ce dernier se contente de découper, un bref instant, des
éléments épars dans l'indétermination générale, on ne saurait admettre
une signification privilégiée, entendons l'instauration d'un découpage
primitif qui serait le modèle éminent de toute forme de parole. Aussi
inconstants que les matériaux amorphes qu'ils semblent retenir un
moment, les énoncés vacillent d'un homme à l'autre et d'un homme
à lui-même, désormais régis par la seule force persuasive de leurs
arguments, mais indifférents à un quelconque critère logique de
vérité ou à « la chose elle-même » (τὸ πρᾶγμα αὐτο, *Sophiste*, 218 *c*).
Tous les points de vue se révèlent alors également vrais, ou également faux, comme l'implique la thèse protagoratienne de l'homme-
mesure : il suffira de suivre cette habile stratégie de l'ambiguïté qui
sait profiter, « au moment opportun » (καιρός), de l'occasion favorable
pour manifester la puissance du discours. Les sophistes vont apprendre
à jouir de leurs paroles incantatoires et à multiplier les glissements
progressifs vers les fantasmes, du maniérisme de Gorgias aux subtilités
verbales de Prodicos, par l'effet d'un art qui s'apparente aux tours de
magie et de sorcellerie (γοητεία), ainsi que l'affirme fièrement l'auteur
de l'*Eloge d'Hélène*[27]. Pierre Aubenque tire les conséquences naturelles

26. *Ibid.*, pp. 54; 71-72; 74.
27. GORGIAS, *Eloge d'Hélène*, *in* J.-P. DUMONT, *op. cit.*, p. 86 (ARISTOTE, *Rhétorique*,
III, 14, 1416 *a*). A défaut de gorgianiser, le sophiste aujourd'hui lacanise, mais *persévère*,
père sévère, *perd ses vers*, *perce vers* les dérives littérales du signifiant.

de cette attitude nihiliste : « La théorie et la pratique sophistique du langage ne supposent donc pas seulement une ontologie erronée : elles entraînent l'impossibilité de toute ontologie »[28].

Contre la ruine et la dissolution des fantasmes, se dresse la pensée platonicienne, initialement établie comme une parole ontologique qui traite de l'être parce qu'elle provient *de* l'être. Après le Socrate du *Théétète*, Aristote reprendra cette intuition de la naissance philosophique dans « l'étonnement que les choses soient ce qu'elles sont » (*Théét.*, 155 *d*; *Métaphysique*, A 7, 93 *a*, 13). La simplicité de l'être, toujours déjà donné, assaille le philosophe pris de saisissement en cette *rencontre* inattendue, qui récuse de son propre mouvement les dissipations sophistiques. Au cœur d'une existence quotidienne qui étouffe le paradoxe sous les paralogismes, la rencontre émerveillée des êtres et de la parole dévoile soudainement la présence du Principe — l''Αρχή. A la fois *commencement* et *commandement*, ou, comme dit Heidegger, *prise* et *emprise*, l'ἀρχή gouverne le mouvement de la recherche dialectique, non pas comme un début contingent aussitôt aboli, mais comme le jaillissement continu et nécessaire de l'être.

On devine maintenant l'enjeu d'une lutte si opiniâtre. A la *rebellion* des simulacres sophistiques, appuyée sur la toute-puissance rhétorique de la parole, Platon oppose la *maîtrise* du philosophe. D'ontologique, l'affrontement devient directement politique, quand la parole magistrale unit le commencement et le commandement, et met en question l'essence du Pouvoir. Aussi, dès les premiers mots du *Sophiste*, entend-on Socrate, celui qui disait aux Athéniens être l'un des rares à cultiver le véritable art politique (*Gorgias*, 521 *d*), demander si le discours peut distinguer les trois prétendants au pouvoir, le sophiste et le philosophe se trouvant ici médiatisés par le politique.

---

28. P. Aubenque, *Le problème de l'être chez Aristote*, p. 138 ; A Koyré, qui parlait à propos de Protagoras du « vide de l'autodestruction et du nihilisme » (*Introduction à la lecture de Platon*, p. 44) répond R. Pietra : « Avec la sophistique, l'ontologie meurt elle aussi » (*op. cit.*, p. 269).

La rencontre du *Sophiste* marque donc, en même temps qu'une réaction à l'égard des orfèvres en discours, un retour à l'origine où s'enracine toute parole. Pour débusquer de son *non-lieu* cet « athlète en discours dont la spécialité est l'éristique » (*Sophiste*, 231 *e*), Platon va déployer la *topique* d'une rencontre qui laisse deviner, comme en filigrane, l'insigne primauté de l'être.

CHAPITRE II

LE DÉBAT VIVANT

I

Une parole initiale

S'interroger sur l'existence et la signification d'un prologue risque de sembler frivole, au moins dans le domaine philosophique, dispensateur à l'ordinaire de nourritures plus substantielles. C'est pourtant poser, au niveau du langage, la question ontologique du commencement et s'inquiéter du nécessaire retrait de l'origine. Telle est la première aporie : comment ouvrir l'horizon d'une longue recherche pour orienter notre parole à l'écoute de l'être, sans supposer que l'être, déjà, a choisi de s'adresser à nous ? A tout moment il précède notre venue et dessine en secret l'espace de notre recueillement. Le logos déploie ce mouvement d'accueil, mieux, de *recueil* qui, oppressé par le mystère de sa naissance, accomplit le pas en arrière qui le ramène vers une parole plus initiale. Placé en avant, le prologue expose mais aussi dissimule, en son originel point d'attache, la lignée qui prend en lui sa source; aussi nous incite-t-il, selon l'exhortation du *Cratyle* inspirée d'Homère (*Iliade*, 1, 343), à « regarder à la fois en avant et en arrière » (428 *d*). Ouverture ambiguë, il hésite à offrir le sens vers lequel il fait signe ou à protéger, en le retenant encore, le mouvement aventureux de la parole. Chez Eschyle et Sophocle, il introduit à l'entrée du chœur et scelle déjà le Destin; devenu prélude, chez Bach, il permet de retenir, en une unique tonalité, la fugue qui s'échappe : la musique alors, comme la tragédie, réussit à se précéder

elle-même. Parfois aussi elle se ramène à cette *précession* ; don initial
du prélude chez Chopin ou Debussy. Attente aiguë du mouvement
qui point en lui, le prologue platonicien révèle la promesse des êtres,
tels qu'ils se donnent au hasard des rencontres. Plus une écoute
peut-être qu'une parole, à peine un silence froissé au sein duquel
chacun conquiert lentement sa place, le prologue parvient à sauvegarder, en un instant très bref, cette unité primordiale que le dialogue
va bientôt déchirer.

On peut n'y voir qu'une pièce rapportée, destinée à préparer
l'entretien, une sorte de jeu agréable et vain, rempli de cette urbanité
grecque qui enchantait Hegel, propre à nouer par avance les liens
du drame et de la comédie. Les anciens eux-mêmes, au témoignage
de Proclus, avaient émis des opinions bien différentes sur les préludes
de Platon, « les uns n'entrant pas du tout dans l'examen de cette
question — car il n'y a à s'intéresser à cela que les vrais amis de la
doctrine et qui l'ont entendue d'abord —, les autres, ne les ayant même
pas peut-être entendus, mais croyant qu'ils servent à donner une
esquisse sommaire des sujets et à nous renseigner sur l'économie des
matières proposées à la recherche suivie dans les dialogues — d'autres
estimant qu'ils guident les commentateurs et les amènent à la nature
des choses discutées ». Et le philosophe néo-platonicien ajoute, en
reconnaissant dans les préludes une sorte d'image des idées du
dialogue, cette réflexion que nous ferons nôtre : « Quant à dire que
les préludes de Platon sont complètement étrangers aux choses qui
suivent, comme ceux des dialogues d'Héraclide du Pont et de Théo-
phraste, c'est une assertion qui offense tout lecteur qui a quelque sens
critique »[1]. Pourquoi en effet Platon prendrait-il la peine d'imposer
ce court texte, ou plutôt ce *pré*texte, qui semble éloigner le lecteur
pressé du rendez-vous vers lequel il se hâte ? Le mérite du *Sophiste*
tient à ce qu'il soulève la question, dès le prologue lui-même, lorsque apparaissent ces cinq personnages dont le commun entretien
dévoilera, au détour du néant, l'existence d'une communauté
inattendue.

---

1. PROCLUS, *op. cit.*, IV, 53, col. 658, p. 92; IV, 54, col. 659, p. 93.

Malgré les obscurités d'un tel prologue, qui retient certains éléments du *Théétète* et prépare déjà la discussion du *Politique*, ou peut-être à cause d'elles, Diès n'y voit que des « fictions essentielles au dialogue »[2], sans expliquer sous quel mode, et pour quelle raison, l'*essence* apparaîtrait *fictivement* dans un texte qui a pour fonction de dénoncer toutes les formes de fiction. Pourtant, ce rapport de l'essence au dialogue s'avère déterminant et n'a pas manqué d'intriguer les commentateurs. Dans *Les penseurs de la Grèce*, Gomperz soulevait d'une façon indirecte le problème, en proposant une interprétation qui ne manque pas de piquant. Il consacrait en effet de longues remarques aux prologues des trois ouvrages, *Théétète*, *Sophiste*, *Politique*, en marquant leur étroite liaison, mais c'était pour y découvrir un défaut de composition littéraire qui, dans le dernier texte, manifestait même « un symptôme de sénilité »[3] ! Au fil de son œuvre, Platon se perdrait en digressions inutiles et en laborieux détours, comme le bon Homère qui parfois sommeille : il oublie ainsi de supprimer les allusions du *Sophiste* et du *Politique* au *Philosophe* qui ne fut pas composé; il néglige de rappeler que le *Théétète* est un dialogue lu, et considère sa suite naturelle, le *Sophiste*, comme un dialogue écrit; bref, la seule considération de la forme littéraire et des circonstances concrètes du prologue, dans les textes métaphysiques, manifeste, pour le grand interprète de Platon, les signes évidents du gâtisme.

Cela ne l'empêche d'ailleurs pas, contre Bonitz qui parlait de la « coquille » du *Sophiste*, sans préciser quel fruit celle-ci recouvrait, de mettre en lumière le lien « étroit qui unit entre elles les deux parties de l'ouvrage». En apparence disparates, la « coquille » et l'« amande », pour Diès qui reprend l'image, la « coque » et le « fruit », sont respectivement les diverses définitions du sophiste et la découverte de la réalité du non-être. Mais, pas plus que Diès qui insiste pourtant sur la continuité de structure d'un dialogue savamment construit, Gomperz ne révèle la nature du lien structural qui pousse le fruit à s'enrober d'une enveloppe ligneuse. En outre, il ne soupçonne pas

_____

2. Dies, Notice du *Soph.*, p. 267.
3. Th. Gomperz, *Les penseurs de la Grèce*, p. 606.

un instant que le prologue pourrait aussi faire partie de ce réseau très fin qui unit amande et coquille, et qu'un mouvement continu sécrète la membrane protectrice du fruit ontologique.

Or la question de la structure n'intervient pas ici de manière déplacée, si l'on s'attache au double mouvement que le *Sophiste* élabore, du multiple à l'un et de l'un au multiple. Le plus apparent est figuré par la rencontre des cinq participants de l'entretien qui vont progressivement s'unifier en fonction d'un même thème de réflexion autour du meneur de jeu éléate. En étudiant avec attention la structure des textes platoniciens, René Schaerer met ainsi l'accent sur ce processus d'unification du « débat vivant » : au fil du dialogue, « il n'est pas étonnant (...) que les personnalités des adversaires, nettement distinctes au début et souvent même opposées, se rapprochent peu à peu l'une de l'autre et finissent par se confondre »[4], réalisant ce que l'auteur appelle ailleurs « un homme complet »[5]. Examinant alors les cas du *Parménide*, du *Théétète*, et du *Politique*, R. Schaerer reconnaît « dans les trois cas (...) un homme unique, qui s'interroge lui-même ».

Ces remarques pertinentes, justifiées par l'analyse du dédoublement habituel à Platon : questionneur|répondant et vieillard|adolescent, en quoi l'on reconnaît l'exercice concret de la dialectique, laissent cependant curieusement de côté le *Sophiste*, dont aucun critique ne nie l'appartenance au groupe mentionné. Cet « homme complet » serait-il donc *scindé* ou *partagé* dans notre dialogue ? Retenons néanmoins de cette interprétation éclairante le principe d'une *collaboration* essentielle des divers protagonistes de l'entretien qui en viennent à se fondre dans la figure unitaire, mais différenciée, du philosophe. Ne trouvons-nous pas là une application existentielle de la dialectique de l'Un et du Multiple que le *Sophiste* se propose justement de légitimer ? Mais si la pluralité des cinq personnages se restreint progressivement à l'unité du seul dialecticien, ici l'Etranger, en retour l'unité de l'être éléatique, dont part la recherche pour faire pièce aux simulacres sophistiques, s'ouvre à la communauté des cinq genres.

---

4. SCHAERER, *op. cit.*, p. 36.
5. SCHAERER, *Dieu, l'homme et la vie d'après Platon*, p. 122.

Le passage du multiple à l'un, sur le mode dramatique, reproduit comme en miroir le passage de l'un au multiple, sur le mode ontologique.

Nous posons trois questions initiales. Que signifient le nombre et la personnalité des personnages du dialogue ? Comment évoluent-ils, d'un entretien à l'autre, pour constituer une communauté harmonieuse à travers les tensions dramatiques et philosophiques qui définissent leur opposition ? Enfin, si l'on peut admettre que le dialogue « vivant » répond à « la lettre qui est morte »[6], que représente la dialectique *vécue* par les protagonistes du plus long drame philosophique de Platon ?

La rencontre naît ainsi du rapprochement fortuit de cinq hommes, venus d'horizons divers, qui, en se *réunissant*, cherchent à *différencier* les trois êtres que le sophiste simule. *Unir pour distinguer*, tel sera leur commun propos. Quatre hommes forment maintenant un cercle unifié à l'écoute de la parole d'un étranger qui essaie de dissiper les fantasmes du langage. Leur association a préparé la dissociation : peut alors naître la dialectique.

2

Une heureuse rencontre

« Κατὰ τὴν χθὲς ὁμολογίαν... selon notre rendez-vous d'hier... » (216 *a*) : tels sont les premiers mots du *Sophiste*, qui voient Théodore témoigner de sa fidélité à Socrate. Le mathématicien, qui parle d'or, révèle en même temps son remords à propos de l'invité inattendu, puisqu'il croit bon de fléchir son compagnon : « Originaire d'Elée, il appartient au cercle des disciples de Parménide et Zénon; c'est d'ailleurs tout à fait un philosophe. » Socrate, qui ne s'en laisse pas conter, riposte aussitôt en demandant si l'Etranger ne dissimulerait pas plutôt un dieu ou un éristique. L'ambiguïté de la première ren-

---

6. SCHAERER, *Qu. pl.*, p. 39.

contre repose, en somme, sur une maladresse initiale de l'homme de
Cyrène, dont on sait qu'il pèche parfois contre la mesure (*Politique*,
257 *a-b*) : la communauté amicale de Socrate et de ses compagnons se
trouve brisée par l'arrivée du voyageur qui intervient *en tiers* dans
le rendez-vous. Que devient alors la belle *homologie* dont le mathématicien se félicite, cette correspondance bien assurée, d'une journée à
la suivante, entre les quatre protagonistes de l'entretien précédent ?
Pour quelle raison Platon rompt-il, avec une sorte d'insouciance,
l'unité dramatique des deux dialogues, *Théétète/Sophiste*, et la symétrie
calme des quatre personnages, deux adultes et deux jeunes gens, en
faisant monter sur le devant de la scène cet étranger anonyme qui,
à la tête de la discussion, va réussir à éclipser Socrate ?

L'homologie, pourtant, plie et ne rompt pas. Le prudent et avisé
Socrate, en éprouvant son hôte par cette question insidieuse — les
gens de son pays distinguent-ils le sophiste, le politique et le philosophe ? — retrouve, par une coïncidence admirable, le sujet même
dont s'entretenaient les quatre autres auparavant. Et certes, cela
tombe bien, dirons-nous avec Théodore, ou plutôt cela rétablit
l'*équilibre* d'une situation troublée par cette arrivée intempestive.
Dans cette rencontre imprévue, la dissymétrie a créé, en quelque
sorte, le phénomène, mais l'ironie socratique a su renouer les fils de
la correspondance. Après que l'Etranger est arrivé en tiers au rendez-
vous, c'est maintenant Socrate qui fait figure d'intrus dans la discussion précédente. Le cercle philosophique s'ouvre et se clôt d'un même
mouvement, demeurant en repos : la présence de l'éléate a entraîné
chez Socrate la question de la *différence ;* or celle-ci venait d'être justement abordée par le nouveau venu avant de rencontrer Socrate !

Et déjà, ce premier trait profondément platonicien : introduire le
sujet de la recherche à partir d'une conversation précédente, que le
lecteur ignore, comme s'il fallait manifester l'existence, encore dissimulée, de la réminiscence. René Schaerer, dont nous suivons une
nouvelle fois les pénétrantes analyses, accentue ce caractère primordial des dialogues : « Ils débutent avec une sorte de soudaineté voulue,
comme si l'entretien qu'ils introduisent suivait déjà son cours
depuis longtemps avant de s'être cristallisé en texte. » Et il ajoute :

« Ils suscitent ainsi un mouvement rétrograde de notre imagination »[7]. Dans sa circularité, le prologue du *Sophiste* témoigne de la justesse de cette appréciation. On ne saurait pourtant ramener ce mouvement rétrograde à la seule imagination du lecteur; ce qui est d'abord en cause, c'est le développement ontologique de la question elle-même, placée sous le signe de la réminiscence et du retour.

A la vérité, les conversations parallèles de Socrate et de l'Etranger avec leurs compagnons sont commandées par un troisième terme — la question de l'un et du multiple. C'est elle qui relie homologiquement leurs éléments correspondants et fonde leur équivalence. Or cette question, comme on sait, provient à l'origine de la pensée éléatique. Ainsi, une seconde fois, socratisme et éléatisme se rencontrent, bien des années après le *Parménide*, à l'occasion d'une même recherche, l'Un et le Multiple, gouvernée par une même méthode, le questionnement ironique. Apparemment de pur hasard, la rencontre du maître de Platon et de l'Etranger s'inscrit en toute nécessité dans la continuité de la réflexion héritée du penseur d'Elée. Par là, elle fait explicitement retour au *Parménide* — ou peut-être à Dieu, si nous en croyons Socrate lui-même. N'était-ce pas en effet le destin apollinien du plus sage des hommes que de se mettre en chemin « au hasard de la rencontre, avec l'étranger comme avec l'homme de la ville » (*Apologie*, 30 a) ? Mais ses concitoyens resteront sourds à l'appel de celui qui disait devant le tribunal, en leur confiant sa vie : « C'est à cela, sachez-le bien, que m'invite le dieu. »

Les cinq personnages prennent dès lors un singulier relief et révèlent tout un jeu de tendances philosophiques qui se poursuivent d'un dialogue à l'autre. Puisque l'œuvre platonicienne, on en convient généralement depuis le néo-platonisme, peut être considérée comme un jeu d'allusions, il serait bon d'envisager les relations formelles des participants à l'entretien avec la question qu'ils abordent, et la correspondance qu'ils assument avec l'ensemble des dialogues. Comme il est naturel, il faut partir du meneur de jeu et demander quelle signification prend le choix d'un nouveau porte-parole pour Platon.

7. SCHAERER, *Qu. pl.*, p. 201.

Fort brève, la réponse de René Schaerer mérite pourtant qu'on s'y arrête. Envisageant l'unité de structure du *Parménide*, du *Théétète*, du *Sophiste* et du *Politique*, il y reconnaît « autant de discussions à un personnage; dans le *Théétète* et le *Sophiste*, Socrate adulte, qui interroge, a pour adversaire celui de ses disciples qui lui ressemble le plus, tant au moral qu'au physique; dans le *Politique* enfin, le sosie a fait place à l'homonyme : Socrate questionne maintenant Socrate le jeune »[8].

Cette fine interprétation achoppe malheureusement sur deux difficultés. En premier lieu, si ce groupe de dialogues met en effet en scène des discussions à *un* personnage, pourquoi multiplier les participants et introduire en lieu et place de Socrate un hôte inconnu ? Peut-être serait-il approprié de garder ici en mémoire l'amical reproche de l'Etranger au jeune Socrate dans le *Politique* : il est beau de courir tout de suite séparer de l'ensemble des êtres l'objet précis de la recherche, mais les divisions abruptes qui négligent les intermédiaires s'ôtent le droit de comprendre l'harmonie réciproque de l'Un et du Multiple (*Politique*, 262 *b*). Il nous semble que René Schaerer a sauté ici avec trop d'ardeur du multiple à l'un.

Mais surtout, on l'aura remarqué, René Schaerer confond à deux reprises, dans la phrase précédemment citée, la personnalité de Socrate et celle de l'Etranger. Ce n'est pas en effet *Socrate* qui interroge Théétète dans le *Sophiste*, ni son homonyme dans le *Politique*, mais l'*étranger éléate*, dont le rôle est de mener les opérations. La faute de lecture — ou d'écriture — paraît d'autant plus significative qu'elle se renouvelle ailleurs, persistante : « Dans le *Politique*, Socrate interroge un autre Socrate »[9]. Une méprise aussi évidente, sur la *lettre* même du texte, nous conduit naturellement à en envisager l'*esprit*, surtout lorsque nous constatons que d'autres commentateurs tombent dans la même *error memorabilis*. Dans une courte note du *Philèbe*

8. *Ibid.*, p. 155.
9. R. SCHAERER, *Dieu...*, p. 122. Dans La structure des dialogues métaphysiques, in *Rev. int. Phil.*, n⁰ 32, 1955, Schaerer nuance la remarque, en l'appliquant aux quatre dialogues : « Ce que déroule la tétralogie platonicienne, c'est l'opération d'une dialectique aux prises avec elle-même, c'est Socrate interrogé par Socrate » (p. 197).

qui renvoie au *Sophiste*, Diès écrit à propos de ce dernier dialogue
que Théétète est « porté par respect à embrasser l'avis de Socrate »
(p. 28).

Il ne suffit donc pas de constater que « l'entreprise entière met en
scène un homme complet sous la forme dédoublée d'un adulte interrogeant un adolescent »[10] ; s'il est vrai que le dialecticien s'incarne en
un homme unique, ou du moins unifié, pourquoi prend-il, dans le
Sophiste puis le *Politique, la double forme* de Socrate et de l'Etranger ?
Les interprètes s'accordent justement à souligner le *dédoublement*
du maître de Platon à travers les figures de Théétète et du jeune
Socrate, mais tendent à passer sous silence le *redoublement* parallèle
de Socrate et de l'Etranger. Que nous le voulions ou non, nous nous
heurtons ici à l'aporie sophistique de la *duplicité* : qui se dédouble ou
se redouble, en qui et pourquoi ? D'un côté, on trouvera pour le
moins étrange que Socrate, déjà écarté du jeu dialectique du *Parménide* au profit du jeune Aristote, dissimule sa présence dans le *Sophiste*
et le *Politique*, puis rencontre à trois reprises, comme partenaire du
dialecticien ou témoin de son camarade, *un autre lui-même*, le jeune
Socrate. D'un autre côté, si l'on considère la substitution de l'Etranger
d'Elée à Socrate, en conclura-t-on qu'un seul maître ne suffisait pas
à Platon, et qu'il lui fallait encore, inexplicablement, redoubler
Socrate afin d'introduire, comme nouveau porte-parole, un dialecticien anonyme ?

3
Les trois communautés

Sous l'égide du dieu d'Homère qui ouvre la parole du *Sophiste*,
la Commémoration marque solennellement la rencontre de Socrate
et de l'Etranger. Les deux hommes ont jadis subi l'ascendant du grand
Parménide, et ils demeurent encore sous l'emprise de sa pensée.
Aussi la continuité des événements, des personnages et des conver-

---

10. SCHAERER, art. cit., p. 198.

sations qui assure fermement la présence du *Même*, renvoie-t-elle
rétroactivement au dialogue initial du *Parménide*. La recherche commune des cinq personnages prend sa source au cœur de la méditation
éléatique de l'être, identique à lui-même, et va découvrir, après bien
des cercles et des détours laborieux, l'existence de l'*Autre* et le partage
indispensable de la Différence. Ce sont alors trois communautés qui
s'entrelacent, point par point, dans le tissu du *Sophiste*.

   1. *La communauté des dialogues*. — Originellement posée par
l'éléate, la même question se répète du *Parménide* au *Philosophe* : la
dialectique peut-elle unir l'Un au Multiple de manière à satisfaire
au défi lancé par Socrate, alors tout jeune, à Zénon et à Parménide ?
« L'essence de l'Un, par contre, qu'on la démontre, en soi, multiple ;
le multiple, à son tour, qu'on le démontre un, voilà où commencera
mon émerveillement » (*Parm*., 129 *b-c*). La grande argumentation
finale de Parménide, dans le dialogue qui porte son nom, avait justement pour effet d'établir la réalité formelle de la dialectique, en envisageant l'ordre de toutes les hypothèses possibles au sujet de l'UN.
Diès considère donc avec raison le *Parménide* comme la « préface de
la tétralogie »[11], tout le groupe étant rattaché à la rencontre fameuse,
quoique historiquement impossible, de Parménide et du jeune Socrate.

   Il reste cependant une difficulté bien gênante. Le cinquième
dialogue annoncé à plusieurs reprises, le *Philosophe*, est introuvable
et déséquilibre l'ensemble du groupe par son absence. Embarrassé
par cette dissymétrie inattendue, Diès fait alors mention, soit d'une
« tétralogie » (*Parm*., XIII) gouvernée par le *Parménide*, soit de « l'ensemble des cinq dialogues » (*Parm*., V), en substituant curieusement
le *Philèbe* à l'ouvrage manquant. Tout ceci paraît fort équivoque :
ou bien nous admettons l'existence d'une tétralogie primitive dont
nous cherchons à comprendre la structure — mais alors apparaît
le problème des diverses mentions du *Philosophe*. Ou bien nous nous
mettons en quête d'une *pentalogie* initiale, sans aller chercher une
doublure au dialogue nommément prévu — et enfin se pose la question
de son inexistence.

---

11. Diès, Notice du *Parm*., p. XIII.

2. *La communauté des doctrines.* — Elle se situe dans le droit fil de la pensée éléatique, dont l'Etranger s'affirme pourtant un fort ambigu représentant. La parole première du Même retentit encore au sein des dialogues platoniciens. Dans le *Théétète* d'ailleurs, Socrate hésitait à soumettre au crible de la critique une pensée si altière et préférait en terminer d'abord avec le mobilisme protagoratien. Ce souci de protéger le Maître d'Elée révèle-t-il une plus profonde parenté ?

Les interprétations traditionnelles ne se privent pas de franchir le pas et d'assimiler sans autre forme de procès le platonisme et l'éléatisme. Hanté par l'immobilité archétypale des essences, Platon aurait *fixé* la pensée des siècles ultérieurs au ciel intelligible de l'idéalisme et condamné la connaissance à la contemplation stérile des formes éternelles. Jean Piaget, par exemple, critique l'influence de cette attitude exclusive d'un sain génétisme sur la plupart des épistémologies, seraient-elles modernes, qu'elle trouble par ses remords innéistes. « Penchant naturel de tous les logiciens »[12], mais aussi bien illusion de tous les philosophes, l'idéal platonicien sera toujours à dénoncer en raison de son éléatisme implicite. De manière encore plus radicale, Gilles Deleuze reproche assez contradictoirement à Platon l'*immobilisme* de son système, dû à sa fascination envers le Même, et les *mouvements* incessants de verticalisation de la dialectique, issus de la primauté du Modèle divin[13]. Si ces reproches d' « éléatisme » étaient justifiés, la leçon du *Sophiste* s'avérerait absolument inintelligible. Comme un ver dans le fruit, l'étranger éléate va en effet ronger la pensée parménidienne et consentir, malgré son respect filial, au parricide. Il semble bien que ce meurtre ontologique, brutale intrusion de la tragédie œdipienne dans le discours métaphysique, anéantit la communauté de recherche qui reliait la pensée de Platon à son origine naturelle. A moins que, comme d'aucuns se plaisent à

---

12. Jean PIAGET, *Logique et connaissance scientifique*, p. 1199.
13. G. DELEUZE, *Log. sens*, p. 353 : « Le modèle platonicien, c'est le Même (...), la détermination abstraite du fondement »; p. 173 : « L'image du philosophe (...) semble avoir été fixée par le platonisme : un être des ascensions qui sort de la caverne, s'élève et se purifie. »

le soupçonner, le geste du voyageur soit seulement un parricide
simulé. De nouveau, le simulacre s'agite, à l'ombre de l'éléatisme.

3. *La communauté des personnages.* — Elle résulte en apparence
d'un hasard providentiel. Pourtant, une lecture attentive des dialogues nous convaincra que Platon introduit, dans le *Théétète*, le
Sophiste et le *Politique*, les cinq interlocuteurs en fonction d'un ordre
de parole rigoureux. Ils entrent dans des rapports réglés, selon
certaines figures nécessaires qui expriment aussi bien le procédé de
composition des dialogues que la structure propre de la communauté ontologique. Nous débouchons cependant, ici encore, sur une
aporie : la cohésion des personnages paraît au premier abord peu
probante, sinon totalement artificielle, du fait de la réserve de Socrate,
de Théodore, de Théétète lui-même, et surtout du silence du jeune
Socrate qui, déjà muet dans le dialogue précédent, s'obstine à ne pas
ouvrir la bouche. Il s'absente du groupe des cinq compagnons comme
le *Philosophe* du groupe des cinq dialogues.

Or nous sommes, croyons-nous, en droit de rapprocher ces deux
étranges absences. Platon a pris soin, en effet, de préparer la venue
du *Philosophe*, sur le mode dramatique d'abord, par le biais de l'Etranger
et de Socrate (*Soph.*, 253 *e*; 254 *b*; *Polit.*, 258 *a*), puis sur le mode philosophique, par la disposition régressive d'une enquête commune qui
remonte hiérarchiquement du moins bon au meilleur des trois
personnages. D'autre part, il a préparé à deux reprises l'apparition du
jeune Socrate. Il l'introduit en premier lieu dans le *Théétète*, comme
l'un des assistants de la conversation; il le propose ensuite comme
auxiliaire de Théétète, au cours de la difficile enquête du *Sophiste*.
Il ne suffit sans doute pas de remarquer, avec Diès (*Soph.*, p. 267),
que le jeune homme se prépare ainsi à jouer le rôle du partenaire de
l'Etranger dans le *Politique*. Car une si longue préparation ne correspond en rien à la soudaineté avec laquelle Platon commence le plus
souvent ses dialogues et présente ses personnages : il ne faut pas
moins de *trois* entretiens pour délier la langue du jeune homme ! De
toute manière, dans la meilleure des hypothèses, la question se
trouverait repoussée mais non résolue. Le *Politique* voit en effet
Socrate annoncer sa prochaine conversation avec son homonyme :

or les deux hommes ne seront jamais remis en présence l'un de l'autre.

Aussi cette commémoration propre aux cinq compagnons qui s'orientait vers la notion ontologique de *participation* débouche-t-elle, de façon inattendue, sur trois apories de l'*abstention* : 1. L'absence du dialogue final détruit la continuité des cinq ouvrages métaphysiques ; 2. Le mutisme du jeune Socrate déséquilibre l'unité du cercle socratique ; 3. Le parricide de l'Etranger, enfin, tranche dans le sang le lien de filiation qui rattachait Platon à Parménide. La rencontre du *Sophiste* commence dès lors par une ambiguïté : la recherche commune des participants établit-elle, d'emblée, la continuité de la présence de l'être à l'horizon de l'éléatisme, ou bien instaure-t-elle, au contraire, une *rupture* décisive dans la tradition de la pensée grecque, dont la philosophie désormais devrait témoigner, par l'exercice de sa parole silencieuse ?

4
Le premier cercle

Le lien communautaire va se trouver fort opportunément renoué par Socrate. Avant de laisser à l'Etranger le redoutable honneur de conduire la chasse, Socrate se manifeste à trois brèves reprises. En orientant la discussion vers le thème de l'Un et du Multiple, en introduisant l'ironie comme méthode heuristique, et en proposant un partenaire à l'éléate, il provoque par sa seule présence catalytique une série de réactions entre les autres personnages qui met en branle la recherche. Pour justifier cette commode analogie, nous parlerons plutôt de *catalyse hétérogène* que de catalyse homogène, Socrate formant une phase distincte des quatre interlocuteurs qui réagissent à ses propos. Le maître de Platon prend la parole en trois occasions seulement.

En premier lieu, Socrate répond du tac au tac à Théodore qui lui présente l'Etranger, sans s'occuper de ce dernier, et lui demande si leur hôte ne serait pas, non un simple mortel, mais un dieu ou un

sophiste. L'évidente allusion au vers d'Homère (*Odyssée*, XVII, 488)
et l'inquiétude, au moins jouée, à l'égard du réfutateur divin, cristal-
lisent les thèmes antérieurement débattus par les uns et les autres.
Mi-plaisante, mi-sérieuse, la question ne laisse pas d'embarrasser
Théodore qui a pris l'initiative d'amener cet inconnu. Mais le mathématicien rejette l'alternative au profit d'une *troisième* solution, qui
nous oriente déjà vers l'idée maîtresse d'*intermédiaire*, et redouble
pourtant l'ambiguïté. Leur hôte n'est *ni* un dieu *ni* un sophiste, mais
un philosophe, « être divin », intermédiaire donc entre les dieux et
les sophistes, comme l'Eros démonique du *Banquet*. Se dessine déjà,
en ce premier échange, la tentation du simulacre contre laquelle
Socrate réagit aussitôt, en demandant à *distinguer* au milieu de la triple
semblance. Car les trois êtres appartiennent au même domaine du
divin : le dieu (τινα θεὸν), le réfutateur sophistique (θεὸς ἐλεγκτικός),
et le philosophe (θεῖος) (216 *a-b*). Il faut briser cette première ressemblance, ou plutôt la *dissoudre* : on peut voir ici que Socrate remplit
bien la fonction de catalyseur, au sens originel de la κατάλυσις. A
peine cependant la première et fautive assimilation est-elle détruite
que Socrate en voit poindre une nouvelle, beaucoup plus dangereuse.
Il prend alors *une deuxième fois* la parole.

Il s'adresse toujours à Théodore, mais vise maintenant un autre
interlocuteur. Le genre philosophique ne se laisse pas plus aisément
déterminer que le genre divin qui est apparu triple : or triple aussi
apparaît le philosophe, du moins à l'opinion de la foule ignorante.
Une nouvelle fois, Socrate fait une allusion à peine voilée au vers de
l'*Odyssée* qui montre l'inquiétude des prétendants devant le geste
brutal d'Antinoos à l'égard du vagabond venu mendier quelques
miettes dans la salle du festin. Car les philosophes, semblables aux
dieux « faisant le tour des cités » (ἐπιστρωφῶσι πόληας, 216 *c*), s'en
viennent parfois, dissimulés par quelque masque, surveiller les agis-
sements des hommes. Mais Socrate substitue au passage l'expression
« φανταζόμενοι διὰ τὴν τῶν ἄλλων ἄγνοιαν » au terme homérique
« τελέθοντες » (*Odyssée*, XVII, 486), afin de manifester la présence
multiple des *fantasmes* au cœur de l'opinion ignorante. Le même
terme revient avec insistance, quatre lignes plus bas, lorsque Socrate

évoque l'étrange destin des philosophes qui, aux yeux de la foule, « prennent l'apparence » (φαντάζονται, 216 d) aussi bien des politiques que des sophistes, avant même parfois de s'égarer dans un délire absolu ! Aussi Socrate s'inquiète-t-il d'abord, confronté au sophiste et au politique, de *distinguer* la véritable nature du *philosophe* : « A l'Etranger, précisément, j'aurais plaisir à demander, si ma question lui agrée, pour qui les tenaient les gens de son pays et de quels noms ils les appelaient » (216 d). De nouveau, Socrate n'interroge pas directement son hôte et continue de passer par l'intermédiaire de Théodore. Ce dernier se rappelle alors, fort opportunément, que le sujet abordé « par hasard » (κατὰ τύχην, 217 b) rejoint celui dont ils débattaient à l'instant. Socrate reprend à ce moment une *troisième et dernière fois* la parole.

Il propose à l'Etranger, en s'adressant directement à lui, de choisir entre deux méthodes d'exposition : soit le développement démonstratif, mené sous forme de monologue; soit la méthode ironique que Parménide lui enseigna, alors qu'il n'était qu'un tout jeune homme. On notera ici le premier emploi, encore non technique, de la méthode de division, dont les conversations suivantes feront un si grand usage. La méthode de recherche a été spontanément divisée entre l'exposé monologué (voie gauche) et le questionnement dialogué (voie droite). L'éléate, qui apprécie l'hommage, choisit bien entendu la seconde voie, à condition de trouver un partenaire complaisant et docile. Socrate approuve sa décision et lui indique alors un interlocuteur possible : « Mais, si tu veux m'en croire, tu prendras un jeune, Théétète que voici, ou quelque autre à ton choix » (217 d). Ce sont là ses derniers mots.

Heureux choix s'il en fut, Théétète renforce admirablement la cohésion du cercle socratique. Il a déjà fait ses preuves avec Socrate, dans le dialogue qui porte son nom, avec l'Etranger lors de la discussion impromptue qui précède celle du *Sophiste*. Aussi la rencontre dramatique, doctrinale et méthodologique se cristallise-t-elle avec l'entrée en jeu de Théétète qui unit, d'une part Socrate et l'Etranger dont il a été le brillant second, et d'autre part les deux hommes à Parménide, puisqu'il va jouer, face à l'Etranger, le rôle que tint

Socrate devant le grand éléate. Il incarne ainsi, dans le prologue, la *médiation* indispensable des quatre autres, d'autant que, élève de Théodore, il accepte de répondre à l'Etranger avec l'aide de son camarade, le jeune homonyme de Socrate.

La *communauté* des cinq compagnons dessine ainsi une *première figure*, centrée autour de Théétète, que nous pouvons par commodité schématiser par un diagramme en croix inscrit dans un cercle.

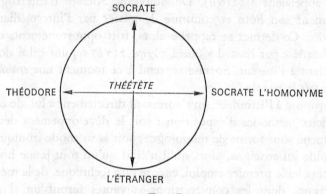

FIG. I

Elève de Théodore, qui l'a présenté la veille à Socrate (*Théét.*, 143 *e* - 144 *d*), partenaire de celui-ci puis de l'Etranger, compagnon de travail et de jeu de Socrate le jeune, Théétète apparaît comme le personnage central du prologue, celui qui médiatise les relations des quatre autres. Si Théodore, comme le relève Paul Friedländer, symbolise le niveau de l'existence mathématique dans un dialogue consacré à la recherche de l'être et du non-être, Théétète joue un rôle plus déterminant en fonction du cheminement dialectique choisi par l'éléate : « It is no accident that Theaitetos is the partner in a discussion in which the method of « division » is praticed (...) He, and the younger Socrates (...) had come to divide the system of natural numbers first into two groups and then into four and to define each group »[14]. En conséquence, seul Théétète permet de fonder le mou-

14. P. FRIEDLÄNDER, *op. cit.*, III, p. 243.

vement de la rencontre du *Sophiste*, en l'enracinant dans les deux dialogues précédents. Il évoque par sa présence les propos récents du *Théétète* qu'il tenait avec Socrate, les lointaines recherches du *Parménide* au cours desquelles l'éléate enseignait la dialectique à un Socrate dont il prend maintenant la place, face à un autre éléate, et les interrogations nouvelles du *Sophiste* qui succèdent immédiatement à la conversation précédant le rendez-vous, comme la méthode de division que son partenaire et lui-même vont à l'instant mettre en pratique.

Théétète occupe la place centrale qui fut celle de Socrate face à Parménide, l'inventeur de la méthode ironique qu'il faut bien constamment rapporter à l'Eléate et non au seul maître de Platon. La place du répondant dont l'âme douloureuse va donner naissance, sous la ferme direction de l'accoucheur, au plus beau discours, et faire l'épreuve de ce qu'elle enfante, examinant si c'est « un simulacre ou une illusion ou quelque chose de viable et de vrai » (*Théét.*, 150 c). La place de la *maïeutique*, enfin, en laquelle prend racine, au-delà des jeux stériles des fantasmes, l'unique *filiation* de la philosophie.

5

DUEL

Platon ne cherche pas à imposer, d'emblée, dans les dialogues métaphysiques, une figure immobile qui assurerait les liens des cinq compagnons. Bien au contraire, il la constitue progressivement, selon une double opération de *division* qui sépare les deux principaux personnages. C'est en effet le rapport maïeutique entre le dialecticien et son partenaire, exprimé pour la première fois dans le *Parménide*, qui *se dédouble* à deux reprises. D'une part, du premier couple Socrate| Théétète, qui répétait dans le *Théétète* la rencontre initiale de Socrate et de Parménide, se distingue le second couple Etranger|Théétète, qui va dominer la présente conversation du *Sophiste*.

La relation symétrique se trouve renforcée, d'autre part, à l'aide d'une seconde division qui fait appel à deux autres personnages

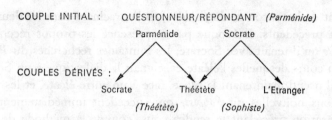

pour articuler plus étroitement les rapports des trois précédents. Théétète renvoie en effet à Théodore, auprès de qui il étudie les mathématiques, mais aussi à son compagnon d'études qui ne le quitte jamais, Socrate l'homonyme.

Rapprochées par la présence commune de Théétète, les deux divisions offrent un second point de convergence. Théodore a, en premier, présenté l'Etranger à Socrate; l'Etranger ensuite, après avoir accepté Théétète comme partenaire, réclame pour ce dernier un assistant. On représentera ces échanges par le diagramme suivant :

(a)   Socrate ◄——— THÉÉTÈTE ———► L'Etranger

(b)   Théodore ◄——— THÉÉTÈTE ———► Socrate l'homonyme

Théétète choisit en conséquence « le Socrate que voici, homonyme de Socrate » (τόνδε Σωκράτη, τὸν Σωκράτους μὲν ὁμώνυμον, 218 b) qui, le fait mérite attention, n'aquiesce pas, et n'intervient dans le dialogue que par la mention que l'Etranger fait de sa *fonction* et Théétète de son *nom*.

Platon a ainsi distribué les rôles de façon rigoureusement symétrique, autour de la place centrale occupée par Théétète. Nous pouvons mettre en évidence cette symétrie en rapprochant les deux lignes *(a)* et *(b)* jusqu'à les confondre. Socrate a proposé Théétète à l'Etranger; en retour Théétète propose à l'Etranger le second Socrate. Les deux relations duelles deviennent particulièrement nettes si l'on insiste sur les rapports inverses des deux lignes. Les deux Socrates occupent respectivement la place gauche et la place droite autour de Théétète, les deux étrangers la place droite et la place gauche. Nous pouvons alors envisager l'ensemble des échanges entre les cinq protagonistes en superposant *(a)* et *(b)* et en faisant pivoter les deux axes autour de leur centre commun Théétète, afin de constituer la figure pentadique qui régit le prologue.

Sur l'axe horizontal apparaît le groupe du mathématicien (Théodore et ses deux élèves, Théétète et Socrate l'homonyme); sur l'axe vertical, le groupe du dialecticien (deux maîtres et un disciple : Socrate et l'Etranger, avec Théétète). Aucun des deux groupes ne peut se constituer sans l'aide de l'autre; chacun des personnages dépend de la place précise qui lui est assignée et n'existe qu'en fonction des quatre autres.

Elaborée à l'aide des deux dédoublements de la relation duelle primitive (questionneur|répondant), la rencontre des cinq personnages *retourne* à cette même relation duelle dès que Socrate, Théodore et l'homonyme se taisent, laissant face à face l'Etranger et Théétète. Dans le dialogue qui suit, nous retrouvons la forme apparemment binaire de la dialectique platonicienne.

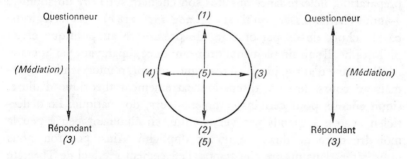

Médiatisée par le principe même de la recherche — *l'être* — qui intervient toujours en tiers *entre* le dialecticien et son partenaire, la dualité s'est dédoublée et distendue dans la communauté du cercle socratique, pour se retendre à nouveau au moment de l'enquête sur le sophiste. A la vérité, si cette forme de duel, avec ses dédoublements, préfigure ce que l'Etranger envisagera bientôt sous le nom de division dichotomique, son principe réside, comme nous aurons à l'établir, dans l'*unité originaire* qui accomplit le partage selon une section droite et une section gauche. L'*Un* fonde la légitimité des scissions dialectiques que l'on retrouve, au niveau le plus immédiat, à travers l'opposition des interlocuteurs. Ainsi, quand Théétète hésite à reprendre pour son propre compte les tentatives malheureuses de son partenaire sur l'existence du non-être, l'Etranger lui redonne courage en montrant que cette opposition elle-même peut dialectiquement se trouver surmontée par l'homme qui serait de taille à accomplir cet exploit. Mais, en attendant, « qu'il ne soit plus question, ni de toi, ni de moi » (239 *c*).

Les relations ordonnées entre les cinq personnages rendent manifeste la nécessité de la présence de chacun d'eux. Il n'est donc pas admissible de négliger le rôle de quatre participants à l'entretien au profit du discours majeur de l'Etranger, même si celui-ci mène en apparence la recherche. Nous y reviendrons bientôt plus à loisir. Qu'il nous suffise, pour le moment, de suivre l'évolution d'une discussion qui se réduit aux seuls échanges de l'Etranger et de Théétète, c'est-à-dire au modèle binaire propre à la dialectique. Sans autre préparation, l'éléate lance aussitôt son enquête sur l'*être* du sophiste — nous cherchons « ce qu'il est » (τί ποτ' ἔστι, 218 *c*) — et ne légitime pas le choix de ce personnage, de préférence au politique et au philosophe. Il suit simplement l'ordre annoncé auparavant par Socrate.

Personne d'autre, jusqu'au dialogue suivant, n'interviendra désormais au cours de cette discussion extrêmement théorique d'allure, sinon encore, pour certains commentateurs, dogmatique. Le dialecticien avance à grands pas vers l'unité, en éliminant peu à peu la moindre trace de dualisme ou de duplicité. Ainsi pourrons-nous interpréter, dans un premier temps, l'effacement graduel de Théétète dans le *Sophiste*, puis du jeune Socrate dans le *Politique*, au bénéfice de l'étonnante personnalité de l'Etranger. Cette unité se renforce en outre dans les dialogues grâce au rapprochement dans le temps des entretiens. Si de longues années séparent le débat du *Parménide* de celui du *Théétète*, ce dernier ne précède que d'une seule nuit la rencontre du *Sophiste*; aucune interruption ensuite n'a lieu entre le *Sophiste* et le *Politique*, les deux grands dialogues continus, avant l'absence définitive du *Philosophe*.

La multiplicité des participants s'est rigoureusement concentrée, dans le prologue du *Sophiste*, ou plutôt a régressé vers l'unité rectrice de la démarche dialectique. De la dualité du questionneur et du répondant, assimilés l'un à l'autre au point que l'Etranger semble absorber les quatre membres du cercle socratique, peut maintenant émerger, en retour, la communauté des cinq genres *de l'être*[15]...

15. Dıès n'avait donc pas tort de noter, à propos du *Parménide*, il est vrai, que l'unité dynamique du dialogue tient en ce que « sujets et personnages vont du multiple à l'un, mais cet un concentre le multiple et le résume sans le supprimer » (Notice du *Parm.*, p. 6).

DEUXIÈME PARTIE

Le visage du même

CHAPITRE PREMIER

L'OMBRE DE PARMÉNIDE

I

Le déclin de Socrate

Tous les commentateurs de l'œuvre platonicienne en conviennent volontiers, parfois avec une surprise et un embarras mal dissimulés : le visage de Socrate se brouille dans les grands écrits de la maturité comme si Platon, en vieillissant, sentait peu à peu s'estomper le souvenir de son maître. Paradoxalement, cet effacement de Socrate intervient dans les textes métaphysiques où le rôle du dialecticien se montre décisif. Se joue maintenant le sort de la pensée platonicienne, et en particulier celui de la théorie des Idées, héritée de Socrate — peut-être aussi celui de la philosophie elle-même.

De ce groupe de dialogues se détache le *Parménide*, qui met en scène un Socrate à peine adolescent. Avec une maladresse aussi touchante que sa bonne volonté, le jeune homme essaie d'assurer, contre les objections de l'éléate, la nécessité de formes intelligibles séparées du sensible, mais s'effraie à la pensée de frotter la dialectique à d'aussi grossières réalités que la boue, la crasse et le cheveu. Il ne sait trop comment répliquer aux impitoyables critiques de Parménide contre la *participation* du sensible à l'intelligible, entendue en son sens réaliste. Quelle que soit sa précocité philosophique, et réussirait-il à faire toucher terre à Zénon, lors du premier entretien, le jeune Socrate est écrasé par la haute stature de l'éléate. Au fond, c'est lui qui devrait se couvrir du voile dont parle Parménide (*Parm.*, 131 *b-c*) pour mieux dissimuler sa confusion. Il disparaît d'ailleurs, dès le deuxième entretien, à peu près au quart du dialogue, et laisse la place au jeune Aristote, à l'orée du grand jeu dialectique sur l'Un. Après ce premier essai, le *Théétète* montre au contraire à l'œuvre un Socrate parfaitement maître de ses moyens, qui expose à deux reprises la nature du philosophe, comme accoucheur des esprits d'abord (148 *e*-151 *d*; 157 *c-d*), ensuite, et plus longuement, comme cet étrange personnage qui, voué au ridicule sur la place publique, aspire aux plus nobles hauteurs de la sagesse (172 *c*-177 *c*). Après ces sommets commence la chute irrémédiable : Socrate disparaît peu à peu du *Sophiste* au *Politique*, comme certain chat du Cheshire au regard étonné d'Alice. Un léger sourire subsiste encore, avant que l'ironie ne se fonde dans le néant du *Philosophe*. Ainsi commença le déclin de Socrate...

Les interprètes traditionnels ne sont pas en peine pour rendre raison de l'éclipse du vieux maître. Conduit par ses propres recherches à dépasser l'enseignement de Socrate, Platon lui réserverait cependant (« *Amicus Socrates...* ») la place de « président d'honneur de la discussion », avance par exemple Gomperz[1]. Et Diès de renchérir : « Il est le maître autour duquel se groupent les disciples et devant qui un hôte philosophique est convié à s'entretenir avec ces mêmes disciples »[2]. Platon aurait trouvé là une façon élégante d'épargner à Socrate la pénible critique de ses propres thèses, en faisant tenir le rôle d'accusateur à l'Etranger d'Elée. Ce que l'on ne dit malheureusement pas, c'est pourquoi l'hospitalité socratique confine à une humilité qui le pousse à s'absenter de deux entretiens successifs. Quant à le considérer dramatiquement comme l'arbitre souverain qui veille à la bonne tenue des débats sans intervenir lui-même, c'est assortir une constatation évidente d'une explication inexacte. D'une part en effet, Socrate n'hésite jamais, dans tous les dialogues platoniciens, jusqu'au *Philèbe*, à mettre en question et, s'il le faut, à revenir sur les positions qu'il tenait au début de la discussion; d'autre part,

---

1. GOMPERZ, *op. cit.*, p. 592.
2. DIÈS, *Autour de Platon*, 1, p. 162.

les doctrines envisagées dans le *Sophiste* et le *Politique* appartiennent
à l'éléatisme et non au socratisme ! Dans le meilleur des cas, l'interprétation de Gomperz pourrait expliquer la *présence* de l'étranger
éléate, certainement pas l'*absence* de Socrate. Car enfin, il faut bien
poser la question : quelle raison interdit à Socrate d'entamer une
recherche commune avec un étranger venu d'Elée, comme il le fait
à l'ordinaire avec ses autres hôtes — Protagoras d'Abdère, Gorgias
de Léontium, Simmias et Cébès de Thèbes... ? Songeons au magnifique prélude du *Protagoras* : Hippocrate, le fils d'Apollodore, s'en
vient réveiller à l'aube son ami Socrate pour lui annoncer l'arrivée
à Athènes du grand sophiste. Socrate hésite-t-il à se déplacer à cette
heure matinale pour rendre visite au noble Protagoras qui se promène
sous le portique de Callias, entouré par le chœur de ses courtisans ?

De façon similaire, Léon Robin admet que la présence de
l'Etranger manifeste, pour la pensée éléatique, « une nécessité de se
transformer ». On ne voit pas, pourtant, qu'un tel impératif impose
à Platon « la substitution à Socrate d'un protagoniste nouveau »[3].
Que l'Eléate soit indispensable à l'accomplissement du parricide
puisque seul, nous le savons, le fils vit la mort du père, nous l'admettrons aisément. Mais pourquoi cette *substitution*, volontaire chez
Robin, involontaire chez ceux qui confondent les deux dialecticiens,
alors qu'un commun dialogue paraissait tout indiqué ? Platon aurait
pu rapprocher les deux hommes, à la fois pour des raisons de convenance (Socrate acceptant de débattre avec son hôte le sujet qui lui
agrée) et pour des raisons de symétrie dramatique (Socrate prenant
sa revanche, trente années plus tard, sur le fils spirituel de Parménide).

Or Socrate se cantonne au contraire dans une réserve à la limite
de la courtoisie, et révèle même sa méfiance, dès ses premières paroles,
à l'égard du voyageur inconnu. Evitant le moindre rapport direct
avec l'Etranger, il ne daigne à aucun moment l'épauler dans sa chasse
au sophiste, et ne semble guère concerné par l'entreprise; il choisit
plutôt délibérément de rester hors du jeu. On peut, certes, suivre
l'interprétation de Diès quand elle affirme que, la figure de Socrate

---

3. L. Robin, *Les rapports de l'être et de la connaissance d'après Platon*, p. 99; p. 100.

baignant dans la clarté ou l'obscurité, « c'est autour d'elle que tous ces personnages se groupent et se meuvent »[4]. Mais nous nous heurtons alors à une difficulté nouvelle. Pourquoi Platon décide-t-il d'orienter maintenant ses personnages autour d'un *foyer* laissé « dans la pénombre », après l'avoir si longtemps exposé à la pleine lumière ?

Il paraît en conséquence impossible de passer sous silence la présence ambiguë de Socrate. Après ses trois initiatives qui, en orientant négligemment la discussion vers les surprises d'une rencontre inattendue, ont permis de retrouver un thème (l'unité ou la multiplicité du sophiste, du politique, du philosophe), une méthode (le questionnement ironique) et un interlocuteur (Théétète), Socrate, inexplicablement, se tait. Platon n'offre pas à son lecteur, ni à ses personnages, l'affrontement espéré qui, sur les plans dramatique et philosophique, aurait constitué le pendant de l'entretien avec Parménide. La symétrie des trois textes était séduisante :

Parménide — *Théétète* — Sophiste

A la dépendance de l'adolescent envers le grand penseur, image du platonisme naissant qui s'essayait à de timides assauts contre l'éléatisme, aurait correspondu, après la médiation du *Théétète* qui élimine les prétentions mobilistes, la maîtrise de la philosophie nouvellement conquise, face à un représentant du monde ancien. Nous ne parlons là pourtant que d'une *trilogie possible* : Platon en a clairement exclu la trop évidente symétrie, d'abord en composant *quatre* dialogues et en annonçant un *cinquième*; ensuite en continuant de mettre en scène de jeunes répondants, Théétète, puis l'homonyme de Socrate, et un nouveau dialecticien, l'Etranger; enfin, en n'offrant à aucun moment de dialogue direct entre l'homme d'Athènes et celui d'Elée.

Socrate se tait à trois reprises, alors que le lecteur s'attend, lors de chaque nouvel entretien, à le voir reprendre la parole :

1. Le silence du *Sophiste*.
2. Le silence du *Politique*.
3. Le silence du *Philosophe*.

4. Dıès, *op. cit.*, p. 163.

Que Socrate accepte de s'effacer, par courtoisie ou par réserve, devant un étranger qui va mettre à mal des thèses qui ne sont d'ailleurs pas les siennes, nous l'admettrons à la rigueur — dans *un dialogue*. Parménide lui-même laissait la parole, pour un temps, à Zénon devant Socrate. Celui-ci rencontrerait-il maintenant un nouveau Zénon et voudrait-il imiter le silence du vieux maître ? L'hypothèse serait acceptable dans le cas d'un silence limité, le philosophe reprenant finalement la conduite des opérations.

Mais il n'en est rien. Le silence va se répétant, et même se creusant dans *trois dialogues*, et ce, en raison inverse de l'importance de la recherche. Alors que la dialectique progresse durement vers son faîte, selon la hiérarchie ascendante du sophiste, du politique et du philosophe, pour culminer dans la méditation de l'être, Socrate, à l'opposé, *décline* au fur et à mesure. Parallèlement, la vraisemblance dramatique du dialogue se trouve mise en cause : si, dans le *Sophiste* puis le *Politique*, la longueur et la difficulté des entretiens qui se poursuivent sans relâche conduisent l'Etranger à laisser reposer Théétète, remplacé par son compagnon, à plus forte raison l'Etranger lui-même devrait-il souffler un peu, après la chasse au sophiste, et passer à Socrate le relais ! Mais, superbement, l'hôte éléate n'accepte aucun repos, et part avec son nouveau partenaire à la recherche du politique.

Il paraît hors de doute que Platon a refusé, très intentionnellement, d'instaurer un débat entre d'une part Socrate, l'Etranger et le jeune homonyme de l'autre. Comment admettre que ces deux personnages, tous deux introduits par Théodore, n'aient pas excité l'appétit de ce vieux bavard de Socrate ? Les deux hommes se détachent en effet sans peine sur le fond plutôt neutre des habitués du cercle socratique.

Et cependant, de façon délibérée, Socrate se tait, comme si, face au soleil parménidien en son lever augural, l'ombre de Socrate devait peu à peu s'étendre vers son prochain couchant. Au déclin du philosophe, nous devons peut-être demander ce que signifie un silence aussi *singulier*.

2
L'écho du silence

Le silence de Socrate déconcerte d'autant plus qu'il se trouve aussitôt répercuté, comme en écho, par un second silence. Le *Théétète*, le *Sophiste* puis le *Politique* nous font en effet connaître ce curieux homonyme du philosophe qui, assistant muet dans les deux premiers dialogues et partenaire fort discret de l'Etranger dans le troisième, laisse apparaître une véritable aporie du *redoublement*. Tout aussi étonnante que celle du voyageur, sa singularité se manifeste en deux domaines distincts.

Sa *présence*, tout d'abord, s'avère manifestement redondante dès qu'on la rapproche de celle du maître de Platon. Leur nom identique risque même d'être une source de confusion pour les éditeurs les plus attentifs. Ainsi, à la suite de nombreux critiques, Diès attribue la dernière phrase du *Politique* au philosophe, alors que Robin trouve « plus naturel, et d'ailleurs conforme à ce qu'on voit à la fin du *Parménide* et du *Sophiste* », d'en laisser la paternité à son jeune homonyme[5]. La question s'impose dès lors au lecteur : pourquoi Platon entreprend-il de mettre en scène, dans trois dialogues aussi importants, *deux Socrates* qui, déjà indiscernables par leur nom, se confondent encore par le silence ? Convenons-en : la suppression des deux personnages ne changerait rien aux résultats d'une démarche que l'Etranger mène pratiquement seul, d'un bout à l'autre du *Sophiste*. Si l'image de Socrate, comme on l'a vu, tend à s'évanouir de l'œuvre platonicienne, que dirons-nous alors de celle de l'étrange homonyme, *ombre d'une ombre*, qui, malgré un nom éclatant, demeure tranquillement sur sa réserve ? Une telle insistance semble indiquer que le redoublement nominal n'est pas tout à fait innocent, d'autant que, on en conviendra, il ne s'agit pas de n'importe quel nom ! Il nous faudra peut-être reconnaître que, dans ce texte consacré au sophiste, le philosophe Socrate *a un nom de trop*.

Mais son *absence*, tout aussi redondante quant au silence qu'il

5. L. ROBIN, *Platon, Œuvres complètes*, II, pp. 1483-1484.

partage avec Socrate, soulève une nouvelle difficulté. Alors qu'on s'attend à voir le jeune garçon, qui suit Théétète comme son ombre, secourir son camarade *qui le lui a expressément demandé* (218 *b*) et sombre parfois dans un total découragement (237 *c*; 261 *b*), l'homonyme de Socrate modèle au contraire son attitude sur celle du philosophe. Sans s'être concertés, les deux hommes négligent de prendre part à la chasse au sophiste et demeurent en repos, dans le bel équilibre de leur mutisme. Si Théétète, le jeune sosie de Socrate (*Théét.*, 143 *e*-144 *a*), dévoilait ironiquement le *double visage* du philosophe, voilà maintenant que l'homonyme fait avec ce dernier *double emploi*. En tout état de cause, la discrétion du jeune homme affaiblit encore les possibilités d'échanges des cinq protagonistes, et conduit le lecteur à admettre que Socrate, décidément, *a une voix de moins*.

Dans l'excès évident de son nom et de son silence, Socrate est donc une figure *doublement redondante*. Le fait, en lui-même, reste digne de question. Sans grand dommage, Platon aurait pu faire l'économie d'un aussi terne caractère et se contenter d'un seul Socrate. S'il désirait à tout prix, par fidélité envers le maître disparu, garder un écho affaibli de sa voix, un seul *Socrate* suffisait; s'il désirait en outre un assistant muet pour arbitrer les débats, un seul *silence* aurait aisément rempli le rôle ! N'oublions pas que la jeune doublure de Socrate ne prononce pas un mot dans le *Théétète* et le *Sophiste*, pas même dans les prologues fort détendus où les personnages nouent aimablement connaissance.

Si Platon a donc pris la peine d'attirer à deux reprises l'attention sur l'homonyme silencieux, avant de lui confier enfin la parole, ne peut-on supposer qu'il possédait quelque bonne raison, non pas d'ordre dramatique ou psychologique, mais d'ordre proprement philosophique ? Les interprétations courantes frappent par leur impuissance et leur évidente perplexité. Nous avons déjà relevé la tentative de Diès qui voit Platon préparer l'entrée en scène du jeune Socrate. Constatant en effet la présence continue de l'homonyme, du *Théétète* au *Politique*, et attendant sa prochaine intervention dans le *Philosophe*, Diès admet *rétroactivement* la nécessité de cette présence, pour conclure en toute évidence que Platon devait alors préparer sa venue ! Il

convient, en bonne logique, de renverser l'ordre des raisons : pourquoi Platon introduirait-il avec patience ce personnage, dans trois
dialogues, s'il veut le confiner dans un rôle aussi effacé ? Pourquoi
annonce-t-il même un quatrième dialogue dans lequel les deux
Socrates s'affronteraient ? Ce n'est qu'après avoir posé la question
en ces termes, que l'on pourra légitimement s'intéresser aux conditions de l'apparition progressive du jeune homme.

Voir par ailleurs en lui un membre réel de l'Académie, choisi
par Platon comme interlocuteur du *Politique* à cause de son intérêt
pour les affaires de la cité, selon l'interprétation de Friedländer,
paraît une hypothèse fragile et peu convaincante. Elle revient à
s'appuyer sur la *Lettre XI* de Platon à Laodamas, considérée par la
majorité des critiques comme apocryphe, et ne résout en rien la
question initiale : pourquoi faire revenir dans trois, voire quatre
dialogues, un personnage qui porte le nom du maître ? Friedländer
se contente de supposer que « it must be with more than a personal
reference in mind that Plato selected just this name for the youthful
companion of Theaitetos »[6]. Mais il ne propose aucune élucidation
philosophique de l'intention platonicienne.

Enfin, nous l'avons souligné, le nouvel arrivant ne paraît guère
mériter un tel luxe de précautions. Le projet platonicien ne tarde pas
en effet à tourner court : deux grands dialogues pour amorcer les
timides réponses du *Politique* et préparer une conversation avec
Socrate qui ne verra jamais le jour, on n'est pas loin d'admettre que,
cette fois, la maïeutique a essuyé un échec ! La remarque désabusée du
fils de Phénarète sur ces jeunes gens qui « ont laissé avorter tous autres
germes dans leurs méchantes fréquentations » (*Théét.*, 150 e) prend
maintenant tout son sel. Mais quoi, le contact de Socrate, de Théétète
et de l'Etranger, pour ne rien dire de Théodore, aurait-il été si
pernicieux pour un jeune homme que Platon choie au point de lui
donner le nom sacré du maître ? Ou bien, au contraire, serait-il
irrémédiablement mauvais, ce *double* à la parole stérile, dont la présence se révèle, en tout état de cause, superflue ?

6. FRIEDLÄNDER, *op. cit.*, III, p. 281; p 153.

On peut se montrer plus audacieux et demander, avec Eugène
Dupréel, si ce n'est pas « au dessein de produire un effet de symétrie (...)
que l'ami de Théétète doit de porter le nom de Socrate ! ». L'hypothèse
paraît raisonnable et, pour tout dire, séduisante. D'une part, en effet,
le jeune homonyme est bien un *simulacre* de Socrate; d'autre part, si
nous en croyons Dupréel, cet « effet de symétrie » renverrait à « un
procédé d'Hippias bien connu »[7]. Nous revoilà en pays de connaissance : de nouveau, le sophiste et le simulacre font irruption de
conserve, sans qu'on les en ait priés, au cœur d'une discussion qui
tente justement de dénoncer leurs sortilèges — dans le langage lui-
même. Cependant, que nous admettions la « gradation » de Diès ou
la « symétrie » de Dupréel, nous ne quittons pas le domaine des
évidences, et baptisons la difficulté au lieu de la résoudre. Quelle
nécessité philosophique impose la progression dramatique de la
venue du simulacre ou la fausse fenêtre d'une symétrie nominale ?
Plutôt que de constater, sans plus, l'existence naturelle de l'effet de
symétrie du *Sophiste*, sans doute vaudrait-il mieux, avec Pascal, chercher la *raison de l'effet* et la signification que Platon accordait à la
répétition du même personnage et du même silence. Pourquoi, enfin,
cette symétrie joue-t-elle précisément dans le *Sophiste*, et non dans le
Théétète (où Socrate tient le rôle du questionneur) ni dans le *Politique*
(où son homonyme tient celui du répondant) ?
    Que symbolise *la double symétrie* du nom et du silence, permise
par le simulacre de Socrate, et qui demeure unique dans l'œuvre
platonicienne ? Peut-être cette double répétition du Même réussit-
elle à éveiller en nous, maintenant, un écho plus lointain.

3

La commémoration

    Enigmatique, le visage primordial de Parménide hante continû-
ment l'œuvre platonicienne, comme il hante sans doute toute philosophie qui cherche à recueillir, au sein du Même, les rayons dispersés

---

7. E. DUPRÉEL, *op. cit.*, p. 231.

de l'Etre. La pensée de Platon dépend, semble-t-il, plus originellement encore de l'Eléate que de son propre maître et de ses autres
sources traditionnelles : orphisme, pythagorisme et héraclitéisme. Il
suffit de rappeler l'ouverture du *Parménide*. En un prologue aux échos
durables, Céphale raconte à ses amis son entrevue avec Antiphon qui
connaît de mémoire, pour l'avoir profondément assimilée dès sa
jeunesse, lorsque Pythodore la lui raconta, la très ancienne rencontre
de Socrate et de Parménide. Ce jeu multiple de renvois renforce, en
remontant loin en arrière dans le passé, l'aspect légendaire et poétique
d'une pensée altière. Parménide lui-même est présenté avec un respect
mêlé d'admiration lorsque, venu avec Zénon aux Grandes Panathénées, il apparaît dans toute sa majesté : « D'un âge très avancé, sous
un chef fortement blanchi, (il) avait belle et noble prestance » (*Parm.*,
127 *b*). Et le Socrate du *Théétète*, quelque trente années après, ne
pourra évoquer sans émotion la mémoire de l'homme qui, semblable
au héros d'Homère, est « vénérable autant que redoutable » (*Théét.*,
183 *e*; *Iliade*, III, 172). « J'ai approché l'homme quand j'étais bien
jeune encore et lui bien vieux : il m'apparut alors avoir des profondeurs sublimes» (*Théét.*, 184 *a*). Comment n'hésiterait-il pas à examiner
sans préparation ses paroles, préférant en terminer avec les mobilistes, Protagoras à leur tête, avant de songer à mettre en question
la pensée du sage d'Elée ? Fidèle jusqu'au bout au souvenir de sa
première rencontre, Socrate n'accomplira pas lui-même la critique
sacrilège et laissera à l'étranger éléate le soin de porter le néant au
cœur de l'être parménidien.

La séduction d'une si haute pensée qui influencera même des
auteurs dont on souligne plutôt la filiation héraclitéenne, provient
sans doute de ce que Jean Beaufret nomme, en une heureuse formule,
« la parole plus matinale de l'identité »[8]. Bien plus tard, en effet, au
couchant de la philosophie, la pensée aventureuse consumée du
grand désir de la Différence proclamera à son tour, au plus secret
de sa nostalgie, l'Eternel Retour du Même... Aussi trouvons-nous
assez vaine la critique des professionnels de l'antiplatonisme qui,

8. J. BEAUFRET, Lecture de Parménide, in *Dialogue avec Heidegger*, I, p. 60.

sans relâche, font grief à Platon de ses remords éléatiques. Nous admettrons au contraire que le Poème de Parménide a profondément influencé l'auteur du *Sophiste*, et l'a conduit à enraciner son chemin dans la figure du Même.

Il faut sans doute *partir* de Parménide, et voir se lever, sur le rude promontoire d'Elée, l'aurore de la philosophie. Dikê, la déesse bienveillante, accueille alors le poète et lui adresse son originelle mise en demeure. Il est interdit de s'engager sur le chemin mensonger qui prétend que l'être, nécessairement, n'est pas, comme sur le sentier vacillant où les mortels, aveugles et sourds, balbutient aussi bien « c'est » que « ce n'est pas », « c'est même » et « ce n'est pas du tout même » (fr. 6). Unique et dure, une voie fidèle s'ouvre à la connaissance et lui offre la certitude : « *Il est*, sans qu'aucun interdit puisse porter sur être » (fr. 4). Au sein de sa propre plénitude, un, en repos, éternel, semblable à une sphère parfaite où l'identité affleure en chaque point, l'Etre déploie avec éclat sa silencieuse présence, lui, l'Immuable. La révélation la plus pure de cette vérité de l'être, nous la trouvons dans le bref fragment 5 :

« Le Même, en vérité, est à la fois penser et être. »

Jean Beaufret, dont on connaît les amoureuses tentatives pour déchiffrer ce poème vieux de vingt-cinq siècles, retrouve, sous la figure impassible de l'éléatisme, sa radieuse parole. Elle chante le privilège de la *Mêmeté*. Trouvant en effet son point d'ancrage dans l'Identité, plus encore que dans l'Etre, elle se présente davantage comme une *Tautologie* que comme une *Ontologie*. Son identité augurale régit de part en part l'appartenance, mieux, la communauté primordiale de l'être et de la pensée. « Loin donc que ce soit l'identité qui appartienne originellement à l'être, au sens où Aristote énoncera comme trait fondamental de l'être le principe d'identité, c'est l'être lui-même qui appartient à une Identité plus haute que lui, et qui est son identité avec penser »[9]. La parole de Parménide élève

9. J. BEAUFRET, *op. cit.*, I, p. 60.

ainsi la *Maison du Même* : en elle s'abrite la mystérieuse unité de la
pensée et de l'être, qui s'accompagnent dans la lumière de la présence.
Les fines analyses de Jean Beaufret reviennent avec patience sur
« cette corrélation originelle du νοεῖν et de l'εἶναι dans l'unité du
Même »[10].

Une si profonde unité, en laquelle Beaufret reconnaît d'ailleurs,
avec nombre d'interprètes contemporains, le thème dominant de la
philosophie occidentale, Platon essaie de la retrouver et même de
l'assurer tout au long de son œuvre. Mais c'est encore trop peu dire.
Les cinq dialogues métaphysiques que nous interrogeons, du *Parmé-*
nide au *Philosophe*, permettent à Platon d'établir la fondation de la
philosophie à l'occasion de la *Commémoration* de la pensée parménidienne. En ce sens, l'importance philosophique de la Rencontre,
précédemment soulignée, tient en premier lieu à sa référence évidente au visage du Même — le *Parménide*. En de lointains échos des
Grandes Panathénées, les enchaînements des entretiens suivants
répètent la fête initiale de la pensée qui rapprocha Socrate de Parménide. Fidèle à celui-ci, Platon s'est mis à l'écoute du Même, et, peut-
être pour mieux reconnaître le rivage éléate dont il était issu, a
gagné à la voile la haute mer, faisant l'apprentissage de vagues de
plus en plus périlleuses... Le *Sophiste*, dialogue central du groupe,
marque l'étape médiane de cette étrange expédition, là où le risque
devient le plus aigu. Le voyageur peut encore se retourner vers la
terre natale ou, d'un même regard, découvrir de nouveaux espaces
beaucoup plus inquiétants. Toujours à l'ombre de Parménide — dans
l'ombre aussi du *Parménide*, le *Sophiste* expose la *répétition* de la
recherche éléatique. Aussi la communauté des cinq compagnons,
dont nous savons qu'elle prend son origine dans l'élan initial de
l'éléate, dévoile une figure plus primitive que celle esquissée par leurs
rapides échanges. Ce n'est pas Théétète qui mène le jeu réel de la
rencontre, il n'en est que la médiation. Secrètement dissimulé dans
l'horizon du souvenir que l'Etranger, à peine arrivé, ramène à nos
mémoires, Parménide demeure le *foyer* de la recherche effective.

10. J. BEAUFRET, *Le Poème de Parménide*, p. 64.

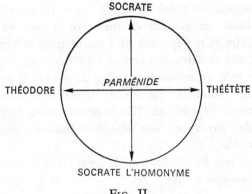

Fig. II

En toute rigueur, en effet, la quête platonicienne de l'identité, héritée de Parménide, aurait dû faire intervenir ce dernier, en lieu et place de l'Etranger : les voyageurs, revenus au port, auraient retrouvé celui qui avait mis leur navire à flot. Pourtant Platon n'a pas cherché à mettre une nouvelle fois en scène le maître de l'école éléatique; il a introduit à sa place l'Etranger d'Elée, son fils spirituel, *et en même temps*, l'homonyme de Socrate qui se retrouve, face à l'Etranger, dans la même situation que Socrate adolescent face à Parménide. La répétition du Même semble bien ici triompher : la *même* enquête sur l'être se renouvelle selon la *même* méthode dialectique et selon le *même* horizon — la recherche d'une *terre ferme* qui assurerait l'identité de la pensée et de ce qui est.

Mais cette évidente répétition du *voyage parménidien*, dont le modèle se trouve exposé dans le Proème du texte de Parménide, n'enserre pourtant pas Platon dans les lacets de l'identité éléatique. A tout le moins, il convient de s'interroger : si Platon choisit la catégorie du Même comme point de *départ*, cela ne signifie-t-il pas qu'il doit s'arracher à cette origine pour conquérir l'espace de sa propre démarche ? Platon *répète* bien Parménide, il ne retombe pas dans une *redite*. La *ré-pétition*, en son sens originel, désigne la re-demande, la reprise d'une question qui revient à sa propre source. Ce mouvement d'éloignement et de conquête ne devient évidemment possible qu'à

partir d'une séparation préalable de l'origine. Platon peut répéter la
pensée du Même, en gardant en mémoire la voix de Parménide,
parce qu'il désire faire l'épreuve de cette identité et voir si, en elle,
l'être et la pensée réussissent à éclore. La répétition, de Parménide à
Platon, opère bien un retour à l'origine de la pensée parménidienne
elle-même, mais selon l'exigence d'un *retournement* absolu qui brise
le lien primitif de dépendance. Dès le prologue du *Sophiste*, la seule
substitution de l'Etranger à son père Parménide a introduit la *possibilité* du parricide.

Que Platon soit *issu* de Parménide ne revient-il pas à dire qu'il a
pu ainsi s'en *échapper* ?

4

Différence ou répétition ?

On ne s'est pas privé d'en faire un reproche sévère à Platon :
privilégiant abusivement la figure du Même, au détriment du libre
jeu des altérités, sa pensée a contribué à orienter toute l'histoire de la
philosophie vers le domaine stérile de la Maîtrise. La connaissance
se réduira désormais au rapport interne des multiples copies à leur
modèle identique. Dénoncer ce lieu commun du Même, hantise de
la topique platonicienne, devient aujourd'hui le principal souci de
beaucoup de bons esprits qui savent taire leurs différends pour accueillir
inconditionnellement la nature trop longtemps aliénée de la *Différence*. On pourrait ainsi définir la modernité, selon le vœu de Gilles
Deleuze, par l'avènement de cette pensée de la différence qu'il tente,
contre Platon, de restaurer, et qui « est manifestement dans l'air du
temps »[11]. Nous savons maintenant que notre civilisation meurt,
ou bien naît, « de la faillite de la représentation comme de la perte
des identités ». Il s'agit donc d'en terminer au plut tôt avec la métaphysique régnante, tout imprégnée de platonisme, et de renoncer
une fois pour toutes à la douteuse fascination du Même.

11. G. DELEUZE, *Diff. Rép.*, p. 1.

L'entreprise platonicienne se trouve dès lors dénoncée sans le moindre regret. Sa constante volonté de sélectionner les prétendants à la vérité contre la libre anarchie des simulacres, impitoyablement refoulés vers le néant, a bloqué l'exercice naturel de la pensée au profit de la maîtrise du Modèle. Déjà, la trop naïve question de Socrate : « *Qu'est-ce que... ?* », qui jetait ses interlocuteurs dans l'embarras, dissimulait mal une puissante force répressive, et ne cherchait rien de moins qu'à soumettre la riche multiplicité des choses existantes à l'identité figée de l'Idée. On comprend, non pas l'impuissance, mais la souffrance profonde d'Hippias *soumis à la question* socratique : « Qu'est-ce que le beau ? » Elle lui interdit en effet de déployer la multitude diaprée des choses belles — une jeune vierge, un tas d'or, une jument, une marmite — parce que Socrate le force, avec sa brutalité coutumière, à reconnaître l'*unicité* de ce beau *qui n'est que Beau*, c'est-à-dire, en langage platonicien, le Beau *lui-même* ! Cette recherche acharnée de l'Idée identique qui absorbe la diversité des choses singulières témoigne, pour G. Deleuze, d'une véritable atrophie du sens de la différence, due à ce qu'il faut bien nommer chez Platon son *idée fixe*. On se trouve ici en présence d'une pathologie sournoise de la pensée, et non de son ontologie : en voulant assurer, par la conversion de l'esprit vers l'intelligible, la stabilité des essences, le philosophe platonicien exhibe « la forme maniaco-dépressive de la philosophie même ». Après vingt-cinq siècles de dialectique identitaire, nous supportons aujourd'hui encore ce lourd héritage, tant dans le domaine de la connaissance pure que dans celui de l'action morale et politique. Toute notre culture reste écrasée par le platonisme de l'Un et du Même : « C'est donc *la forme de l'Identité réelle* (le Même conçu comme αὐτὸ καθ' αὐτό) qui définit l'essence selon Platon. Tout culmine selon le grand principe : qu'il y a, malgré tout et avant tout une affinité, une filiation, ou peut-être il vaut mieux dire une philiation, de la pensée avec le vrai »[12].

Tel serait le premier et le dernier mot de la métaphysique platonicienne : le devenir et l'altérité sont coupables. Il faut réduire le

12. G. Deleuze, *Diff. Rép.*, p. 185.

champ de leurs opérations en effectuant le retour vers l'origine
entendue comme Même. Dorénavant, les libres différences sont
livrées au pouvoir tyrannique du Modèle qui, de sa hauteur ironique,
veut bien leur laisser les miettes de la participation, sans pour autant
les convier au festin de l'être. L'essence platonicienne est *auto*crate;
à ce titre, nous devons sans remords la déchoir de ses droits, selon
un mouvement plus radical que le renversement nietzschéen — sa
destruction pure et simple. Telle est désormais la *fin* de la modernité :
« Détruire les modèles et les copies pour instaurer le chaos qui crée,
qui fait marcher les simulacres et lever un phantasme — la plus
innocente de toutes les destructions, celle du platonisme »[13].

A suivre les bons auteurs, il apparaît en effet que la responsabilité
de celui qui écrivait contre les sophistes est écrasante. Ce ne sera pas
trop cher payer que de détruire en retour sa philosophie, ou ce qu'il
en reste, à coups de marteau s'il le faut, afin de regagner une juste
fraîcheur d'âme. Et certes, comme on l'a dit, c'est une belle chose que
l'innocence, surtout pour les orfèvres en beaux discours qui s'attachent continûment à la séduire ! Quoi qu'il en soit, la violente critique provenant des adeptes de la Différence ne s'aveugle-t-elle pas
à refuser d'admettre la présence de l'Autre au cœur de la pensée
platonicienne ? Il nous appartiendra de revenir sur les justifications
que l'on veut bien en donner, et de nous interroger sur la cohérence
d'un discours qui, s'il refuse l'origine, impute curieusement à Platon
l'origine de son refus.

Car nous aussi, nous saurons poser la question de la modernité :
qui parle ? Qu'il nous suffise, pour le moment, de constater que d'autres
esprits, dans une perspective bien différente, dénoncent à leur tour le
primat excessif de l'identité chez Platon. Jean Beaufret, l'un des
rares penseurs contemporains à avoir le courage d'aborder la pensée
du Sage d'Elée, n'hésite pas en effet à mettre en cause l'attitude platonicienne, cette fois du point de vue *éléatique* ! Selon une tradition
erronée due à Platon, la pensée occidentale distingue deux mondes
irréductibles et inégalement valorisés dans les deux parties du Poème

13. G. Deleuze, *Log. sens*, p. 361.

de Parménide. D'une part le monde de la Vérité, qui identifie le réel et l'intelligible dans la position d'un Etre immobile, parfait, éternel; de l'autre, le monde illusoire de l'Opinion, qui porte sur les phéno-mènes mouvants et contradictoires, rebelles à l'Unité du Même. On aurait ainsi dévoyé Parménide, à trop le considérer comme le penseur du dévoiement; le domaine sensible des ἐόντα se dissoudrait dans l'universelle débâcle du devenir qui aurait nom désormais — éléatisme. Aussi n'a-t-on pas su raccorder les deux parties du Poème : « Si un tel problème était resté jusque-là insoluble, c'était du fait d'une pétition de platonisme. » Car le responsable des errances de la tradition, c'est bien entendu Platon qui, à force d'imposer rétroactivement à Parménide sa propre vision d'un être séparé du sensible, inaugura la fiction d'un éléatisme discréditant le monde frivole des apparences pour mieux contempler l'immobile sphère du Même. Le dédain aristocratique de Platon à l'égard du monde fragile et clair des δοκοῦντα — les *Apparaissants* —, refluant vers le Poème de Parménide, a condamné celui-ci a un obscurcissement presque définitif.

Avec plus de sérénité peut-être que Gilles Deleuze, Jean Beaufret ne se montre pas moins sévère à l'égard de Platon. Mais alors que le premier reproche à Platon d'avoir succombé au doux vertige de l'éléatisme, le second affirme que l'auteur du *Sophiste* a introduit dans la pensée éléate une véritable hypertrophie de l'identité. « Non seule-ment les interprétations courantes platonisent Platon, mais elles se laissent insoucieusement entraîner jusqu'à la surenchère anachro-nique d'une sorte d'*hyperplatonisme* »[14].

Hyperplatonisme ou hypoéléatisme, tout cela revient à l'évidence au *Même*. A lire ses critiques modernes, Platon fait étrangement figure de maniaque. Tantôt il impose sa théorie des Formes séparées et immuables à Parménide dont il néglige de suivre les leçons sur la *différence ontologique* entre la Vérité et les Apparaissants ('Αλήθεια καὶ δοκοῦντα); tantôt il s'incline sans gloire devant un éléatisme de l'identité tout aussi fanatique. Malade « maniaco-dépressif », selon

14. J. BEAUFRET. *Poème Parm.*, p. 53; p. 30.

l'heureuse formule de Gilles Deleuze, il méconnaît plus généralement ses prédécesseurs comme ses contemporains, s'il ne nous pousse, dans sa folie, à le méconnaître lui-même ! Il n'arrive pas à comprendre Héraclite, il défigure les sophistes, trahit en outre Socrate, qui d'ailleurs protestait contre les propos que son disciple lui attribuait. Toutes les critiques ici se rejoignent : fasciné par la stérile immobilité du Même, Platon aurait perdu le sens de la *différence ontique* (entre les étants compris comme purs simulacres) et celui de la *différence ontologique* (entre l'être et les étants), pour imposer à la tradition ce système oppressif des Idées d'où proviennent tous les maux : le totalitarisme politique, le ressentiment moral, le désir d'éternité métaphysique, et, bien entendu, la répression du plaisir — Alcibiade pourrait en témoigner au tribunal de Marcuse.

Ne pourrait-on pourtant renvoyer à Jean Beaufret, comme à tous les interprètes qui nous mettent en garde contre Platon, leur propre dénonciation d'une attitude si moderne — et si vaine ? « Nous sommes aujourd'hui les hommes du « combat », les « champions » de la bonne cause, autrement dit les hommes du ressentiment. Nous avons perdu le sens grec du conflit », écrivait Jean Beaufret à Martin Heidegger[15]. Que de beaux champions en effet d'une si juste cause, qui se mettent au service de la Différence sans se demander jamais s'ils ne se battraient pas, par hasard, contre des moulins à vent ! Ne risquent-ils pas, les bons apôtres qui viennent apprendre à Platon à lire les présocratiques, non seulement de ne pas discerner dans leur propre critique la *différence* profonde entre « combat » et « conflit », mais encore de ne plus avoir l'œil assez vif pour retrouver ce sens du conflit chez Platon lui-même — et d'abord dans ses rapports avec Parménide ?

Il est en effet assez paradoxal d'affirmer que le penseur de la γιγαντομαχία περὶ τῆς οὐσίας (*Soph.*, 246 *a*) aurait perdu le sens grec du conflit dont serait issue la moderne vérité de la Différence. N'est-il pas plus commode d'imputer à une tradition paresseuse la source de ses propres aveuglements, et d'instaurer, pour faire échec à l'identité platonicienne, une pétition d'antiplatonisme qui tombe sous le

---

15. J. BEAUFRET, *Dial. Heid.*, I, p. 14.

coup de cette dénonciation même ? Sans doute un tel bégaiement du
Même n'offre-t-il plus guère de points communs avec l'authentique
répétition platonicienne...

5

HESTIA

La convergence de toutes ces critiques, en apparence définitives,
ne doit pas nous décourager, bien au contraire. Nous n'hésitons
d'ailleurs pas à reconnaître l'enracinement profond de la pensée
platonicienne dans la figure du Même héritée de Parménide, et à le
souligner. La philosophie des dialogues revient avec une ferme
insistance sur la fonction stabilisatrice de l'Identité, qui permet au
logos de limiter l'éparpillement confus, la *dissémination* des phénomènes fuyants dans leurs incessantes métamorphoses. Le Même met
en quelque sorte *aux arrêts* les mouvements désordonnés des réalités
sensibles et leur impose une orientation primitive et fixe[16]. En ce
sens, la réflexion de Jean Beaufret se trouve justifiée : l'ontologie
platonicienne instaure la continuité de la tradition selon l'image d'un
alignement de tous les êtres en fonction d'un principe identitaire,
lequel répète le rapport constant de l'Analogie. Cette dernière,
comprise comme la répétition du Même au cœur de l'Autre, impose
donc à l'univers une véritable « orthodoxie de la ligne »[17]. Le κόσμος
est une τάξις, entendons qu'il s'*ordonne* hiérarchiquement selon la
syntaxe du Même. Tel est l'ordre naissant de la philosophie : il ne
connaît guère, apparemment, que le pas cadencé.

On retrouve ce désir constant d'un lien, mieux, d'un ancrage
dans une assise à jamais sûre, dès que l'on emprunte les moindres
chemins platoniciens. A cet égard, la cosmologie platonicienne se
révèle très éclairante. Dans le *Gorgias*, Socrate enseigne à l'inconti-

---

16. Ainsi Thétis essayait-elle, par ses *métamorphoses*, de se dérober à l'*arrêt* de Zeus
lui ordonnant de s'unir à Pelée (*Iliade*, XVIII, 432; PINDARE, *Néméennes*, III, 35 et IV, 65;
Isthmiques, VIII, 22-47).
17. J. BEAUFRET, *Dial. Heid.*, I, p. 97.

nence de Calliclès que « le ciel et la terre, les dieux et les hommes, sont liés entre eux par une communauté faite d'amitié et de bon arrangement, de sagesse et d'esprit de justice, et c'est la raison pour laquelle, à cet univers, ils donnent le nom de *cosmos*, celui d'arrangement, et non celui de dérangement, non plus que de dérèglement » (508 *a*). Et Socrate, qui tient à préserver le bon usage d'un langage que la rhétorique corrompt, d'entamer une véritable profession de foi en faveur des vérités « retenues et enchaînées par des liens » semblables à des « rapports de fer et d'acier » (509 *a*). A l'inverse d'un Calliclès dont le langage demeure indifférent à l'ordre et à l'unité des choses, Socrate proclame que son langage à lui « est toujours le même ». Mais c'est encore trop peu dire : il est toujours le même dans la mesure *où il provient du Même*, à l'écoute de cette parole primordiale qui dévoile ce que Platon nomme ici l'*égalité géométrique*.

L'exposé cosmologique du *Timée* reprend et amplifie magistralement la primauté du Même qui régit la composition harmonique de l'Ame du Monde. Dans une perspective tout aussi pythagoricienne que celle du *Gorgias*, Platon montre comment le démiurge façonna l'univers en prenant « la substance indivisible qui se comporte toujours d'une manière invariable » et « la substance divisible qui est dans les corps », puis en les mélangeant toutes deux avec une substance intermédiaire composée des deux précédentes selon une proportion donnée (35 *a*). Il constitua ainsi une sorte de bande, comparable à un parallélogramme, qu'il divisa en deux et ploya en X, selon la forme d'un chiasme, de façon à obtenir deux cercles, celui du Même et celui de l'Autre. Le mouvement uniforme du premier constitue l'équateur du monde, et transmet son mouvement au second, le cercle de l'écliptique, en assurant la régularité de son cours. L'ordre de subordination ne saurait être mis en cause : « Le mouvement du Même (le démiurge) l'orienta suivant le côté d'un parallélogramme, de la gauche vers la droite, celui de l'Autre, suivant la diagonale, de la droite vers la gauche. Et il donna la prééminence à la révolution du Même et du semblable. » Non seulement le cercle du Même assure l'équilibre de la rotation du cosmos, mais encore il permet de connaître les réalités intelligibles. Quant au cercle de l'Autre, il transmet à l'âme les messages des corps sensibles, déterminant en elle les opinions et les croyances. Lorsque l'influence du Même décroît, le second cercle s'emballe follement et conduit l'univers à confondre l'identique et le différent — le temps est maintenent hors de ses gonds. Comme une toupie affolée, le monde perd son équilibre et va se dissoudre dans le néant. Qu'il soit cosmique ou simplement humain, le Mal platonicien prend à chaque fois la forme de cette *dispersion de l'être* qui hantera plus tard un Baudelaire : « De la vaporisation et de la centralisation du *moi*. Tout est là » (*Mon cœur mis à nu*, 1).

L'intuition essentielle du platonisme dévoile ainsi la suprême présence du Même dans l'ordre de l'être et celui du connaître. On ne peut comprendre la possibilité de la connaissance sans postuler l'existence méta-empirique de formes intelligibles que l'âme a contemplées dans une vie antérieure et qu'il lui est loisible de rappeler. La réminiscence manifeste donc *le Retour du Même* en une âme qui est conaturelle aux Formes pures (*Phédon*, 79 *d*), grâce au mouvement régressif de la connaissance qui impose la marque de l'identité à la diversité vagabonde du sensible. Le recours à la réminiscence permet en outre à Platon d'éviter le reproche que Parménide, avant Aristote, adressait à l'hypothèse de formes intelligibles séparées, qui n'auraient dès lors aucun contact avec la connaissance humaine. La transcendance des formes se découvre dans ce mouvement de reconnaissance de l'âme qui ressent, au fond d'elle-même, sa parenté ontologique avec l'objet de sa recherche. On comprend que le premier exposé de la réminiscence, dans le *Ménon*, commence par un avertissement solennel de Socrate : « La nature, tout entière, est d'une même famille » (81 *d*).

A la source de l'être et de la connaissance, l'identité affirme la primauté ontologique de la *forme* (εἶδος), qui constitue le terme de l'*essence* (οὐσία). Comme l'écrit Jean Beaufret, peut-être avec un grain d'ironie : « Sans l'*eidos*, rien ne va plus dans l'*ousia* »[18]. Oui certes, et Platon s'en félicite, à l'abri des excès furieux des mobilistes et des sophistes : *rien ne va plus* parce que *tout demeure*. La forme du Même,

18. J. BEAUFRET, *Dial. Heid.*, I, p. 100.

αὐτὸ καθ’ αὐτό, maintient la fluidité du multiple en regard d’un modèle permanent. « L’εἶδος, c’est le moment de la fixation qui tient en échec le « catarrhe » dont l’οὐσία ne cesse d’être menacée. » Il est vrai, alors, que la *présence* à l’abri de laquelle les choses trouvent leur site (οὐσία) révèle leur pleine santé : le cosmos héraclitéen, jusqu’alors pris d’écoulement, est guéri de son rhume. Grâce à l’εἶδος, la réalité se tient bien, elle a même de la *tenue*, et nous pouvons en retour *tenir* un discours sur elle, serait-ce celui du mobilisme universel. Le Même constitue, à n’en pas douter, le *centre* de l’ontologie platonicienne.

Une figure mythique rend compte de la permanente présence de l’οὐσία : il s’agit d’*Hestia*, la déesse virginale, que Platon invoque à plusieurs reprises, en interprétant sa fonction selon le symbolisme traditionnel du centre et du foyer commun. Sans revenir sur les belles analyses de Jean-Pierre Vernant qui, à la suite de Louis Gernet, a envisagé l’expression religieuse de l’espace chez les Grecs à partir du couple Hestia-Hermès[19], nous mettrons en évidence l’utilisation philosophique que fait Platon de la déesse du foyer. Dans le *Cratyle*, Socrate, qui cherche avec Hermogène l’origine des noms des dieux, commence par Hestia, « suivant le rite » (401 *b*) qui impose de lui offrir les prémices du sacrifice. Quelles que soient par ailleurs les fantaisies étymologiques du dialogue, ce n’est pas un hasard innocent qui conduit Socrate à rapprocher le nom d’*Hestia* (ἑστία) de οὐσία. Les hommes, déclare-t-il, ont coutume d’appeler « *hestia*, la « réalité » *(ousia)* des choses (...) et aussi bien, d’autre part, (...) nous disons *hestia*, « foyer », ce qui a part à la réalité *(ousia)* » (401 *c*, trad. Robin modifiée), sans doute en souvenir des premiers nomothètes qui placèrent Hestia en tête des dieux, parce qu’elle incarnait pour eux la réalité totale. Dans son *Commentaire sur le Timée*, Proclus interprétera semblablement l’essence platonicienne, par rapport à l’ontologie du *Sophiste*, en la nommant « le foyer des genres et leur monade » (οἷον ἑστάν τῶν γενῶν ὑπάρχουσαν καὶ μονάδα)[20]. La déesse du

---

19. J.-P. VERNANT, Hestia-Hermès, in *Mythe et pensée chez les Grecs*, pp. 124-170. Cf. Louis GERNET, Sur le symbolisme politique : le foyer commun, in *Anthropologie de la Grèce antique*.

20. PROCLUS, *Comm. Tim.*, III, 133, 26-30, p. 174.

foyer constitue le centre du monde domestique, le siège de la cité, plus largement encore, le point fixe de l'espace par rapport auquel toutes les directions se distribuent. Comme le rappelle J.-P. Vernant, en citant Euripide : « Point fixe, centre à partir duquel l'espace humain s'oriente et s'organise, Hestia, pour les poètes et les philosophes, pourra s'identifier avec la terre, immobile au centre du cosmos »[21].

Le mythe central du *Phèdre*, qui décrit la procession céleste des âmes, évoque l'armée des douze dieux et leurs cortèges de démons parcourant *circulairement* la voûte étoilée sur leurs attelages ailés, alors que « Hestia reste à la maison des dieux, toute seule » (247 *a*). La fidèle gardienne du foyer oriente ainsi l'espace divin comme l'espace humain de la cité, et incarne « la volonté de permanence, le refus obstiné du changement »[22], par son immobilité privilégiée. Platon reprend manifestement le symbole religieux primitif du foyer commun, qui protège le feu au centre du mégaron, mais aussi le symbole politique de l'unité et de la permanence du groupe humain. « Ce que traduit essentiellement le symbole », écrivait à ce propos Louis Gernet, « c'est le sentiment que la polis peut avoir de son identité et de sa présence »[23]. Les *Lois* insistent moins sur la solidarité économique de la cité des Magnètes que sur la nécessité impérative de *fonder* un nouvel ordre politique, selon un nouveau partage de l'espace sacralisé qui, au rebours de l'espace laïque de Clisthène centré autour de l'agora, distribue la cité en douze portions autour de l'Acropole *affectée au temple de Hestia* (745 *b-c*). Dans ce déplacement du centre, J.-P. Vernant reconnaît avec justesse un élément significatif de la pensée politique — nous ajouterons : ontologique — de Platon : « La cité platonicienne (...) se construit autour d'un point fixe qui, par son caractère sacré, amarre en quelque sorte le groupe humain à la divinité »[24]. Et l'auteur rappelle opportunément que, dans le grand mythe eschatologique de la *République*, Hestia

---

21. J.-P. VERNANT, *op. cit.*, p. 126. Cf. le fragment 938 d'Euripide : « Les sages appellent la Terre-Mère Hestia, parce qu'elle siège immobile au centre de l'Ether. »

22. J.-P. VERNANT, *op. cit.*, p. 130.

23. L. GERNET, *op. cit.*, p. 390.

24. J.-P. VERNANT, *op. cit.*, p. 128.

se confond avec la Nécessité (*Anankê*), laquelle, au centre de l'univers, commande de son fuseau tous les mouvements du cosmos, alors qu'à égales distances, ses trois filles, les Moires, distribuent aux âmes leur destin.

La figure divine de Hestia, au triple symbolisme cosmique, religieux et politique, renforce donc le principe platonicien d'*homogénéité* ontologique que tous les dialogues essaient d'instaurer. Il s'agit bien toujours, pour le philosophe, de « commencer par la terre, ἀφ' Ἑστίας ἄρχεσθαι », selon la juste remarque de Socrate dans l'*Euthyphron* (3 a). Platon s'attache au symbole du foyer, non seulement pour développer dans le domaine empirique les liens d'*homonoia*, de concorde politique, mais surtout pour dévoiler la nature ontologique de l'idée de Fondation; il demeure fidèle tout autant à la tradition religieuse de la Grèce qu'à la tradition proprement philosophique du courant pythagoricien. La fameuse formule de Philolaos : « L'Un, placé au milieu de la sphère, s'appelle Hestia »[25], n'évoque-t-elle pas la permanence de l'être parménidien aussi bien que la recherche nostalgique de l'harmonie platonicienne ?

Aussi la figure II que nous présentions plus haut (p. 85), distribuant les quatre personnages autour de Parménide, leur foyer commun, nous paraît représenter l'*origine* du chemin de pensée de Platon, — mais son origine seulement. Doit-on pour autant affirmer qu'il a échoué à s'ouvrir vers des directions différentes, et qu'il a ainsi manqué la rencontre de l'Altérité ? Le Même platonicien, dont l'οὐσία présente le modèle permanent en tant qu'εἶδος fixe, en soi et par soi, est-il encore *le même* que le Même éléatique ? Ou bien assisterions-nous, dans le *Sophiste*, à un dédoublement de cette identité et à l'apparition d'un *autre même* ? Loin que Socrate n'incarne en effet que l'ombre de Parménide, le *Sophiste* nous autorise à voir plutôt en lui le *modèle* d'une figure nouvelle qui lui renvoie désormais, pour deux entretiens encore, son propre reflet.

25. Pour la traduction des fragments de Philolaos, cf. A. E. CHAIGNET, *Pythagore et la philosophie pythagoricienne* : fr. 10 *b*, t. 1, p. 234. Cf. STOBÉE, *Ecl.*, 1, 22, 1 : « Philolaos a mis le feu au milieu, au centre : c'est ce qu'il appelle la Hestia du Tout, la maison de Jupiter et la mère des dieux, l'autel, le lien, la mesure de la nature. » Cf. AETIUS, II, 7, 7 (= *Doxogr. Gr.*, p. 336).

CHAPITRE II

LE DOUBLE (DE) SOCRATE

I

Miroir, mon beau miroir

Deux, le chiffre de la *spéculation*...

Avec Socrate, semble-t-il, tout commence par une doublure, de démon en sosie et en homonyme, comme si quelque inquiétant miroir venait interposer son indifférence glacée entre le philosophe et sa parole. A lire les dialogues platoniciens, nous sommes déjà astreints à cette *double lecture* qui renvoie inlassablement de Socrate à Platon et de Platon à Socrate, sans que nous puissions jamais briser la glace. Du premier, le beau parleur qui dédaignait l'écriture, nous ne connaissons paradoxalement l'image que dans les reflets brisés et trompeurs des *écrits* de Platon, Xénophon, Aristophane, ou de quelques autres de moindre éclat. Mais du second, en dépit de ses admirables dialogues, nous ignorons presque tout : celui qui confiait à Denys, au sujet des questions philosophiques, que là-dessus « il n'y a pas d'ouvrage de Platon et il n'y en aura pas » (*Lettre II*, 314 c), et qui reportait les propos qu'on lui attribuait au maître qu'il met en scène dans toute la gloire de sa jeunesse, ne quitte guère les coulisses de son théâtre d'ombres. Connaîtrons-nous jamais l'identité du véritable auteur des dialogues qui se dissimule derrière un porte-parole qu'il nomme Socrate ou bien l'Etranger, peut-être un simple effet de son écriture ? Socrate/Platon : qui parle ici, ou plutôt, qui écrit ? *Qui* est *qui* ? Ou bien serait-il imprudent de s'imposer, dès l'abord, une réflexion qui se lit dans les deux sens ?

Ce n'est pas que nous ne puissions deviner le visage du philosophe qui nous intrigue encore. A en suivre les contours dans les dialogues platoniciens, nous le voyons toujours *double*, avant même, peut-être, que de voir *le* double. Dans l'*Hippias Majeur*, déjà, Socrate donne une curieuse *réplique* au superbe sophiste, en faisant intervenir « quelqu'un », un nommé *Personne* pourrait-on dire, qui va mener la discussion à sa place. On ne sait trop si c'est Socrate qui entre « dans la peau de cet homme » (287 *b*), ou bien si c'est le double qui investit l'âme de l'ironiste. Toujours est-il qu'un véritable exercice de ventriloquie ontologique laisse Hippias médusé, en proie à un adversaire insaisissable qui, sans cesse, se réfugie auprès de son double. A travers lui, c'est *le discours de l'Autre* que Hippias entend, à sa grande colère ! Qui parle, et ose réfuter le beau sophiste, *qui est le Maître* (292 *a*) et qui est la marionnette, le double, la poupée ? Socrate réussit à apaiser le sophiste : lui-même se contente de jouer le rôle du bonhomme, en une sorte de mime innocent qui ne doit pas indisposer Hippias. Et cet homme étrange s'attache peu à peu aux pas de Socrate, au point bientôt de renverser les rôles. A force de le réfuter, il n'est plus habité par Socrate, mais s'en vient au contraire le hanter jusque dans sa propre maison ! La pirouette finale achève de désarçonner Hippias : se démarquant d'une doublure désormais inutile, Socrate la renvoie au sophiste lui-même. « *A tous les deux* » (ἀμφοτέρων ὁμῶν, 304 *e*), conclut-il avec ironie, il est fort obligé d'un entretien qui lui a permis de comprendre combien sont difficiles les belles choses !

On sait à quel point l'œuvre platonicienne vit, pour d'aucuns meurt, de cette fascination du double et du simulacre. Tout est miroir chez Platon, ou le devient : surfaces lisses des glaces et des eaux, écrans brillants de la nature, astres et planètes, feu-soleil de l'antre — même la plus obscure paroi d'une caverne reflète encore le mouvement des ombres. Il y a aussi les visages, ces miroirs de l'âme : Théétète te ressemble trait pour trait, ô Socrate, murmure Théodore, ces yeux à fleur de tête et ce nez écrasé sont bien de toi.

On devine l'impatience de Socrate à rencontrer son jeune sosie :
« Ainsi pourrais-je me voir de face et savoir quel est mon visage »
(*Théét.*, 143 *e*-144 *a*). L'analogie du miroir revient dans la même
conversation, lorsque Socrate s'inquiète des possibilités d'erreur,
semblables à des « troubles comme ceux que subit la vision dans les
miroirs, transportant à gauche ce qui est à droite » (193 *c-d*). Car le
miroir *gauchit* : ne vais-je pas me perdre dans l'inversion de mon reflet,
dupe de mon propre regard, prenant ainsi « une chose pour une
autre et jugeant faux » ? Ce qui définit avant tout le miroir pour
Platon — lui-même miroir de Socrate ou devons-nous inverser ? —
c'est la prétention sophistique à la fidélité, plus encore, à l'identité.
Intervertit-il deux dimensions de l'espace, en une substitution
muette, qu'il n'en souffle mot, tout à la joie de sa double présence.
Alors je m'interroge : est-ce bien moi, là-bas, dans cet ici immédiat
qui répète le Même ? Vaut-il encore la peine de questionner l'instrument scrupuleux qui reproduit tranquillement ce que nous attendons
de lui ? A force de réfléchir avec trop d'innocence, le miroir platonicien nous empêche peut-être de spéculer.

Il règne jusque dans nos rêves, nous forçant à tenir « un objet
qui ressemble à un autre, non point pour l'image de cet objet, mais
pour l'objet lui-même auquel il ressemble » (*Rép.*, v, 476 *c*). Nous
évaderions-nous d'ailleurs de la caverne des songes que nous le
retrouverions à la surface, sur les eaux et les corps polis (510 *a*,
516 *a*), au loin encore, sur les astres nocturnes qui répètent la lumière
du soleil. Reconnaissons-le : toute *surface* sensible — *photo*sensible —
est un miroir, bien que tout miroir paraisse refuser la surface pour
donner l'illusion de la profondeur. La physique du *Timée* développe
une théorie du redoublement solaire de la vue, selon un plan de
symétrie en miroir qui conjoint le feu extérieur du soleil et la douce
luminosité du regard. « Par suite de l'affinité réciproque du feu
intérieur et du feu du dehors, chaque fois que l'un d'eux rencontre
la surface polie et vient s'y appliquer à nouveau plusieurs fois successives, toutes les apparences de ce genre se manifestent nécessairement,
parce que le feu extérieur, qui se trouve proche du visage, *se colle*
étroitement au feu de la vision, contre la surface brillante et lisse »

(46 *a-b*). Le voilà donc déjà chez Platon, ce fameux *protocole* d'accord en quoi certains, que nous rencontrerons bientôt, voient le signe premier d'une nouvelle écriture : une surface initiale, collée à elle-même, sur laquelle les feux du soleil et les éclats du regard deviennent indiscernables. En cette identité idéale, comment saurions-nous encore *qui* se mire sur l'exquise surface ?

Quant au logos, il n'échappe pas à l'universelle séduction du *speculum*. Le propos majeur du *Cratyle* consiste, contre la thèse d'Hermogène, à donner un statut ontologique au surprenant redoublement que le nom, en toute innocence, impose à la chose. Si le logos, toujours juste par convention (νόμῳ καὶ ἔθει), demeure indifférent à la réalité qu'il énonce — à suivre le consensus social, on nommerait aussi bien « cheval » l'homme et « homme » le cheval (385 *a*) — comment réussit-il encore à la désigner, donc à présenter un *sens* ? Le miroir aussitôt s'obscurcit et dérobe sa propre identité à Hermogène. Celui-ci a tort de se fâcher d'emblée contre Cratyle : avec une grande finesse, son compagnon ne fait que lui rendre la monnaie de son conventionnalisme. Rappelons la scène du prologue : le taciturne Cratyle soutient, sans autre précision, que « Socrate » est bien le *nom* de Socrate et « Cratyle » le *nom* de Cratyle, les deux hommes s'accordant en effet à reconnaître l'essentielle correspondance du mot et de la chose (383 *a*-384 *a*). Hermogène, quant à lui, dénonce ce prétendu lien naturel — l'*éponymie du nom* (ἡ τοῦ ὀνόματος ἐπωνυμία, 395 *b*) — mais omet d'en tirer les conséquences pour lui-même. S'il n'y a en effet qu'un accord arbitraire entre ce que le nom désigne — cet homme-ci qui, précisément, attaque la thèse de Cratyle — et ce qu'il signifie — le sens du nom « Hermogène » — alors l'homme en question n'*est* pas ce que son *nom* exprime : « Ton nom n'est pas Hermogène, même si tout le monde te le donne » (373 *b*).

L'interprétation socratique de la plaisanterie — le malheureux Hermogène aurait dû faire fortune puisque Hermès est le dieu des richesses — nous égare, si l'on peut dire, vers une bien pauvre éponymie. Peut-être faudrait-il rappeler que l'éponymie, comme les diverses étymologies sur lesquelles joue l'ensemble du dialogue, a pour fonction *généalogique* de révéler le rapport intime entre un individu et la race dont il procède. A la vérité, *Hermo-gène* est *doublement* infidèle à la *race d'Hermès* : en méprisant la droite filiation du *nom*, il oublie sa divine éponymie à l'égard du dieu du *langage*; en outre, il ne parvient pas à *interpréter* (ἑρμηνεύειν) l'énigme moqueuse de Cratyle[1], et ne sait afficher que son dépit. Naïf Hermogène qui demandes justement à Socrate d'être ton propre *herméneute*, tu resteras, à trop interroger le signifiant, exilé loin du dieu que ton nom évoque.

Cette petite devinette semble donner, dès les premiers échanges, un avantage décisif à Cratyle. Elle nous entraîne pourtant vers des apories autrement graves, puisqu'elle revient à identifier, comme en miroir, le mot et la chose. Socrate doit en conséquence prendre maintenant quelque distance à l'égard de la thèse cratyléenne qu'il n'a cessé de défendre contre Hermogène. Si le nom d'un homme, comme son image que Cratyle assure distincte du réel, exprime la propre nature de celui-ci, on confondra nécessairement la paille des mots et le grain des choses. Supposons qu'un dieu réussisse à fabriquer un sosie de Cratyle, en imitant sa figure, ses formes, ses couleurs, et même son intériorité corporelle et spirituelle, comment Cratyle *se* distinguerait-il encore de son double ? « Y aurait-il alors là Cratyle et une image (εἰκών) de Cratyle, ou bien deux Cratyles ? » (432 *c*). Voilà énoncé, bien avant Leibniz, le principe des indiscernables. Il faut de toute évidence, pour distinguer la chose de son fantôme, que ce dernier possède quelque lacune ou surcharge par rapport au modèle, de l'esquisse à la caricature. L'image et le nom doivent se marquer d'un trait spécifique, mieux, *se démarquer* de ce qu'ils illustrent, faute de quoi ils risquent d'anéantir leur imitation et de tomber

---

1. Dans son brillant essai sur L'éponymie du nom *(Figures II)*, Gérard GENETTE montre que « la fonction de l'éponymie est de donner un sens à un nom qui est censé n'en pas avoir » (p. 25). Que Socrate cependant défende, avec l'éponymie cratyléenne, une *relation mimologique* entre les mots et les choses, n'entraîne pas qu'il en accepte les conséquences sophistiques. G. Genette souligne que Socrate *prend ses distances* à l'égard de la thèse cratyléenne, c'est-à-dire, en fait, tient à distance le mot *et* la chose, au rebours de Cratyle qui les identifie. Hermogène est indifférent à la chose, Cratyle ne s'intéresse qu'à la chose, et Socrate sauvegarde la tension initiale — donc la séparation — *entre* le nom et la chose.

dans l'étrange *lacune d'une surcharge*. On pense, bien naturellement, à la nouvelle de Poe, dont il faudra peut-être repérer les rapports avec le *Sophiste* — et le *Politique*. Si la lettre volée par le ministre, grâce à une adroite substitution qui n'a laissé dans le boudoir royal qu'un simulacre, peut malgré tout apparaître à Dupin au premier coup d'œil (la lettre « absolument différente » de ce qu'on attendait, est fortement « salie et chiffonnée (...) déchirée en deux », disons maquillée[2], c'est parce que « le caractère excessif de ces différences » le frappe : le signifiant parle trop, à simuler l'insignifiance. D'une façon similaire, le sosie de Cratyle est trop parfait pour être rien d'autre qu'une doublure, ou plus exactement, un simulacre. Nous parlons, avec Platon et Poe, de l'*image* — devons-nous prendre leurs exemples à la *lettre*, et avouer que le langage lui-même est le lieu illusoire où scintillent tous les mirages ?

Socrate a beau parler d'images matérielles, comme les peintures ou les sculptures animées de Dédale, le seul redoublement qui le préoccupe tient dans la redondance du logos à l'égard du réel. Le logos en effet est *double* (διπλοῦς, 408 *c*), qui peut dire le vrai et le faux, et permettre ainsi, par son ambiguïté, la duplicité de l'art sophistique[3]. Cratyle affirme ainsi avec aplomb que la chose qu'on dit, c'est la chose qui *est* (429 *d*, 435 *e*). Protocole d'accord du signifiant, surface nue de la lettre, sans arêtes ni aspérités, sur ce miroir poli, Cratyle glisse de son mouvement héraclitéen, et se reflète à la surface du langage sans pouvoir se distinguer de son reflet. Ecoutons encore une fois Socrate : « Y aurait-il alors là Cratyle et une image de Cratyle, ou bien deux Cratyles ? » Son interlocuteur doit en convenir : il y aurait *deux Cratyles*, non pas de chaque côté du miroir, mais sur la surface physique du sens. D'abord expérimentée à travers les images

---

2. Edgar A. POE, *La lettre volée*.
3. Cf. Marcel DETIENNE, *Les maîtres de vérité dans la Grèce archaïque*, sur « l'ambiguïté de la parole » : « La sophistique et la rhétorique qui font leur apparition avec la cité grecque sont des formes de pensée l'une et l'autre fondamentalement axées sur l'ambigu, à la fois parce qu'elles se développent dans la sphère politique, qui est le monde même de l'ambiguïté, et parce qu'elles se définissent comme les instruments qui, d'une part, formulent sur un plan rationnel la théorie, la logique de l'ambiguïté, et, d'autre part, permettent d'agir avec efficacité sur ce même plan d'ambiguïté » (p. 119).

matérielles, l'existence des simulacres introduit au monde troublant
des *Double-Dits* (Διοσοὶ Λόγοι) : Platon n'échappe pas à cette logique
de l'ambiguïté que lui imposent les sophistes et, à travers eux, la
fonction signifiante du langage.

Ses dialogues jouent ironiquement de ces effets stylistiques où
doubles, images et homonymes confondent à loisir leurs échanges.
Ainsi voyons-nous Socrate, dans le prologue du *Protagoras*, s'amuser
du jeune fils d'Apollodore qui, tout ému, lui confie son désir de
s'instruire auprès du grand sophiste. Si le jeune homme se décidait
à donner de l'argent à son homonyme, le médecin de Cos, quelles
seraient en réalité ses intentions ? « A quel titre, *Hippocrate*, veux-tu,
à *Hippocrate*, payer un salaire ? » (311 *b*, tr. Robin).

Le jeu de mots, comme en un miroir, est intervenu dès le moment
où Hippocrate a parlé à Socrate du sophiste. L'homonymie est le
premier simulacre, le plus inquiétant sans doute, puisqu'il ébranle
notre confiance dans la nature du langage. D'une façon similaire
le *Gorgias*, qui redouble par ailleurs les techniques véritables en
techniques mensongères, montre la confusion du sophiste qui se
contredit pourtant sans vergogne : « Il est impossible, mon cher
Calliclès, que Calliclès soit en accord avec lui-même et ne demeure
pas dans une perpétuelle dissonance » (482 *b*). Voilà maintenant
deux Calliclès qui vont rejoindre les deux Cratyles et les deux
Hippocrates.

Les duplications ne s'en tiennent pas là, s'enrichissent de multiples
traits au cours des grands dialogues métaphysiques. En dehors du
passage précédemment mentionné sur la frappante ressemblance de
Socrate et de Théétète, le *Théétète* dénonce les risques de confusion
dus au redoublement et à l'homonymie : « Peut-on, si l'on ne connaît
ni Théétète ni Socrate, venir à penser que Socrate est Théétète ou
Théétète Socrate ? » (188 *b*). Ne va-t-on pas s'égarer en orthogra-
phiant, *à la lettre près*, les noms de *Thé*étète et de *Thé*odore, au moins
dans l'unité de leur syllabe commune (208 *a*) ? Ou encore, en regar-
dant ce nez, ces yeux, cette bouche, prendre Théétète pour Théodore,
et la camardise de Théétète pour celle de Socrate (209 *b-c*) ? Enfin,
l'ultime hésitation — car de qui parle maintenant le jeune homme ?

« Parfois, moi qui connais Socrate, à voir de loin quelqu'un que je ne connaissais pas, je l'ai pris pour Socrate que je connaissais » (191 *b*). Il vaut mieux, en effet, y regarder de plus près : Théétète, qui s'adresse ici à Socrate, ne mentionne pas le philosophe qu'il ne connaissait pas quelques minutes auparavant. Il parle donc de *l'autre*, celui qui justement ne parle pas, dans le *Théétète* comme dans le *Sophiste*, et qui surtout ne répond pas quand on l'appelle. Mais les simulacres des miroirs répondent-ils, à l'ordinaire, ou bien gardent-ils toujours, glace impossible à briser, *l'oreille un peu dure* ?

« Eh bien, *Socrate*, tu entends ce que dit *Socrate* ? »
« Σώκρατες, ἀκούεις δὴ Σωκράτους » (*Polit.*, 258 *a*).

Même dans le seul dialogue où il prend la parole, le jeune homme continue à ne pas répondre à son homonyme, semblable à son camarade qui, parallèlement, montrait au moins en une occasion, une curieuse distraction :

« Tu entends, Théétète, ce que dit Théodore ? »
« Ἀκούεις δή, ὦ Θεαίτητε, ἃ λέγει Θεόδορος » (*Théét.*, 146 *b*).

Rapprochons les deux questions impatientes, rappelons que Socrate pose la seconde et l'Etranger d'Elée la première : nous retrouvons alors les *cinq* personnages du *Sophiste*. La problématique entière du dialogue se tend *entre* ces deux questions, dont on se demande parfois si le lecteur aussi les entend. *Qui* parle, en effet, *à qui* s'adresse-t-il, et *comment* doit-on l'entendre ? Il n'est pas inutile de remarquer que la *double question* du *Théétète* et du *Sophiste* interroge le dire et l'écoute de ce dire, qu'elle est posée par Socrate et l'Etranger, en l'occurrence *le double dialecticien* à son *double partenaire*.

Qu'il nous suffise, quant à nous, de répondre par une simple question; qu'est-ce que Platon a donc en vue lorsqu'il interroge le langage à partir de ce *double foyer* ?

2

Duplication/Duplicité

Si le stade du miroir symbolise l'expérience du redoublement, grâce à l'effet de symétrie procuré par la répétition du nom, il semble bien que le *Sophiste* s'inscrive paradoxalement sous le signe même de la sophistique qu'il s'attache à dénoncer. L'apparition du second Socrate (mais le qualifier de « second », n'est-ce pas entraîner la protestation du simulacre qui n'admet aucune subordination ?), dont nous avons montré qu'elle est inexplicable sur le seul plan du *signifié* (historique, dramatique, psychologique), témoignerait alors d'une redondance du *signifiant* rapportée ainsi au simulacre. L'effet de symétrie, ou l'effet de double, exprime le surprenant équilibre des quatre principaux personnages. D'une part en effet, nous constatons que le *double dialecticien* (Socrate/l'Etranger) se *dé*double : aucun des deux n'entre en rapport avec l'autre, pas plus dans le *Sophiste* que dans le *Politique* — ou le *Philosophe*; pour ne pas être en reste, le *double partenaire* (Théétète/Socrate l'homonyme) se dédouble à son tour. Mais d'autre part, à l'*excès nominal* du double Socrate répond son *défaut de parole*. La pure surface du signifiant semble interdire de rechercher un signifié dans la redondance homonymique.

La saturation est tellement forte que la duplication se reproduit à *cinq* reprises :

1. *Deux* dialecticiens : Socrate/l'Etranger.
2. *Deux* partenaires : Théétète/Socrate l'homonyme.
3. *Deux* sosies   : Socrate/Théétète.
4. *Deux* homonymes : Socrate/Socrate.
5. *Deux* étrangers   : Théodore de Cyrène/l'Etranger d'Elée.

Les *cinq doubles* du *Sophiste* ouvrent ainsi ce que l'on pourrait nommer, selon l'expression de Jacques Derrida, « le procès de duplication »[4], ou encore, selon le renversement en miroir, « la duplication du procès ». Si Socrate cherche en effet à entamer un procès au sophiste, celui-ci, à son tour, fait un procès au philosophe. Le procès du prétendant à la sagesse se trouve *re*doublé, comme d'ailleurs la chasse qui ne permet à aucun moment, du moins en apparence, de distinguer la proie de son poursuivant, chasseur et gibier intervertissant leur place tour à tour.

Les chassés-croisés de la duplication se concentrent à l'évidence autour des deux personnages qui portent le même nom et partagent le même silence, selon un glissement symétrique, par rapport au *Sophiste*, du *Théétète* au *Politique*. En premier lieu, le seul silence de l'homonyme, dans le *Théétète*, prépare le silence commun des deux hommes dans le *Sophiste*, se poursuit réciproquement par le seul silence de Socrate dans le *Politique*, — et s'achève dans le *silence commun* du *Philosophe*.

THÉÉTÈTE	: Homonyme	
SOPHISTE	: Homonyme	— Socrate
POLITIQUE	:	Socrate
PHILOSOPHE	: HOMONYME	— SOCRATE

Nous sommes ici en présence d'un véritable *paradoxe des Socrates symétriques*. Identiques selon le concept, le sont-ils aussi selon l'être ? « Que peut-il y avoir de plus semblable, de plus égal de tout point à ma main et à mon oreille que leur image dans le miroir ? » demandera bien plus tard Kant. Et il reconnaîtra : « Pourtant je ne puis substituer à l'image primitive cette main vue dans le miroir; car si c'était une main droite, il y a dans le miroir une main gauche, et l'image de l'oreille droite est une oreille gauche qui ne peut aucunement se substituer à l'autre »[5].

Mais peut-être Kant succombe-t-il lui aussi, comme toute la pensée occidentale, à la même pétition de platonisme, en assignant à l'espace une direction privilégiée. Doublement, bien entendu : il subordonne « l'autre côté » du miroir, celui du reflet, au bon côté,

---

4. J. DERRIDA, *La dissémination*, p. 213.
5. KANT, *Prolégomènes...*, paragr. 13.

le côté du Même, là où ma main reste sagement ce qu'elle est, à sa place, sans substitution possible — essayons seulement un gant de l'autre main ! Et il choisit la main ou l'oreille *droites* pour établir que le miroir *gauchit* : non content de redoubler, il inverse. Du point de vue sophistique, Kant commet trois pétitions de *principe*.

1. Il admet une orientation *première* de l'espace, qui échappe à l'entendement, un *privilège* du sensible.

2. Il transpose *analogiquement* les principes de cette orientation sensible dans ses recherches sur l'orientation de la *pensée*.

3. Il utilise les premiers principes comme *paradigme* des seconds, dans une seule direction : la *droite* ou l'*orient*.

Kant reconnaît ainsi l'existence d'une dissymétrie dans l'espace, comme dans la Raison, rebelle à quelque réduction conceptuelle. La différence entre la gauche et la droite serait aussitôt ressentie, affirme-t-il, si, par miracle, le sens de la disposition des astres se renversait d'ouest en est : l'astronome devrait alors abandonner l'observation de « ce qu'il voit » (puisque le renversement cosmique n'a pas effectué « le plus petit changement ») au profit de « ce qu'il ressent »[6]. Grâce à sa « faculté de différenciation par le sentiment de la gauche et de la droite qui lui est donné par la nature », il n'aurait qu'à « porter les yeux sur l'étoile polaire » pour, non seulement remarquer l'inversion du cosmos, mais encore « s'orienter en dépit » de celle-ci. Paradigme, orientation, droite, étoile polaire, sentiment *a priori* ou différence première enracinée dans le sujet, l'ensemble de ces notions définit le champ du *transcendantal*, cette Mecque d'une philosophie toujours en quête de boussole. Kant décourage la substitution des directions de l'espace, mais surtout de la Raison qui ne connaît ainsi qu'*un seul chemin : son orientation vers le principe (la liberté).*

C'est précisément cet ordre platonicien du transcendantal que le simulacre nie de son immanente redondance. Au *paradoxe du Socrate symétrique* que Kant réfuterait aisément, en affirmant la primitivité du philosophe sur son homonyme (différence qu'aucun entendement ne

6. KANT, *Qu'est-ce que s'orienter dans la pensée ?*, p. 77.

peut indiquer comme intrinsèque, puisque les deux concepts sont identiques), Jacques Derrida répond par les *paradoxes du double supplémentaire*. Pour lui, la modernité n'a plus à se compromettre dans le procès de la vérité, de l'être ou de l'origine première, hérité de la pensée platonicienne. Toute instance première ou dernière déchue, « l'étrange miroir » de l'écriture qui déplace et déforme ce qu'il double, ouvre l'espace du « supplément » qui, « s'ajoutant au simple et à l'un, les remplace et les mime, à la fois ressemblant et différent, différent parce que — en tant que — ressemblant, le même et l'autre que ce qu'il double »[7].

A suivre l'amphibologie sophistique, nous serions donc contraints d'avouer la *duplicité* de Socrate, et non seulement sa *duplication*. Duplicité sera pris ici, bien entendu, dans le *double sens* du terme : 1. Caractère de ce qui est répété deux fois; 2. Caractère de ce qui trompe par des paroles ou des actes à double face. Double est alors le double, comme simulacre, non pas menteur et hypocrite, mais doublon, doublure, à double effet, double visage et double foyer. A double exemplaire : Socrate/Socrate. Le centre unique d'Hestia se trouve décentré, mieux, redoublé : l'homonyme joue double jeu, fait coup double, triche sur deux tableaux ou mange à deux râteliers, finit même par doubler Platon sur la scène des dialogues. Ou peut-être est-ce Platon le double de son maître double : la Duplicité a envahi tout le platonisme. Jacques Derrida peut triomphalement clore son texte sur *La Pharmacie de Platon* par un *double éloge* de la duplicité. Il choisit de citer un extrait de la *deuxième lettre* qui, considérée par tous les historiens comme apocryphe, renvoie, non à Platon, mais à son *simulacre*. En outre, celui qui refuse la notion paradigmatique et répressive d'*auteur*, nouvelle illusion transcendantale à la lisière de l'écriture, l'auteur de la *Dissémination* fait *bégayer* le double de Platon qui s'affaire à terminer sa lettre-simulacre : « Vite, un double... graphite... carbone... relu cette lettre... brûle-là »[8].

---

7. J. DERRIDA, *op. cit.*, p. 217.
8. *Ibid.*, p. 197. Le *simulacre d'auteur* chante « une voix sans auteur (...), tracement phonique qu'aucun signifié idéal, aucune « pensée » ne recouvre sans reste en sa frappe sensible » (*ibid.*, p. 369).

Quant à Socrate, il aurait *doublé* tout son monde, en affectant de prendre l'Etranger pour quelque sophiste déguisé afin de mieux détourner les soupçons. Son refus de chasser le sophiste ne témoignerait rien d'autre que de la présence originaire de celui-ci, tranquillement installé en double exemplaire près du Portique du Roi, alors que l'Etranger et Théétète s'épuisent à le chercher ailleurs ! Telle est bien, en tout cas, l'interprétation que la moderne sophistique tire de sa fascination du Semblant : le simulacre simule, et avant tout le philosophe qui échoue à se débarrasser de son parasite. Chasseur chassé ou chassé chasseur, gibecière et gibier ou encore chien et loup, le sophiste nous embrouille dans les tours et détours du langage. Dupréel, comme tant d'adeptes récents de la sophistique, voit ainsi en Socrate « un sophiste athénien », simple « compère » des dialogues — compère ou plutôt commère, dont la langue maligne essaie de déconsidérer ses semblables, Gorgias ou Protagoras. Ce n'est là cependant qu'un bref indice, guère nouveau depuis Aristophane; le mal se révèle plus profond. Clémence Ramnoux, qui propose avec beaucoup d'autres une *Nouvelle réhabilitation des sophistes*, tend à identifier, au cours de la chasse de l'*Etranger*, « un type qui ressemble comme deux gouttes d'eau à Socrate » *et* le « fabricant d'illusions qui ressemble comme deux gouttes d'eau à Gorgias »[9]. En un semblable écho, Régine Piétra ne se soucie guère de distinguer encore le chasseur de sa proie : « *L'Etranger* définit le sophiste comme celui qui est capable de « pratiquer une astuce dans le privé, en de brefs discours, en forçant son contradicteur à se mettre en contradiction avec lui-même ». Et nous de nous interroger : « Mais ne serait-ce pas Socrate lui-même ? » Jeux de miroirs. L'image que *Socrate* aperçoit de lui-même n'est-elle pas celle du sophiste ? »[10]. Nous avons souligné la substitution, presque insignifiante, qui pousse R. Piétra à confondre *non seulement Socrate et le sophiste, mais l'Etranger et Socrate !* Admettons que Socrate soit indiscernable du sophiste qu'il réfute — c'est là,

9. C. RAMNOUX, *Etudes présocratiques*, p. 175.
10. R. PIÉTRA, *op. cit.*, p. 278. Nous soulignons. Plus loin, les paroles de l'Etranger sont attribuées à Théétète (p. 279).

paraît-il, son plus haut sophisme — la difficulté naît ici lorsque nous demandons : Socrate, mais *quel* Socrate ? Le maître de Platon, son jeune homonyme, ou l'Etranger d'Elée ? Xavier Audouard se montre plus fidèle à la lettre du texte et n'envisage dans le *Sophiste* comme dialecticien que l'Etranger, sans confusion possible avec un (ou deux) Socrate(s) qu'il ne mentionne même pas. Le voyageur éléate, simulacre de parricide, s'est pris au jeu d'un sophisme duquel il est sauvé *in extremis* par le sophiste, donc, si nous comprenons bien, par *lui-même* : « C'est en fin de compte le sophiste seul qui empêche le dialogue sur le sophiste d'être un énorme sophisme »[11].

On s'interroge : y aurait-il alors un mauvais sophiste (l'Etranger), dont le tort serait de se laisser prendre au jeu, et un bon sophiste (qui donc ? Nul n'en souffle mot), qui viendrait à l'aide de l'adversaire qu'il simule ? Mais alors quelle est la *différence* entre le sophisme de l'Etranger et le sophisme du sophiste qui redresse le sophisme de l'Etranger ? La situation est d'autant plus inextricable que, de l'aveu même de X. Audouard, le sophiste simule aussi bien l'Etranger que l'Etranger le parricide et le parricide le simulacre ! Nous voilà donc au rouet : pourquoi favoriser celui qui incarne « la vérité du simulacre » — le sophiste — au détriment de celui qui refuse le simulacre de vérité — l'Etranger ?

Gilles Deleuze ne nous éclaire pas davantage lorsqu'il s'inquiète d'abord, sans autre précision, de l' « étrange *double* qui suit pas à pas Socrate », avant de retomber dans la confusion habituelle : « Telle est la fin du *Sophiste* : la possibilité du triomphe des simulacres, car *Socrate* se distingue du sophiste, mais le sophiste ne se distingue pas de *Socrate* »[12]. Socrate, l'Homonyme, ou encore l'Etranger ? Deleuze n'y regarde pas de si près; lui, en tout cas, ne distingue plus personne. Pour ne pas être en reste, Jacques Derrida assimile de son côté Socrate et le sophiste, « magicien, sorcier, empoisonneur »[13], avant

---

11. X. Audouard, *op. cit.*, p. 71.
12. G. Deleuze, *Diff. Rép.*, p. 166; p. 168. Nous soulignons. Il s'agit bien sûr de l'Etranger.
13. J. Derrida, *op. cit.*, p. 134. « Empoisonneur », le mot est savoureux, appliqué à l'homme qui dut boire la ciguë !

d'envisager un parricide dont on ne sait plus guère qui est l'auteur :
Socrate, l'Etranger ou Platon ?

A quoi bon d'ailleurs toutes ces nuances et ces subtilités qui
irritaient tant déjà le bon Hippias ? D'aucuns, récents adeptes de
l'écriture en miroir, se disposent à nous les interdire avec la même
solennité qu'un Parménide : « Non, jamais tu ne plieras de force les
simulacres à l'être. » Penseurs de « l'écriT, l'écrAn, l'écrIN », dont
l'écriture ne saurait laisser de glace un lecteur qui comprend vite
que ce *tain* ne se refuse que pour mieux le séduire, ils renvoient en
les déformant les images de ce qu'on n'ose plus appeler un *être*.
« Le tain de ce miroir réfléchit donc — imparfaitement — ce qui
lui vient — imparfaitement — des trois autres murs et en laisse
— présentement — passer comme le fantôme, l'ombre déformée,
reformée selon la figure de ce qu'on appelle présent ». En toute récur-
rence, la recherche du philosophe se referme en sa caverne, sur les
trois murs aveugles de l'ÉCRIT (trace signifiante qui fait proliférer
les doubles), de l'ÉCRAN (surface de projection où se dissipent les
ombres de l'antre), et de l'ÉCRIN (protection suave du désir qui
cèle le diamant, ô Socrate à face de Silène). Ces trois surfaces visibles
donnent sur la fausse sortie du tain, oblique miroir du langage qui
reflète mais ne libère jamais. Il devient superflu de poser la question :
« Qui est Socrate ? » Ce serait, avec une feinte naïveté, vouloir passer
comme la petite fille *de l'autre côté du miroir*, pour saisir l'être à plein
cœur. Sèchement, le sophiste détruit ce dernier résidu d'illusion transcendantale : « Le miroir n'est jamais outrepassé et la glace jamais
brisée »[14].

Regardons bien en face les deux Socrates, les deux Cratyles ou
les deux Hippocrates : il n'y a pas d'*outre*, il n'y a pas d'*autre*, il n'y a
qu'un *entre*. L'*entre-deux* du langage, au bord de l'être, entre Socrate
et Socrate, intervalle mimétique où se distribuent les simulacres.
Aussi, à défaut de passer de l'*autre/outre* côté du miroir, pour affirmer
implicitement la présence en retrait du *même* côté, le bon côté où

---

14. *Ibid.*, p. 349, p. 244. Le texte est consacré au livre de Ph. SOLLERS, *Nombres*.

revient Alice, démarquons un instant les jeux innocents que Derrida impose à tel texte de Mallarmé[15] :

Sera sans doute entendue, sous ce double jeu du *Sophiste*, une figure ainsi titrée — *éponymie de Socrate* :

LE DOUBLE DE SOCRATE

LE DOUBLE (DE) SOCRATE

LE DOUBLE (DEUX) SOCRATE

Ça se prononce comme ça s'écrit.

A poser le premier titre, nous supposons que Socrate, en son être, s'avère antérieur à son double : principe et modèle, il contraint le simulacre à s'aligner sur lui. Contre ce radicalisme répressif, le sophiste met entre parenthèses l'indication de la provenance pour ne considérer le redoublement que dans sa pureté. Mais s'il faut prendre ce jeu d'écriture au *mot*, et même à la *lettre*, alors nous substituerons le (deux) au (de). Le redoublement commence avec le deux. Deux, entre le *double* et *Socrate*, « milieu, pur, de fiction », annule la désarmante ontologie selon laquelle « le double vient *après* le simple »[16]. La répétition spéculaire des simulacres, dépourvue d'origine et d'unité, réussit enfin à nous apprendre à compter.

Le nombre premier, c'est *Deux*.

3

Le Mime et le Même

Tout se joue alors, en l'absence initiale du principe, à la surface de cette autre scène où viennent s'égayer les simulacres : théâtre d'ombres de la Mimésis, à jamais écartée de l'être par sa fine pellicule d'écrit, d'écran ou d'écrin, protocole du désir faisant inlassablement scintiller les fantasmes. Comment Platon ne serait-il pas subjugué par l'étrange miroir de l'Imitation qui , promené par un habile

---

15. J. DERRIDA, *op. cit.*, p. 207 sq. Cf. *Mimique* in *Divagations*.
16. *Ibid.*, p. 217.

ouvrier, a vite fait de produire « toutes les plantes (...), tous les êtres vivants et lui-même, (...) la terre, le ciel, les dieux, tout ce qui existe dans le ciel et tout ce qui existe sous la terre chez Hadès » ? (*Rép.*, x, 596 *c*). La surface lisse et nue, en son paraître impudique, loin de multiplier les réalités singulières, les dévore avec avidité. Et la spéculation sophistique aboutit paradoxalement à une profusion d'images qui, dans leur excès manifesté par les reflets de l'être, réduit l'être des reflets à son extrême inanité — à son dernier souffle... Un éclat de plus encore, et les miroirs de l'écrivain ou du peintre, lassés de renvoyer au monde sa fragile apparence, l'aspirent, l'absorbent puis le dissolvent. Telle est la curieuse arithmétique du Semblant : la multiplication indéfinie de l'Un équivaut à son éternelle soustraction. « Le multiple, *il faut le faire*... toujours *n*-1 (c'est seulement ainsi que l'un fait partie du multiple, en étant toujours soustrait). Soustraire l'unique de la multiplicité à constituer; écrire à n-1 »[17].

Le Double est inséparable de l'illusion sophistique qui met à l'écart la réalité, en son unicité et sa singularité, pour laisser jouer les fantasmes. Dans son ironique essai, *Le réel et son double*, Clément Rosset montre que « la structure fondamentale de l'illusion n'est autre que la structure paradoxale du double » : comment faire d'une chose deux, et du même un autre ? S'il dénonce avec rigueur cette « folie inhérente à la duplication de l'unique »[18], il reproche en même temps à Platon de s'être laissé contaminer par le fantasme de la duplication. Il faudrait distinguer. Dans la mesure où l'illusion, sous les trois formes décrites par l'auteur — oraculaire, métaphysique et psychologique — consiste à redoubler le monde en miroir, à travers les diverses structures de réitération du langage, alors les dédoublements incessants de la dialectique platonicienne en sont les plus acharnés adversaires. Car il y a *deux* sortes de duplication, et non une *double* duplication : par excès ou par défaut, par multiplication ou par division. La question est de savoir si le projet du philosophe vise à multiplier les doublures, en une prolifération infinie qui submerge le

---

17. DELEUZE-GUATTARI, *Rhizome*, p. 17.
18. C. ROSSET, *Le réel et son double*, p. 18; p. 68.

Simple et l'Unique, ou bien plutôt à les dissocier afin de reconnaître le statut singulier d'une imitation qui, évidemment, tend à accroître les duplicités.

L'équivocité de la Mimétique hante l'ontologie platonicienne comme la tradition philosophique, que Rosset n'hésite pas à placer tout entière sous le signe de l'illusion métaphysique : la duplication d'un autre monde. La lutte n'oppose pas seulement Platon et les sophistes, il y aura bientôt vingt-cinq siècles, mais surtout la modernité et Platon. Ce dernier est-il, comme le regrette Rosset, le père de la réitération métaphysique jusqu'à Marx et son redoublement matérialiste-dialectique de la réalité donnée — ou bien l'adversaire le plus résolu de la reproduction mimétique, comme le constate à l'inverse J. Derrida ? « Platon disqualifie dans la mimésis tout ce que la « modernité » remet en avant : le masque, la disparition de l'auteur, le simulacre, l'anonymat, la textualité apocryphe »[19] écrit l'auteur de la *Dissémination*, qui se défend pourtant, remords ou subterfuge, de proposer « quelque slogan ou mot d'ordre du genre « retour-aux-sophistes » »[20].

Une première constante définit la mimésis : elle est aussi universelle que l'être lui-même. Dès qu'un étant s'avance à notre rencontre, dans la *présence* de l'être, il entre aussitôt en *représentation*, à travers le double jeu des activités mimétiques : miroirs, arts plastiques et langage. Le célèbre passage de la *République* sur l'étrange nature de l'imitateur met en lumière ce que l'on pourrait nommer le délire de présomption du personnage. Capable de tout imiter, il reproduit aussi bien « les hennissements des chevaux, les mugissements des taureaux, le murmure des rivières, le fracas de la mer, le tonnerre et tous les bruits du même genre » (396 *b*) que « le bruit des vents, de la grêle, des essieux, des poulies, des trompettes, des flûtes, des chalumeaux et le son de tous les instruments, et en outre la voix des

---

19. J. DERRIDA, *Dissém.*, p. 212, n. *c*.
20. *Ibid.*, p. 123. Pourtant, le verbe « *remet* » semble bien indiquer un mouvement d'annulation de la tradition platonicienne et une restauration de l'état antérieur ! Comment comprendrions-nous sans cela cette remarque, apparemment rétrograde, de l'auteur de *la Dissémination* : « A bien des égards, (...), nous sommes aujourd'hui à la veille du platonisme » (*ibid.*, p. 122) ?

chiens, des moutons, des oiseaux » (397 *a*). Quant à la parole, nous
savons par le *Cratyle* qu'elle *imite*, en les nommant, les choses du
monde (422 *a-c*) : la voix, le corps, les gestes, les mains enfin (ombres
chinoises, fils de marionnettes ou encore traces de l'écriture), bref,
le monde corporel en sa totalité, découvrent l'immense théâtre du
Semblant, dès que l'imitateur — sorcier (γόητι : *Rép.*, x, 598 *d*) ou
magicien, comme on voudra (γόητα : *Soph.*, 235 *a*) — réussit par ses
tours de charlatan à abuser une crédulité déjà peu réticente. Loin
de survenir comme un délire accidentel propre aux malades, la
mimésis s'impose universellement à tous les hommes; la plus humble
pratique humaine, la plus noble aussi, joue dans l'espace des semblances dès qu'elle franchit le seuil du langage. La philosophie à
son tour n'est pas épargnée. Critias adresse ainsi cette prière à Timée,
Socrate et Hermocrate, au début du dialogue qui porte son nom :
« Prenez garde à ceci : une imitation (μίμησιν), une image (ἀπεικασίαν),
voilà toujours, en quelque manière, ce qu'est nécessairement tout ce
que nous disons, tous tant que nous sommes » (*Critias*, 107 *b*).

D'une manière plus générale, Platon affirme que la Mimésis
est la Loi qui gouverne toutes les formes de production. Il ne s'agit
donc pas tant de la distinguer du modèle auquel elle demeure inférieure par essence, que de discriminer *en elle-même* la mauvaise imitation de la bonne. Car il y a une bonne mimésis, une mimésis supérieure qui a permis la genèse du monde sensible comme de la connaissance que nous en pouvons prendre. L'exposé de Timée, présenté
comme une « vraisemblable histoire » (29 *d*), se place d'emblée sous le
signe de l'*icône* (εἰκων) et affirme que l'architecte divin, « auteur et père de
cet univers » (28 *c*), a imité « le modèle identique et uniforme », non
celui « qui est né », pour faire du Monde « la plus belle des choses »
(29 *a*). Devant le spectacle ordonné de la nature, la réflexion s'impose
à chacun : « Il est absolument nécessaire que ceMonde-ci soit l'image
de quelque chose » (εἰκόνα τινός, 29 *b*). Nous ne pouvons à notre tour
le connaître que dans la mesure où l'âme, orientée en direction des
Formes et de leur arrangement harmonieux, « les imite » (ταῦτα
μιμεῖσθαί) et « se rend autant que possible semblable » à elles
(*Répub.*, vi, 500 *c*). Alors le philosophe, en imitant la divinité, « devient

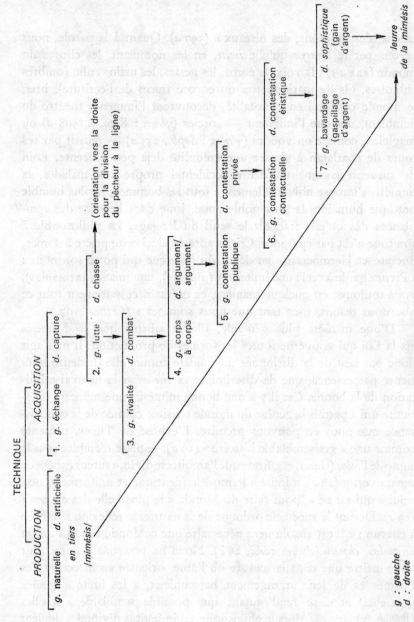

Tableau des 7 divisions du Sophiste

ordonné et divin, autant que le comporte la nature humaine »
(*ibid.*, 500 *c-d*). Bien loin donc de se trouver niée par Platon, l'imitation incarne le mode principal du Même et gouverne l'être comme
le connaître. Il faut encore que le philosophe sache résoudre une
question ambiguë : la Mimésis fait-elle se lever les *icônes* ou les *idoles ?*

Il convient ici d'avancer prudemment. La technique de duplication mimétique semble, à première vue, *double*, sinon *doublement
double*, avec ses deux genres de l'*eikastique* et de la *fantastique*, l'une
et l'autre productrices de doublures et qui paraissent en outre se
doubler mutuellement. Mais peut-être cette *duplicité*, en toute ironie,
n'est-elle à son tour qu'un leurre : la Mimésis ne saurait en effet
être qualifiée de *double* que dans la mesure où le simulacre parviendrait
à découvrir la duplicité sous la duplication. Pour sauver la Mimésis,
l'enquête platonicienne du *Sophiste* se développe en deux temps :

1. *Première duplicité :* Dès que l'Etranger entreprend de partir à
la chasse au sophiste, à l'aide de la méthode dichotomique, il découvre
la mimésis *à la fois* dans *l'art de production* (τέχνη ποιητική) et dans
l'art d'acquisition (τέχνη κτήτικη, 219 *a-b*). L'imitation semble jouer
sur les deux tableaux, selon une première duplicité que, curieusement, l'Etranger ne relève pas. Commentant ce texte, Jacques
Derrida en conclut avec empressement à « la double inscription de
la mimésis »[21], — mais se garde bien d'examiner selon quels procédés
cette double inscription a été réalisée.

Or, le schéma ci-contre le met en évidence (p. 116), l'Etranger a
commencé par diviser le genre de la « technè » en deux formes (εἴδη
δύο) : l'art de production et l'art d'acquisition, puis a compris sous
la première, *sans instaurer alors de nouvelle division, trois* formes différentes : *a)* la production naturelle de l'agriculture et de tous les
soins du corps; *b)* la production artificielle de ce que l'on nomme
objets mobiliers; *c)* la *mimétique* enfin. Cette dernière, sur laquelle
l'Etranger garde le silence, s'est glissée à la suite des deux espèces
du genre productif, mais ne s'identifie *ni* avec la production naturelle,

21. J. DERRIDA, *ibid.*, p. 212.

ni avec la production artificielle. Nous aurons à revenir sur cette *double dénégation* propre à l'écriture sophistique.

De l'autre côté, à droite, on atteint la mimésis comme propriété de l'homme habile dans l'art de contredire, en divisant l'art d'acquisition selon sept dichotomies issues de la division du pêcheur à la ligne, *à gauche* de l'art de la capture, selon l'espèce de la lutte (225 *a*-226 *a*).

Il s'avère impossible, au niveau de cette *duplicité de position* (gauche-droite), d'affirmer avec Derrida que « la mimétique est *à la fois* l'une des trois formes de l' « art de production » (...) et, sur l'autre branche de la fourche, une forme ou un procédé de l'art d'acquisition »[22]. L'espèce recherchée, ne se situe à aucun moment dans l'art d'acquisition *(à droite)*, et ne saute pas plus de l'une des deux branches à l'autre qu'elle ne vit à l'embranchement de la fourche. D'ailleurs l'Etranger ne tarde pas à abandonner la voie de droite, comme nous le verrons bientôt, pour se consacrer à la voie de la production où la sophistique se trouve tapie depuis le début. Elle faisait miroiter un *leurre* vers les derniers embranchements de l'acquisition afin d'égarer définitivement les chasseurs. La mimésis ne possède pas de double visage, à ce niveau de l'analyse, même si l'on cherche à nous en persuader, mais *deux visages distincts* qu'il est impossible de confondre. Sa seule duplicité consiste donc ici à nous abuser : elle est *à gauche*, *et seulement à gauche*, enfouie dans l'art de production.

2. *Seconde duplicité :* l'analyse détaillée de l'art mimétique (233 *b*-236 *e*) accomplit une surprenante rupture avec les recherches précédentes. Depuis la première dichotomie du pêcheur à la ligne (219 *a*), nous n'avions pas quitté la partie droite de la technique, en l'occurrence l'art d'acquisition. Or, après avoir péniblement obtenu cinq ou six définitions du sophiste et privilégié enfin celle qui voit en lui un contradicteur, l'Etranger saute d'un seul coup, sans prévenir Théétète, dans la partie gauche de la technique, l'art de production, où s'était discrètement glissé le sophiste. Aussitôt la division, déjà

---

22. J. Derrida, *ibid.*, p. 212.

entamée dans la partie droite, se poursuit, ou plutôt poursuit la *production des mimèmes* jusqu'à la fin du dialogue. Car là se trouve son gîte : le sophiste est un *producteur*, non un simple *acquéreur*. Le genre *droit* de l'acquisition conduisait donc à une impasse, comme en témoignent les six définitions du sophiste que nous *acquérions*, autant de reflets *produits* par le magicien à la « prestigieuse puissance » (τὸ τῆς σοφιστικῆς δυνάμεως θαῦμα, 233 *a*), confortablement installé depuis le début *à gauche*, dans l'art de production. L'Etranger a essayé de le faire comprendre à son compagnon : « Quand un homme nous apparaît doué de multiples savoirs, bien que le nom d'un seul art nous serve à le distinguer, (...) c'est là une apparence où il n'y a rien de sain, et elle ne s'impose, évidemment, à propos d'un art donné, que parce qu'on sait y trouver le centre où viennent s'unifier tous ces savoirs, et qu'on est ainsi réduit à mettre, sur qui les possède, plusieurs noms au lieu d'un seul. » (232 *a*).

Il n'y a donc pas de mimésis de l'acquisition. Ferait-on semblant d'*acquérir* quelque chose, argent, honneurs ou sagesse, que l'on *produirait* en réalité, par la vertu d'un langage équivoque, l'image fallacieuse de ces acquisitions. La Mimésis est une modalité de la seule production, vers laquelle se *retourne* maintenant l'Etranger, par une subite volte-face. Il distingue aussitôt en elle *deux* formes, et non *une double* forme, l'*eikastique* et la *fantastique*. La première, bonne mimétique, reproduit selon une copie fidèle le *modèle* (τοῦ παραδείγματος, 235 *d*), au rebours de la seconde qui la simule en produisant une *copie de copie*, entendons un *simulacre* ou *fantasme* (φάντασμα, 236 *b*). Dès cette première *division* des deux espèces semblables, le langage ne peut plus s'amuser à les confondre : *la seconde duplicité* elle-même, ou *duplicité de production*, n'est à son tour qu'une trompeuse apparence, détruite par la distinction de l'Eléate. Il est donc erroné de prétendre que « le sophiste échappe encore à la prise par la division supplémentaire, vers un point de fuite, entre deux formes mimétiques », et que « le chasseur philosophe, en arrêt devant la bifurcation, (est) incapable de continuer à traquer son gibier »[23] !

---

23. J. DERRIDA, *ibid.*, p. 212.

En premier lieu, le sophiste n'a pas le moins du monde échappé à la prise : acculé dans son repaire, *l'une* des deux mimétiques, il ne peut plus jouer son habituel *double jeu entre* les deux, ou bien *entre* l'acquisition et la production. Impossible maintenant de bondir vers les *copies (eikastique)* pour cette *copie non conforme (fantastique)*. *La sophistique est la forme fantastique*, ou, si l'on préfère, *fantasmatique, de l'art de production.*

En second lieu, par une précaution de style significative, Derrida ne rapporte pas la division à l'Etranger, qui a imposé son arme dialectique à l'adversaire, mais plutôt au sophiste lui-même. Or le magicien se montre dans l'incapacité absolue de *diviser*, puisque tout son art d'illusions consiste au contraire à *multiplier*, copies de copies, carbones, redondances infinies, excès monstrueux, « prolifération vivante »[24]. L'Etranger a réussi à *dédoubler* le monde duplicatoire que le sophiste *redoublait*; loin de rester « en arrêt » devant la bifurcation, comme si le gibier avait tracé symétriquement les deux voies, le chasseur est désormais *en marche* sur la bonne voie qu'il a lui-même déblayée. Derrida ne consacre d'ailleurs pas la moindre ligne de son étude à la fin de la chasse, après l'analyse de la communauté des cinq genres qui le laisse tout aussi indifférent, et abandonne la reprise des dichotomies (266 *a* sq.). En ce moment décisif, l'Etranger récapitule la totalité des divisions de la production et dédouble alors cette dernière *en longueur et en largeur*, selon un véritable *quadrillage* de la surface sophistique qui ligote le gibier avec une « chaîne » (συνδήσομεν, 268 *c*). Grâce à une *division quaternaire de la surface*, et non plus binaire de la ligne, la nouvelle stratégie de l'Etranger lui permet de capturer, en un extraordinaire hallali, le sophiste sur un terrain complètement quadrillé. La métaphore du *filet* qui se déploie du *Sophiste* au *Politique* dévoile ici sa légitimité dialectique.

Nous avons ainsi discerné *deux mimétiques*, et non *une double mimétique*, d'ailleurs redoublée dans l'art de production et l'art d'acquisition. La *triple duplicité* de la sophistique, si l'on ose dire, consiste à doubler 1. La duplicité *interne* de la fantastique (les copies

24. J. DERRIDA, *ibid.*, p. 390.

de copies), 2. d'une duplicité *externe* (la duplication de l'eikastique par la fantastique, qui conduit à parler faussement d'une « double » mimétique), puis 3. d'une *re*duplicité *externe* (la mimétique de l'art d'acquisition qui doublerait celle de l'art de production). La première branche mimétique (eikastique) gouverne ses copies d'après le modèle sans prétendre se substituer à lui, comme le temps du *Timée* qui règle son image mobile sur l'éternité immobile (37 *d*). On ne voit pas ce qui autorise Derrida à conclure qu'elle « se laisse déjà menacer par le simple fait en elle de la duplication ». La duplication eikastique, loin de menacer le modèle, renforce au contraire son initialité et sa prééminence en gardant les yeux tournés vers lui. Ne parlons pas non plus de « duplicité » de la copie, de l'image ou de l'icône : une copie n'est pas *double*, comme on tend à nous le faire croire, en répercutant innocemment la duplicité de la fantastique sur la simplicité de l'eikastique. Elle est *un* double, et, en tant que telle, *simple*. L'εἴδωλον en revanche, cette *idole* au goût lointain d'εἶδος, *double* la copie-icône, donc *redouble* le modèle, mais refuse d'admettre leurs préséances jugées oppressives. Non pas double *de quelque chose*, ni même double *de rien*, le génitif continuant d'indiquer la provenance étrangère, le simulacre prétend qu'il est *double* — tout court. Double de lui-même.

La duplicité bien réelle du sophiste, comme des interprètes qui essaient de sauver les simulacres de leur débandade, tient au refus obstiné de distinguer les deux opérations d'imitation. Quand Derrida dénonce les hésitations de Platon qui devrait « tantôt condamner la *mimésis* en elle-même, tantôt ne disqualifier la *mimésis* qu'en raison du modèle imité »[25], il joue sur le double sens du terme, sans reconnaître la différence de nature entre l'eikastique et la fantastique. Reprenons pour plus de clarté le paradigme des trois lits de la *République*, et la hiérarchie précise des trois producteurs qu'elle fonde (597 *a*-598 *d*).

1. La Forme unique du lit produite par le *dieu*, vers laquelle se tourne l'esprit de l'artisan.

25. J. DERRIDA, *ibid.*, p. 213.

2. Les multiples copies du lit, que les *menuisiers* fabriquent le plus exactement possible.

3. Les simulacres des lits précédents, proposés par l'habileté des *peintres*.

Peintre ou sophiste, l'homme qui, en imitant les copies, fait porter la seconde mimétique sur la première et laisse croire à la réalité de la « double mimésis », « sera naturellement de trois rangs après le roi et la vérité » (597 *e*). On retrouve ici un enseignement constant de Platon qu'évoquait déjà la hiérarchie des formes d'imitation dans le *Ion*. Le rhapsode qui va de ville en ville déclamer au théâtre les chants des poètes, « paré d'un costume aux teintes variées et de couronne d'or » (535 *d*), à l'image du sophiste « bigarré » (ποικίλος), peut-il vraiment prétendre à la possession d'un art ? Soumis au questionnement socratique, l'homme doit bientôt convenir qu'il n'est à aucun moment « maître de sa raison » (535 *d*) : il se contente de subir la lointaine attraction de l'inspiration divine. Comme la pierre d'Héraclée transmet son magnétisme aux anneaux de fer qu'elle attire, la divinité met en branle l'inspiration des poètes, ces « interprètes des dieux » (ἑρμηνῆς τῶν θεῶν, 534 *e*), qui se voient à leur tour interprétés par les rhapsodes, « interprètes d'interprètes » (ἑρμηνέων ἑρμηνῆς, 535 *a*) :

1. Les Dieux   : Modèles.
2. Les poètes   : Copies-icônes.
3. Les rhapsodes : Simulacres-idoles.

Rejeté au dernier rang, le discours *rhapsodique*, mosaïque bariolée de pièces de poésie cousues ensemble, n'est que le simulacre de l'œuvre poétique véritable ; loin de provenir d'un art ou d'une science, il évoque la conduite de Protée, « prenant toutes les formes et se tournant dans tous les sens » (541 *e*).

L'ambiguïté profonde du débat tient à l'amphibologie de la notion de Semblance commune à l'eikastique et à la fantastique. Or dès la première définition du sophiste, en 223 *c*, l'Etranger indiquait à Théétète que leur gibier était le *fantasme* (φάντασμα) d'un genre

qu'il ne précisait pas encore. Après avoir développé cinq autres définitions, il atteignait, en 236 *b*, « le fantasme (qui) simule ainsi la
copie ». La distinction des deux simulations guide donc l'ensemble
de l'analyse : s'il est vrai qu'elles possèdent un point commun, la
semblance, on ne saurait pour autant oublier qu'il y a un *vrai semblant*
et un *faux-semblant* impossibles à confondre en toute bonne foi. La
copie n'est vraisemblante, c'est-à-dire orientée vers le vrai, qu'à la
condition de garder ses distances, au rebours du simulacre qui,
faux-semblant et même faux-frère de la copie, rejette sa condition
mimétique, dénie sa *re*(s)semblance, en l'initialité du *pré*fixe qui le
commande, et dresse son ressentiment à la fois contre le modèle et
sa copie.

La subversion sophistique opère en deux moments. Elle renverse
d'abord au sein du langage la hiérarchie platonicienne. Ensuite elle
neutralise la hiérarchie renversée au profit des doubles surfaces des
fantasmes.

HIÉRARCHIE	RENVERSEMENT	NEUTRALISATION
1. Modèle (εἶδος)	1. Simulacres	
2. Copies (εἰκόνες)	2. Copies	2. Simulacres
3. Simulacres (εἴδωλα)	3. Modèles	(Doubles)

Voilà pourquoi le sophiste fera mine de ne pas savoir ce qu'est
un « faiseur d'idoles » (εἰδωλοποιὸν, 239 *d*) et, fermant avec obsti-
nation les yeux, « feindra d'ignorer miroirs, eaux et vue même »
(239 *e*); il anéantit non seulement le Modèle (lui accorder l'être
reviendrait à avouer la supercherie), mais aussi la copie-icône (laquelle,
tournée vers le modèle, assure à son tour la fonction de paradigme
vis-à-vis du simulacre-idole). La hiérarchie de l'être et de la connaissance abolie, le simulacre reste seul, doublement seul, au cœur
d'un Même qui n'est le même de rien. Sa duplicité a tout englouti.
« Le simulacre n'est pas une copie dégradée », triomphe tel sophiste
moderne, « il recèle une puissance positive qui *nie et l'original et la
copie, et le modèle et la reproduction* »[26].

26. G. DELEUZE, *Log. sens*, p. 357.

C'est le bienheureux Théétète qui trouvera la formule décisive pour trancher enfin la duplicité de l'image, à l'orée de la longue digression sur le non-être : « Εἴδωλον ἂν φαῖμεν εἶναι πλήν γε τὸ πρὸς τἀληθινὸν ἀφωμοιωμένον ἕτερον τοιοῦτον. » Nous abandonnons ici la traduction de Diès qui ne rend pas justice de cet « ἀφωμοιωμένον » que Pierre Boutang interprète avec plus de bonheur : « Est image ce qui, à l'égard d'une chose véritable, en étant tiré comme *même*, est un autre tel. » Nous sommes en présence de trois éléments dans le texte. 1. *le véritable* (τἀληθινὸν), nature de ce qui est vrai, vers lequel fait signe (πρὸς); 2. *ce qui en est tiré comme même* (ἀφωμοιωμένον), cette *re*(s)semblance libérant sa propre provenance; 3. l'image comme *autre tel* (ἕτερον τοιοῦτον), comprenons une altérité *telle* qu'elle reste prise dans l'horizon du semblable. Elle vit donc continuellement de « la double présence du même et de l'autre »[27].

Ce que n'admettra pas, bien entendu, notre sophiste qui prétend doubler — sans doubler le *simple*; mimer — sans mimer le *même*; au contraire, il ne double *rien*, ne mime *rien*. *La double séance* de Jacques Derrida en apporte la confirmation : consacré à la « double lecture » d'un passage de Platon (*Philèbe*, 38 e-39 e) et d'un crayonné de Mallarmé *(Mimique)*, ce double texte élimine impérieusement une possible origine ontologique de l'écrit mallarméen, en dépit de la référence platonicienne à l'*idée* — « la scène n'illustre que l'idée, pas une action effective » écrit le poète. « Il n'y a pas d'imitation. Le Mime n'imite rien. Et d'abord il n'imite pas »[28]. L'autorité d'un geste, d'une action ou d'une répétition préalable dissoute, se lève seule une écriture gestuelle qui se mire dans sa propre immanence. Le simulacre ne montre ni ne manifeste rien, il ne produit rien, il ne fait rien. Il mime. On se contentera d'écrire : « *il y a* une mimique », pur espace de déplacement sans fin ni origine, dont on ne peut sonder l'impersonnelle neutralité. *Ça* mime : mine de quoi, à lire ce crayonné, on s'aperçoit que c'est Mime de rien. « Nous sommes devant une mimique qui n'imite rien, devant si l'on peut dire, un double qui ne

27. P. BOUTANG, *Ontol. secret*, p. 228.
28. J. DERRIDA, *op. cit.*, p. 221.

redouble aucun simple (...) miroir de miroir (...) différence sans référence, ou plutôt une référence sans référent. » Avouerons-nous que
cette référence parlée, sans référent pensé, ne se réfère à son tour en
nous à aucun parler ni aucun dire ? Lire pourtant, nous le pouvons
encore, affronté à une écriture qui « n'illustre rien. Rien que la multiplicité facetée du lustre qui n'est rien, lui-même, hors de sa lumière
fragmentée »[29].

L'Etranger n'en réussit pas moins à approcher la technique
protéiforme du sophiste qui fabrique « des imitations et des homonymes des réalités, μιμήματα καὶ ὁμώνυμα τῶν ὄντων » (234 b).
Platon rapproche ici clairement les simulations matérielles produites
par le sophiste et les simulations jouées par le langage en un même
nom. Est-ce alors un hasard si cette définition de la mimétique entée
sur l'homonymie intervient dans le dialogue où apparaît le double
(de) Socrate ? On verra ainsi dans le jeune garçon aussi bien le
mimème du philosophe, par le silence, que son *homonyme*, par le nom.
« Mimème » qu'il conviendrait d'écrire, si l'on voulait goûter aux
paronomases chères à la sophistique, *Mime-Même, Mi-même,* ou
encore *Mime-Aime (le Même), (ma) Mie m'aime, Mi(e)-me-aime,* etc.[30]

Profondes et durables sont les métastases que le Mime lance dans
le Même et le Même dans le Mime. Pris dans les lacis de leur écriture,
devra-t-on encore admettre que les sophistes ignorent ce qu'ils
imitent et qu'ils ne redoublent aucun simple ? Ou cherchera-t-on
plutôt à démasquer les simulacres qui, dans leur constante panto-
mime, essaient avec indifférence de faire mine de ne pas faire mime ?

---

29. *Ibid.*, p. 326.
30. Pour ne donner qu'un exemple de ces jeux du signifiant sophistique, épars dans
la modernité, considérons tel extrait d'une lettre de Philippe SOLLERS que Jacques
DERRIDA inscrit avec faveur dans sa *Double Séance* entre Platon et Mallarmé : « MIMIQUE,
ou plutôt mi+mi+que, c'est-à-dire deux fois les moitiés plus l'indication ou l'intimation
subjonctive de la subordination mimée; mi-mais ? mais qui ? mimi à que(ue) ? queue de
mémé ? Le *si* lance et défie le texte en excès comme ce qui succède — dans l'après mi-dit —
à la répétition du rire en écho mimé (rimé) », etc. (*Dissém.*, p. 257, note 30).

4

De Charybde en Scylla

D'aucuns essaient encore d'échapper à l'emportement de ces unités indécidables qui font miroiter l'infini du *semblant* (« *sens* blanc, *sang* blanc, *sans* blanc, *cent* blancs, semblant » souffle le sophiste de ses multiples voix[31]). « C'est, par-dessus tout, à l'égard des ressemblances qu'il faut se tenir en garde perpétuelle : c'est un genre, en effet, extrêmement glissant » confie l'Etranger à Théétète quand ils se trouvent soudain en présence du chien et du loup (231 *a*). Comme en écho, Zarathoustra soupirera dans sa caverne en écoutant ses animaux ressasser l'Eternel Retour du Même : « C'est entre les choses les plus semblables que montent les plus beaux mirages »[32]. Tomberons-nous, à rapprocher ces deux inquiétudes, dans le piège qu'elles dénoncent, et assimilerons-nous déjà Zarathoustra et le philosophe, le sophiste et le nain ? Ou bien faut-il éviter les trop séduisantes ressemblances et s'interroger d'abord sur leur commune origine ?

Restons plutôt sur nos gardes et scrutons le visage du Même qui, tel le dieu Janus, porte ses regards sur les deux moitiés de l'horizon. Il se lève en amont vers son père Parménide qui, le premier, enchaîna l'être et le penser au sein de l'identique; en aval, il baisse les yeux vers ses frères sophistiques qui se sont détournés de la Présence. C'est leur duplicité que nous avons initialement ressentie dans ces jeux de langage qui ressassent les fantasmes, doublent la mimétique et réitèrent son inscription dans les deux formes de l'art. A multiplier ainsi sans relâche les semblances, ils ont cru exorciser à jamais la Ressemblance. Mais on doit assurer leur filiation inavouable, et reconnaître, dans leurs miroirs ambigus, les reflets brisés de l'éléatisme. Parménide reste notre père à tous : l'histoire de la philosophie n'est peut-être, avoue Derrida, qu'une longue scène de famille au cours

31. J. DERRIDA, *Positions*, p. 54.
32. NIETZSCHE, *Zarathoustra*, III, Le convalescent.

de laquelle les fils libérés se disputent cruellement l'héritage du mort.

Malgré leurs divergences apparentes en effet, la pensée éléatique et le langage sophistique s'appellent naturellement, à partir du plan de symétrie commun qui opère une double réfraction. Hegel fut l'un des premiers à le mettre en évidence, dans ses *Leçons sur l'histoire de la Philosophie*. Il n'hésite pas à identifier les deux mouvements dès le deuxième paragraphe qu'il consacre à l'école éléatique : « Plus tard, elle perdra son nom, elle s'appellera la sophistique. » Et en regard, lorsqu'il envisage la position critique des sophistes, il note qu' « un aspect important de leur culture est la généralisation du mode de penser éléatique, et son extension à tout le contenu du savoir et de l'action »[33]. Une triple parenté se dégage de la comparaison des deux écoles : le Même, l'Etre et le Logos tissent entre eux des liens invisibles et les attachent à leur *double* destin. Initialement, Parménide avait rassemblé la multiplicité éparse des étants (τά ἐόντα) dans l'unité souveraine de l'être (τὸ ἐόν) retiré en sa hautaine et splendide présence. Maintenu par Dikê dans les chaînes d'or de la Nécessité, l'être est comparable à une sphère harmonieusement ronde, sans excès ni défaut, qui repose, inviolée, dans l'équilibre parfait de sa propre symétrie. « A lui-même en effet de toutes parts égal, il réside à égalité dans ses limites » (fr. 15, trad. Beaufret). Il se donne à penser dans la présence originelle qui identifie penser et être : aussi la pensée du néant doit-elle être rejetée, qui n'est qu'un néant de pensée. « Point n'arriveras par aucun forçage à mettre de pair être et non-étants » (fr. 7).

Néanmoins, l'immense effort de l'éléate pour penser l'essence absolue selon une unique détermination fait paradoxalement réapparaître, dans son propre poème, le néant qu'il refoule. « Selon Parménide », remarque Hegel, « quelle que soit la forme que prenne le négatif, il n'est pas du tout »[34]. Mais Parménide ne parvient à exprimer l'être qu'en *niant* précisément *tout ce qu'il n'est pas*, donc en réintro-

---

33. HEGEL, *Leçons hist. Phil.*, I, p. 113; II, p. 259.
34. HEGEL, *ibid.*, I, p. 126.

duisant le négatif dans le discours ontologique. Introduire le néant
dans le *logos*, serait-ce sous la forme de la négation logique, c'est
en même temps l'introduire dans l'*ontos*, puisqu'on a affirmé l'adéqua-
tion parfaite de l'être et du penser. L'être, est-il dit, *n*'est *pas* engendré,
n'est *pas* périssable, *ne* possède *ni* commencement *ni* fin, *ne* fut *ni ne*
sera, *n*'est *pas* plus ou moins grand, etc. Sauf à s'enfermer dans un
silence absolu, la parole de l'être découvre en son intimité la négativité comme son propre parasite. Chercherait-elle encore à la *nier*
qu'elle réintroduirait ainsi cette attribution à son corps défendant.

Déjà point la dialectique de Zénon qui, pour réfuter les adversaires de l'éléatisme, se donne pour arme la négation et en arrive
à nier toutes les déterminations de la pensée. Désormais le *logos*
se saisit comme cet échange *(dia)* qui ouvre les infinies possibilités
de la contradiction : à toute position dans l'être, la pensée peut opposer
une détermination inverse qui la supprime, avant de se trouver
à son tour annulée par une nouvelle opposition. A vouloir supprimer
le mouvement de l'être, Zénon est conduit dialectiquement à découvrir l'être du mouvement. « Cette conscience supérieure (...) de la
nullité de l'être également, en tant qu'il est quelque chose de déterminé opposé au néant (...) se présente (...) ensuite chez les sophistes »,
ajoute dans le même texte Hegel[35]. Avec l'apparition de la sophistique, le côté négatif de la dialectique se renforce prodigieusement et
met en cause tous les domaines de la culture grecque, seraient-ils
étrangers à la métaphysique pure : l'art, l'éducation, la politique,
la morale, etc. On constate maintenant une véritable obsession de
l'être chez ces héritiers de l'éléatisme qui cherchent à détruire la
consistance ontologique, enivrés qu'ils sont de la puissance du Négatif.
Le nihilisme d'un Xéniade, d'un Lycophron, surtout de Gorgias,
découle d'une pensée dont le goût de nier tout ce qui n'est pas l'être
a fini par contaminer l'être lui-même. Tel est l'ironique destin du
renversement dialectique : l'être de la négation devient insensiblement
la négation de l'être.

L'ivresse du néant, qui reproduit en négatif la volupté de l'être,

---

35. HEGEL, *op. cit.*, I, p. 138.

repose comme elle sur la prédominance de l'identité. Le logos ébranle, détruit, éparpille la multiplicité des points de vue particuliers qui prétendent à l'universalité afin d'arriver à établir que *tout est égal*. « La pensée *identique à soi* dirige sa force négative contre les déterminations diversifiées des domaines théorique et pratique, contre les vérités de la conscience naturelle, contre les lois et principes ayant validité immédiate; ce qui est ferme dans la représentation *se dissout dans la pensée...* »[36]. L'homme désormais mesure de toutes choses, les choses se réduisent à l'état de simulacres, identités redoublées à l'infini par le discours, sans aucune préséance. Si l'être a chu dans le néant, que pourrait-il rester d'autre sinon ces fantasmes qui, en toute rigueur, ne seront même plus nommés « êtres » ou « non-êtres », puisqu'ils apparaissent et disparaissent dans l'équivocité de leurs semblances.

Revenons à Zénon. Son fameux argument de la dichotomie, qui vise les partisans d'un espace continu, démontre qu'il est toujours possible de répéter la division d'une ligne quelconque, d'atteindre la moitié de celle-ci, puis la moitié de sa moitié, sans jamais obtenir un point d'espace ultime, un « grain » d'espace. Qu'y a-t-il de plus *semblable* à ces moitiés dédoublées à l'infini, *moitiés de moitiés* émiettant le monde au fil de leur évanouissante division, que ces doubles redoublés à l'infini, *doubles de doubles*, qui bégaient le monde aux miroirs d'une multiplication inlassable ? A la régression éléatique répond symétriquement la prolifération sophistique, selon la même duplicité dérivée de l'opposition brutale de l'être et du néant. La fascination de la *symétrie* rapproche les deux mondes spéculaires : la ligne, la simple ligne de Zénon n'est-elle pas le premier des miroirs ? Il suffit de la considérer un instant pour voir se lever une symétrie, puis une deuxième, symétrique de la précédente, et une autre encore, sans que l'on puisse jamais figer le mouvement et saisir enfin un point, un seul point — unique, pur, dissemblable.

Quand la frénésie des simulacres redouble de violence, sans que l'on sache jamais ce qui se redouble, ni même s'il y a quelque chose

36. HEGEL, *op. cit.*, II, p. 243.

qui se redouble, il devient alors impossible de prendre la parole et
d'attribuer l'Un au Multiple. L'école d'Elée n'avait pas évité ce
piège : en refusant de poser, face à l'Un, l'existence des multiplicités,
elle devait forcément détruire l'unité elle-même, puisque son discours
unitaire *multipliait* les interdits. D'un côté la pure Tautologie — *l'être
est l'être* — viole l'identité qu'elle prétend sauvegarder dès que le
logos s'arrache à l'être pour le relier à lui-même. « Etre » faudrait-il
seulement *penser*, et non *dire*, puisque le dire reviendrait, malgré la
défense parménidienne, à instaurer une *séparation* entre le logos et
l'être. Montrer du doigt alors, comme plus tard le silencieux Cratyle ?
Mais c'est encore désigner une constance, et même une substance,
dont un index dogmatique se distingue par sa désignation même — la
multiplicité dévore l'unité ! D'un autre côté, la négation sophistique
de l'Un lui interdit de faire mention d'*une* multiplicité, de *la* multiplicité
ou *du* Multiple. Quant aux multiples, pensés et dits dans la pluralité,
ils n'échappent pas non plus à leur unité nominale — l'Un absorbe
à son tour la multiplicité !

Indifférents au vrai et au faux qui révèlent toujours une subordination ontologique, les sophistes jouent à gauchir un langage désormais vidé de *signification*, pour ne plus le considérer que comme un
outil soumis au caprice du moment et à leur désir de puissance. Un
outil *double* naturellement, montrent les Δισσοὶ Λόγοι (Double-
Dits), qui opposent sur tout sujet, pour mieux le dissoudre, une
double série d'arguments contraires. Mais ils n'oseront jamais faire
porter leur critique universelle sur l'instrument même de cette
critique *dissologique*, au rebours de Socrate et de Platon qui ne se
gênent pas pour dénoncer l'insuffisance du langage, ou plus exactement, de ce que l'on nommerait aujourd'hui le « signifiant ». Corps
à corps avec ce qu'il exprime, le logos sophistique s'étale en sa totale
immanence; un même « collage » l'unit au logos éléatique. Pour
Parménide, on l'a vu, le logos s'avère inséparable de l'être : « Même
chose que le penser et ce par quoi s'accomplit le penser » (fragm. 12)
— ce qui rend à l'évidence *impensable* la seule possibilité de l'erreur
et de l'illusion que, pourtant, dénonce l'Eléate. Il en va de même chez
les sophistes : leur logos *colle*, sinon à un être constamment nié, du

moins à lui-même; il n'exprime que ce qu'il énonce, — et *rien d'autre*. Cratyle, dont l'attitude sophistique apparaît souvent plus imprégnée d'éléatisme que d'héraclitéisme, proteste vigoureusement, lui aussi, contre la possibilité du discours faux : « En disant ce qu'on dit, comment ne pas dire ce qui est ? » (*Cratyle*, 429 d).

Prenons garde à l'expression « ce qui est » (τὸ ὄν) : elle n'indique pas, pour le sophiste, une réalité *extérieure*, signifié ou référent, empirique ou transcendante, mais la seule réalité *intérieure* du dire. Ou plutôt, il n'y a *ni* intériorité *ni* extériorité, mais un dire qui est dire, un *c'est-à-dire* qui renvoie inlassablement à un autre dire, éternelle convulsion des signifiants étrangers au vrai comme au faux. Ainsi s'avance le *protocole* du langage, adhérence ambiguë du dire à son dire, qui proscrit les intentions et les prétentions du signifié ou de quelque être augural (Dieu, le Sens, la Pensée, ou, pour Platon, la Forme en soi); collage premier sur lui-même, contreplaqué ou feuillure, le protocole commence par une *doublure*[37]. Il fait « bloc », déclare Derrida, « magiquement », selon une sorte d'auto-engendrement qui se substitue à la généalogie répressive du Père, source d'esclavage pour une parole inféodée à une autorité éminente.

Protocole du signifiant *signifié* pour le sophiste non pas l'adhérence du *signifiant* et du *signifié* (qui témoignerait d'une séparation originaire distribuant à chacun sa place : le signifié — en haut, le signifiant — en contrebas), bien plutôt l'*immanence* d'un discours fermé qui se dispose sur sa propre surface. Il n'y a pas de profondeur ou de hauteur : l'écriture du simulacre ne s'attache pas plus à son (absence d') origine — l'intention signifiante — qu'à son (absence de) but — le Sens. Pierre Aubenque fait ressortir avec clarté l'apparition sophistique d'un signifiant *littéralement in*-sensé à propos de la théorie d'Antisthène. Le vieil adversaire de Platon « ne veut connaître d'autre usage du verbe λέγειν que son emploi transitif; parler, ce n'est pas parler *de*, ce qui impliquerait une référence problématique à un

---

37. J. Derrida, *Dissém.*, p. 14, n. 6. Cette « loi de dissémination », qui impose au langage de commencer par « une doublure », est le résultat d'une opération qualifiée adverbialement de « *magique* ». Platon nomme donc à bon droit le sophiste un « sorcier ».

au-delà de la parole, mais *dire* quelque chose »[38]. Une *chose* qui d'ailleurs n'*est* pas, si l'on entend par là une réalité permanente incarnée dans le sens : elle n' « est », conservons encore le vieux terme avant de le neutraliser définitivement, que ce qu'elle *dit*.

C'est-à-dire/C'est-à-dire : duplicité.

On aboutit en conséquence à l'impossibilité de la prédication. Tout est vrai, pour l'éléatisme, puisque l'être et le logos s'enlacent au sein du Même; l'erreur, l'illusion, et le discours *autre ne sont pas plus qu'ils ne sont formulables*. S'il n'y a pas de *non-être*, il n'y a pas de *non-dire*, donc pas de *non-vrai*, et le sophiste, dans l'ombre de Parménide, disparaît comme par enchantement. Pour les deux écoles, tout dire sera aussi bien vrai que faux et faux que vrai, en une commune *logique de l'ambiguïté*, dont la morale qui résulte, le relativisme de Protagoras ou d'autres attitudes plus récentes, exhibe la manifestation sociale. L'adhérence du langage à l'être ou à lui-même débouche sur l'indifférence généralisée à l'égard du vrai et du faux comme du bien et du mal. Que le monde soit plein d'être (redondance de la Tautologie) ou de simulacres (redondance de la Duplicité), *cela revient au Même*. Ou encore *le Même revient*, avec persévérance, de l'éléatisme à la sophistique. Le Même et le Mime : le ver sophistique rongeait déjà le fruit éléatique, malgré l'effort désespéré de Parménide. Ne repoussait-il pas ces « mortels ignorants (qui) vont errants, créatures fourchues avec leur double-tête » ? Aveugles et sourds, prisonniers du chemin vacillant qui se perd en spirales, les hébétés *ne savent plus où doubler de la tête*. Avec le fragment 6 de son Poème, Parménide montrait que le chemin de l'Un devait croiser, tôt ou tard, celui de la Duplicité.

Pris au piège de la double réfraction du Même, nous ne pouvons éviter de songer à l'indissociable image de Charybde et de Scylla. A chaque moment, dans la passe de l'Identique, le navigateur de l'être risque d'échouer à *doubler* les écueils. D'un côté, Charybde, le

---

38. P. Aubenque, *op. cit.*, p. 100. L'éternelle sophistique refuse la *pro-venance*, qui implique toujours une *pré-séance*, et veut annuler toute opération d'engendrement. De la grammaire, elle hait « le cas qui engendre » — le *génitif*.

tourbillon éléatique, engouffre de son mouvement immobile tout ce que la mer charrie (Hegel voit dans l'Un de Parménide cette abstraction « où tout est englouti dans l'abîme de l'identité »[39]), et darde son œil menaçant vers le ciel. Non loin, Scylla, le rocher sophistique sur lequel viennent se briser les vaisseaux échappés à la divine Charybde, protège dans son antre le monstre aux douze tentacules et aux six effroyables têtes. Nous n'avons pas de peine à reconnaître en cette « terrible aboyeuse » (*Odyssée*, XII, 85) l'image platonicienne du « sophiste polycéphale » (*Soph.*, 240 c), de « l'hydre, une sophiste assez habile, si l'on coupait la tête à son raisonnement, pour en pousser plusieurs au lieu d'une », et de « certain crabe, autre sophiste venu de la mer » (*Euthydème*, 297 c). Prolifération équivoque de membres et de têtes, monstrueux grouillement du Même, Scylla produit les fantasmes des navigateurs et capture la gent la plus riche et la plus savoureuse de la mer.

Platon choisit d'attaquer, en un même dialogue, la pensée éléatique et sa forme dégénérée, pour en finir à jamais avec le genre trop glissant des ressemblances. Sa lutte contre l'éléatisme et la sophistique manifeste bien un double mouvement qui reprend à la fois l'idéal spéculatif de Parménide, en rejetant son identité tautologique, et les procédés dialectiques des sophistes hérités de Zénon, dont il repousse la confusion fantasmatique. Aussi pouvons-nous considérer le jeune homonyme du philosophe indifféremment comme l'ombre de Parménide (Socrate adolescent face au Maître d'Elée) et le double (de) Socrate (le simulacre face à l'Etranger). Platon fait ainsi *coup double* dans le *Sophiste*, au centre d'une trilogie où prolifèrent substituts, doublures et homonymes, en introduisant le double visage de Socrate afin de *fixer* le domaine du Même, et faire apparaître, en son étrangeté, la figure de la Différence.

---

39. HEGEL, *Leçons hist. Phil.*, I, p. 137.

5

LABYRINTHES

« Dans le couloir il y a une glace, qui double fidèlement les apparences », écrit l'anonyme bibliothécaire de Babel[40].

Pour lui, l'univers se compose d'un nombre peut-être infini de galeries hexagonales, qui courent le long de balustrades basses, rencontrent les vertigineux puits d'aération, et se distribuent interminablement, de façon symétrique, vers les étages supérieurs et inférieurs. Un escalier en colimaçon s'enroule de proche en proche, hors de l'hexagone natal, pour rejoindre l'accablante multiplicité des autres galeries avec leurs trente étagères, dont chacune comprend les trente-deux livres aux quatre cent dix pages, avec, sur chaque page, les inévitables quarante lignes qui aboutissent enfin aux quatre-vingt petits caractères noirs — dont on suppose les combinaisons illimitées. La Bibliothèque entière est redoublée par la longue surface du miroir que d'autres bibliothécaires errants viennent parfois interroger...

... Ainsi prolifère le labyrinthe sophistique de l'*écriture* qui a perverti le labyrinthe plus subtil de la droite éléatique. L'Unique s'est fragmenté aux doubles biseaux des glaces qui jouent silencieusement avec l'être, sans jamais révéler autre chose qu'une redondante duplication. Quant aux lettres, leurs répétitions désordonnées en une épuisante et zénonienne combinatoire ne justifient en rien la philosophique croyance en l'existence de l'Homme du Livre, maître et possesseur du Texte Unique qui justifie tous les autres et origine l'ensemble des structures de la Bibliothèque.

De Zénon à Borgès, le monde des fantasmes se perpétue dans une réitération dense et périodique, dont le modèle labyrinthique désorientait déjà les vacillantes doubles têtes du poème parménidien :

« Il est et il n'est pas, le même et non le même,
Chemin pour tous, spirale qui se retourne » (fr. 6).

---

40. Borgès, La bibliothèque de Babel, in *Fictions*, p. 91.

... succession infiniment réduite d'écarts, de fins décalages, de facettes indécidables qui glissent les uns sur les autres et se substituent à leurs doubles d'un mouvement évanouissant. « Il y a toujours », affirme le bibliothécaire philosophe, « plusieurs centaines de milliers de *fac-similés* presque parfaits qui ne diffèrent du livre correct que par une lettre ou une virgule »[41]. A quoi répond Derrida, neutralisant aussitôt ce livre « correct » à la hiérarchie violente, que la Dissémination moderne du texte explore, en leur similitude, l' « écart, carré, carrure, carte, charte, quatre, etc. » ou les « marge, marque, marche, etc. »[42]. Il faut suivre le sophiste *à la lettre*, dans ces dédales éclatés aux traces à peine esquissées, si l'on veut comprendre, sinon le Sens originaire qui aveugle encore Borgès, du moins l'espacement décalé d'une écriture bifide.

Laissons parler l'auteur de *L'Archéologie du Savoir*, qui laisse à deviner la dispersion d'un projet de connaissance esquivé, dont on se demande à la suite de quel sophisme inouï il sacrifie encore au beau nom platonicien d'*arché*ologie : « Eh quoi, vous imaginerez-vous que je prendrais à écrire tant de peine et tant de plaisir, croyez-vous que je m'y serais obstiné, tête baissée, si je ne préparais — d'une main un peu fébrile — le labyrinthe où m'aventurer, déplacer mon propos, lui ouvrir des souterrains, l'enfoncer loin de lui-même, lui trouver des surplombs qui résument et déforment son parcours où me perdre et apparaître finalement à des yeux que je n'aurais jamais plus à rencontrer. » Et cet aveu final : « Plus d'un, comme moi sans doute, écrivent pour n'avoir plus de visage »[43].

C'est la conduite d'errance du sophiste qui se révèle ici, beaucoup plus troublante qu'une simple conduite de fuite : sans doute est-ce la raison profonde pour laquelle le sophiste, ni chasseur ni gibier, échappe toujours aux pièges de l'Etranger. Comment le fantasme de l'absence pourrait-il être saisi en un lieu quelconque — lui, l'être du *sans passage* (εἰς ἄπορον ὁ σοφιστὴς τόπον, *Soph*. 239 c) — s'il s'échappe d'abord à lui-même, au gré d'un langage qui divague ?

41. BORGÈS, *ibid.*, p. 98.
42. J. DERRIDA, *Positions*, p. 58; p. 54.
43. M. FOUCAULT, *Archéologie du savoir*, p. 28.

Le logos sophistique ne connaît pas le chemin parménidien qui s'enroule autour de l'être, ni la méthode ascendante et descendante de Platon, pas même le sentier heideggerien qui, à peine frayé, se met à l'écoute de l'origine — non plus le chemin crucifié de l'expérience hégélienne. Les blessures de l'esprit laissent de fines cicatrices, songe le sophiste, qui se contaminent, se rouvrent et suintent sans jamais s'évanouir dans la relève ultime de quelque guérison. Ou plutôt, il n'y a pas d'esprit, mais des blessures, de pures blessures dont la suture répète inlassablement l'entame avant de rapprocher la double lèvre de la plaie.

Fasciné par les simulacres, Borgès n'oublie pas pour autant de lire Platon — ou Nietzsche. L'auteur de la deuxième *Considération Inactuelle* imaginait ainsi l'existence atroce de l'homme dépourvu de la faculté d'oublier : « Un tel homme ne croirait plus à son propre être, ne croirait plus en lui-même. Il verrait toutes choses se dérouler en une série de points mouvants, il se perdrait dans cette mer du devenir. En véritable élève d'Héraclite, il finirait par ne plus oser lever un doigt. » Borgès illustre cette hypothèse de l'homme sophistique dans *Funès ou la mémoire* : voilà un personnage de pure différance, qui produit à chaque seconde une infinité d'effets de différence et peut reconstituer, en un simulacre que Cratyle n'aurait osé rêver, *un jour entier* (ce qui lui demande, par redoublement, un autre jour entier qui, à son tour, pourrait être reconstitué avec ses infimes décalages, etc.). Mais, incapable de choisir, donc d'effectuer *une* différence en fonction d'une mesure fixe, *il conserve tout* — « Ma mémoire, Monsieur, est comme un tas d'ordures » — puis sombre dans une absolue indifférence. « Cela le gênait que le chien de 3 h 15 (vu de profil) eût le même nom que le chien de 3 h un quart (vu de face) »[44]. Le sophiste ne réussit pas à penser, par-delà les petites différences, pour abstraire et atteindre « des idées générales, platoniques » : on comprend qu'il soit réduit à mourir de congestion.

L'homme des simulacres vit de traces, de glissements feutrés, en de longues galeries parallèles et coudées qui se referment sur leur

---

44. BORGÈS, Funès ou la mémoire, in *Fictions*, p. 133; p. 135.

propre inanité. Déchiffrons un moment avec Derrida cette *mimique* mallarméenne qui ne mime aucun modèle. « Nous entrons ici dans un labyrinthe textuel tapissé de miroirs. Le Mime ne *suit* aucun livret préétabli, aucun programme venu d'ailleurs »[45]. Le redoublement défait et refait l'écriture, multiplie l'auteur ou l'absence d'auteur, réduit l'illusion du sens à la duplicité universelle. Pour ne citer, dans l'œuvre derridienne, que *La double séance*, dont le titre marque assez la rupture avec la pré-séance, sinon la bien-séance de l'Agathon platonicien, nous sommes confrontés, en une énumération non exhaustive, aux *double-écriture, double-lecture, double-science, double-geste, double-marque, double-mimétique, double-polarité,* et même *double-parricide,* bientôt, peut-être, la « double pensée » d'Orwell. On déconstruit non seulement l'unité de sens, substance platonicienne ou sujet cartésien, mais toute forme anthropologique, métaphysique, politique d'une Autorité, y compris celle d'une préface, d'un titre ou d'un auteur. Ainsi la modernité *accuse*-t-elle les traits épars des sophistes qui prenaient la parole sur l'agora pour contester les idées régnantes. L'autorité parle trop haut, et trop fort, « centre éminent, commencement, commandement, chef, archonte ». Prenons le principe platonicien, le Bien ἐπέκεινα τῆς οὐσίας (*Rép.*, VI, 509 *b*), dont le Soleil est dit le fils et le fruit (507 *a*, 508 *c*). Platon ose appeler ce dieu du ciel κύριος (508 *a*), « Maître », source altière et cachée dans son trop grand éclat des réalités sensibles qui se subordonnent à lui. Or le simulacre, dans ses déplacements allégoriques, répugne au primat de l'Idée et à la filiation dont témoigne son discours à l'égard d'une identité constituante. Il faut donc subvertir et pervertir la dialectique qui, par son *fil(s)* directeur, « demeure une opération de maîtrise », de l'*ousia* platonicienne à l'*aufhebung* hégélienne; il faut exorciser « les fantasmes de la maîtrise »[46], ruiner toute dépendance du texte vis-à-vis de son sujet, de son objet, ou de son auteur multiple/absent.

En conséquence, pour cette pensée gémellaire, l'~~auteur~~, qui assure une autorité et une propriété sur son œuvre, doit lui aussi se redoubler

---

45. DERRIDA, *Dissém.*, p. 221;
46. *Ibid.*, p. 11; p. 204; p. 391.

et se dissoudre à travers les glissements de l'écriture. Nous avons déjà souligné la nature amphibologique du sophiste en rappelant la réponse du couple Dionysodore/Euthydème qui s'adresse *d'une double voix* à Socrate et ne tarde pas à le faire tomber « en un labyrinthe » (291 *b*). En notre modernité, l'accouplement fantasmatique continue de plus belle. Comprendrait-on Sollers sans Derrida ou Derrida sans Sollers si, à telle applique, ne correspondait pas aussitôt sa réplique ? *Nombres* désigne ainsi une machinerie qui fonctionne toute seule, sans auteur ni narrateur ou *deus ex machina*; quant au spectateur ou lecteur, « jamais (il) ne pourra y choisir sa place ». Il n'est pas question d'entrer dans le labyrinthe d'une œuvre qui n'a pas de commencement ou de sortir d'un texte qui n'a pas d'issue : le sophiste dénonce âprement « la quête obsessionnelle de la sortie »[47], lui dont la nature *anostique* interdit le retour. Inutile donc de fausser sa lecture à chercher le *Minautaure* ou le *minauteur* d'un texte : il n'y a plus d'archonte littéraire pour imposer aux lecteurs égarés un chemin, et venir les dévorer au centre éperdu de son dédale.

Un dernier exemple nous retiendra. La première phrase de *Rhizome* présente en ces termes l'autre ~~auteur~~ bicéphale Deleuze/ Guattari : « Nous avons écrit *L'Anti-Œdipe* à deux. Comme chacun de nous était plusieurs, çà faisait déjà beaucoup de monde »[48]. S'étonne-t-on que ces multiplicités anonymes conservent régressivement leurs anciens noms ? C'est « par habitude, uniquement par habitude »... D'ailleurs, « çà n'a plus aucune importance de dire ou de ne pas dire je. Nous ne sommes plus nous-mêmes. Chacun connaîtra les siens. Nous avons été aidés, aspirés, multipliés ».

Ne restons pas naïvement platoniciens en demandant : « Qu'est-ce que les *Nombres* signifient ? » La réponse tombe aussitôt, brutale : « Les *Nombres* n'ont aucun contenu présent ou signifié. *A fortiori* aucun référent absolu. C'est pourquoi ils ne montrent rien, ne racontent rien, ne représentent rien, ne veulent rien dire »[49]. Le sens est

---

47. *Ibid.*, p. 322 ; p. 374. On songe au lieu nommé *Anoste* (« Sans retour ») dans *La terre des Méropes* de THÉOPOMPE DE CHIO.
48. DELEUZE-GUATTARI, *Rhizome*, p. 7.
49. DERRIDA, *Dissém.*, p. 390.

désormais impénétrable, car le simulacre a exclu hauteur et profondeur au profit de la *surface*. Il faut entendre le labyrinthe sophistique du discours comme un labyrinthe à deux dimensions *(une double dimension)*, miroir ou échiquier. La *Logique du Sens* de Gilles Deleuze remâche inlassablement cet unique thème, des Stoïciens à Lewis Carroll : il faut arracher le sens aux mirages répressifs du « Principe, Réservoir, Réserve, Origine », bref à la Hauteur platonicienne, et le projeter sur la surface neutre des simulacres. « *Le sens est une doublure (...) la neutralité du sens est inséparable de son statut de double* »[50]. Il n'y a pas d'autre côté du miroir de l'écriture, même pour Alice, mais le monde *superficiel et double* du jeu de cartes ou du jeu d'échecs : dans la maison du miroir — donc *sur* le miroir — toute chose apparaît sous une double forme, minet blanc/minet noir, reine rouge/reine blanche, Tweedledum/Tweedledee, Cavalier blanc/Cavalier rouge, etc. Dans l'œuvre de Carroll, c'est évidemment la rencontre d'Alice avec Humpty-Dumpty qui illumine Deleuze : on ne saurait rêver meilleur sophiste que ce nouvel Hippias qui peut tout interpréter, même les poèmes qui n'ont pas encore été inventés.

Comme tout bon simulacre, Humpty-Dumpty nie l'intention signifiante, infime et pourtant essentiel décalage entre ce que l'on *dit* et ce que l'on *veut* dire; il échappe ainsi avec élégance à la contradiction. Pour que celle-ci soit en effet possible, logiquement et ontologiquement, il faut admettre une imperceptible fêlure de non-être dans le discours plein, aussi plein qu'un œuf, de Humpty-Dumpty. Il faut briser l'adhérence absolue du mot et de la chose, distinguer du signifiant énoncé un sens transcendant. Or cette séparation paraît absurde à l'interlocuteur d'Alice. On ne peut pas plus dégager le signifiant du sujet immanent qui l'exprime que d'une signification transcendante. Il n'y a *ni* au-delà (méta), *ni* en deçà (hypo) : seule se produit la double surface en ses distributions aléatoires et ses aiguillages continus, dont il est insensé de chercher l'origine unique, biffée, raturée.

Humpty-Dumpty déclare donc à bon droit, après qu'Alice l'a

---

50. DELEUZE, *Log. sens*, p. 98; p. 168. Souligné par l'auteur.

comparé à un *œuf* : « Mon nom signifie la forme que j'ai... et une bien belle forme encore »[51]. Telle est l'identité redondante du mot-valise cher à Carroll, qu'il emprunte ici aux nursery-rymes. *Humpty-Dumpty*, c'est *à la fois*, donc *ni* les uns *ni* les autres : *humpy*, le bossu (*hump*, la bosse, mais aussi le cafard, qui fait penser à *hunch*, *lump*, *bump*, la bosse également) ; *dummy*, le mannequin, le niais, et aussi le « mort » au bridge (le simulacre qui, pour Deleuze, prend « la place du mort ») ; *dump*, le pot à tabac, qui menace à chaque instant de culbuter *(to dump)* par-dessus son mur lisse, les ordures aussi, puis la mélancolie ; *dumb*, le muet, le crétin ; *stump*, la souche, le tronçon, qui donne *stumpy*, trapu encore (Humpty-Dumpty n'a pas de cou : Alice confond sa cravate et sa ceinture) ; enfin et surtout, *empty* : vide. Humpty-Dumpty, simulacre de ces traces qui s'appellent de lettre en lettre, va bientôt s'écraser sur la dure *surface*.

Maussade, avant de glisser de son mur, le sophiste glisse sur le sens des mots qu'il emploie. « Gloire à vous » (« Glory for you ») signifie « Voilà un bel argument écrasant » (« There's a nice knock-down argument for you ») et les protestations d'Alice n'y changeront rien. « Quand j'emploie un mot », ajoute-t-il avec dédain ,« il signifie ce que je veux qu'il signifie — ni plus ni moins (neither more nor less) ». Toute la pensée de la surface tient en ces quatre mots : *ni plus ni moins*, où se marque le refus de la *différence*, comme on le voit par exemple chez Derrida lorsqu'il analyse, à sa manière, le concept de *supplément* chez Rousseau. « Le supplément n'est *ni un plus*, *ni un moins*, ni un dehors ni le complément d'un dedans, ni un accident ni une essence... »[52].

NI/NI : duplicité et ambiguïté. Le logos ne parvient plus à diffé-rencier les significations en fonction d'*un* sens, et annule toutes les oppositions classiques de la métaphysique. Ne subsiste, la hiérarchie abolie, que la circularité de l'œuf et du labyrinthe, redoublée sur les surfaces neutres. Dans cette écriture blanche aux sentiers symétriques, la bifurcation se réduit à son éternelle simulation. Le discours amphi-bologique et disséminant du sophiste aboutit à l'évacuation complète

51. L. CARROLL, *De l'autre côté du miroir*, p. 196.
52. DERRIDA, *Positions*, pp. 58-59. Nous soulignons.

de la différence, sous forme de non-être ou d'autre. « Vous déclarez »,
reprochait déjà Socrate au couple Euthydème/Dionysodore, « qu'il
n'existe rien de beau ni de bon ni de blanc ni quoi que ce soit de ce
genre, et qu'il n'est absolument rien qui diffère du reste » (*Euth.*,
303 d-e). Derrida ne fait pas un pas de plus par rapport aux deux
compères, lorsqu'il introduit dans son texte l'équivoque notion
d'*hymen*, fine membrane, tissu protecteur, lien de consommation et
de confusion, qui ne se réduit *ni* au premier sens *ni* au second, mais
reste suspendu entre les deux. « *Entre* deux, il n'y a plus de différence,
mais identité (...). Non seulement la différence est abolie (entre le
désir et son accomplissement), mais la différence entre la différence et
la non-différence. » La « non-présence » du désir et la « présence »
de la jouissance « reviennent au même » dans l'hymen, qui ainsi
annule toutes les formes d'hétérogénéité, en premier lieu celle du
signifié et du signifiant, ou encore celle de l'identité et de la différence.

Le différent en suspens, en cet hymen qui « n'a lieu que quand
il n'a pas lieu »[53], anagrammes et paronomases sophistiques tissent
et retissent leur réseau arachnéen. On *entre* dans l'*antre*, qui n'est
plus la caverne platonicienne, mais une notion double et indécidable,
labyrinthe de gaze qui ne se déchire que par fiction, *entre-deux* qui, à
simuler le μεταξύ platonicien, échappe perversement au-dehors comme
au-dedans. Que le sophiste parle de fantasme, de *pharmakon*, de supplément, d'hymen, de marque, de trace ou d'entame, toutes ces
« unités de simulacres (...) « fausses » propriétés verbales »[54], jouent
dans l'ambiguïté dissologique de l'*ENTRE/ANTRE*. Dans l'*entre-
deux* donc : entre deux couloirs, entre deux miroirs, entre deux surfaces, entre deux antres, ou entre (deux) entre, sans commune mesure
avec l'*antre un* de Platon. Le sophiste se dérobe à l'emprise du philosophe, frère aîné et aimé du Sens, qu'il essaie de reproduire fidèlement avec l'aide du logos. Faux-frère, il se faux-file dans le chas de
l'aiguille qui va coudre l'hymen, c'est-à-dire dans l'antre/entre. Pourquoi ne pas écrire alors an(t)re, le t, qui ainsi se tait, permettant,
tache aveugle, point zéro, de suturer sur ses deux bords le double

53. DERRIDA, *Dissém.*, p. 237; p. 241.
54. DERRIDA, *Positions*, p. 58. Les guillemets internes sont de l'auteur.

débord des syllabes qu'il ente, hante, en t ? Car l' « hymen », nous
dit-on finement, « a lieu dans l'*entre* »[55], qui ne saurait se recueillir
auprès d'un centre (Hestia), à l'inverse du logos qui, prenant le philosophe, l'y mène (ou l'y même), où le discours a lieu — dans l'antre.

L'hymen entre, dans l'antre / l'antre entre, dans l'hymen. Ayant
dissipé la différence, dans l'antre deux, l'hymen nous mène au Même,
ou plutôt nous y ramène. Nous revenons à Platon, que nous n'avions
d'ailleurs jamais quitté, avec ce φάρμακον, partout dépisté sous l'écriture platonicienne. Sans essence ni identité, le double pharmakon
derridien subvertit secrètement le discours du philosophe.

Comment se révèle-t-il, non pas à Platon qui n'aurait pas entr'
aperçu, ou si peu, l'insignifiant décalage de sa propre recherche,
mais à son lecteur moderne ? Ne demandons pas : « Qu'est-ce que le
pharmakon ? », puisque ce double échappe aux prises de l'essence,
mais : « Comment joue le pharmakon, en son mouvement balancé
de duplication ? » Avec surprise, nous assistons au retour de la vieille
essence platonicienne : « Le *pharmakon* (...) *est* la différance de la différence », « *il apparaît dans son essence, comme* la possibilité de sa propre
duplication »[56]. Négligeons la réapparition, peut-être simulée, de
l'être et de l'essence, et admettons que le *pharmakon* ne se laisse pas
réduire chez Platon à l'opposition hiérarchique vérité/fausseté, qu'il
creuse au contraire comme une faille pour venir suppléer par sa
duplication l'être supprimé. Il n'en reste pas moins que Derrida se
coupe lorsqu'il affirme la réversibilité originelle (remède/poison,
bien/mal, dedans/dehors, etc.) et neutralisante d'un *pharmakon* qui
prétendait à la *différance* : « Le *pharmakon* est le *même* précisément
parce qu'il n'a pas d'identité. Et le même (est) en supplément »[57].
Non seulement l'*être* est revenu, malgré le tardif remord de la paren-
thèse, mais *le même*, à son tour, envahit la non-identité du supplément
et absorbe la différence. Si tout discours est le résultat de la suppléance
du simulacre, *il n'y a* que du Même dans les labyrinthes duplicatifs
de l'écriture.

55. DERRIDA, *Dissém.*, p. 240.
56. *Ibid.*, p. 146; p. 194.
57. *Ibid.*, p. 195.

Mais précisément, toute la question platonicienne est là ! Le fantasme cherche à imposer « magiquement » sa doublure pour empêcher le logos de discerner *ce* qu'il répète. Derrida prétend ainsi, comme un (simulacre) d'évidence, qu'il est impossible « dans la *pharmacie* (de) distinguer le remède du poison, le bien du mal (...) le vital du mortel », serait-ce en étiquetant les bocaux. Certes — tant que l'on reste aux côtés du simulacre, c'est-à-dire tant que l'on accepte de *voir double* au lieu d'envisager une *médication des simples* ! La brillante interprétation derridienne, qui porte l'excès des fantasmes au cœur de la parole platonicienne, sans distinguer la répétition du Même (mimêmes, simulacres, homonymes...) de la répétition de l'Autre (copie-icône de la Forme intelligible qui intériorise la *distance ontologique* entre le modèle et sa reproduction), se révèle-t-elle fidèle, une imitation fidèle de la pensée de Platon ?

Nous craignons fort qu'à trop parler de la duplication du simulacre, certains n'en viennent à tomber dans un simulacre de duplication dont ils accusent curieusement Platon d'avoir été la dupe. Tel est bien le sens de l'essai derridien sur *La pharmacie de Platon* : empêcher à tout prix le philosophe de *séparer* les deux mimétiques (les deux répétitions), et le contraindre à avouer qu'il y a une double activité d'imitation. « Mais elles se répètent l'une l'autre encore, elles se substituent l'une à l'autre... »[58]. L'argumentation se prend elle-même dans les lacets de l'objection bien connue du « troisième homme » : si la première répétition ne se contente pas d'imiter le modèle, mais imite à son tour la deuxième répétition qui la reproduisait déjà, nous obtenons alors une *troisième répétition*, selon le schéma suivant :

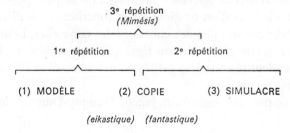

58. *Ibid.*, p. 196.

La *duplicité* du Semblant se trouve surmontée par une *synthèse* que, pourtant, le simulacre nie farouchement. Autrement dit, nous retrouvons le genre *MIMÉSIS*, dont les deux espèces, l'*eikastique* et la *fantastique*, présentent certes des similitudes, à jouer toutes deux sur les semblances, mais ne s'identifient à aucun moment, l'une cherchant le vrai-semblant, l'autre exaltant au contraire le faux-semblant. Le chien et le loup dans la famille des canidés, suggère l'Etranger, — mais un loup qui aime à se faire passer, au crépuscule, pour l'animal qui lui est le plus proche. Il suffit d'un simple tiret, *entre* chien et loup, pour déplacer le sens et tirer parti des obscures équivoques. Le sophiste a besoin de l'existence de la première mimésis (eikastique, « répétition de vie » pour Derrida)[59], afin de justifier la simulation de la seconde mimésis (fantastique, « répétition de mort »). Il établit ainsi, qu'il en convienne ou pas, la légitimité de la première répétition et la réalité du modèle qui fonde la reproduction de la copie. Essaierait-il une nouvelle fois d'assurer, à (double) coup de marteau, le crépuscule des icônes pour préparer la nuit des simulacres, qu'il ne parviendrait pas à éviter la préséance de la bonne répétition. Pourquoi d'ailleurs la copie, droitement affiliée au modèle, voudrait-elle imiter maintenant ses propres fantasmes ?

Peut-être alors serait-il opportun de faire appel à un personnage sur lequel les simulacres derridiens ne s'attardent guère, curieusement désarmés, comme toute la tradition qui ne daigne voir en lui qu'une nouvelle *doublure* de Socrate. Mais nous commençons à être saturés de doubles, d'imitations et de simulacres. Laissons à leur hymen les antroductions sophistiques à la lecture de Platon, et gardons en mémoire le conseil de Socrate à Simmias : on ne peut poser une ressemblance vis-à-vis d'un original qu'en fonction d'une dissemblance interne. Pour penser ainsi des choses égales entre elles, bouts de bois ou cailloux, il faut s'accorder un Egal qui en est *distinct* : « Par suite, il n'y a pas identité entre les égalités de ces choses-là et l'Egal en soi » (*Phédon*, 74 c).

Voilà ce que ne comprendra jamais Humpty-Dumpty, le bouffon

---

59. *Ibid.*, p. 195. DERRIDA choisit la « répétition de mort » à la « répétition de vie ».

sophistique des surfaces : il a non seulement la *vue double*, mais encore la *vue basse*. A trop exalter les différences, en ses perpétuels écarts de langage, il a perdu le sens de *la* différence. Dans tous les sens du terme, le simulacre à la subjectivité arrogante et oublieuse ne témoigne d'aucune *reconnaissance* envers *les autres*. Nous en retiendrons l'aveu :

« Je ne vous reconnaîtrais pas si nous venions à nous rencontrer de nouveau... Vous êtes tellement faite comme tout le monde »[60].

60. L. CARROLL, *op. cit.*, pp. 207-208.

TROISIÈME PARTIE

La parole de l'Autre

CHAPITRE PREMIER

LE PARRICIDE

I

Le voyageur

Semblable au dieu d'Homère, dissimulé dans l'éblouissante lumière d'Athènes, le voyageur jette un regard indéchiffrable sur ses compagnons. Le voyageur — ou son ombre ? La figure de l'Etranger paraît si mince et si fragile dans l'air vibrant, qu'on ne croirait guère qu'elle puisse s'opposer à la lumière du soleil. C'est pourtant cette pâle esquisse du dialecticien, à peine accusée dans la mouvance du dialogue, qui va imposer aux simulacres le discours de la Maîtrise et déloger les faiseurs de prodiges de leurs obscurs labyrinthes... Peut-être malgré tout faut-il partir de l'ombre — d'une *autre* ombre — pour dessiner les contours éclaircis de ce visage muet; peut-être faut-il, pour deviner son identité, ne pas oublier celle, non moins étrange, du second Socrate. Face au double (de) Socrate, l'Etranger d'Elée pourrait d'abord apparaître comme le double (de) Parménide — n'est-ce pas d'ailleurs la première indication que Platon nous accorde afin de déchiffrer l'énigme ? Indication elle-même bien énigmatique, puisque l'Etranger ne tardera pas à porter un coup mortel à son père ! Sommes-nous alors en présence de deux doubles, sinon même, pour succomber aux duplicités sophistiques, d'un *double double*, qui aurait la charge de répéter la rencontre initiale du *Parménide* ? Trop évidente, la symétrie se trouve bientôt réfutée : c'est en effet dans le *Politique*, non dans le *Sophiste*, que l'Etranger affronte le jeune Socrate; il détruit en outre, malgré l'interdit de son maître, l'intuition centrale de l'éléatisme. Notre dialogue ne *double* donc pas le *Parménide*. Il est vrai, cependant, que l'Etranger et le Simulacre entrent dans un rapport interne de symétrie pour constituer un couple, au sein duquel chacun répète la face inversée de l'autre. Au *paradoxe de l'homonyme*, excès nominal et défaut de parole, correspond le *paradoxe de l'anonyme*, excès de parole et défaut nominal. Un nom de trop, un nom de moins... une parole, un silence... Qui *est* cet étranger dont la nature intempestive tranche à un point tel sur celle des autres personnages que Socrate hésite presque à reconnaître en lui un Dieu — ou un sophiste ? Autour de Parménide, tout devient identité, autour du sophiste, tout devient fantasme, autour de l'Etranger tout devient — quoi donc ? *peut-être Différence ?*

Les interprètes traditionnels n'aiment guère à insister sur la pâle personnalité du nouveau porte-parole de Platon. Dénué d'identité nominale (à la différence des deux Socrates), physique (à la différence de Théétète, sosie du philosophe), et même psychologique (à la différence du naïf Théodore), l'Etranger semble une figure littéraire peu séduisante. Diès se contente de noter que, au IVe siècle, « la comédie contemporaine » mettait parfois en scène, de façon piquante, des visiteurs venus d'Italie ou de Sicile, et rappelle à ce sujet les aimables tableaux du poète Epicrate. On ne sache pas, pourtant, que l'Etranger offre un seul trait dramatique ou historique qui, comme d'autres « fictions essentielles au dialogue », permettrait aux élèves de Platon de transposer « leur vie journalière en scènes d'un lointain passé »[1] ! Nous sommes en présence d'un texte où Platon efface la plus petite trace d'imagination et de réalisme, à l'encontre des riches tableaux du *Protagoras*, du *Gorgias* ou de la *République*. Diès soupçonne néanmoins que Platon dissimule une secrète intention et suggère que l'Etranger serait le « pendant » ou le « double » de l'éléate Pythodore, disciple de Zénon, de qui Antiphon aurait tenu le récit du *Parménide*[2]. Nous avouons mal comprendre pourquoi un éléate *anonyme* devrait

1. Dıès, Notice du *Sophiste*, pp. 267-268.
2. Dıès, Notice du *Parménide*, p. xiv.

servir de doublure à un autre éléate tout aussi obscur. Notons cependant que le thème du double continue de suggestionner jusqu'aux
plus farouches platoniciens.

Le même auteur revient d'ailleurs sur la personnalité de l'Etranger
dans *Autour de Platon*, en oubliant Pythodore pour qualifier maintenant l'éléate de « vague anonyme dont l'ombre n'a été voulue si
imprécise et si légère que pour laisser transparaître, tout au long de
la discussion, la muette mais réelle présence du maître qui la surveille »[3].
Voilà derechef l'Etranger confondu avec Socrate, dont on ne dit pas
pour quelle raison il surveillerait les débats sans intervenir. D'autres
critiques, toujours fascinés par les simulacres, envisagent avec plus
d'ambition la symbolique du *Sophiste*, comme J. Eberz, envers qui
Diès n'a pas assez d'ironie[4]. L'éléate représenterait Platon, mais aussi
bien Socrate lui-même (un double simulacre donc); l'homonyme
renverrait à Socrate jeune face à Parménide (un triple simulacre
désormais); Théétète incarnerait Dion, l'ami syracusain de Platon, et le
sophiste absent de la recherche... tout bonnement Aristote ! Quant à
Théodore, curieusement, Eberz ne sait qu'en dire, et hésite même à
lui laisser sa personnalité, pourtant bien établie, de mathématicien.

Nous n'en avons pas pour autant fini avec les simulacres. Eugène
Dupréel qui, à force de voir des sophistes partout, dénie à Platon
comme à son maître la moindre originalité philosophique, reconnaît
les traits d'Hippias sous le masque transparent de l'Etranger[5]. D'autres
enfin, à ne chercher aucun symbolisme historique, littéraire ou philosophique, se contentent de voir en l'Etranger une doublure de
Socrate — mais n'y a-t-il pas déjà un Socrate *de trop* ? — et confondent
purement et simplement les deux hommes. Peut-être pour des motifs
différents, Schaerer, Deleuze et Derrida, avec d'autres interprètes,
ne peuvent s'empêcher de penser à Socrate lorsqu'ils parlent de
l'Etranger, et vice-versa, pour ne s'intéresser, en dernière analyse,

---

3. Diès, *Autour de Platon*, I, p. 162.
4. J. Eberz, *Die tendenzen der platonischen Dialoge : Theaitetos Sophistes Politikos*, analysé
par Diès, *op. cit.*, II, p. 332 sq.
5. Dupréel, *op. cit.*, p. 307. Pour l'auteur, le « prétendu platonisme » n'est qu'une
compilation et une trahison des écrits sophistiques : tout, sans exception, dans l'œuvre
de Platon, proviendrait des sophistes et surtout d'Hippias.

qu'à la figure abstraite du dialecticien. C'est-à-dire à Platon. Comme celui-ci affirme, dans la *Lettre 7*, n'enseigner dans les dialogues aucune philosophie qui lui soit propre, nous voilà bien avancés !

Trois indications de Platon nous mettent, cependant, sur une voie plus sûre. Rapprochons d'abord l'Eléate de Théodore qui l'a introduit auprès de Socrate. Tous deux sont étrangers à la terre athénienne, mais, alors que le mathématicien de Cyrène, parfaitement à l'aise dans sa nouvelle cité, ne dissimule ni son nom, ni son métier, ni ses goûts philosophiques, ses amitiés encore et même sa naïveté, l'étranger éléate demeure jusqu'au bout impénétrable. Théodore a présenté en ces termes brefs celui qu'on nomme simplement ὁ ξένος — *l'étranger* : « Originaire d'Elée, il appartient au cercle des disciples de Parménide et Zénon. » Aussitôt admis parmi les compagnons de Socrate, il devient pour deux conversations le maître de la recherche — trait unique dans les dialogues — et disparaît ensuite définitivement. Jamais à sa place, toujours prêt au départ, *l'Etranger est un exilé.* Nous devinons qu'il ne peut encore retourner au pays qui est le sien. Et peut-être cela nous rapproche-t-il de la deuxième indication de Platon, la plus importante semble-t-il, la plus *aveuglante* surtout — *même pour un aveugle*[6] — qui pousse déjà certains à sortir tout l'arsenal de la psychanalyse : *l'Etranger est un parricide.* Malgré une crainte sacrée, il n'hésite pas à porter la main sur son père Parménide. Et, de fait, cet homme dont on ne sait s'il est fils prodigue ou bâtard, ne porte pas de nom ou le cache soigneusement à ses compagnons. *L'Etranger est un homme sans identité.*

A chaque reprise, la même *absence* : l'Etranger a perdu sa *patrie*, il va tuer son *père*, il dissimule son *patronyme*. Tout ce qui relie un être à son origine — *la filiation paternelle* — échappe au destin d'errance du voyageur. Mais, par un renversement inattendu, cet aveuglement fatal conduit l'Etranger à proximité de son origine, auprès de l'ombre première où la *question*, entendons la *quête*, se précède toujours elle-même : la seule question, éminemment tragique de la philosophie

_____

6. *Soph.*, 241 *d*, « τοῦτο τυφλῷ ». L'allusion à *l'aveugle* intervient au moment même où l'Etranger parle du *parricide* (πατραλοίαν).

— *la question de l'être.* Brisant l'orbe pur de la pensée éléate et dissolvant les simulacres, l'Etranger va affirmer, à partir de l'existence du non-être, la distribution étoilée des cinq genres ontologiques. Ce que Socrate n'avait pu atteindre au cours de ses multiples démarches vouées aux apories, l'Etranger, comme en se jouant, le réussit. *Ce n'est pas Socrate, mais l'Etranger qui établit la fondation de la philosophie.* A la croisée des chemins, il a su affronter la dure épreuve de l'être et remonter à l'origine de l'exil.

En ce sens il évoque bien *Œdipe,* l'homme des carrefours, dont la *régression* vers l'énigme à goût d'oracle, à travers les trois *transgressions* du parricide, du Sphinx et de l'inceste, a permis de découvrir le mystère de son origine. Hölderlin ne s'y est pas trompé : le roi Œdipe a un œil en trop. Sous l'apparente duplicité du monde, il a discerné l'unité de la question de l'origine et celle de la maîtrise. En triomphant du Sphinx, *Oïdipous* misérable, abandonné à la naissance à son arbre, accomplit le retournement tragique et devient roi de Thèbes. Il scelle ainsi un destin qui, avec l'inceste qu'il entraîne, lui dévoile ironiquement son identité : désormais *apolis,* il suivra en aveugle Antigone loin de la patrie qu'il n'avait pas *reconnue.* Au regard du destin cependant, Œdipe est l'homme qui a osé le mouvement du retour, pour triompher de la question par son échec même. Le fils de Laïos sait désormais *qui il est,* et peut s'en aller chez les dieux à Colonne. Après beaucoup d'autres héros tragiques, il faut imaginer Œdipe heureux. Michel Guérin l'a montré avec force : « *Le mythe d'Œdipe n'est autre que la pensée paradigmatique de la philosophie. Il dit l'essence de la question, de la conversion et de l'exil. Il dit la brisure du monde naturel de l'immédiateté. Il dit la possible nécessité de l'essence de la philosophie. Il dit la philosophie comme conversion et comme exil* »[7].

Il dit surtout *l'échec de la Duplicité.* Car la conduite du héros, en ses deux étapes essentielles, est menée par un Destin qui cherche moins à tromper Œdipe qu'à le *doubler* — pour arriver pourtant à son *unique* fin. Lors de ses crimes, Œdipe est double, il est vrai, déchiré

7. M. Guérin, Le malin génie et la pensée philosophique, in *RMM,* 1974, n° 2, p. 161.

entre celui qu'il est, fils des rois de Thèbes, et celui qu'il croit être, fils des rois de Corinthe. *Dé*doublons le personnage et accordons un prince différent à chaque cité — la tragédie se dissipe. Le jeu cruel de la fatalité consiste à feindre que le même homme soit *à la fois* lui-même et un autre, ou encore, si l'on préfère, *ni* fils de Laïos *ni* fils de Polybe — jeu sophistique donc, et bientôt criminel, *doublement* criminel. Quant à l'enquête menée par le nouveau roi de Thèbes, elle renforce la duplicité : Œdipe est maintenant celui qu'il est et celui qu'il croit être, celui qui *connaît* (οἶδα) l'énigme et celui qui est *concerné* par elle (οἶδος, « l'enflure » du pied d'Οἰδίπους), l'enquêteur et le criminel. L'ambiguïté de tous ces traits se concentre dans la parole souvent relevée d'Œdipe[8] : « Ἀλλ' ἐξ ὑπαρχῆς αὖθις αὔτ' ἐγὼ φανῶ » (vers 132). En remontant à l'origine des événements inconnus qui ont apporté la peste à Thèbes, ἐγὼ φανῶ, « je les mettrai, moi, en lumière ». Duplicité du grec : « je montrerai », mais aussi « j'apparaîtrai » — je montrerai le criminel, et j'apparaîtrai criminel.

La duplicité n'est qu'apparente, simple ruse du Destin. Par un complet renversement des choses (αὖθις), l'enquête révèle que le nouveau roi de Thèbes n'était pas double, fils de Laïos *et* fils de Polybe, mais unique, confié au dénuement le plus extrême : Œdipe est seul — sans double ni fantasme qu'il pourrait accuser et maudire en rejetant sur lui tous ses crimes. Avec finesse, Clément Rosset objecte aux interprétations dispensatrices d'équivoque que, « tragédie de la coïncidence et non de l'ambiguïté, la pièce de Sophocle se déroule dans le sens d'*un retour implacable vers l'unique* qui élimine, scène après scène, l'illusion d'une duplication possible. En sorte que le tragique sophocléen n'est pas du tout lié au double sens, mais, tout au contraire, à l'élimination progressive de celui-ci »[9].

L'Etranger d'Elée, Œdipe philosophe ? Il est vrai que c'est grâce au parricide que le dialecticien, à lui-même inconnu, découvre dans

---

8. Cf. J.-P. VERNANT, Ambiguïté et renversement. Sur la structure énigmatique d' « Œdipe-Roi », in *Mythe et Tragédie en Grèce ancienne*, p. 107.

9. C. ROSSET, *op. cit.*, p. 38. L'auteur rejette, fort justement, la thèse de J.-P. VERNANT selon laquelle « comme son propre discours, comme la parole de l'oracle, Œdipe est double, énigmatique » (*op. cit.*, p. 107).

le *Sophiste* le visage renversé du philosophe — *son propre visage* (253 *c*).
Oidipous Philosophos : peut-être n'est-ce là, cependant, qu'un seul
côté de la question. Peut-être le personnage rappelle-t-il un autre
destin, comme sa quête même, déchirée entre l'exil et le retour. Au
carrefour de l'être, le parricide ne dit pas tout, s'il écrit la question
dans le sang; il dissimule d'un même mouvement. L'Etranger vit
en exil *avant* le meurtre du père : qui sait si le parricide ne prépare
pas au contraire la possibilité du retour ?

Et là, il nous faut revenir à Socrate qui s'y entend, lui aussi, à la
dissimulation. Songeons à la stupeur de Phèdre ou de Ménon, quand
ils s'aperçoivent que la *topique* du discours socratique se tient paradoxalement dans l'étrange *atopia*[10] que l'ironie marque, par sa distance
et son arrachement à la pensée (l'absence de pensée) quotidienne.
Sans doute parce qu'elle essaie d'atteindre le véritable *site* de la parole,
l'ironie se montre toujours *déplacée*. Si l'Etranger *vient d'ailleurs*,
Socrate *est ailleurs* : comment s'étonner qu'ils ne puissent se rencontrer ? On pense aux deux êtres mystérieux dont parle énigmatiquement
Nietzsche : « Nous étions amis, et nous sommes devenus étrangers
l'un à l'autre (...) Tels deux navires dont chacun poursuit sa voie et
son but propres : ainsi sans doute nous pouvons nous croiser et célébrer des fêtes entre nous »[11]. Là se noue la seule parenté de l'Athénien
sédentaire et du nomade Eléate, tous deux étrangers à leur patrie,
en un exil intérieur et un exil extérieur qui ne parviennent jamais à
sceller leur amitié. Socrate aurait pu dire à l'Etranger : « Jamais on
ne vit qu'un homme fût sans nom » (*Odyssée*, VIII, 552).

En lui s'incarne la figure de l'Exil philosophique : il est l'altérité
absolue qui échappe à ses propres prises mais révèle aux autres leur
identité. L'homme qui montre, contre Parménide et contre les
sophistes, la nécessité d'appeler le néant au cœur même de l'être pour
déployer la différence de ses genres, est une figure négative opposée
aux visages redondants des simulacres. Aussi entre-t-il en couple

10. *Ménon*, 80 *b*. « Tu as bien raison, crois-moi, de ne vouloir ni naviguer ni voyager
hors d'ici : dans une ville étrangère, avec une pareille conduite, tu ne serais pas long à
être arrêté comme sorcier. » A quoi fait écho le prologue du *Phèdre* : « Tu fais l'effet d'un
étranger qu'on guide, et non pas d'un indigène. » (230 *c-d*).
11. NIETZSCHE, *Le Gai Savoir*, § 279.

avec le jeune Socrate, et non avec Théodore, Théétète ou Socrate[12]. Face au double du philosophe qui répète silencieusement l'identité éléatique et la simulation sophistique — *le Même* — l'Etranger apporte en son essentielle dissimulation la parole de l'*Autre*. Il *est* l'Autre.

Il esquive ainsi la Tautologie éléatique comme la Redondance sophistique. En creux, perpétuelle absence à lui-même, il retourne à l'origine de la parole, en ce temps suspendu où le nom n'est pas encore donné. Telle est sa seule *vocation* : l'Etranger est *Personne*. Dans l'incessant mouvement du néant qui taraude l'unité éléatique apparaît le visage rayonnant de l'être lui-même. Plus que le roi de Thèbes qui finira ses jours dans les faubourgs d'Athènes, l'Etranger évoque le roi d'Ithaque qui, malgré la longue expérience de l'exil, n'a pas un instant oublié son royaume. C'est là, entre la lumière et l'ombre, qu'il écoute la voix silencieuse de l'origine. Le Voyageur, au hasard de la rencontre, a retrouvé son ombre : ils échangeront quelques mots dans le *Politique*. Nietzsche saura bientôt s'en souvenir.

Dès maintenant, nous savons que l'être se donne généreusement dans la lumière diffractée comme dans l'ombre étale. « Car ce ne sont pas des adversaires : elles se tiennent plutôt affectueusement par la main, et quand la lumière disparaît, l'ombre se faufile à sa suite »[13]. Lorsqu'il point enfin, le clair-obscur de la philosophie ne se confond pas avec l'antre chaotique des simulacres ivres.

Ce n'est jamais à l'aurore que les chiens du corps, sauvagement libérés, se mettent à hurler de joie.

2

La coupure ontologique

Une prière précède le sacrilège.

A Théétète, l'Etranger demande de ne pas le regarder comme un parricide. Il lui faut maintenant, après avoir longtemps différé,

---

12. L'Etranger renvoie à chacun son image : Théodore, *l'expatrié*, Théétète, *le dialecticien*, Socrate, *l'étrangeté* « par-delà les mers et les soleils différents », dira NIETZSCHE.
13. NIETZSCHE, *Le Voyageur et son Ombre*, p. 154.

s'attaquer à la thèse paternelle, s'il veut atteindre avec son compagnon
les deux fins de sa recherche. Et d'abord, dénoncer les multiples
contrefaçons du sophiste qui, dans le poudroiement de ses fantasmes,
attribue l'être à ce qui n'est pas. Il ne s'agit pas, comme on l'a dit[14],
de résoudre seulement le problème de l'erreur, qui témoigne encore,
par son échec, d'une présence possible de la vérité. En redoublant
de simulacres, le sophiste récuse à la fois la vérité *et* l'erreur, ou plutôt
ne choisit *ni* la vérité *ni* l'erreur; il fantasme toujours ailleurs, en ce
non-lieu de l' « entre » exprimé par la *double dénégation* derridienne
qui détruit l'opposition logique comme toute opposition qui soumet-
trait l'un des deux termes à l'autre[15]. L'entreprise est donc plus malaisée
que de simplement dénoncer une erreur : il faut parvenir à exposer
de quelle façon les simulacres sont produits, en une sorte de néanti-
sation de l'être d'autant plus insaisissable qu'elle ne provient pas du
néant. *Ni* présent *ni* absent, le simulacre errant attente à l'existence
de l'être, non pas à partir du non-être qui, en négatif, le révélerait
encore, mais à partir des doubles et des fantasmes. Aussi, pour
déloger tout ce beau monde de son (double) *ni* ou de son (antre)
deux, l'Etranger se voit contraint d'assurer, d'une *autre* manière que
ne l'entendait Parménide dans son interdiction — « Non jamais,
sous le joug de ce qui n'est pas ne se soumettra l'être » (fr. 7) — que
le non-être est et l'être n'est pas.

   Mais l'Etranger poursuit un second but qui constitue la face
positive du précédent. Ne demandons pas maintenant : comment
l'*errance* est-elle possible ? mais : comment l'*exil* est-il possible ? La
méditation de l'Etranger du *Sophiste* est une *méditation sur l'absence de*

---

14. Diès, *La définition de l'être et la nature des idées dans le Sophiste de Platon* : « Le *Sophiste*
a pour but avoué de résoudre le problème de l'erreur » (p. 1). Victor Brochard écrivait
de son côté : « Il s'agit de savoir si l'erreur est possible, si on peut dire qu'il existe des
sophistes, et si on a le droit de les condamner : c'est l'existence même de l'erreur, et par
suite celle de la vérité, qui est en cause » (*Etudes de philosophie ancienne et de philosophie
moderne*, p. 113).
15. Derrida, *Positions*, p. 58-59 : dans la philosophie traditionnelle, « un des deux
termes commande l'autre (axiologiquement, logiquement, etc.), occupe la hauteur.
Déconstruire l'opposition, c'est d'abord, à un moment donné, renverser la hiérarchie ».
Et plus bas : « Le supplément n'est ni un plus ni un moins, ni un dehors ni le complément
d'un dedans, ni un accident ni une essence, etc. Ni/ni, c'est *à la fois* ou bien *ou bien* » (p. 59).

l'être, parce que le discours que tient le dialecticien sur tout ce qui est, seraient-ce l'être et le discours eux-mêmes, doit, pour *signifier* ce simple « est », *se distinguer* de lui, s'en arracher, le quitter peut-être à jamais. Et là, véritablement, s'accomplit l'attentat contre celui qui enseignait : « Même chose se donne à la fois à penser et à être. » Le logos *est* différent de *l'être*, dans la mesure où se déploie en lui l'être de la différence : *l'Autre* qui lui interdit de s'identifier à sa propre source. Pour que le logos soit en effet possible, il faut que l'identité éléatique se fragmente en de nombreux genres qui communiquent entre eux selon des échanges bien réglés. D'un autre côté, si la réalité se dissout dans la fusion anarchique des simulacres, on ne saurait même plus la *dire* sans réintroduire en son sein l'être et l'unité qui en sont précisément rejetés. Semblable au ventriloque Euryclée dont parle l'Etranger, le sophiste emporte au fond de lui cette étrange voix de l'être qui le contredit à tout instant[16]. A l'inverse, si l'être se tient figé dans l'immobilité de Parménide, le logos, une nouvelle fois, ne peut rien dire sans se contredire aussitôt du fait de l'utilisation d'éléments étrangers à l'être unique, fixe, identique : seul le silence aurait encore un sens, mais un silence qui ne serait pas *éloquent*. Un silence vide, froid et muet. Un silence de mort.

S'il veut sauver le logos, l'Etranger doit assurer un rapport réglé entre les *différents* éléments de la réalité dont, par son expression même, le logos se distingue. Ainsi sera résolu l'antique problème de la prédication : comment lier le multiple au sein de l'Un, en énonçant par exemple : « L'homme est bon », au lieu de s'enfermer dans les tautologies infantiles des vieux rhéteurs qui ânonnent : « Le bon est bon » et « L'homme est homme » (*Soph.*, 251 *b-c*). Face au double-jeu des simulacres, le jeu de l'être et du logos exige l'intervention d'un certain non-être qui opère les distinctions logiques et ontologiques au cœur même du logos et de l'être. Aussi, seul l'Etranger, parce que

---

16. Celui qui élimine *l'être* au profit de l'entre-deux du *pharmakon* (et interdit même de poser « la question *qu'est-ce que ?*, qui est toujours, tautologiquement, la question « qu'est-ce que le père ? » et la réponse : « le père est ce qui est » », *Dissimul.*, p. 169) continue pourtant tranquillement, tel Euryclée, à dire : « le pharmakon *est* le mouvement » (p. 146), « le pharmakon *est* ambivalent » (p. 145), « le pharmakon *est* le même » (p. 195), etc.

demeure présent en lui le lien filial qui le rattache à Parménide, saura creuser la différence dans le monde de l'identité et dresser sa parole contre la thèse paternelle. Seul l'Etranger est l'Autre. L'Autre de Parménide comme l'Autre de Socrate. Ce dernier reste absolument innocent du parricide et, en conséquence, ne se confond à aucun moment avec son hôte. Nous aurons bientôt à examiner pourquoi Platon devait nécessairement *substituer* l'Etranger à Socrate, tout en *gardant* ce dernier, dans le *Sophiste* et le *Politique*.

L'avènement de la Différence, grâce à la division de l'être éléatique désormais séparé entre le Même et l'Autre, s'exprime essentiellement par une *coupure ontologique* et une *coupure logique*. La seconde scinde, divise, sépare les éléments que le logos a pour charge d'*entrelacer* (la συμπλοκή ou « syntaxe » logique des noms et des verbes : *Soph.*, 259 e, 262 c, 262 d), et tient sa signification de la première coupure, dans l'être lui-même, grâce à la médiation d'une troisième coupure, que nous distinguerons graphiquement des précédentes par un trait oblique : la *coupure onto/logique*.

1. Coupure ONTOLOGIQUE : *ÊTRE*   (Contre Parménide)
   (séparation des 5 genres de l'être)

3. Coupure ONTO/LOGIQUE : *DIA-LECTIQUE* (Contre Parménide et les
   (séparation de l'ontologique et du logique)   sophistes)

2. Coupure LOGIQUE   : *LOGOS*   (Contre les sophistes)
   (séparation dichotomique)

Nous nommons du même terme de *coupure* (τομή), utilisé par ailleurs dans la *République* (509 e-510 a), ces trois aspects, paradoxalement inséparables, de la Séparation philosophique. Chacune des *trois coupures* se distingue des autres et s'oppose polémiquement aux deux adversaires de la différence, en assurant continûment trois discontinuités.

1. *La coupure ontologique*, que nous étudions plus loin en détail, distribue l'être en cinq genres distincts, répudiant ainsi l'unité continue de l'être parménidien.

2. *La coupure logique* détermine les éléments du logos que l'indifférence sophistique confond, et impose à la recherche la division

dichotomique selon une partie droite et une partie gauche. 3. *La coupure onto/logique* accomplit dialectiquement la médiation nécessaire entre les deux précédentes, et les distingue à la fois contre Parménide, qui affirme l'être indissociable du logos (continuité ontologique), et contre les sophistes, qui ne distinguent pas le sens de son énonciation matérielle (continuité fantasmatique).

La deuxième et la troisième coupures ne se comprennent évidemment qu'en fonction de la coupure originaire que l'Etranger instaure dans l'ontologie. Lorsque cette coupure *tranche* dans l'être éléatique, loin de le détruire, elle le réenracine, à la fois *couture* et *bouture*, grâce à une distribution en étoile. Ainsi seulement l'Un sera dit du Multiple, et le Multiple, chassé par Parménide, détruit par les folles fulgurances des sophistes[17], prendra un sens au cœur de l'être et, par suite, dans la parole *de* l'être. La philosophie naît avec Platon du *double* constat d'échec de l'éléatisme et de la sophistique. Qu'on brouille les multiplicités sensibles dans leurs redoublements indifférents, ou bien qu'on impose à l'unité de se plier à la Tautologie vide, on détruit de même façon l'être et la parole dans une commune *In-différence*. Si l'on veut, en revanche, non pas sauver l'être parménidien, aussi illusoire que les simulacres qu'il engendre, mais le *fonder* véritablement, il faut accomplir *le pas en arrière* vers l'origine et poser comme première la coupure ontologique. Avec les sophistes, tout commence, nous le savons, par une *doublure*; avec la philosophie, tout commence par une *coupure*. Nous sommes initialement coupés de l'être, comme l'être lui-même demeure séparé de ses propres genres. Seule l'*archè*, vers laquelle fait signe la tension de l'exil, instaure le repos de l'être et celui du logos dans le recueillement harmonieux de ses cinq genres.

L'*Archè* évoque la coupure originelle, modèle ontologique du parricide qui porte le fer dans la parole du père. Il ne s'agit pas de

---

17. DELEUZE chante « le monde fourmillant des singularités anonymes et nomades, impersonnelles, pré-individuelles » (*Log. sens*, p. 140), et illustre ces multiplicités éclatées par « des déterminations non liées, comme des membres épars, tête sans cou, bras sans épaule » (*Diff. rép.*, p. 43). On songe, non seulement à Empédocle, mais au délirant émiettement du Multiple dans la 8ᵉ hypothèse du *Parménide*, monstrueux chaos où n'importe quoi se disperse et se confond avec n'importe quoi. L'Enfer, c'est *ces* autres...

tuer le père, même symboliquement — l'Etranger a bien pris ses précautions :

— « Je te ferai donc encore une prière plus instante.
— Laquelle ?
— De ne point me regarder comme un parricide » (*Soph.*, 241 *d*).

Οἷον πατραλοίαν — *comme* un parricide. La suite de l'entretien montre que seule est attaquée « la thèse de notre père Parménide » puis encore « la thèse paternelle » (242 *a*). Ne nous hâtons pas pourtant de conclure qu'il s'agit d'un simulacre de parricide. L'Etranger oppose *la parole de l'Autre*, en son irréductible différence, au *discours du Même*, et continue ainsi de porter ses regards vers Parménide; il ne se détourne de la figure du père que pour mieux assumer une nouvelle paternité. Ou une nouvelle Aurore. Que nous confie Nietzsche, à l'abri de cette maison de l'être en laquelle nombre de penseurs contemporains ne daignent plus se loger ? Peut-être pas autre chose que ce que pressent l'Etranger, du fond de son exil :

« *Où l'on doit construire sa maison.* »

« Si tu te sens grand et fécond dans la solitude, la société t'amoindrira et te stérilisera; et inversement. Douceur puissante comme celle d'un père : — là où cette sensation s'empare de toi, fonde ta maison, que ce soit dans le tumulte ou le silence. *Ubi pater sum, ibi patria* » (*Gai Savoir*, § 473).

Ubi pater sum : non pas, comme on l'attendait, là où est mon père, mais *là où je suis père*. Comme l'engendrement biologique, la paternité philosophique impose de quitter son propre foyer pour se mettre en marche vers l'Arché où pourra de nouveau naître le père. Aux yeux du philosophe, l'*Arché*, le *Père* et la *Patrie* demeurent inséparables et sont pensés ensemble. PATRI-ARCHE : le chef de famille, mais d'abord le père qui, tout à la fois, commence ce qui demeure et le commande, afin d'ouvrir le domaine proche de la patrie. En termes d'ontologie : l'Origine qui oriente la marche du voyageur.

Qu'est-elle, en son fond ultime, l'Arché de l'être ? Aristote s'en approchera au plus près, dans le livre Δ de la *Métaphysique* : « Ἀρχή se dit d'abord du point de départ du mouvement de la chose (...). Ἀρχή est aussi le meilleur point de départ pour chaque chose : par exemple, même dans la science, il ne faut pas parfois commencer par le commencement et par la notion première de l'objet, mais par ce qui peut le mieux en faciliter l'étude. Ἀρχή est encore l'élément premier et immanent du devenir, telles la carène d'un vaisseau et les fondations d'une maison (...) Ἀρχή se dit aussi de la cause primitive et non immanente de la génération, du point de départ naturel du mouvement et du changement : par exemple l'enfant provient du père et de la mère (...). On appelle encore principe l'être dont la volonté réfléchie meut ce qui se meut et fait changer ce qui change : par exemple, les magistrats dans les cités, les oligarchies, les monarchies et les tyrannies (...) les arts et surtout les arts architectoniques. Enfin le point de départ de la connaissance d'une chose est aussi nommé l'ἀρχή de cette chose » (1013 *a*).

Le caractère commun de cette gerbe de significations, c'est de désigner « la source d'où l'être, ou la génération, ou la connaissance dérive ». Originairement, une telle source se présente sous une double forme : 1. L'*arché* est la source d'où *jaillit* quelque chose; 2. L'*arché* est la source qui *maintient* cette chose dans le droit fil de son mouvement primitif. Heidegger commente ainsi l'idée aristotélicienne de la φύσις comprise comme ἀρχή : « *Arché* signifie en même temps prise de départ et emprise. En laissant de côté la rigueur ontologique, cela veut dire commencement et commandement; pour exprimer l'unité des deux *dans son double mouvement d'éloignement et de retour à soi*, ἀρχή peut être traduit par « pouvoir originaire » et « origine se déployant en pouvoir ». L'unité de ce double visage est essentielle »[18].

La primauté du Principe justifie le nom que donne Aristote à ce qui sera plus tard entendu comme « métaphysique » : la *philosophie première*. Elle est « la science qui spécule sur les premiers principes et les premières causes »[19]. Dans la mesure où la philosophie se

---

18. HEIDEGGER, *Ce qu'est et comment se détermine la* φύσις, *Quest. II*, p. 190.
19. ARISTOTE, *Méta.*, A, 2, 982 *b*. Cf. A, 1, 981 *b*, 25.

trouve *appelée* par l'arché, entreprenant ainsi de rechercher « le
meilleur point de départ » pour chaque chose, elle naît avec Platon,
puis Aristote, selon l'heureuse définition de Pierre Aubenque,
comme « une protologie : science du fondement, elle serait comme la
science du bien chez Platon, à la fois science du meilleur et science
du tout, ou plutôt science du tout parce que science du meilleur »[20].
Toujours l'Arché se pose et s'impose, aristocratiquement, comme
le *premier commandement* : τό πρῶτον ὅθεν, « le premier à partir de
quoi » il y a quelque chose, serait-ce le détour, serait-ce surtout le
retour.

Cette prise de l'arché qui assure l'emprise de la parole, son *arrêt*
au sein des métamorphoses, manifeste, par un retour continu à son
jaillissement primitif, la *reprise* de la question de l'être, sa *répétition*.
A chaque étape de sa recherche, le philosophe revient au commencement, disperse et annule les sollicitations de l'expérience immédiate
ou les discours trompeurs des opinions, pour réenraciner la question
dans son sol propre. Le philosophe ne *dissémine* pas, il *ensemence* et,
continûment, perpétue l'origine. R. Schaerer observe justement
comment, chez Platon, les raisonnements effectuent des circuits
récurrents qui « remontent tous à l'origine du problème, comme si
les résultats antérieurement acquis n'étaient plus d'aucun secours »[21].
Et il rappelle quelques exemples précis : *Phédon* (105 *b*), « revenons à
notre point de départ »; *Gorgias* (474 *c*), « réponds-moi comme si
nous en étions au début de nos interrogations »; *Théétète*, (187 *a-b*),
« reprenant la question à neuf, tout étant effacé », etc. Dans le dialogue
qui nous occupe, la récapitulation finale de toutes les définitions du
sophiste permet à l'Etranger de fermer la chaîne *à partir du commencement*, ἐπ' ἀρχήν (268 *c*). Le circuit désormais se boucle, en renouant
(συμπλέξαντες) tous les éléments nominaux du sophiste, irrésistiblement soumis à la prise et à l'emprise du principe.

La Séparation augurale qui se déploie sous les trois formes de la
coupure fonde ainsi l'ensemble de la démarche platonicienne. Nous

20. P. AUBENQUE, *op. cit.*, p. 281.
21. R. SCHAERER, *Quest. Plat.*, p. 84.

l'avions peut-être trop rapidement oublié : à force de parler de parricide, nous réduisions le crime à un jeu philosophique, sinon rhétorique, ou à un (double) simulacre. Or il ne s'agit pas de se rougir les mains : il s'agit de trouver la force de s'arracher à la paralysante identité éléatique et d'effectuer le saut de la différence. Contre l'éléatisme et la sophistique, unies dans leur commune *adiaphorie*, Platon introduit dans la pensée ce sentiment de *distance ontologique* qui assure généalogiquement la réalité de la descendance, et qui se manifeste le plus souvent dans les dialogues par le recul du temps. Ce que Henri Joly relève à propos des jeux étymologiques de Platon, à savoir que « le *sens véritable est à distance de nous* et qu'il appartient au langage du passé »[22] vaut plus largement pour toute la théorie platonicienne du logos. Un mythe, le grand mythe final de la *République*, expose admirablement la nécessité de la Séparation pour répéter la naissance, pour effectuer la re-naissance. Avant leur réincarnation, les âmes sont contraintes de boire l'eau du fleuve Amélès, au fond de la brûlante plaine du Léthé. Elles perdent le souvenir de leur existence antérieure, en buvant cette eau de Vie qui, en même temps qu'elle les purifie, les arrache à l'Origine par l'oubli qu'elle procure. La naissance est un exil dans le temps, hors des vérités intelligibles que l'âme a antérieurement connues, la conséquence naturelle du libre choix de sa destinée qu'elle devient incapable de reconnaître. Pourtant l'Oubli n'assèche pas complètement le mince filet de la réminiscence : « Chaque âme est obligée de boire de cette eau une certaine quantité; celles qui ne sont pas retenues par la prudence en boivent outre mesure. Dès qu'on en a bu, on oublie tout. » (*Rép.*, x, 621 *a*).

J.-P. Vernant, qui rapporte le mythe platonicien à la tradition religieuse grecque et souligne avec justesse que « *Léthé* signifie retour à la génération »[23], omet de signaler l'analogie frappante du texte avec l'épisode des *Lotophages* dans l'*Odyssée*. Enivrés par le fruit du *lotos*, les compagnons d'Ulysse perdent peu à peu la mémoire et ne désirent plus revoir leur patrie : leur *léthargie*, si elle s'avérait défi-

22. H. JOLY, *Le renversement platonicien*, p. 30.
23. J.-P. VERNANT, *Le fleuve « Amélès » et la « mélété thanatou »*, *op. cit.*, I, p. 123.

nitive, les empêcherait de revenir sur le sol natal et d'engendrer une nouvelle filiation.

« Μή πως τις λωτοῖο φαγων νόστοιο λάθηται ».[24]

A l'inverse, l'anamnèse platonicienne utilise l'eau d'oubli qu'aucun récipient ne peut contenir pour affronter l'exil dans une régénération secrètement orientée par l'origine. La plaine du *Léthé* s'oppose à la plaine *Alétheia*, comme l'exil au retour, à travers le double mouvement toujours marqué par l'emprise de l'être. Λωτοῖο/Νόστοιο.

Grâce au parricide, cet oubli mortel de l'éléatisme qui sauvegarde l'être, l'Etranger effectue ce que Jean Wahl appelait, à propos du *Parménide*, « moins une réfutation de l'éléatisme qu'une sorte de transmutation »[25]. Plutôt que de parler d'un mouvement à *l'encontre* du père, ce à partir de quoi il advient, nous dirons que l'éléate réussit la *rencontre* de l'être, et affirme ainsi la possibilité d'une nouvelle paternité. C'est toujours la voix même de l'origine qui sourd silencieusement en lui et lui commande d'instaurer la filiation. De façon similaire, dans son *Apologie*, Socrate faisait état de cette étrange voix qui parfois retentissait en lui, le *détournant* de ce qu'il était en train de faire (31 *a*). Ce *détour* que la voix paternelle, assimilée au « démon », lui imposait, ne lui permettait-il pas, seul, de mener à bien le *retour* sur lui-même ? *Gnôthi seauton*... Comme Socrate qui ressource sa pensée dans un ailleurs qui échappera toujours à ses accusateurs, l'Etranger a senti en lui le désir secret de délaisser ses rives pour faire retour à ce qu'il a de plus proche :

« Car l'esprit n'est pas chez lui au commencement,
Il n'est pas à la source. Il est en proie à la patrie »[26].

Peut-être alors la vocation de la philosophie consiste-t-elle à se mettre à l'écoute de l'être et à savoir répondre à son simple appel. Peut-être le voyageur ne peut-il faire l'expérience de l'origine qu'en partant d'abord pour l'étranger. Laissons ici la parole à celui qui sut

---

24. HOMÈRE, *Odyssée*, IX, 102. V. Bérard conserve le jeu de mot : « J'avais peur qu'à manger de ces dattes, les autres n'oubliassent aussi la date du retour. »
25. J. WAHL, *Etude sur le Parménide de Platon*, p. 82.
26. HÖLDERLIN, *Le pain et le vin*, *Œuvres*, Gallimard, p. 1206.

entendre, à travers le poème de Hölderlin, la demande renouvelée de l'être; elle permet de mieux comprendre l'épreuve de l'étranger exilé :

« Les navigateurs doivent être toujours plus vaillants dans leur oubli. Mais cet extrême éloignement du pays n'est-il pas justement ce qui les rapproche du propre ? »

Nous voyons en l'Etranger l'éternel navigateur de l'être qui assure la fondation de la patrie du plus profond de son exil. En proie au souvenir et à la volonté du retour, tout souvenir tout avenir, l'Etranger d'Elée, « c'est l'étranger, mais l'étranger qui fait penser à la patrie »[27].

Ubi pater sum, ibi patria.

3
Soleil cou coupé

D'un geste tranchant, le parricide ouvre la voie de l'exil et celle de la filiation philosophique : toute la pensée occidentale s'ordonne dorénavant par rapport à l'intuition platonicienne. Donc par rapport au parricide. Nous sommes tous des fils criminels. Régulièrement la postérité parménidienne, de Platon à Freud et Derrida, répète la mort du père primitif — ce despote absolu qui avait accaparé toutes les essences — et commémore par ses *écrits* l'acte monstrueux d'absorption du lointain géniteur. Le *Sophiste* ne met-il pas en scène le repas totémique de la philosophie — sa *communion* ? L'Un éléatique, à la fois envié et redouté, est brutalement assailli, forcé puis démembré en cinq parts dévorées en commun par les compagnons de l'Etranger... Mais le sentiment de leur culpabilité ne tarde pas à envahir les orphelins repus. En vertu de l'obéissance rétrospective chère aux psychanalystes, leur remords donne naissance aux interdits platoniciens, plus autoritaires encore que ceux du grand éléate. *La prohibition du meurtre du père/origine/principe* témoigne de l'illusoire désir filial de se réconcilier

27. HEIDEGGER, *Approche de Hölderlin*, p. 178; p. 118.

avec le père supprimé, désormais adoré sous forme de totem. Parallèlement, *la loi d'exogamie*, qui fonde la dialectique, ordonne de ne former sa succession qu'en fécondant une essence étrangère au clan originaire[28]. Multiplicités confondues sur la face de la terre, les fils d'Occident poursuivent depuis lors leur errance, hantés par le souvenir de l'image totémique qui s'est substituée à Parménide. Platon le totem, Platon la voix qui vient d'en haut, Platon qui commande, ordonne et hiérarchise. Platon par-devant, Platon par-derrière et Platon au milieu.

Telle serait à peu près l'interprétation donnée au parricide par certaine forme moderne de pensée avide de dénoncer la répression platonicienne. Mais peut-être y a-t-il un *double sens* du parricide, selon les deux lignées filiales issues de Platon. Peut-être y a-t-il deux façons de se retourner contre le père, et plusieurs demeures *hors de* la maison de celui-ci. Nietzsche, que nous interrogerons à son heure, se montre bien énigmatique quand il accuse Platon d'avoir détruit l'unité de la civilisation grecque : « Platon représente le début de quelque chose de tout à fait nouveau; ou, comme il est juste de le dire, il manque aux philosophes quelque chose d'essentiel. » La philosophie naîtrait de cette irrémédiable absence, comme si le disciple de Socrate avait tranché le dernier lien de la communauté grecque. A la différence des premiers penseurs, modèles purs, non hybrides, distingués par « la distance (...) et la sérénité royales » d'un Héraclite, Platon présente une physionomie complexe, dans sa personne comme dans ses écrits. La belle unité de la *polis* se trouve brisée :

« Le philosophe protège et défend la patrie. *Or, désormais, depuis Platon, le philosophe est en exil et conspire contre sa patrie* »[29].

Prétendra-t-on que Nietzsche se félicite du parricide ? Admettra-t-on que Nietzsche parle du vrai Platon ? De Platon... ou des sophistes ?

---

28. La genèse du monde sensible, dans le *Timée*, provient de l'action du modèle paternel sur la *khôra*, matrice et réceptacle du cosmos. « Il convient de comparer le réceptacle à une mère, le modèle à un père, et la nature intermédiaire entre les deux à un enfant » (50 *d*).

29. Nietzsche, *La Philosophie à l'époque tragique des Grecs*, Œuvres complètes, i, p. 217 ; p. 219. Nous soulignons.

Il faudra bien poser la question : *qui est le Platon de Nietzsche ?*
Ne nous étonnons donc pas de voir se glisser, sous le parricide
platonicien, son simulacre sophistique qui a peut-être abusé Nietzsche.
Que Platon ait été le premier philosophe à tuer le père, ou plus exactement à faire *naître* la philosophie de la *mort* du père, personne n'en
saurait douter. La question se pose plutôt de savoir ce qui va en
résulter. Jacques Derrida, pour sa part, conclut sans hésitation :
« Socrate tient donc la voix du père, il est le porte-parole du père.
Et Platon écrit *à partir de sa mort.* Toute l'écriture platonicienne (...)
est donc *lue à partir de la mort de Socrate,* dans la situation de l'écriture
accusée dans le *Phèdre* »[30]. Ne pensons pas tout de suite à la ciguë,
il s'agit d'une tout autre drogue : le *pharmakon* de l'écriture. Ce ne sont
ni la ciguë *ni* le syllogisme qui ont tué Socrate, mais, entre les deux,
l'écriture platonicienne.

On connaît la condamnation magistrale de l'écriture, dans le
mythe égyptien du *Phèdre,* qui voit Thamous, père du logos, dieu
des dieux et roi des rois, interdire à la divinité subalterne Teuth
(Hermès) de diffuser son invention. Alors que la parole conserve
sans faiblir le secours de son père, et peut se modifier en fonction
de l'interlocuteur, l'écriture, incarnée dans des caractères déssechés,
répète inlassablement la même chose et reste impuissante devant les
mésinterprétations des lecteurs. En outre, loin d'aider la mémoire,
cette empreinte étrangère l'affaiblit en se substituant à elle et en
prétendant posséder, seule, l'ensemble de la connaissance. L'écriture
n'est qu'un *pharmakon,* simulacre qui mime la mémoire, la parole, la
vérité enfin, et qui, de sa répétition de mort, redouble le signifiant
sans jamais évoquer le signifié. La hiérarchie platonicienne du Modèle,
de la Copie et du Simulacre, se présente maintenant sous la forme du
Père, du Logos et de l'Ecriture. Platon condamne avec sévérité
l'enfant bâtard, ou orphelin, en tout cas misérable, et loue en retour
le fils aîné à la droite du Père, le Logos fidèle qui se ressource constamment à l'origine.

En acceptant d'*écrire* des dialogues, Platon aurait donc trahi la

---

30. DERRIDA, *Dissém.,* p. 170.

parole de son père Socrate, celui qui n'écrivait rien ; il serait descendu
d'un cran dans la hiérarchie pour exorciser l'écriture parricide, sans
jamais pouvoir échapper au cercle de l'écriture qui dénonce l'écriture.
Une fois introduit dans le discours platonicien, le *pharmakon* en est
indélogeable : pour éliminer le *pharmakon*, il faut introduire un
nouveau *pharmakon*, lequel, à son tour, etc. Quelle belle scène de
famille naît après la mort du Père, entre les héritiers ex-patriés !
Car « l'être-là est toujours celui d'une présence paternelle. Et le lieu
d'une patrie »[31]. Derrida tire les conclusions qui s'imposent : pour
justifier Socrate, Platon a écrit des dialogues qui ont tué Socrate (la
parole paternelle), puis de nouveaux dialogues pour justifier la
justification criminelle, redoublant sans le vouloir son premier
parricide. Mais ni la mort du père ni le substitut de celui-ci, l'écriture
qui tue le père et prend sa place, n'échappent à la répétition nécrophile.
La lettre tue.

Tout n'est malheureusement pas si simple. Ce brillant jeu de
substitutions, rapporté à l'écriture platonicienne, tient surtout des
fantasmes derridiens qui font dire aux textes précisément ce qu'ils
dénoncent. Le glissement sophistique s'effectue en trois temps.

1. Derrida annonce d'abord, pour préparer la venue des simulacres, l'existence d'un *double parricide* platonicien à l'égard d'Homère
et de Parménide[32] ; Homère, parce qu'il pratique la mimésis, ce que
le législateur de la *République* ne saurait tolérer ; Parménide, parce
que, à l'inverse, il ignore la mimésis, laissant alors le champ libre
aux fantasmes. Il y a là, manifestement, un abus de langage, — ou
un jeu d'écriture. D'une part en effet, Platon ne met pas à mort
Homère, mais l'*exile*, le plaçant ainsi dans la situation de l'Etranger (le
fils) et non de Parménide (le père). D'autre part, Platon aurait-il fait
mettre Homère à mort, nous ne saurions parler pour autant de *double*
parricide. Pour que la duplicité soit légitime, il faudrait encore
identifier Homère, le poète du Mouvement (*Théét.*, 152 e-153 a), et
Parménide, le penseur de l'Immobilité, ce qui paraît pour le moins

31. *Ibid.*, p. 168.
32. *Ibid.*, p. 87 : « ... articuler les textes de Platon entre un parricide interdit et un
parricide déclaré. »

délicat. Enfin, et nous revenons à nos objections précédentes, Derrida continue en toute innocence à parler de *la* mimésis présente chez Homère et Parménide, sans se soucier de la distinction que le *Sophiste* opère entre ses deux formes.

2. Un deuxième glissement intervient alors. Après que Homère a été indûment identifié à Parménide, c'est au tour de Socrate d'être assimilé au père de Platon, donc de nouveau à Parménide; nous voilà maintenant en présence de trois pères ! Mais on ajoute aussitôt : « Socrate n'est pas davantage le père; seulement le *suppléant* du père. Cet accoucheur, fils d'accoucheuse, cet intercesseur, cet entremetteur, n'est ni un père, quoiqu'il prenne la place du père, ni un fils »[33]. Mais si Socrate est un supplément, un *pharmakon*, comment pourrait-il *se* mettre à mort ? C'est bien en effet le *père* qui est tué, non le *simulacre* ! On voit le tour de passe-passe sophistique : tantôt on nous dit que Socrate est un père, tué par l'écriture parricide de Platon, tantôt on nous affirme que c'est un simulacre de père (qui tue-t-il alors ? Parménide ? C'est confondre maintenant Socrate et l'Etranger, après avoir confondu Homère et Parménide, puis Parménide et Socrate). Il est donc absurde d'avancer que Platon écrit « à partir de la mort de Socrate ». Si ce dernier n'est pas un père, comment son absence de fils pourrait-elle attenter, d'une écriture fantasmatique, au simulacre de père ? Notons au passage l'assimilation fallacieuse entre la mort *physique* de Socrate, condamné par les Athéniens, et sa mort *métaphysique*, condamné par l'écriture platonicienne. Le hasard fait bien les choses : si Socrate s'était rendu aux raisons de Criton, Derrida pourrait-il aujourd'hui jouer avec ses potions au fond de la pharmacie ?

3. Continuons. Voici le troisième glissement, plus décisif et, si l'on ose dire, capital. Derrida identifie maintenant l'Etranger d'Elée à Platon et Parménide à Socrate. Le parricide du *Sophiste*, est-il écrit, « ouvre le jeu de la différence et de l'écriture »[34], donc détruit le Père comme origine du Sens. La mort de Socrate redevient la mort de Parménide. On identifiait tout à l'heure Socrate et Parménide

33. *Ibid.*, p. 177.
34. *Ibid.*, p. 190.

dans la paternité, on rapproche désormais Parménide et Socrate dans la mort. Est-ce un hasard si, dans un essai aussi important (127 pages) sur l'écriture parricide du *pharmakon*, Derrida ne consacre que quatre pages au parricide effectif du *Sophiste* (pp. 189-192), ne s'interroge jamais sur l'identité de l'Etranger, et assimile sans autre forme de procès le *logos*, sauvé par l'Etranger, à l'*écriture* ? Une nouvelle fois, la différence entre l'eikastique (logos = Etranger) et la fantastique (écriture = Simulacre) est passée sous silence. A dire vrai, Derrida hésite un bref instant : dans le *Sophiste*, « l'écriture n'est pas nommée à ce point »[35] — en réalité, elle n'est pas nommée du tout. Qu'à cela ne tienne, nous l'assimilerons sans arrière-pensée aux faux, à l'idole, au mimème... Mais il faudrait encore identifier l'apparition de la *Différence* (l'Autre) à celle du *Simulacre* (le Mime-Même) ! Or Derrida ne tient aucun compte du fait que le parricide de l'Etranger, loin de détruire l'être sous la pression des simulacres, le renforce : il est désormais *tenu*, et non « disséminé », en ses cinq genres. Si quelque chose se trouve détruit dans ce dialogue, c'est bien la fausse paternité de Parménide. Car rien ne peut naître de l'Un éléatique, autosuffisant, sinon ces simulacres sophistiques qui refusent d'ailleurs d'être à la fois fils et pères. Ni/ni. A père indigne, fils bâtard — ou bavard, comme on voudra. Il reste à lever le masque : Derrida affirme maintenant que le parricide de l'Etranger est « aussi décisif, tranchant et redoutable qu'une peine capitale. Sans espoir de retour »[36].

Bien entendu, il n'en est rien. C'est au contraire le parricide qui, en effectuant la différence, permet le *retour* généalogique. Les métaphores derridiennes s'avèrent néanmoins fort éclairantes : elles nous instruisent sur ce que nous nommerons, à la suite de Nietzsche, le *ressentiment* des simulacres. Pour eux, le Père ne symbolise pas seulement les sources exécrées de la Maîtrise, Dieu/l'Autorité/le Principe/le Roi/le Soleil, — on nous parle du « dit basileo-patro-hélio-théologique »[37] — ou encore la Patrie, mais essentiellement la *Généalogie*, c'est-à-dire la continuité de la *Présence* dans le temps.

35. *Ibid.*, p. 189.
36. *Ibid.*, p. 191.
37. *Ibid.*, p. 154.

Le fils misérable se révolte contre le Père. Πατήρ signifie, on le sait, Père, Soleil, Capital, Tête, Roi, toutes formes qui, pour les anciens, donnent la vie et le mouvement, les transmettent et les perpétuent, ce que le terme d'*arché* précise dans la langue philosophique. Le fils veut détruire la remontée à l'origine — le retour à l'*Autre* — mais aussi sa propre descendance. On se souvient du mot de Sartre : « Il n'y a pas de bon père, c'est la règle ; qu'on n'en tienne pas grief aux hommes, mais au lien de paternité qui est pourri »[38]. Il définit admirablement la *duplicité* de l'orphelin sophistique : ce dernier n'est pas seulement *parricide*, même rétroactivement, comme Sartre ou Derrida qui tendraient bien une nouvelle fois la coupe à Socrate, il est *impuissant*. La *décapitation* derridienne représente aussi bien la castration que le fils s'impose à lui-même pour ne pas affronter le risque de la paternité[39]. Le simulacre, on nous le répète assez, refuse *à la fois* l'ascendance et la descendance : *ni père ni* fils, mais *entre les deux*, à la surface du signifiant, toute verticale signifiée disparue. Que signifie d'autre, en effet, le concept de *dis-sémination* ? Non pas finalement le parricide, encore trop attaché au père, serait-ce par les liens du sang, mais *l'impossibilité du parricide*, du fait de la perte d'une semence dispersée aux quatre vents. Derrida en convient sans peine lorsqu'il note chez Platon « la préférence d'une écriture à une autre, d'une trace féconde à une trace stérile, d'une semence génératrice parce que déposée au-dedans, à une semence déposée au-dehors en pure perte : au risque de la dissémination »[40]. Sur les chênes et les rochers, les simulacres ne manquent pas seulement de *tenue*, comme aurait dit Nietzsche, ils manquent surtout de *retenue*.

Tel est finalement le sens superficiel du semblant de parricide : non

_____

38. J.-P. SARTRE, *Les Mots*, p. 19.
39. DERRIDA, *op. cit.*, p. 300. La dissémination entraîne la castration : cf. p. 333, « la coupure », « tête coupée », « castration »...
40. *Ibid.*, p. 172. Cf. *Lois*, VIII, 838 *e*-839 *a* : « Qu'on ne jette pas la semence parmi les rocs et les cailloux où elle ne prendra jamais racine de façon à reproduire sa propre nature. » Platon rappelle d'ailleurs souvent la parole d'HOMÈRE : l'homme n'est pas né d'un chêne ou d'un rocher (*Iliade*, XXII, 120 ; *Odyssée*, XIX, 163 ; mais aussi HÉSIODE, *Théogonie*, 35). Cf. *Apologie*, 34 *d* ; *Rép.*, VIII, 544 *d* ; *Phèdre*, 275 *b*, etc. En s'élevant contre cette interdiction, le simulacre refuse la *racine* (l'origine), la *fécondation* (la généalogie), le *propre* (l'identité), et la *nature* (l'essence).

pas tuer le père, afin de donner naissance à une lignée nouvelle, mais tuer la *paternité* et la *filiation* ensemble, en les simulant par l'écriture. En écrivant, le bâtard sophistique tue le père *en lui*, refuse la réalité féconde de la *naissance*, ne fait *proliférer* que des simulacres. Eclairé par la dissémination derridienne, le lecteur goûte mieux maintenant *la double insistance* de G. Deleuze sur l'activité masturbatoire dans sa *Logique du sens*[41]. Le simulacre masturbe allégrement son stylo-phallus pour mimer le père (absent); à défaut de déposer la semence au-dedans, il la projette au-dehors, sur les blanches surfaces où elle glisse « en pure perte », dissème à tout vent. Il ne veut pas savoir si son géniteur a joué le rôle d'Onan ou fécondé la mère; chassé de la droite du père, où siège ironiquement le logos, il écrit et se masturbe de la main gauche. En un *double* geste.

Le sophiste nécrophile n'attend qu'une chose : la mort de la pensée généalogique, surtout de *l'arbre* généalogique qui continue à dispenser sa sève aux multiples branches. Deleuze et Guattari poussent plus loin encore que Derrida le rejet de l'engendrement à partir de l'Autre. Le parricide et le complexe d'Œdipe ne sont plus bons à rien : *il n'y a même plus de père à tuer !* Voici la grande nouvelle : « La question du père est comme celle de Dieu : née de l'abstraction, elle suppose rompu le lien de l'homme et de la nature, le lien de l'homme et du monde, si bien que *l'homme doit être produit comme homme par quelque chose d'extérieur à la nature et à l'homme* »[42]. Nous reconnaissons la pensée magique du sophiste : dans l'*Anti-Œdipe*, les simulacres naissent spontanément, en autoproduction fantasmatique. L'inconscient, par exemple, s'engendre lui-même, bien qu'il soit curieusement qualifié d' « orphelin » — un orphelin sans géniteur en somme. Sautent alors toutes les relations généalogiques, les lignées, les continuités, au profit d'une « dérive généralisée », sans origine (le père) ni dérivée (le fils) : seuls jouent des corps sans

---

41. Le cynique, dont DELEUZE salue la révolte anti-platonicienne, « se masturbe sur la place publique (...) ne condamne pas l'inceste (...) tolère le cannibalisme et l'anthropophagie » (*Log. sens*, p. 176). Plus loin : « ... d'une main se masturbant en un geste de trop... » (p. 343).
42. DELEUZE-GUATTARI, *L'Anti-Œdipe*, p. 128.

organes qui s'automachinent en des termes disjoints indifféremment reliés les uns aux autres. *Tout est égal*, au-delà même des sophismes les plus fous d'un Euthydème : « Je suis la lettre et la plume et le papier oui, j'ai été mon père et j'ai été mon fils »[43].

Sonne l'heure de l'anarchique prolifération du *rhizome*. Deleuze et Guattari déracinent de la pensée les images généalogiques de l'arbre, du système radicelle ou fasciculé. Que les branches se multiplient par deux (dichotomie platonicienne, logique binaire), trois ou quatre, elles dépendent toujours d'une racine principale et se terminent par une plus haute branche — l'Un, le Principe, le Père : voyez Descartes et son arbre des sciences ; une racine-pivot, la métaphysique, et une branche supérieure, « la plus haute et plus parfaite morale ». Alors il faut abattre l'arbre qui domine l'idéologie occidentale, arracher les racines, laisser pousser anarchiquement le rhizome, tige souterraine à proliférations latérales et dénuées d'unité. N'existent, nous dit-on, que multiplicités rhizomorphiques, meutes de rats ou chiendent, fascismes mêmes, qui déchirent les généalogies en des lignes nomadiques sans lignées, ni origine ni descendance. Plus de systèmes arborescents à la haute hiérarchie, plus de croissances ou de volumes, mais « des multiplicités plates à *n* dimensions (...) asignifiantes et asubjectives (...) désignées par des articles indéfinis (...) *du* chiendent, *du* rhizome. » *Du* simulacre... Abattons une bonne fois pères, pouvoirs, principes, arbres et dieux, « martelons, aplatissons pour être des forgerons de l'inconscient »[44].

On multiplierait à l'infini ces déclarations qui vivent de la haine de la hauteur — ou de la profondeur. Elles se réduisent à déraciner les racines du ciel et de la terre qui perpétuent la lignée et la présence étouffante de l'Unité. Un aveu, répété deux fois comme il se doit, résume cette *Volonté d'Impuissance* d'une pensée qui a joué longtemps à imiter celle de Nietzsche :

« Le rhizome est une antigénéalogie »[45].

43. *Ibid.*, p. 92.
44. DELEUZE-GUATTARI, *Rhizome*, p. 18 ; p. 25 ; p. 26.
45. *Ibid.*, pp. 32 et 62.

Les simulacres n'ont pas de patrie. Ils continuent pourtant, hantés par leur désir de subversion, de se réclamer du penseur qui cherchait une patrie et reprochait à Platon de l'avoir perdue. On ne saurait parler d'exil à leur propos, mais d'*errance* nomadique, ou encore, pour emprunter le langage deleuzien, d' « in-chaos-errance ». En témoigne à son tour Jacques Derrida, qui oppose à la parole de Socrate « tenue au séjour, à la demeure, à la garde », l'écriture moderne « décrite comme l'errance même »[46], et n'hésite pas à avancer que Nietzsche serait bien l'origine de cette absence d'origine qui marque la fin de l'ontologie : « Nul doute que Nietzsche en a appelé à un oubli actif de l'être »[47], écrit-il dans ses *Marges de la philosophie*, en faisant fond sur l' « oubliance active » de la *Généalogie de la Morale*. Mais il se dispense prudemment d'envisager *ce que* Nietzsche s'efforçait d'oublier, au cœur de sa grande lassitude; car le texte cité de Nietzsche recherche précisément une *généalogie*... Sans doute n'est-ce pas un hasard si nous lisons, dans cet ouvrage qui souligne la *différence originelle* entre le « noble » et l' « ignoble », que « le plébéisme de l'esprit moderne » fait obstacle à la « recherche touchant la question des origines » (§ 4).

Nietzsche n'ajoute-t-il pas, dans sa deuxième dissertation, que l'immédiate « aversion pour tout ce qui commande et veut commander » dénonce le ressentiment servile de la modernité ? Ne condamne-t-il pas avec une ironie violente le « *misarchisme moderne (à vilaine chose, vilain mot)* » (§ 12) qui ôte à la pensée le droit de se ressourcer à l'Arché ? Trouvera-t-on enfin, sans fantasmer un texte qu'il vaudrait mieux, comme son auteur le demandait, *ruminer*, une quelconque trace de ressentiment contre le Père et l'être de la Patrie ?

La sophistique ne vaincra, et ne convaincra, que le jour où elle

---

46. DERRIDA, *Dissém.*, p. 141; p. 142 : « L'écriture en rien ne réside. » Le *déracinement* représente incontestablement le trait dominant de la sophistique universelle, que P. MASSON-OURSEL retrouvait non seulement dans toute la Grèce, mais en Inde et en Chine : « Les sophistes d'Elis, de Céos ou de Corinthe offraient déjà l'exemple de « déracinés », citoyens de l'Hellade plutôt que patriotes locaux. Un terme chinois fréquemment employé pour désigner cette sorte d'hommes est « lettrés errants » (La sophistique, in *RMM*, 1916). Si Platon parle de *loups* à leur égard, « la grande épopée indienne » les compare à « une meute aboyante et vorace de chiens (çvanam) » (p. 347).

47. DERRIDA, *Marges de la philosophie*, p. 163.

aura enfin détruit la paternité philosophique, non pas en simulant dans l'écriture ce mouvement tranchant, mais en le réalisant, comme Lorenzaccio le faisait des statues de pierre. Alors seulement les simulacres, à force d'avoir coupé des têtes, finiront par perdre la leur en des dissipations exquises : « Perdre la tête, ne plus savoir où donner de la tête, tel est peut-être l'effet de la Dissémination »[48]. Face au soleil décapité, ils régneront de leurs yeux aveugles, têtes sans cous, bras sans épaules, multiplicités démembrées sans pères ni fils. Gageons alors que leur joyeuse fête n'aura pas beaucoup d'avenir.

4
Les quatre scissions

Partis du miroir éléatique dont la courbure referme la spéculation sur un être éternellement prisonnier de sa propre image, nous avons marché sur les surfaces brisées des miroirs sophistiques qui réfléchissent leurs simulacres sans jamais outrepasser la glace. Grâce à l'Etranger, nous découvrons maintenant le prisme platonicien qui ouvre à notre regard quatre dimensions essentielles. Nous parlons de prisme parce que le *Sophiste* décompose l'être parménidien et la figure du philosophe selon une *double réfraction* rien moins que sophistique. Nous le nommerons *le prisme de l'Autre*. Comme l'Etranger qui l'a façonné, il présente cette propriété singulière de réfracter le pur rayon de l'être en quatre éclats nouveaux qui laissent apparaître de lumineuses aurores. L'Autre interpose désormais son cristal entre l'être éléatique et les genres platoniciens. Quand nous essayons d'atteindre en elles-mêmes ces réfractions, nous rencontrons l'Autre, et quand nous cherchons à maîtriser l'Autre, nous sommes renvoyés à ces mêmes réfractions.

Contemplons-nous le jeune Socrate — la figure du Même —, nous distinguons aussitôt le visage de l'Etranger. Si les deux Socrates

---

48. DERRIDA, *Dissém.*, p. 27.

ne sont pas indiscernables, c'est parce que l'Etranger intervient en
tiers pour renvoyer à chacun d'eux le reflet de sa différence. Sans la
paradoxale présence de l'éléate, il est vrai que le *Sophiste* risquait de
succomber au pire des sophismes, égaré par l'existence des Socrates
symétriques. L'identité du double (de) Socrate, figée dans son silence,
se trouve rompue par la parole *incisive* de l'Etranger et de Théétète :
la hauteur du logos sectionne verticalement la surface du double et
lui interdit de faire proliférer simulacres et fantasmes. La parole
de l'Autre a brisé le silence du Même en lequel elle s'enracine. Mais,
à l'inverse, regardons-nous le visage de l'Etranger — la figure de
l'Autre —, nous retrouvons les traits du jeune Socrate. Si l'Autre
apparaît dans sa distinction native, c'est parce que le silence identitaire le fonde. Parole et Silence s'originent en un même lieu, mais
ne se replient pas en lui : l'Etre demeure entrouvert, sans jamais
combler la séparation primitive que nous avons nommée : coupure
ontologique.

Le Même et l'Autre naissent d'un *même* couple qui porte en lui la
différence. On ne peut pas plus penser le Même sans l'Autre, l'Autre
sans le Même, que Socrate l'homonyme sans l'Etranger, l'Etranger
sans Socrate l'homonyme. Nous avons déjà remarqué que ces deux
personnages nouvellement introduits présentent bien des traits
communs avec Socrate — le nom et l'atopie — mais évitent de rencontrer le philosophe et de s'identifier à lui. Socrate n'entre pas plus
en conversation avec l'Etranger qu'il n'interroge, malgré ses promesses, son jeune homonyme : il demeure le tiers exclu de leurs relations communes. S'il était resté seul face à sa doublure, sans que
l'Etranger n'intervînt à son tour en tiers, alors Socrate (ou le double
(de) Socrate, *ce que nous ne distinguons plus*) aurait été un sophiste. Or le
Théétète présente une telle situation : pour la première fois, Socrate
rencontre son sosie (Théétète) et son double (Socrate) qui, lui-même
semble redoubler inutilement son compagnon. Sans le *Sophiste*, le
Théétète, qui s'achève sur une aporie inextricable, sombre dans
la sophistique; du fond de sa prosopopée, Protagoras triomphe !
Le premier dialogue a donc appelé le suivant, non seulement par sa
recherche explicite (la critique de l'immobilité éléatique doit succéder

à la critique du mobilisme), mais encore par le jeu des participants. Platon devait ainsi introduire le jeune homonyme dans le *Théétète*, *deux dialogues* avant sa prise de parole du *Politique*, afin d'amener le personnage intermédiaire de l'Etranger dans le *Sophiste*. Le voyageur est le complément naturel du double, exactement comme l'Autre est le compagnon du Même éléatique.

La situation se trouve désormais bouleversée. Sous le couteau du dialecticien, l'être de Parménide se *dédouble* en Même et Autre. L'Identique ne cède pas la place au Non-Identique, il se relie par hétérodédoublement au Différent, de la même manière que l'homonyme ne s'efface pas derrière l'anonyme, mais s'unit étroitement à lui. Le *Politique* oppose ainsi le jeune Socrate (introduit dans le *Théétète*) à l'Etranger d'Elée (introduit dans le *Sophiste*), à l'intérieur du *couple* philosophique que nous pouvons maintenant distinguer avec soin du *double* sophistique. De son incessante redondance, le double répudie la différence, alors que le couple, au contraire, l'intègre au sein d'une communauté : chacun des deux éléments de cette dernière ne prend de signification qu'en fonction de l'*autre*. En termes kantiens, nous pourrions dire que *sans le Même l'Autre est vide* (dissémination incohérente des disparités); *sans l'Autre le Même est aveugle* (enfermé dans la tautologie éléatique). De leur union seule peut sortir la connaissance des cinq genres.

Nous sommes allés un peu vite, corrigeons aussitôt : l'union du Même et de l'Autre, de l'Anonyme et de l'Homonyme, n'est pas la seule; elle rencontre dans le *Sophiste* un second couple, moins apparent peut-être, mais tout aussi indispensable. Restons pour le moment au seul niveau des personnages. Socrate l'homonyme est présenté directement dans le *Théétète* puis le *Sophiste*, grâce à Théétète qui fait à deux reprises mention de son camarade (*Théét.*, 147 *d*; *Soph.*, 218 *b*), et indirectement par Théodore dont il suit les leçons et qu'il accompagne. Quant à l'Etranger, il inverse le rapport précédent : il est introduit directement dans le *Sophiste* par Théodore qui le présente à Socrate, et indirectement par Théétète avec qui il vient de tenir une conversation.

On remarque que les intermédiaires sont dans chaque cas Théodore

et Théétète, directement ou indirectement, et qu'ils permettent ainsi
au premier couple de se former. Grâce à leur médiation, ils constituent un second couple aussi nécessaire à l'économie générale du
Sophiste que le précédent. Dans le *Théétète* déjà, Platon souligne leur
mutuelle appartenance, même s'il aiguille aussitôt son lecteur vers une
fausse piste. Nous avons là, en effet, une double et illusoire similitude,
qui dissimule la réalité des couples. 1. Socrate l'homonyme semble
s'identifier à Socrate et former un couple avec lui — mais il se liera
en réalité à l'Etranger. 2. Théétète, le sosie de Socrate, paraît former
un couple avec celui auquel il ressemble — il reste pourtant indissociable de son maître Théodore. S'il s'amuse à nous égarer, Platon
n'abuse pas l'homme qui fait montre d'une ironie aiguë à l'égard des
deux jeunes gens : « Ils pourraient d'ailleurs bien, Etranger, avoir
tous les deux avec moi quelque lointaine parenté. En tout cas, l'un
me ressemble, dites-vous, par les traits du visage; l'autre a le même
nom, et cette appellation semblable nous donne comme un air de
famille » (*Pol.*, 257 *c*-258 *a*). Ce ne sont là, pourtant, que des leurres,
relevés par Socrate, qui protègent un double rapport plus profond.
Théétète et Théodore sont liés l'un à l'autre par leur commun amour
des mathématiques, et aussi par la ressemblance de leur nom (*Théét.*,
207 *e*-208 *a*) comme de leur personnalité. Socrate ne pense jamais à
l'un sans penser à l'autre : « Je sais qui est Théodore et me rappelle
en moi-même quel il est, et j'ai, de Théétète, connaissance analogue (...). Socrate, connaissant Théodore et Théétète, mais ne voyant
ni l'un ni l'autre, et n'ayant aucune autre sensation actuelle à leur
sujet, jamais en lui-même ne jugera que Théétète est Théodore »
(*Théét.*, 192 *d*-193 *a*).

Que représente chacun des personnages de ce couple indissociable ? Le dialogue l'indique, croyons-nous, sans grande difficulté.
Théétète met en effet tout son allant, toute sa fougue, à défendre la
thèse mobiliste. N'avoue-t-il pas à Socrate qui lui demande son
avis : « Eh bien mon impression, à t'entendre exposer cette doctrine,
est qu'elle a une merveilleuse apparence de raison et qu'il la faut
admettre telle que tu l'expliques » ? (*Théét.*, 157 *d*). Vif et curieux, le
jeune garçon est toujours prompt à relancer les débats et à poursuivre

la recherche « d'un mouvement tellement uni, tellement exempt de faux pas, tellement assuré d'aller jusqu'au bout, avec une douceur dont l'abondance ressemble au cours silencieux de l'huile » (144 b), qu'il en émerveille son maître. Le jeu des métaphores indique clairement que Théétète est analogue au genre du *Mouvement* : rompue aux opérations mathématiques, sa pensée se meut avec aisance dans les plus arides difficultés. Songeons enfin à son inquiétude lorsque, dans le *Sophiste*, son partenaire lui demande s'il est permis d'exclure le mouvement de la totalité de l'être (παντελῶς ὄν) : « L'effrayante doctrine que nous accepterions là, Etranger ! » (*Soph.*, 249 a). Voué à la κίνησις, Théétète remplit le rôle complémentaire de celui de Théodore. Quant à ce dernier, sans doute a-t-on trop tendance à négliger sa présence : non seulement il revient dans trois dialogues successifs, ce qui est unique pour un personnage subalterne dans l'œuvre platonicienne, mais encore il introduit dans le cercle socratique Théétète, le jeune Socrate et l'Etranger d'Elée !

Le mathématicien de Cyrène incarne la στάσις, le *Repos*, principe de permanence nécessaire à la constitution de l'être et de la connaissance. Par petites touches ironiques, Platon le dépeint comme l'adversaire résolu du plus humble mouvement. Ainsi, dans le *Théétète*, rechigne-t-il à participer au débat, même pour venir en aide à son ami Protagoras ; il préfère envoyer en avant Théétète, ce qui lui attire la réponse de Socrate : « Est-ce que, visitant Lacédémone, si tu assistais aux palestres, tu jugerais bon de contempler la nudité des joueurs, malingre chez certains, sans venir toi-même, en réplique, faire montre de ta forme en te plaçant dévêtu à leurs côtés ? » (*Théét.*, 162 b).

Or, lorsque Théodore sort enfin de son repos dogmatique pour examiner la thèse de la mobilité universelle, c'est pour s'en prendre avec vivacité aux tenants de l'écoulement qu'il compare à des gens piqués par le taon. Agités en tous sens, tremblants d'impatience et d'excitation, les mobilistes sont incapables de *s'arrêter* à un sujet donné : « C'est bien plutôt au-dessous du rien qu'en dessous du peu qu'est le niveau de tranquillité de ces hommes » (180 a). Il est impossible de *tenir* la moindre conversation avec ces gens qui tirent flèche sur flèche, car « le mouvement que prêchent leurs livres les emporte »

(179 e). Théodore termine par cette remarque décisive qui nous autorise à voir en lui le signe de la permanence : « Ils sont attentifs à ne
rien laisser se fixer ni dans leurs arguments, ni dans leurs propres
âmes, car ils croient, j'imagine, que ce serait là quelque chose d'arrêté »
(180 a-b). La réponse de Socrate confirme que le mathématicien est
un partisan des essences immobiles, sans en prendre d'ailleurs
conscience, puisqu'il n'observe pas que le relativisme de Protagoras
dérive de son mobilisme : « Peut-être, Théodore, as-tu vu ces hommes
au combat, mais dans leurs heures de trève, ne les as-tu point fré-
quentés, car ils ne te sont point compagnons. » On conclura, avec
P. Friedländer, que Théodore, « mediator between Socrates and
Theaitetos and as a mirror reflecting the image of Theaitetos for the
reader », joue ici un rôle essentiel sur le plan purement philosophique.
« This is more than a dramatic device. The mathematician, by his mere
presence, represents the strongest objection against « Protagoras »
and yet, the ironic reference to « your companion Protagoras »
(161 b) means something else as well. The mathematician refutes the
sophist without knowing it »[49].

Que Théétète et Théodore — le *Mouvement* et le *Repos* — forment
bien un couple de contraires, un dernier passage du *Théétète* (165 a)
l'assure de manière impérative. Suivons d'abord la traduction de Diès :

> « Socrate : Est-ce à toi que j'adresse l'explication, ou bien à Théétète ?
> Théodore : *Aux deux à la fois*, mais que le plus jeune réponde. »

Léon Robin rend beaucoup plus fidèlement la réponse de Théodore : « bien plutôt à *la communauté que nous formons* ». Le grec dit en
effet : Εἰς τὸ κοινὸν, « à notre communauté », en utilisant un mot
de même famille que le terme de κοινωνία qui désigne la communauté des cinq genres.

Nous avons ainsi mis en évidence deux couples de personnages
qui correspondent symboliquement aux deux couples ontologiques :

1. Socrate l'homonyme/*le Même* — l'Etranger/*l'Autre*.
2. Théétète/*le Mouvement* — Théodore/*le Repos*.

49. FRIEDLÄNDER, *op. cit.*, III, p. 148; p. 161. Cf. p. 243.

Apport essentiel du *Sophiste*, le premier couple a cependant été préparé par le second dès le *Théétète*. L'ordre de la découverte, régi par les figures remarquables de l'Etranger et de Théétète, a donc inversé l'ordre méthodologique de l'apparition des deux couples. Théétète a lancé le mouvement de la rencontre en présentant le jeune homonyme à Socrate, puis à l'Etranger; Théodore, qui avait précédemment présenté Théétète à Socrate, introduit ensuite l'Etranger auprès de Socrate et de Théétète. Ce dernier ferme enfin la boucle en proposant à son tour le jeune Socrate à l'Etranger, qui en fera son interlocuteur du *Politique*.

On l'aura déjà remarqué : Socrate ne s'intègre à aucun des deux couples, bien qu'il entre en relation avec chacun des quatre compagnons. Cette exclusion se manifeste d'abord par la *substitution de l'Etranger à Socrate* dans les dialogues finaux de la tétralogie :

1. *Parménide*. 2. *Théétète*. 3. *Sophiste*. 4. *Politique*.

Ensuite par le silence croissant de Socrate qui s'éloigne d'une recherche qu'il continue pourtant d'orienter en secret, jusqu'à l'absence énigmatique du *Philosophe*. Socrate incarne l'eidos d'*être*, source silencieuse d'où jaillit l'appel à la parole[50]. Mais l'être ne peut se réduire à l'un de ses propres genres, à chacun des couples, ni même à leur ensemble quaternaire. Lui aussi, mystérieusement, est *autre*. Nous commençons alors à pressentir l'échange silencieux qui a lieu entre les deux figures atopiques de l'*Ailleurs*. Socrate est autre que ses propres compagnons — serait-ce le *dialecticien* éléate, comme l'être demeure radicalement différent des genres qui naissent de son unité réfractée — serait-ce l'*Autre* : ils échangent sans fin leurs déterminations dans le secret de cette origine retirée qui portera plus tard, peut-être, le nom de transcendance.

Le penseur qui sut sonder les amitiés d'étoiles sera le témoin de ce destin : « Que nous dussions devenir étrangers l'un à l'autre, tel

---

50. FRIEDLÄNDER évoque, à propos du rôle de Socrate comme « supernumerary in the *Sophist*, the *Statesman* » (*op. cit.*, 1, p. 134), son « ironie silencieuse », « *wordless irony* consisting in the fact that Socrates, by virtue of his silent presence, represents ironic tensions -unspoken yet felt » (1, p. 152).

le voulait la loi *au-dessus* de nous (...). Il est probablement une immense courbe invisible, une immense voie stellaire où nos routes et nos buts divergents se trouvent *inscrits* comme d'infimes trajets — élevons-nous à cette pensée »[51].

Elevons-nous en effet à la haute pensée de la *communauté des genres*, cette étoile à cinq branches qui joue peut-être dans la pensée de Nietzsche, comme dans celle de Platon, un rôle longtemps resté inaperçu...

Rapprochons enfin le proverbe pythagoricien que Platon aime à citer :

« Entre amis, tout est commun »[52].

de ces curieuses notations qui renforcent les correspondances des nervures de l'être et des personnages. Lisons les quelques lignes de la courte nouvelle de Kafka :

COMMUNAUTÉ

« Nous sommes cinq amis. Un jour nous sortions l'un après l'autre d'une maison : au sortir, le premier s'était placé à côté de l'entrée, puis le second était sorti ou plutôt avait glissé sur le seuil aussi vite qu'une goutte de vif-argent pour se placer à côté du premier, puis le troisième, puis le quatrième, puis le cinquième. Finalement, nous étions tous les cinq sur un rang. Les passants nous apercevaient, nous montraient du doigt et disaient : « Les cinq viennent de sortir de cette maison. » Depuis nous vivons ensemble (...) Au surplus, nous sommes cinq et ne voulons pas être six (...) Puisque nous voilà réunis, nous n'avons qu'à le rester — mais un nouveau sociétaire, jamais »[53].

Et rappelons cette étrange variante du *Zarathoustra* :

« Dès que cinq hommes ensemble parlent, il faut toujours que meure un sixième »[54].

---

51. NIETZSCHE, *Gai Savoir*, § 279. Un fragment posthume de 1870-1871 dévoile déjà le projet constant de NIETZSCHE : « Vivre sous les images stellaires » (*Fr. Posth.*, p. 352).
52. Cf. *Phèdre*, 279 *b*; *Rép.*, IV, 424 *a*; V, 449 *c*; *Lois*, IV, 716 *c*; V, 739 *c*.
53. KAFKA, Communauté in *La muraille de Chine*, pp. 186-187.
54. NIETZSCHE, *Zarathoustra*, I, 1, 51, p. 376, t. VI. Cf. *Zara.*, I, 16, p. 75.

5

HERMÈS

Au midi platonicien du *Sophiste*, l'Un s'est scindé en deux, puis
en quatre, à l'écoute de la parole du voyageur. Loin d'anéantir l'être
parménidien, le parricide a vaincu sa stérilité, lui a donné mouvement
et différence, lui a accordé *puissance* de génération (δύναμις). « Eh
quoi, par Zeus ! », s'écrie l'Etranger, « nous laisserons-nous si facilement convaincre que le mouvement, la vie, l'âme, la pensée, n'ont
réellement point de place au sein de l'être, qu'il ne vit ni ne pense, et
que, solennel et sacré, vide d'intellect, il reste là planté, sans pouvoir
bouger ? » (*Soph.*, 248 *e*-249 *a*).

Cette intervention intempestive a rompu, en même temps que
l'être homogène de Parménide, la belle symétrie des personnages.
Dans le *Théétète* en effet, quatre visages assurent leur mutuel équilibre selon trois correspondances précises : 1. Socrate et Théodore
(les deux adultes) opposés à Théétète et au jeune Socrate (les deux
adolescents); 2. Socrate et le jeune Socrate (les deux homonymes)
opposés à Théodore et à Théétète (les deux mathématiciens); 3. Socrate
et Théétète (les deux sosies) opposés à Théodore et au jeune Socrate
(le maître et l'élève). Une telle communauté de ressemblances, par
ailleurs multipliées dans tout le dialogue, rend celui-ci solide dramatiquement, équilibré selon une composition symétrique, *carré* en un
mot. Platon tient dans le *Théétète* quatre cartes maîtresses, *un carré
d'as*, qu'il va maintenant abattre dans le *Sophiste*. Mais en introduisant
un nouveau sociétaire dans le cercle socratique, Théodore a commis
un *impair* : dorénavant la parité subit la violence de l'imparité, la
symétrie se trouve désaccordée par la nouvelle donne, le carré reçoit
un élément mobile qui n'est plus *latéralement* situable. Le Joueur
retourne une cinquième carte inattendue qui modifie toutes les
stratégies antérieures.

Car l'Etranger joue un rôle de substitution à l'égard des autres
membres du groupe. Il supplée Socrate comme dialecticien, remplace
l'homonyme comme partenaire de Théétète (dans le *Sophiste*), puis

Théétète comme partenaire du précédent (dans le *Politique*), substitue
son exotisme à celui, bien pâle, de Théodore. Il isole enfin le maître
de Platon, jusqu'alors intégré à l'ensemble, d'une quelconque relation
duelle. L'Eléate devient la carte maîtresse, l'atout platonicien qui
coupe la carte unique du jeu parménidien, il figure la carte blanche,
différente, manquant toujours à elle-même, qui peut tenir lieu de toutes
les autres afin d'assurer leurs combinaisons. Le *joker* si l'on veut,
mais le joker d'un jeu nouveau qui impose à chaque carte du carré
d'entrer en contact avec les autres en passant par elle. Le joker, ce
farceur qui sait prendre tous les visages et incarner n'importe quelle
valeur.

Le prologue du *Sophiste* n'en fait pas mystère : Théodore présente
l'Etranger à Socrate, qui propose ensuite à *l'Etranger* Théétète, lequel
associe au même *Etranger* Socrate l'homonyme qui, à son tour,
dialogue dans le *Politique* avec *l'Etranger* grâce à Théodore (257 *c*).
Le cercle se referme.

→ Théodore → *Etranger* → Socrate → *Etranger* → Théétète

→ *Etranger* → Socrate le jeune → *Etranger* → Théodore →

Nous suivons exactement ici l'ordre de parole des personnages,
du *Sophiste* au *Politique*. L'Autre médiatise les rapports de tous les
participants et ne s'identifie à aucun d'entre eux, précisément parce
qu'il n'est personne — ou, peut-être, parce qu'*il est Personne*, de par
sa nature mobile et différenciée. L'identité de chacun s'affirme et se
distingue de celle des partenaires grâce à cet intervalle de liaison en
qui chaque personnage se retrouve. A la différence de la spéculation
parménidienne où l'être s'échange sans fin à lui-même, rendant
impossible la constitution d'autre figure que celle de la Tautologie
($A = A$), le prisme platonicien décompose le faisceau de l'être selon
un spectre à quatre rayons. L'Etranger situe en quelque sorte le cristal
polarisant à partir duquel divergent Théodore et Théétète, Socrate
et Socrate l'homonyme. Le parricide de l'Etranger, origine des quatre
scissions de l'être, modifie radicalement la précédente figure des
protagonistes du *Sophiste*, centrée sur Parménide, qui désormais
disparaît de la spéculation platonicienne (p. 85).

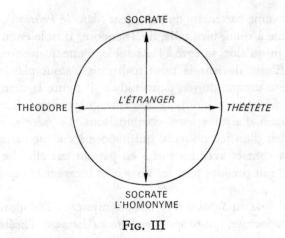

FIG. III

La distribution de ces quatre visages, due à l'altérité de l'élément mobile, insaisissable et dénué d'identité, puisqu'en lui s'affirme justement l'épreuve des identités, n'est pas sans évoquer la fonction propre du dieu Hermès. Nous savons déjà que ses activités multiples complètent celle d'Hestia. Les belles analyses de J.-P. Vernant, dont nous nous sommes précédemment inspiré, présentent les domaines réciproques des deux divinités en fonction de l'espace cosmique et de l'habitat des hommes. Alors qu'Hestia, « au milieu du mégaron quadrangulaire », rassemble les rapports domestiques autour du foyer sacré, Hermès le voyageur, dieu des messagers, ouvre les quatre dimensions de l'espace étranger. « Rien en lui de fixé, de stable, de permanent, de circonscrit, ni de fermé. Il représente dans l'espace et dans le monde humain, le mouvement, le passage, le changement d'état, les transitions, les contacts entre éléments étrangers. » Le dieu se manifeste partout où a lieu l'*échange* : au seuil des maisons (Hermès Pulaios), à l'entrée des cités, sur l'agora (Hermès Agoraios), lors des concours (Hermès Enagônios), au pied des tombeaux (Hermès Psychopompos)... Dieu des troupeaux (Criophoros) et du gain (Kerdoos), des marchands et des voleurs (Pulêdokos), il incarne aussi le dieu des limites et des bifurcations. *Hermès Enodios, le dieu des carrefours :* guide des voyageurs, il est figuré par un cippe quadrangulaire qui se substitue au tas de pierre primitif *(hermaïon)* et à la borne *(herma)* qui marquent les limites des champs et des chemins. J.-P. Vernant insiste sur ce dernier aspect : « Il est *le lien, le médiateur* entre les hommes et les dieux »[55].

Insaisissable, parfois invisible, Hermès apparaît inopinément parmi les mortels pour disparaître sans crier gare, modifiant tout ce qu'il touche, comme cet étranger qui fait une irruption inattendue dans le cercle des quatre amis et dont Socrate demande s'il est un dieu ou un homme. Il incarne encore l'*heureuse rencontre*, celle-là même qui réunit Socrate et ses compagnons (« l'aubaine se dit en grec τὸ ἕρμαιον » signale J.-P. Vernant). Le dieu *au quadruple visage (Hermès tétraké-phalos)* rend l'espace mobile dans ses quatre directions et préside à toutes les formes de rencontre. En un mot, il symbolise le principe de la mobilité et de l'échange, la transition vers l'autre, et toujours fait signe vers le siège d'Hestia, celle en qui tout réside.

L'Etranger assume dans le texte platonicien la fonction mobile du voyage qui permet à chaque personnage de retrouver ses compagnons au carrefour de l'être. Mais le dieu de la *Communication* est en même temps le dieu du *Langage* (Hermès Logios, dieu de l'éloquence, désigne le hérault, le messager, celui qui porte la parole). Dans le *Cratyle*, Socrate rappelle à Hermogène qu'Hermès possède « les caractères d'*interprète (hermêneus)*, de messager, d'adroit voleur, de trompeur en paroles et d'habile marchand. C'est au pouvoir du discours que se rattache toute cette activité » *(Crat.*, 407 *e*-408 *a)*. Or l'étymologie du nom divin éclaire notre propos : Platon joue sur les deux verbes εἴρειν, dont l'un signifie « dire » et l'autre « entrelacer, dresser la chaîne du métier à tisser ». Hermès est le dieu qui *trame le langage*.

Mais que fait d'autre l'Etranger herméneute dans le *Sophiste*, en trois occasions au moins ? Il expose comment les cinq genres de l'être *tissent* entre eux des rapports réglés (254 *b-c*); il établit que le logos se modèle sur la communauté ontologique et entrelace par la

55. J.-P. Vernant, *Hestia-Hermès, op. cit.*, p. 125 ; p. 126 ; p. 127. Nous soulignons.

sumplokê les noms et les verbes[56]; il tisse, pour la définition finale du sophiste, un filet qui enserre étroitement le gibier, renouant ensemble (συμπλέξαντες, 268 *c*) les nombreux fils de son discours. Surtout, dans le *Politique*, il développe longuement le paradigme du tissage, avant d'examiner l'activité du tisserand royal (277 *d*-287 *a*). Sa constante démarche consiste à entrelacer les genres ontologiques et les éléments logiques, comme il relie en une même chaîne les personnages des dialogues entre eux. Pour filer encore la métaphore platonicienne, nous dirions volontiers que le voyageur étranger *fait la navette* entre les quatre protagonistes, semblable à l'instrument dialectique qui accomplit son fructueux va-et-vient entre les quatre fils du tisserand royal. L'étoffe achevée, le dialogue composé, l'Etranger et la navette s'effacent. Socrate avait donc raison d'attribuer au dieu Hermès « une double activité constituante, celle de tramer *la* parole et celle de tramer *des* paroles » (*Crat.*, 408 *a*).

Craignons alors de retomber dans les apories sophistiques. Hermès le voyageur étranger, dieu des commerçants et des voleurs[57], figure double aux deux têtes confondues par l'arrière, interprète d'un langage voué à la duplicité, père du dieu Pan lui-même double (*Crat.*, 408 *c-d*), ne serait *autre* que le *double*, le *pharmakon*, le *simulacre* ! L'anonyme se substituerait maintenant à l'homonyme pour incarner les propres fantasmes du sophiste ! Jacques Derrida n'est pas loin d'aboutir à cette conclusion à propos de l'écriture, lorsqu'il assimile le dieu égyptien Thoth — l'Hermès grec — au *pharmakon*. « Thoth, dieu de l'écriture (...) ne se laisse pas assigner une place fixe dans le jeu des différences. Rusé, insaisissable, masqué, comploteur, farceur, comme Hermès, ce n'est ni un roi ni un valet, une sorte de joker plutôt, un signifiant disponible, une carte neutre donnant du jeu au jeu »[58].

---

56. *Soph.*, 262 *d*. Cf. 259 *e*, 262 *c*. H. JOLY montre bien l'équivocité du *tissage* linguistique de la συμπλοκή : « cette métaphore peut signifier « ourdir », donc désigner le piège et exprimer la malice ou la ruse, *métis* ou *dolos*. Elle peut également signifier « tramer » au sens neutre et, sur le modèle des techniques de vannerie et de tissage, métaphoriser les procédés de la composition et de la synthèse » (*op. cit.*, p. 178).

57. Les quatre premières définitions du sophiste le considèrent comme un *commerçant* intéressé qui chasse le client, et les deux suivantes comme un maître du *langage* polémique.

58. DERRIDA. *Dissém.*, p. 105.

Comme à l'ordinaire, l'apparence séduisante de l'analyse masque quelques oublis innocents. En premier lieu Derrida omet singulièrement de rappeler l'assimilation précise que Platon fait de Theuth à Hermès, quand il le rapproche lui-même de son « homologue grec, dont Platon ne parle d'ailleurs jamais »[59]. Bien au contraire, Platon joue dans le *Cratyle*, nous l'avons souligné, sur les mots *Hermès/Hermogène* et εἴρειν/εἴρειν, sans négliger à aucun moment le rôle du dieu de la parole. Dans le *Philèbe*, il attribue même à Thoth l'introduction de la différence dans le langage. Derrida fait usage de ce texte[60] pour établir que Thoth remplit la fonction « du dieu messager (...) qui dérobe et se dérobe toujours », mais *oublie* par un hasard curieux la suite du discours de Socrate. Or, s'il est bien vrai que Thoth *distingue* dans la langue les voyelles, les semi-voyelles (appelées ici « intermédiaires », τὰ μέσα, ce qui est d'autant plus remarquable que Thoth est lui-même l'intermédiaire des autres dieux) et les muettes, bref symbolise la séparation, le glissement, le remplacement, il utilise précisément cette différence linguistique afin de *relier* tous ces éléments entre eux !

Réparons donc l'omission malencontreuse et suivons le texte dans sa totalité : « Constatant donc qu'aucun de nous n'était capable d'apprendre l'une quelconque d'entre elles (les trois espèces de lettres) détachée de tout l'ensemble, *il (Thoth) considéra cette interdépendance comme un lien unique qui fait d'elles toutes une unité, et leur assigna une science unique qu'il nomma l'art grammatical.* » (*Phil.*, 18 c-d) Ἕνα, ἕν, μίαν : le terme d'*unité* revient à trois reprises dans un texte dont Derrida tire parti pour prouver justement que Thoth-Hermès répugne à l'unité ! En outre, quand le même interprète déclare que le dieu de la suppléance n'a « pas de lieu ni de nom propre », ce qui est manifestement inexact (il se nomme Thoth en Egypte, Theuth dans la transcription platonicienne, Hermès en Grèce, Nabû à Babylone, etc. et son lieu, serait-il celui de la mouvance, est parfaitement situé dans les mythologies), il ne s'aperçoit pas que cette propriété convient exactement à l'Etranger du *Sophiste*[61]. Le Theuth de Platon, comme le voyageur éléate, sépare, distingue, multiplie les intermédiaires, pour instaurer un lien permanent et non pour laisser le langage s'abîmer dans l'incohérence des fantasmes.

Enfin, lorsque Derrida qualifie Thoth/Hermès de *supplément* de toutes les autres réalités du monde (père, soleil, vie, parole...) et, par là, « d'indétermination flottante qui permet la substitution et le jeu »[62], ce que l'on ne saurait qu'approuver, il oublie simplement de le rattacher à Hestia ! Non content de mutiler la personnalité du dieu en lui ôtant son nom et sa fonction de liaison sur laquelle insiste le *Philèbe*, il néglige encore de la rapprocher de celle d'Hestia, figure de la permanence, dont la mythologie grecque *et* la philosophie platonicienne reconnaissent l'indissolubilité.

Pour qu'un « joker » puisse en effet remplir son rôle de substitution ou prendre « la place du mort », il faut encore qu'il circule parmi d'autres cartes *identifiables*, aux noms et valeurs propres, sans confusion possible. On hésite à rappeler de telles évidences : une carte neutre ne *joue entre* d'autres cartes, pour remplacer par exemple le Roi, que dans la mesure où celles-ci, de leur côté, ne « jouent » pas et ne « flottent » pas ; de même au bridge, la place du mort renvoie naturellement à celles des vivants. Ou encore, pour parler maintenant avec Deleuze, la « case vide » atteste de l'existence des cases pleines, et la « tache aveugle » de l'ensemble des *points de vue* qui la délimitent. Un échiquier *vide*, entre quatre joueurs *morts*, et projeté sur une tache *aveugle*, ne définit aucun espace de jeu. *Rien ne va plus alors*, et le mouvement que l'on prétendait assurer contre Platon se fige dans l'immobilité du *néant*.

Au contraire, dans le dialogue platonicien, la dialectique de l'Etranger effectue continûment l'échange médiateur des différences, à partir d'une identité qu'il n'est pas possible d'annuler sans détruire la différence elle-même. Tout différence est *différence de quelque chose* (τινός), et non une différence de différences qui sombrent bientôt

61. *Ibid.*, p. 105.
62. DERRIDA, *op. cit.*, pp. 105-106.

dans l'in-différence, c'est-à-dire dans la mauvaise identité du simulacre. La dialectique platonicienne est *à la fois* (et non pas *ni/ni*)
division et rassemblement, depuis les analyses du *Phèdre* (255 e-256 c;
265 e-266 e), lien et séparation. Sans souci de justification, Derrida
envisage Thoth-Hermès en dehors de son activité de liaison, et prétend que le dieu « serait le mouvement médiateur de la dialectique
s'il ne la mimait aussi »[63]. Il n'est aucunement question ici de mimésis.
Hermès possède une *fonction interne de lien* (le carrefour sépare, mais
en même temps rapproche), que Derrida passe sous silence, et une
fonction externe de liaison avec la divinité complémentaire, Hestia, à
laquelle Derrida, contre toute vraisemblance religieuse, mythologique
et philosophique, n'accorde pas un mot.

Platon n'oublie pas que les deux divinités forment un couple
indissociable. Si l'on reprend l'analyse étymologique des noms divins
du *Cratyle*, on observera que l'*interprétation* proposée par Socrate à
Hermogène, le jeune sophiste qui, à perdre son *éponymie*, ne comprend
même plus l'*hermétisme* de Cratyle, commence par Hestia, conformément à la règle, *et se termine par Hermès*. Socrate a feint d'oublier le
dieu du langage en s'adressant à son tardif descendant, et c'est à la
prière instante de celui-ci qu'il revient à Hermès. D'Hestia à Hermès,
l'interprétation du *Cratyle*, qui s'ouvre et se ferme sur les deux
divinités, a déployé un mouvement commun : il aurait été impossible
sans le secours des deux divinités complémentaires.

Par des chemins différents, les analyses de J.-P. Vernant conduisent à des conclusions identiques. « Ni Hermès ni Hestia ne peuvent,
en effet, être posés isolément. Ils assurent leurs fonctions sous la
forme d'un couple, l'existence de l'un impliquant celle de l'autre à
laquelle elle renvoie comme à sa nécessaire contrepartie. » Dans le
Sophiste, le principe herméneutique de la différence, symbolisé par
l'Etranger, entre en relation nécessaire avec le principe ontologique
de l'identité, incarné par le jeune Socrate, selon un mouvement
d'altérité qui définit l'équilibre des quatre genres et des quatre
personnages. La nécessité des deux couples platoniciens est telle que

---

63. DERRIDA, *op. cit.*, p. 106.

J.-P. Vernant l'utilise sans intention philosophique particulière semble-t-il, quand il oppose les propriétés cosmiques des deux divinités — nous soulignons les quatre catégories au passage. « A Hestia, le dedans, le clos, le *fixe*, le repli du groupe humain sur lui-*même*; à Hermès, le dehors, l'ouverture, la *mobilité* avec l'*autre* que soi »[64]. Mot pour mot, l'historien reprend les quatre genres du *Sophiste*, sans limiter son analyse à l'opposition univoque Hestia-Hermès, dont nous voyons ainsi qu'elle *se dédouble*. La division quadrifide de l'Etranger au visage d'herméneute n'est donc pas due au hasard. Par son immobilité au centre du foyer *(Repos)*, Hestia renforce la permanence du monde divin et du groupe humain *(Même)*; et par ses incessants changements *(Mouvement)*, Hermès conduit l'identité à s'ouvrir vers la différence *(Autre)*.

Allons plus loin encore : Hestia et Hermès intègrent déjà en eux une dualité interne qui annonce leur complémentarité. Comme point fixe, Hestia entre en relation avec l'étranger. J.-P. Vernant signale le mot de Pindare attestant que Zeus Xénios était respecté dans les sanctuaires d'Hestia[65]. De même, dans le *Sophiste*, l'homonyme *autre* que Socrate attire l'attention sur le dialecticien éléate avec qui il forme un couple. En retour, l'échange herméneutique constitue un *centre mobile* où se rencontrent êtres, paroles et marchandises. Le carrefour d'Hermès, marqué par une borne, *situe* dialectiquement ce que l'omphalos d'Hestia *situe* comme un point fixe dans le foyer commun; les deux divinités *siègent* dans la mobilité et l'immobilité. Hermès lui-même possède l'identité de son écart incessant, parce qu'il tourne ses regards vers Hestia. Parallèlement, l'Etranger d'Elée possède la permanence de son altérité, comme l'Autre est toujours le même en tant qu'il diffère. Il découvre ainsi en lui l'image de Socrate l'homonyme. Les couples Hestia/Hermès, l'Homonyme/l'Anonyme, ou encore Même/Autre, ne constituent pas l'union statique de deux principes figés, mais le rapport dialectique de deux puissances en mouvement. On est donc fondé à parler à leur sujet de *polarité*, à la

---

64. J.-P. VERNANT, *op. cit.*, p. 144; p. 128.
65. *Ibid.*, p. 143. Cf. PINDARE, *Néméennes*, IX, 1 sq.

suite de J.-P. Vernant, et non de symétrie. Le visage d'Hermès, à peine esquissé dans le prologue du *Sophiste* par l'allusion au dieu des étrangers, domine l'ensemble d'un dialogue dont l'ultime conclusion est la découverte du non-être. L'Etranger, Hermès tétracéphale, conduit les mouvements et les permutations des autres personnages, de même que, nous le verrons bientôt, la nature paradoxale de l'Autre circule à travers les cinq genres de l'être. Hestia cependant, gardienne du mégaron quadrangulaire, ne se sépare pas de lui.

La réversibilité d'Hermès, ancré au rivage d'Hestia, dévoile le double mouvement d'exil et de retour qui va maintenant nous conduire, au sein des apories du *Parménide*, à prendre en vue la notion primordiale d'*imparité*.

CHAPITRE II

L'IMPARITÉ

I

Polarité et symétrie

Retrouver la grandeur d'une tradition philosophique implique d'abord de rompre avec les idées reçues qui, à se réclamer d'elle, usurpent sa place sous des masques divers et faussement vénérables. On nous répète ainsi, depuis des siècles avec satisfaction, depuis quelques années avec consternation, que le platonisme a imposé à la pensée occidentale une bi-partition logico-ontologique (Bien/Mal, Haut/Bas, Intelligible/Sensible, Modèle/Copies, Soleil/Caverne, etc.), en réduisant le riche déploiement des multiplicités du monde à la seule opposition dualiste, plus encore, a soumis le cosmos à l'immuable ordre de symétrie du logos mathématique. Que nul n'entre ici s'il n'est géomètre : entendons ce commandement comme une incitation à privilégier l'ordre géométrique sur l'ordre vital. Avec Platon commence la répétition du Même, qui cherche avidement, sous le poudroiement phénoménal, l'unité du *genre*, de l'*idée*, de la *forme*, sinon de la *formule* mathématique. L'élan généreux des libres différences sophistiques se range à contrecœur sous la morne bannière du général, de l'identique, du symétrique : ordre cosmique, ordre logique et ordre politique, c'est tout un. Partout règne la *mesure* grecque, hypertrophiée par le géométrisme platonicien, selon « la similitude des parties opposées, la reproduction exacte, à la gauche d'un axe, de ce qui est à droite »[1]. Pour ne considérer qu'un exemple, voyons Pierre-Maxime Schuhl féliciter Platon d'avoir su s'affranchir « de la tyrannie des représentations collectives »[2], dues au mysticisme pythagoricien, en imposant dans les *Lois* l' « innovation véritablement révolutionnaire » d'une éducation symétrique de la main gauche et de la main droite. Pour une fois fidèle aux leçons des sophistes, Platon n'admet pas la différenciation naturelle des deux parties du corps humain, et rejette les obscures raisons religieuses qui reconnaissent dans la droite la voie privilégiée du sacré. Rétablissons donc la symétrie bilatérale, éduquons les enfants de la cité modèle à l'ambidextrie, retrouvons l'égalité du Même dans l'heureux équilibre du miroir. Et pour cela, préférons le Pair.

Les critiques comme les louanges de cette harmonieuse rationalité rapportée à Platon nous paraissent également manquer leur but. Si Platon multiplie bien, dans son œuvre, les symétries, les répétitions et les ressemblances, bref, ce que nous qualifierons du terme général de *parité*, il ne les utilise cependant que pour orienter la recherche vers une Différence originaire rebelle au discours identifiant et égalisant. Son projet philosophique consiste à imposer à l'être et à la connaissance une *dissymétrie* première ordonnant les termes d'un couple quelconque selon un jeu de *polarité* qui privilégie l'un d'entre eux.

Il convient ici de s'interroger un instant sur la signification accordée généralement à ces notions de parité et de polarité qui semblent bien incompatibles. Propres à exprimer les relations duelles d'un couple, elles échappent cependant elles-mêmes à l'unification d'un genre supérieur, et ne se définissent pas plus selon une opposition polaire que selon un rapport symétrique. Vilma Fritsch a mis ainsi en lumière leur distinction en prenant l'exemple particulier des relations ambiguës de la Droite et de la Gauche. « En disant que la droite et la gauche sont des oppositions polaires, nous leur attribuons, semble-t-il,

---

1. Viollet-le-Duc, *Dictionnaire de l'Architecture française*, cité *in* Jacques Nicolle, *La Symétrie*, p. 5.
2. Pierre-Maxime Schuhl, *L'imagination et le merveilleux*, p. 207. L'auteur se réfère au passage des *Lois* (VII, 794 *d* sq.) qui ramène la gauche et la droite à des conventions.

une différence interne essentielle, nous les considérons comme des substances (...). Reconnaître la « symétrie » de la droite et de la gauche, cela veut dire que nous dénions à la droite et à la gauche, au contraire, tout caractère de substance »[3] — à quoi nous ajouterons, pour garder la symétrie chère à l'auteur, « et tout caractère de différence interne » ! En d'autres termes, la polarité se définit par la *différence* si « la symétrie se définit par l'*identité* ».

Sous quel signe doit alors s'inscrire la pensée humaine, tant dans son usage philosophique que scientifique ? Il faut sans doute distinguer d'abord le sens antique du terme de « symétrie » de son acception moderne présente dans le domaine des arts et des sciences. Erwin Panofsky oppose le sens originel de la συμμετρία grecque à son interprétation contemporaine qui l'occulte, en commentant les règles d'esthétique de Vitruve. « La *symmetria* se définit (1, 2) comme « *ex ipsius operis membris conveniens consensus ex partibusque separatis ad universae figurae speciem ratae partis respensus* » (« l'accord qui convient entre l'ensemble des parties d'un même ouvrage, et la correspondance de mesure entre chacune des parties prises séparément et l'aspect de configuration prise comme un tout »); il s'agit donc d'un principe esthétique : la mutuelle relation entre composantes et leur rapport d'harmonie avec le tout »[4]. Nous sommes loin de reconnaître en cette riche eurythmie le concept moderne de la *duplication* dans l'espace d'éléments strictement identiques et, à ce titre, interchangeables autour d'un axe ou d'un plan de symétrie. Or c'est précisément à ce sens nouveau que la rationalité scientifique s'attache aujourd'hui, comme le montre V. Fritsch, quand elle avance que toutes les opérations de la nature et de l'intelligence manifestent indubitablement le triomphe de la parité. D'un côté — le mauvais côté : la polarité, l'imparité, la différence et l'inégalité; de l'autre — le côté rationnel : la symétrie, la parité, l'identité et l'égalité. L'univers est construit par l'entendement identifiant sur le modèle d'un milieu homogène, régulier, isotrope, et parfaitement ordonné.

3. Vilma FRITSCH, *La gauche et la droite*, p. 20.
4. VITRUVE, *De Architectura*, I, 2 (cité *in* PANOFSKY, *L'œuvre d'art et ses significations*, p. 68). Cf. III, 1.

Nous accorderons volontiers à Vilma Fritsch, au vu de la rationalité contemporaine, que « les sciences théoriques et expérimentales n'ont pu faire leur chemin qu'en se rangeant résolument sous le drapeau de la symétrie, et non sous celui de la polarité »[5]. La question se pose cependant de savoir si l'évolution récente de cette même rationalité ne conduit pas à rechercher un modèle du monde plus affiné, qui découvrirait sous les symétries apparentes des dissymétries plus nuancées, plus riches, plus complexes, selon un projet bien proche de l'inspiration platonicienne. On sait que, l'un des premiers, Pasteur mit en évidence l'existence de dissymétries moléculaires dans les produits organiques naturels, et n'hésita pas à faire un acte de foi scientifique aux résonances kantiennes, sinon platoniciennes, dans le rôle universel de la dissymétrie[6]. Pierre Curie à son tour, dans son fameux mémoire de 1894 du *Journal de Physique*, établissait l'existence d'un principe de dissymétrie à l'œuvre dans tous les processus de l'univers. « Ce qui est nécessaire, c'est que certains éléments de symétrie n'existent pas. C'est la dissymétrie qui crée le phénomène »[7]. Plus récemment, les travaux de Lee et de Yang sur la non-conservation de la parité, qui leur valut le Prix Nobel en 1957, ont rouvert le débat en révélant la disparition de la parité dans certains processus physiques où entrent en jeu des interactions faibles. L'univers connaîtrait une dissymétrie naturelle, manifestée par la différence légitime de la droite et la gauche dans l'espace.

En étudiant « la dynamique de la dissymétrie », Roger Caillois considère que « *la hantise, la pesanteur de la symétrie, a constitué l'obstacle le plus tenace à l'objectivité de l'investigation scientifique* ». Seule la dissymétrie, entendue comme rupture d'une symétrie antérieure, introduit dans les systèmes physiques les inégalités fécondes de propriétés

---

5. V. FRITSCH, *op. cit.*, p. 27.
6. Les travaux de Pasteur sur le dédoublement du paratartrate de soude et d'ammoniaque en un constituant droit et un constituant gauche (corps « racémiques ») le conduisent à postuler l'existence d'une force dissymétrique universelle. « L'univers est dissymétrique, car on placerait devant une glace l'ensemble des corps qui composent le système solaire, se mouvant de leurs mouvements propres, qu'on aurait dans la glace une image non superposable à la réalité » (cité *in* J. NICOLLE, *op. cit.*, p. 94).
7. P. CURIE, *Œuvres*, Paris, 1908.

nouvelles. Caillois distingue avec soin l'*asymétrie*, absence totale de symétrie dans un ensemble donné, qu'il devient alors loisible d'assimiler à une *symétrie infinie*, « puisque tout point pris au hasard dans le magma indistinct peut y être considéré comme centre, toute droite comme axe, toute coupe comme plan de symétrie »[8] — on notera l'analogie de ce chaos indistinct avec les bouillies indifférenciées des fantasmes sophistiques —, de la *dissymétrie*, principe de disjonction, d'inégalité, disons même de *privilège*, dans l'ordre du monde. Mais les inégalités dans les directions de l'espace concernent moins le haut et le bas, l'avant et l'arrière, acceptées en raison de la morpho-biologie humaine, que la disparité inexplicable de la droite et de la gauche, qui choque un entendement identifiant. Comment légitimer en particulier la suprématie de la droite dans le monde vivant et surtout humain, avec ses institutions religieuses et sociales[9] sur une dimension gauche qui, pourtant, devrait lui être équivalente ? A la limite d'ailleurs, il serait indifférent que la droite domine la gauche ou la gauche la droite. Comme le remarque Caillois, « c'est (...) la permanence d'une disparité qui importe, non le changement de code au milieu du parcours »[10].

Sans nous arrêter à cette question qui met en cause un ensemble complexe de catégories linguistiques et socio-politiques, nous relèverons pour notre propos la rectitude constante de la démarche platonicienne, fondée sur l'imparité, la droite, la dissymétrie (au sens moderne du terme). Lorsque Platon fait usage du concept de συμμετρία, dans les domaines géométrique, physique ou éthique, il n'entend jamais par là une répétition identitaire, duplicative et finalement neutralisante du réel, mais l'aspect ordonné et commensurable du

---

8. Roger CAILLOIS, La Dissymétrie, in *Cohérences aventureuses*, p. 250, n. 1 ; p. 220.

9. Nous renvoyons aux analyses de Caillois, qui mettent en évidence la supériorité constante des valeurs de la « droite » (rectitude, droiture, sacré, justice, etc.) dans la tradition (et battue aujourd'hui en brèche dans le domaine politique), au détriment de l'opprobre et du malheur attachés au côté gauche. On consultera également J. CUILLANDRE, *La droite et la gauche dans les poèmes homériques* ; R. HERTZ, La prééminence de la main droite, *Rev. Phil.*, 1909 ; HERTZ déclare de manière platonicienne — ou nietzschéenne : « La main droite est le symbole et le modèle de toutes les aristocraties, la main gauche de toutes les plèbes » (p. 553).

10. R. CAILLOIS, *op. cit.*, p. 261.

cosmos. Il faut un principe de différenciation qui rende raison des multiplicités et des hiérarchies que l'on constate dans le monde, principe dont nous verrons bientôt la liaison nécessaire à l'imparité et à l'orientation vers la droite[11]. Charles Mugler a longuement insisté sur cet aspect capital de l'analyse platonicienne : « Ce qui menace le monde physique d'arrêt et de stagnation, c'est l'établissement de l'*homogénéité* dans la distribution des éléments structuraux du monde; (...) ce qui garantit au contraire le fonctionnement indéfini du monde, c'est le maintien de l'hétérogénéité »[12]. La duplication du Même, poussée à son terme, c'est-à-dire à l'identité absolue, cratyléenne, de toutes choses, dégraderait le monde, en son irrémédiable entropie, pour aboutir à l'incohérence de la Dissemblance. A ce lit de Procuste qui ramène toutes les différences physiques à l'ordre du Semblable, Platon oppose une dissymétrie irréversible, présente dans le fonctionnement du cosmos comme dans le mouvement de l'âme. Ce principe cosmologique vaut d'ailleurs pour tout mélange, comme l'indique Socrate au moment de classer les diverses sortes de bien du *Philèbe* : la « symmétrie » qu'il mentionne alors n'est pas un processus de duplication, mais le principe mesuré de correspondance entre chaque élément et l'ensemble auquel il appartient, correspondance qui intègre en elle la différence spécifique de ses éléments. « Privé de mesure et de proportion (μέτρου καὶ τῆς συμμέτρου, 64 *d*), tout mélange, quel qu'il soit et de quelque manière qu'il soit composé, corrompt ses composants et se corrompt tout le premier. Car ce n'est plus alors un mélange (κρᾶσις), ce n'est jamais qu'un vrai pêle-mêle, une réelle misère pour les êtres où il se produit. » L'intervention de l'Autre ne se limite donc pas, comme on le dit souvent, à justifier les mouvements désordonnés de la matière et l'éloignement de la « cause errante » du modèle divin; en un autre sens il donne au monde ordre, proportion et orientation. Car si « la matière c'est l'autre », selon le mot de Brochard[13], *Dieu surtout est*

11. Bien entendu, la Droite exprime le Sacré chez Platon. Dans les *Lois*, IV, 717 *b*, les offrandes supérieures offertes aux divinités du plus haut rang sont en nombre impair et à droite.

12. Ch. MUGLER, *La Physique de Platon*, p. 114.

13. V. BROCHARD, *Et. phil. anc. et mod.*, p. 109.

l'Autre, absolue différence vers laquelle la pensée doit s'orienter. Le monde de Platon, en ses divers aspects, cosmique, psychologique, ou métaphysique, est un monde *impair*, clairement orienté vers la Droite, c'est-à-dire vers la Divinité. *Numero deus impare gaudet*.

Aussi comprend-on la *rectitude* constante des métaphores géométriques des dialogues, qui conduisent Platon à *distinguer* les éléments qu'il étudie selon une immuable hiérarchie spatiale où le *haut* l'emporte sur le bas, et la *droite* sur la gauche. Comme l'a montré Robert S. Brumbaugh, la dialectique platonicienne construit souvent des « matrices verbales », qui présentent « a graphic and convenient mathematical image for the spatialization of a net of dialectical distinctions ». Chaque matrice est clairement orientée selon un axe vertical et un axe horizontal, en fonction de la distinction de l'être et du devenir : « Distinctions of being and becoming are arranged from top to bottom, the higher position being reserved for the term most clear to intelligence and akin to reality. The reader's left (the matrix's right) is likewise the most honorific position »[14].

Nous pouvons appliquer les remarques précédentes sur la polarité à la structure propre du dialogue platonicien et mettre en évidence que, en lui, *c'est la dissymétrie qui crée la dialectique*. La dualité habituelle du questionneur et du répondant, aux fonctions inégales et complémentaires, ne saurait en effet jamais se ramener à l'unité, ni se satisfaire d'une opposition symétrique : elle se trouve, d'emblée, orientée. Il n'y a pas plus d'*unité dialectique*, incarnée en un seul personnage, Socrate ou l'Etranger d'Elée, que de *dualité symétrique* des interlocuteurs. Socrate ne se lasse pas de le répéter : lui-même ne sait rien sur le sujet abordé au cours de l'entretien, seul son répondant est en mesure de trouver, au fond de lui, la vérité de leur recherche commune. Mais en retour, sans le maïeuticien, son compagnon n'arrivera pas, à l'aide de ses seules forces, à faire venir au jour ce dont son âme est grosse. La *maïeutique*, qui suppose une *filiation* originelle, donc une inégalité, empêche la relation complémentaire des deux hommes de se réduire à l'unité ou à l'équivalence logique. Si l'accou-

---

14. Robert S. BRUMBAUGH, *Plato's mathematical imagination*, p. 72 ; p. 73.

cheur ne crée pas plus l'enfant qu'il aide à naître que l'accouché ne
se délivre lui-même, c'est parce qu'un troisième élément vient rompre
leur apparente parité. Contrairement en effet à une illusion trop
répandue, on ne trouve aucun *face à face* dans les dialogues platoniciens : les duels les plus violents — Socrate et Calliclès par exemple —
sont à chaque fois médiatisés par un tiers *exclu* de la recherche qu'il
dirige, élément impair qui surgit intempestivement ou au contraire
se dissimule, et que Socrate nomme simplement : « le dieu » (*Théét.*,
150 *c*). Lorsque Protagoras, Gorgias ou Calliclès essaient de retourner
la situation à leur profit, prenant désormais l'initiative afin de forcer
Socrate à répondre, ce dernier s'y refuse fermement et menace même
d'abandonner l'entretien. La pédagogie platonicienne dévoile son
aspect essentiellement inégalitaire dans le mouvement orienté des
questions qui définit l'espace de la *relation maïeutique*. Il est aussi
absurde d'identifier le dialecticien et son partenaire que d'intervertir
symétriquement leurs rôles, d'autant que leur dualité immédiate se
trouve à chaque reprise médiatisée par la présence secrète de la
transcendance.

1. RELATION MAIEUTIQUE : Partenaire ... *DIEU* ... Dialecticien

La place d'honneur, à droite comme dans le *Banquet*, revient de
plein droit au dialecticien, dont le questionnement provient toujours
de la droite, et y aboutit lors des divisions dichotomiques.

En second lieu, le dialogue platonicien met en jeu un autre personnage, tiers *inclus* dans sa lecture même, et vers qui l'écriture déjà
fait signe : il ne parle pas seulement *de* quelque chose, il parle aussi
à quelqu'un — le lecteur, ce troisième homme. Jacqueline de Romilly
a heureusement insisté sur cette *relation herméneutique* qui laisse au
lecteur une partie plus ou moins longue du chemin à faire seul[15].
Il ne s'en suit pour autant aucune parité entre Platon et son lecteur :
en l'absence de l'auteur, la symétrie morte de l'écriture qui met
en scène un signifiant privé de la ressource vivante du sens, doit

---

15. J. de ROMILLY, *Histoire et raison chez Thucydide*, p. 234. De même, pour A. KOYRÉ,
le dialogue platonicien est une œuvre dramatique qui « présuppose nécessairement un
public auquel elle s'adresse (...) Le drame — ou la comédie — impliquent le spectateur
ou, plus exactement, l'auditeur » (*Intr. lecture de Platon*, p. 17).

sans arrêt être mise en mouvement par l'interprétation du lecteur.
L'Etranger du *Sophiste*, n'est-ce pas d'une certaine façon le lecteur
du texte qui intervient sans crier gare au sein d'une communauté
ordonnée dont il bouleverse l'équilibre ? Mais, selon le même mouvement de médiation, c'est encore « le dieu » qui conduit le questionnement platonicien et sa lecture herméneutique vers la forme vive de
la vérité toujours *au-delà* du discours exprimé.

2. RELATION HERMÉNEUTIQUE : Lecteur ... *DIEU* ... Platon

La structure de chaque dialogue platonicien reproduit ainsi la
figure mère du *Sophiste*, constituée par deux axes de symétrie centrés
autour d'un élément impair, étranger à la dualité. La *recherche philosophique* se noue dans la communauté indissoluble de la relation maïeutique et de la relation herméneutique. Au centre du foyer, le dieu,
retiré en sa vérité, commande la double division de l'auteur et du
lecteur, du dialecticien et du répondant.

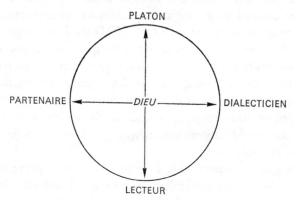

Figure de la Recherche Philosophique

Linéaires ou angulaires, les relations dialectiques de notre schéma
en étoile sont toujours ternaires, Dieu, origine du sens, occupant
l'intervalle qui sépare chacun des personnages, *entre* Socrate et Platon,
Platon et son lecteur, celui-ci et Socrate ou Théétète. Le tiers, c'est
l'intrusion de la transcendance qui oriente la démarche et affermit la
communauté des participants.

La *méthode dialectique* consiste alors à briser l'apparente parité de la recherche commune pour affirmer la polarité de la Vérité et du Bien. Non seulement elle *divise* l'adversaire et l'oppose à lui-même, en instaurant une scission dans le bloc massif de ses opinions, mais encore elle divise chaque argument selon une polarité précise. Le cheminement du logos se porte naturellement vers la partie *droite* ouverte par la dichotomie et ne tient aucun compte d'une quelconque symétrie bilatérale. Lorsqu'il expose les règles de la *diairésis* à Théétète, qui la connaît implicitement pour l'avoir appliquée à la théorie des nombres, l'Etranger exhorte son compagnon à prendre à chaque carrefour la route ouverte à sa droite : « Entreprenons donc à nouveau, scindant en deux le genre proposé, d'avancer en suivant toujours la partie droite de nos sectionnements »[16]. Divisons-nous maintenant le côté gauche du discours, en essayant de réduire le simulacre qui redouble le bon côté, nous choisirons derechef la subdivision rectrice, jusqu'à ce que notre recherche atteigne enfin la simplicité de l'être, après avoir éliminé les dernières tentatives de redoublement *sinistre*.

Nous proposons de nommer ORTHOTOMIE ce singulier caractère de la division platonicienne qui, à chaque scission (τομή), privilégie la voie droite (ὀρθή), en violation flagrante de la symétrie qu'elle institue. Elle aboutit ainsi, malgré les apparentes hésitations de l'alternative, à la formation d'un droit cheminement — d'une *orthoporie* pourrions-nous risquer — qui révèle moins une asymétrie, entendue comme privation de symétrie, que la dissymétrie régissant la scission elle-même.

Tout « gauchissement » de l'enquête se trouve prévenu, en un abandon constant des multiples chemins en lisière des fantasmes, au profit d'une « droite » méthode qui parvient directement, comprenons *droitement*, à son objet ultime : l'ἄτομον εἶδος, purifié des illusions de la duplicité.

Il reste que la division ne se réduit pas au syllogisme « impuis-

16. *Soph.*, 264 *e*. Cette théorie de la division se trouve exposée pour la première fois dans le *Phèdre* (265 *e*-266 *a*) : Socrate a d'abord trouvé du côté *gauche* une mauvaise forme d'amour qu'il a flétri, puis, du côté *droit*, « un amour dont le nom est identique au premier, mais dont la nature est divine ».

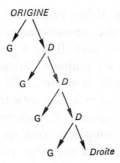

sant» que dénoncera le logicien Aristote. Tiers exclu de la démarche, la médiation du dialogue est celle du Dieu (3) dont le *Théétète* rappelle, à propos de l'accouchement ontologique de la vérité exprimée par le partenaire (2) du dialecticien (1), qu'elle préside secrètement à tous les processus de discrimination. Lors de la division *orthotomique*, que nous nommons ainsi de préférence à la fallacieuse *dichotomie* dans la mesure où elle a pour charge de répudier le dualisme éléate, de préférence aussi à l'*orthodoxie* de la ligne dont parle Jean Beaufret, le τρίτον se dissimule dans la surdétermination de la voie droite. Il faut reconnaître en elle l'écho lointain de la coupure ontologique, scission première de l'Autre au cœur de l'être. René Schaerer insiste à bon droit sur cette conséquence capitale : la division platonicienne n'est autre, en dernière analyse, que « l'expression logique du *principe d'altérité* qui commande toute la dialectique »[17].

Aussi l'orthotomie n'est-elle *logiquement* possible que dans la mesure où elle se trouve *ontologiquement* fondée : la division binaire du discours contient un *tertium* interne qui échappe de toute nécessité à l'analyse qu'il a pour fonction d'établir. Ce n'est donc pas de manière arbitraire que l'Etranger et Théétète choisissent à chaque reprise la voie droite. Entr'aperçue confusément dans la réminiscence, la vérité de l'être les dirige vers cette unique voie et les détourne du gauchissement possible de la démarche.

On ne peut plus répéter avec les sophistes : « Au commencement

---

17. R. SCHAERER, *Quest. Plat.*, p. 119 ; J. BEAUFRET relève lui aussi « l'affinité platonicienne de l'être pour l'autre » (*Dialogue avec Heidegger*, 1, p. 30).

était le Double », ni avec Vilma Fritsch : « *Au commencement était le couple* »[18], mais bien : « Au commencement est la Différence », qui polarise dualités et dichotomies. Il n'y a pas de symétrie originaire chez Platon, la symétrie est toujours dérivée, comme une sorte de retombée ou de masque de la polarité. En ce sens la réflexion de Hermann Weyl, qui voit dans le *Banquet* « le passage de la symétrie sphérique à la symétrie bilatérale »[19], nous paraît tout à fait erronée. Le mythe burlesque d'Aristophane, avec ses créatures en boule aux quatre bras, quatre jambes, et aux deux visages opposés, toujours roulant de leur mouvement circulaire, atteste en effet que ces êtres doubles n'étaient justement pas leur propre origine, et ont été châtiés de leur orgueil pour l'avoir cru. Aussi ces sophistes de la mythologie, simulacres en excès de membres et de visages, seront-ils *dédoublés* par l'Unité divine qui leur fera connaître à jamais la nécessité de la *coupure*. Zeus charge Apollon de tourner leur visage et leurs organes génitaux du côté de la séparation, vers cette trace originelle qui montre l'impossibilité d'une symétrie rotative ou bilatérale, exclusive de la polarité qui la *fonde* et la *fend*. Si cela s'avère nécessaire, Zeus châtiera leur superbe en les coupant une nouvelle fois en deux, « de façon que désormais ils avancent sur une jambe unique, à cloche-pied » (*Banquet*, 190 d).

L'admirable mythe témoigne moins philosophiquement de l'*unité* perdue qu'il ne dénonce les prétentions sophistiques de la *duplicité première*. En effet ces êtres sphériques ne possédaient pas plus l'unité d'un couple primitif que l'unité d'un genre, au rebours de l'interprétation courante selon laquelle Platon évoquerait l'unité originelle des sexes ; Aristophane prend soin d'indiquer que leur parité sexuelle était rompue par la présence d'une *troisième* espèce, chacune se trouvant d'ailleurs *bi-sexuée* (AA – BB – AB). Un tiers fausse la symétrie naturelle, *tiers inclus* dans ces êtres, l'androgyne tenant du mâle et de la femelle sans pour autant constituer leur synthèse — à quoi répond ironiquement la divinité, *tiers exclu* de ces races initiales qui désiraient se passer à jamais d'elle.

18. V. Fritsch, *op. cit.*, p. 10.
19. H. Weyl, *Symétrie et mathématique moderne*, p. 36.

Tel est le modèle mythique de la duplicité sophistique et de la division philosophique. Pour les punir, Zeus ne multiplie pas les simulacres, il les *divise*, détruit leur excès et fait naître, par défaut, *le désir de l'Autre*, qui ne reconstitue pas l'illusoire totalité du *double*, mais l'unité dialectique du *couple*. Aussi ne discernera-t-on pas, dans le *Banquet*, de plaidoyer en faveur de l'homosexualité, cette sophistique amoureuse éprise de duplication et étrangère à l'engendrement véritable. L'intervention de Socrate, déjà sur le plan formel, s'emploie à détruire les fantasmes des discours précédents, en proposant l'apologie de la seule relation érotique fondée sur la *différence*, qui permet l'engendrement dans la beauté et la filiation amoureuse des êtres. Est-ce un hasard si, en ce banquet d'hommes à l'homosexualité avouée, qui éclatera avec le tardif et équivoque hommage d'Alcibiade au philosophe, seul Socrate fait appel à *une femme*, Diotime de Mantinée, pour évoquer la nature intermédiaire de l'amour, né d'un dieu et d'une mortelle ? Comprendra-t-on que Socrate et Diotime, tenant à l'inverse cette fois lui du mortel et elle de la déesse, devaient *féconder en commun* un discours sur l'amour qui n'est rien moins que platonique ?

A l'aveugle symétrie des sophistes (double/double), manifestée sur le plan social par le relativisme d'un Protagoras qui égalise les hommes, les opinions et les vérités, Platon impose la dissymétrie de la transcendance. Elle reconnaît simplement l'exigence de la Différence : les êtres et les discours ne sont pas égaux, symétriques et réciproques, à la surface réversible du signifiant, la parole de l'un ne vaut pas la parole de l'autre, et l'homme, comme dit très bien Joseph Moreau, « n'instruit pas l'homme »[20]. Pour le sophiste d'ailleurs, il n'y a pas d'*un* ou d'*autre*, mais le *double* et le *même*, monotone et obstiné retour de la symétrie contre lequel Platon ouvre une voie droite que la pensée ne parviendra jamais à parcourir tout à fait.

---

20. J. MOREAU, *La construction de l'idéalisme platonicien*, p. 9. Pour les partisans de l' « humanisme » sophistique — ou, du moins, pour une vision humaniste, donc moderne, de la sophistique — la symétrie interne du langage entraîne l'égalité des hommes. J.-P. VERNANT montre ainsi comment la « géométrisation » de la Cité grecque, au vᵉ siècle av. J.-C., noue indissolublement symétrie mathématique et égalité politique : désormais, « le rapport de l'homme avec l'homme est pensé sous la forme d'une relation d'identité, de symétrie, de réversibilité » (*Mythe et pensée chez les Grecs*, 1, p. 180).

Considérées formellement, il est vrai que droite et gauche sont les branches symétriques d'un corps, d'une voie ou d'une alternative, que l'on peut à ce titre considérer également. En conséquence, on éduquera aussi bien la main gauche des enfants que la main droite dans la cité des Magnètes. Mais la coupure dialectique doit faire sentir qu'elle est guidée par un τρίτον étranger à l'opération qu'il oriente : elle privilégie alors la droite, fidèle au symbolisme religieux traditionnel encore vivant chez Parménide lui-même, comme si la Vérité, de son invisible poids, faisait pencher la balance en faveur de l'un des plateaux.

Dissymétrie de l'être : telle est la tâche que va se charger d'établir, contre l'éléatisme et la sophistique, la communauté impaire des *cinq* genres.

2
Le cygne noir

La maîtrise de l'imparité dans la pensée platonicienne, que le *Sophiste* établira définitivement, nous impose en premier lieu de faire retour au *Parménide* afin d'examiner, sinon le jeu dialectique des neuf hypothèses dans toutes ses nuances, du moins la règle qui préside à son développement. Avec ce dialogue en effet, Platon noue les fils de la polarité et de la symétrie dans la distribution des différentes hypothèses sur l'Un, et dessine déjà en filigrane le parricide de l'Etranger à travers l'itinéraire dialectique de Parménide lui-même.

Nous avons précédemment noté que l'unité éléatique, bloquée dans sa spéculation identitaire, répétait une constante symétrie soulignée par l'écriture parménidienne. A peine la parole de vérité a-t-elle opposé les deux voies de la contradiction : l'être est/l'être n'est pas, que surgit une troisième hypothèse, scandaleuse, qui viole l'équilibre des deux précédentes : *l'être à la fois est et n'est pas* — hypothèse que reprendra justement l'Etranger pour affirmer l'existence d'un certain « non-être ». Quant à l'être qui est (première hypothèse, seule digne d'être suivie), son unité elle-même implique une symétrie interne, puisqu'elle ne se donne à penser que dans sa propre réflexion.

Comparable à « la sphère harmonieusement ronde qui partout s'écarte également de son centre », l'être de Parménide est « à lui-même de toutes parts égal, semblablement dans l'étendue de ses limites » (fr. 15). L'image géométrique des deux hémisphères naît naturellement de la position absolue de l'être qui, parce qu'il *est le même*, se répète comme *est* et comme *même*, indéfiniment redoublé par la courbure de son propre miroir. Là se trouve la source de la deuxième hypothèse du *Parménide* platonicien : poser que l'*Un est* conduit à admettre que l'*être* et l'*un* sont deux choses distinctes dont le couple constitue la Dyade première. Pour Parménide, le Même ne peut être le même que de lui-même, et non le Même de rien. Son *identité* engendre ainsi, par un redoublement spontané, la *duplicité* du simulacre. Etre et Même donnés « ensemble » dans le langage se simulent réciproquement, non pas *l'un l'autre*, mais *le double le même*, et se figent dans le Repos absolu de cette symétrie initiale. L'intransigeante Tautologie de l'Eléate aboutit contradictoirement à la Méontologie des sophistes : si l'être parménidien est le simulacre de l'être véritable auquel manque la dimension de l'altérité, le néant sophistique sera l'être du simulacre illusoire qui donne en excès la dimension de la duplicité.

Il appartient au *Parménide* d'assurer la jonction de la pensée platonicienne avec l'éléatisme et la sophistique, et de s'en détacher définitivement. Dans sa troisième partie, le dialogue révèle l'existence d'un « nœud gordien »[21], point de jointure et point de coupure, qui mène dans l'ombre la recherche sur la structure la plus générale de l'ontologie. Et sans doute Pierre Boutang n'a-t-il pas tort de voir dans le mot que Platon prête au maître d'Elée — « un jeu laborieux »[22] — une dissimulation essentielle qui protège les règles d'un jeu rien moins que ludique. Nous sommes en présence, à première vue, d'un simple entraînement logique, d'une gymnastique destinée à assouplir les dialecticiens encore inexpérimentés. Il s'agit d'envisager, à propos d'une forme quelconque — la ressemblance, la dissemblance, le mouvement, le repos, la genèse, la destruction, etc. — toutes les conséquences qui en résultent pour elle, puis

21. Jean WAHL, *Etude sur le Parménide de Platon*, p. 7.
22. P. BOUTANG, *Ont. Secr.*, p. 375. Cf. *Parm.*, 137 *b*.

pour tout le reste, dès qu'on la suppose exister ou non-exister.
La longue recherche de Parménide (137 c-166 c) dégage progressivement, à travers le fourmillement éristique des analyses, *neuf
hypothèses* sur l'Un dont il est au premier abord malaisé de saisir le
sens. Y a-t-il quelque part un fil conducteur qui permette de se
retrouver dans ce beau désordre ? On peut apporter deux réponses,
également erronées — là encore, la troisième montrera la voie. Ou
bien se perdre dans les fourrés inextricables de l'argumentation et
n'y voir qu'un jeu brillant, mais sophistique; ou bien imposer au
texte un ordre de symétrie rigoureux, en suivant la règle énoncée
par le penseur d'Elée. Ainsi Brochard classait-il les hypothèses selon
deux groupes de quatre, en miroir, sans s'inquiéter apparemment de
l'existence de la neuvième. Il voulait réduire à un tableau cohérent,
fondé sur la parité, un ensemble dissymétrique, puisque impair, en
suivant « une règle ou une loi qui préside à cette sorte de rythme
auquel est soumise toute la discussion »[23]. Mais il ne s'interrogeait pas
plus sur l'origine même de cette symétrie que sur l'existence de
l'hypothèse impaire qui échappait à sa classification.

On sait que Taylor, plus perspicace, voyait dans la présence de la
troisième hypothèse, « une tache au tableau »[24], sans pour autant expliquer cette faute de goût, puis que nombre d'interprètes modernes,
revenant à l'exégèse néo-platonicienne, de Chaignet et Jean Wahl
à P. Boutang, J. Trouillard et J. Combès, ont examiné avec soin le
rôle de ce « cygne noir », comme l'appelle joliment Boutang. Certains
proposent leur propre classement, parfois choisissent l'hypothèse
qui leur paraît la seule bonne, bien que Parménide les réfute toutes.
Ne serait-ce pas que Platon cherche à nous aiguiller vers *la communauté
des hypothèses*, et nous interdire d'en décrocher une au passage ?
Jean Wahl, après avoir longuement insisté sur la troisième hypothèse,
se décide pourtant à retenir la quatrième et privilégie l'un des deux
fils symétriques qui forment le nœud gordien[25]. De son côté, Joseph

23. V. BROCHARD, *op. cit.*, p. 122.
24. TAYLOR, *On the interpretatio of Plato's Parmenides* et *Plato.*
25. J. WAHL, *op. cit.*, p. 207 : « L'un se brise entre nos doigts — si brillant qu'il
soit — mais même si l'autre paraît mince jusqu'au néant, nous pouvons trouver en lui
une continuité. »

Moreau sauve la quatrième et la sixième hypothèses[26], alors que
Rolland de Rénéville corrige le dialogue et envisage « un *Parménide*
possible » composé de douze hypothèses réparties en quatre groupes
de trois, pour dessiner « l'axe d'une symétrie retrouvée »[27]. Enfin
P. Boutang utilise trois principes de classement (I ou II, A ou B,
α ou ω) afin de coordonner la succession selon une alternance conve-
nablement réglée[28]. Nous pensons plutôt, à la suite de Chaignet et,
plus récemment de J. Trouillard et de J. Combès, que la distribution
des hypothèses obéit à une loi plus simple, laquelle régit non seulement
le *Parménide*, mais aussi le *Sophiste* et, de manière plus générale, la
pensée platonicienne dans sa totalité. Cette loi nous invite à examiner
la composition des neuf hypothèses, sans que nous ayons loisir de
considérer l'une d'elles isolément, serait-elle le centre de symétrie de
tout l'ensemble.

Parménide envisage dans la première hypothèse (εἰ ἕν ἐστιν, si
l'*Un* est, 137 c) l'Unité pure et ineffable, dans son dénuement absolu
qui « offusque », comme dit très bien Boutang, l'être et empêche sa
participation à autre chose, serait-ce son propre être. L'Un se retire
en deçà de lui-même, à la limite extrême de l'exténuement. « Il n'a
donc même pas assez d'être pour être un; car du coup il serait et
participerait à l'être » (141 e). Comme la prolifération des négations a
épuisé en quelque sorte son discours même, Parménide revient à
l'origine des hypothèses, reflue vers le principe qui régit sa démarche
(ἐπὶ τὴν ὑπόθεσιν πάλιν ἐξ ἀρχῆς, 142 b), et demande maintenant :
ἓν εἰ ἔστιν, si l'Un *est*, en faisant porter tout le poids de la question
sur le second terme. Cette hypothèse, qui offusque cette fois l'un par
l'être, met en lumière leur dualité. L'*être* et l'*un* sont, et, en tant que
tels, sont *deux* : en termes platoniciens, la position de la médiation de
l'être dans l'Un fait surgir la Dyade comme itération indéfinie. Les
déterminations excessives de la deuxième hypothèse correspondent
alors, terme pour terme, aux négations de la première, ainsi que
l'observaient les néoplatoniciens. Nous sommes en présence, devant

26. J. MOREAU, *Réalisme et idéalisme chez Platon*, pp. 107-108.
27. R. de RÉNÉVILLE, *L'Un-Multiple chez Platon et les sophistes*, p. 147.
28. P. BOUTANG, *op. cit.*, p. 377.

les deux hypothèses, de la Monade et de la Dyade qui demeurent totalement isolées l'une de l'autre. Soulignons le paradoxe : il devient non seulement impossible d'assurer l'*intégration* ontologique de l'Un et du Multiple, mais encore de comprendre le *passage* logique de la première hypothèse à la seconde, c'est-à-dire la multiplicité des deux hypothèses elles-mêmes. Si l'Un, à s'excéder sans cesse lui-même, se dépouille en effet du Multiple, comment expliquer la position de la *deuxième* hypothèse ? En retour, si la Dyade se déroule à l'infini, comment admettre que la *première* hypothèse ait pu seulement être pensée ?

Intervient alors brusquement la troisième hypothèse, qui marque une rupture dans le développement naturel du raisonnement. En montrant comment, dans l'éclair de l'*instantané* (τὸ ἐξαίφνης, 156 *d*), le Multiple naît de l'Un et l'Un du Multiple, elle justifie le glissement de la première hypothèse à la deuxième et le retour de la deuxième à la première. Elle ne dépasse pas leur contradiction, mais les inscrit en ce point singulier qui échappe à toute détermination précisément parce qu'il la fonde.

Pour mieux approcher l'*étrange* nature de cet ἐξαίφνης qui a soulevé tant de discussions depuis le néoplatonisme, sans doute faut-il s'inquiéter de la fonction qu'il remplit dans l'économie générale des neuf hypothèses. Jean Wahl remarquait justement que Parménide tisse en quelque sorte les « deux fils » symétriques du nœud gordien à partir de la troisième hypothèse qui « n'a de lieu régulier nulle part ». Elle est, disait-il, « un trou dans la trame des hypothèses comme l'instant en un sens troue le temps »[29]. Nous parlerions plus volontiers, pour notre part, de la « torsion » des fils que du « trou » de la trame. Car l'hypothèse impaire tord en les nouant les deux fils issus de la première et de la deuxième hypothèses, pour distribuer celles qui suivent selon deux lignées distinctes, à sa droite et à sa gauche. L'étrange hypothèse se situe au *croisement* des deux fils qu'elle entrelace : elle possède en ce sens une place très précise, en ce lieu originaire qui oriente topiquement l'ensemble, mais vers lequel la pensée ne saurait remonter.

29. J. WAHL, *op. cit.*, p. 167.

Centre de symétrie lui-même dissymétrique, la troisième hypothèse sépare dichotomiquement *la voie droite* des hypothèses (position *relative* de l'être qui autorise la participation) de leur *voie gauche* (position *absolue* de l'être qui aboutit au néant dont on ne peut pareillement rien dire). La majorité des commentateurs s'oriente naturellement vers la première, sans effectuer le rapprochement avec la voie droite de la dichotomie. Pourtant, nous n'avons pas à choisir ici l'une des deux voies, et à laisser dans l'ombre le *carrefour* qui les sépare et les rapproche à la fois. Tout se joue en effet au niveau de la troisième hypothèse, à la jointure des huit autres. Facteur de *disparité* pour qui s'attend à une double suite *(paire)* de nombres pairs et impairs dans les hypothèses (1, 3, 5, 7, 9, et 2, 4, 6, 8) — ce qui révèle bien une « tache » dans le tableau, et même un manque : il faudrait une dixième hypothèse paire pour rétablir l'équilibre — elle ordonne la parité du groupe en articulant les hypothèses 4, 6, 8, à sa droite, et 5, 7, 9, à sa gauche, tout en reliant de la même façon les deux premières. Nous obtenons le tableau suivant organisé à partir du point de rupture qui est aussi le point de jointure, tache aveugle d'où prend naissance la vision de la totalité des hypothèses.

GAUCHE	DROITE
1. Si l'*UN est* : conséquences pour lui *(néant de l'Un)*	2. Si l'*un EST* : conséquences pour lui *(Tout de l'Un)*
3. ΤΟ 'ΕΞΑΙΦΝΗΣ	*(l'Un est et n'est pas)*
(l'Autre)	*(Tout et Rien)*
5. Si l'*UN est* : conséqu. pour les autres *(néant des autres)*	4. Si l'*un EST* : conséqu. pour les autres *(Tout des autres)*
7. Si l'*UN n'est pas* : conséqu. pour lui *(néant de l'Un)*	6. Si l'*un N'EST PAS* : conséqu. pour lui *(Tout de l'Un)*
9. Si l'*UN n'est pas* : conséqu. pour les autres *(néant des autres)*	8. Si l'*un N'EST PAS* : conséqu. pour les autres *(Tout des autres)*

La symétrie est parfaite : à gauche, la série impaire (1, 5, 7, 9) des quatre hypothèses sur l'*UN*; à droite, la série paire (2, 4, 6, 8) des quatre hypothèses sur l'*ETRE*. L'une renvoie à l'Unité pure exclusive de toute multiplicité, l'autre à la Multiplicité qui autorise la participation des êtres. Les deux fils resteraient parallèles et à jamais étrangers, si l'hypothèse *hors série* ne venait fulgurer *entre* eux, sans que Parménide justifie, ni même souligne, cette soudaine intrusion qui dérange son plan initial. Dans l'instantané, l'éternel et le temporel, l'un et le multiple, l'être et le néant, le mouvement et le repos, mais aussi la première et la deuxième hypothèses subissent le choc de la transcendance. S'opèrent instantanément, hors de toute mesure, les fusions infinies des contraires, grâce à l'*exaiphnès*, « point d'arrivée et point de départ pour le changement du mobile qui passe au repos comme pour celui de l'immobile qui passe au mouvement » (*Parm.*, 156 e). *Ici, tout se renverse*. Nous sommes devant l'altérité première de la Coupure *entre* le temps et l'éternité, au centre de la génération, site étrange où se tiendra bientôt l'Etranger.

Curieusement, Jean Wahl qui observe que l'unité et la pluralité s'unissent ici grâce à la troisième hypothèse, ne songe pas à mettre en rapport direct les deux séries symétriques et l'hypothèse unique. Bien que cette dernière ait été comparée par Natorp à une *différentielle* mathématique[30], Jean Wahl, s'il voit en elle un non-être qui n'est pas un néant, ne la rapproche à aucun moment de l'eidos d'*Autre* que le *Sophiste* définit à peu près dans les mêmes termes. L'*exaiphnès* dévoile la nature impaire de l'Autre, étranger à la fois à la monade close et à la dyade indéfinie des deux premières hypothèses. Non pas leur synthèse dialectique, mais bien leur origine commune : l'instantané, à l'extrême bord du temps et de l'éternité, recoupe la monade et la dyade, mais ne « troue » pas la trame des hypothèses. Pour reprendre l'image platonicienne des fils et du tissage, précédemment appliquée à l'Etranger, nous dirons qu'il est plutôt la *navette* qui court sur le métier, entre les deux fils, sans se confondre avec le tissu

---

30. J. WAHL reprend l'image (*op. cit.*, pp. 168-169), et après lui, Léon ROBIN : « Un pressentiment de ce qui est pour nous une *différentielle*, c'est-à-dire l'accroissement infiniment petit d'une variable » (*Les rapports de l'être...*, p. 94).

qu'elle confectionne. Parler de « trou », donc d'une déchirure ou d'un manque *postérieurs* au tissage laisse croire que Platon, en un remords tardif, aurait enlevé une pièce à l'étoffe régulière qu'il venait de tisser. Mais dans ce cas, pourquoi donner le coup de ciseau précisément au niveau de la *troisième* hypothèse et non pas ailleurs ? Pourquoi ne pas l'avoir placée au premier rang ou au neuvième ? On ne peut dénouer *le nœud gordien* sans l'aide d'un couteau, ni tisser *les deux fils* en l'absence d'une navette : les deux instruments restent à chaque fois *étrangers* au résultat de l'opération qu'ils exécutent. Sans leur intervention pourtant, transversale aux fils et au nœud, la *liaison* du *Parménide* et le *dénouement* du *Sophiste* ne pourraient avoir lieu.

Le mouvement des hypothèses apparaît alors aussi bien réglé que leur distribution en repos. Parménide accomplit un pas en arrière des deux premières hypothèses à la troisième, une remontée à l'origine que nous pouvons rapprocher du mouvement de la dialectique ascendante ; il effectue ensuite un pas en avant à partir du principe vers les six hypothèses suivantes, selon un mouvement analogue à celui de la dialectique descendante. Le τρίτον, l'Autre de cette *singulière* hypothèse, joue le même rôle de trouble-fête que l'Etranger d'Elée qui brise la symétrie des quatre amis du *Théétète*, et que l'eidos d'Autre qui circule sans cesse parmi les quatre genres de l'être. A trois reprises, Platon a l'air de faire un *impair* : un tiers advient sans crier gare à l'intérieur d'une quadrature préalable sous la forme d'une *troisième* hypothèse, sous la figure d'un *cinquième* homme, sous le visage d'un *troisième* ou *cinquième* genre, l'Autre. Un, trois ou cinq : l'imparité platonicienne accomplit son rôle de médiation en déterminant une coupure à l'intérieur de chaque ensemble où elle se glisse *en tiers*.

Parménide justifie la présence de l'Autre lorsqu'il analyse la génération du nombre au cours de la deuxième hypothèse. L'unité, déjà gouvernée par l'autre, se scinde pour donner naissance à la dyade qui, à son tour, confrontée à l'imparité de l'un, produit l'imparité du trois. Parménide le laisse entendre sans équivoque, en faisant usage de la notion d' « autre » (ἕτερον) *avant* la mention de la troisième hypothèse, ainsi appelée par la deuxième, et *avant* l'apparition de l'Autre (θάτερον) du *Sophiste* : « Si donc autre est l'être, et autre l'un (ce qui conduit à poser un couple, donc *deux*), ce n'est point son unité qui fait l'un différent de l'être; ce n'est point la réalité de son être qui fait l'être autre que l'un; c'est le différent et c'est l'autre qui les différencient mutuellement (...). Ainsi le différent (τὸ ἕτερον) n'est identique ni à l'un ni à l'être » (143 *b*).

Nous avons obtenu *trois* termes : 1. l'Un (1re hypothèse); 2. l'Etre (2e hypothèse); 3. le Différent (3e hypothèse), selon le même procédé de raisonnement qui assure, grâce à l'intervention d'un tiers, la communauté des cinq genres du *Sophiste*. Le *différent*, qui diffère à la fois de l'un, de l'être, et de leur couple, constitue de toute évidence un *troisième élément*, lequel, en réalité, devrait être considéré comme le premier. En effet, la différence toujours impaire, tiers exclu de la dualité, n'est *autre* que l'*un* qui, dès que la pensée tente de l'appréhender (1re hypothèse), s'échappe dans le flot infini du multiple (2e hypothèse). Ainsi naît le couple : que l'on prenne l'*un* et l'*être* (nous les noterons 1 et 1′ — couple *a*), l'*être* et le *différent* (1′ et 1″ — couple *b*), l'*un* et le *différent* (1 et 1″ — couple *c*), on obtient dans les trois cas la Dyade (= 2), c'est-à-dire la parité postérieure à l'imparité. Si l'on ajoute maintenant à chaque couple l'un de ses propres composants (1, 1′, 1″), on produit un nouveau nombre, le Trois, puis, progressivement, la suite des nombres pairs et impairs (143 *c*-144 *a*). Dans les trois couples, chacun des termes renvoie à la Monade, alors que leur union produit la Dyade. « Si chacun d'eux est un, l'un quelconque d'entre eux, ajouté à l'un quelconque des accouplages, n'achève-t-il pas un tout qui est trois ? » (143 *d*).

La génération de la Dyade a entraîné naturellement celle de la suite indéfinie des nombres, mais la Dyade elle-même n'a pu être formée que par l'intervention, en tiers, de la Différence au sein de la Monade. L'Un s'est ouvert à l'Autre, ou plutôt l'Un autre s'est distingué de l'Autre un. De la même façon, la troisième hypothèse a été amenée nécessairement par la première qui différenciait l'un de l'identique, pour assurer que l'un ne peut absolument être que un, et par la deuxième qui montrait que la Dyade exige à son tour la différence. Le *Multiple* a donc été engendré par l'imparité de l'*Un*, parce que, *instantanément* (3e hypothèse), l'un se différencie de lui-même à un point tel que la première hypothèse n'avait pas tort d'affirmer qu'à force d'être *un*, l'un cesse de l'*être*.

On peut alors examiner de plus près la symétrie du tableau des hypothèses agencé par la troisième qui reste en retrait des deux séries, paire et impaire, et découvrir la double correspondance, horizontale et verticale, de l'ensemble.

HORIZONTALEMENT

H1 (Un absolu)   correspond à H2 (Un relatif)
H5 (Autre absolu)   correspond à H4 (Autre relatif)
H7 (Non-Un absolu)   correspond à H6 (Non-Un relatif)
H9 (Non-Autre absolu)   correspond à H8 (Non-Autre relatif)

VERTICALEMENT

H1 entraîne H5
H7 entraîne H9
H2 entraîne H4
H6 entraîne H8

Exclusive plutôt qu'exclue, la troisième hypothèse dévoile l'*imparité de fondation* du tableau, source réelle de la série paire et de la série impaire. *Indivisible*, elle préside à la division de tous les contraires et, d'abord, des huit hypothèses. *Dissymétrique*, elle montre comment la symétrie se constitue toujours à partir de la différence. *Etrange* enfin, elle annonce l'arrivée, aussi intempestive que la sienne propre, de l'Etranger d'Elée. Eclair d'hésitation au carrefour du Temps et de l'Eternité, de l'Un et du Multiple, de l'Etre et du Néant, le τρίτον, c'est l'Etranger qui conquiert le sol de toute ontologie possible.

Que le jeu du *Parménide* enchaîne les neuf hypothèses en un chiasme remarquable qui révèle, selon Chaignet, « le rapport symétrique des parties entre elles »[31], cela ne surprendra pas qui a pris connaissance des riches exégèses du néoplatonisme. Dans le livre VI

31. A. E. CHAIGNET, *Damascius, Fragment de son commentaire sur la troisième hypothèse du Parménide*, p. 15.

de son *Commentaire sur le Parménide*, Proclus récapitule toutes les classifications reçues des hypothèses, qu'elles les mettent toutes sur le même plan (8 hypothèses d'Amélius; 9 hypothèses de Porphyre, puis de Jamblique), ou qu'elles considèrent leur distribution interne (10 hypothèses, groupées deux à deux, du Philosophe de Rhodes; 9 hypothèses de Plutarque d'Athènes, le premier à détacher le groupe des cinq premières hypothèses des suivantes; 9 hypothèses de son maître enfin, Syrianus, qui « reconstitue en un corps vivant et un les opinions dispersées et confondues dans les écrits des anciens »)[32]. Proclus, pour sa part, admet l'existence des neuf hypothèses, distribuées de façon inégale en un premier groupe des cinq premières, qu'il privilégie par rapport au second groupe des quatre dernières, au point de ne pas envisager dans le détail celles-ci. Le principe de son classement du premier groupe est ainsi présenté dans sa *Théologie platonicienne* : « Les hypothèses extrêmes sont purement négatives, mais la première est négative par excès, la cinquième par défaut; deux des hypothèses comprises entre ces extrêmes sont affirmatives, mais la deuxième hypothèse est affirmative à la manière des modèles et la quatrième à la manière des copies; l'hypothèse du milieu (la troisième donc) convient au degré de l'âme, car elle est constituée par des conclusions affirmatives et des conclusions négatives, et elle coordonne aux négations les affirmations »[33].

Le dernier diadoque de l'école platonicienne, Damascius, tout en reprenant la classification de Proclus sans grand changement, donne son nom véritable au groupe privilégié des cinq hypothèses : « Cette conclusion est ainsi une et commune aux cinq hypothèses; car si l'un est, il est aussi rien, comme concluent la première et la cinquième; et il est tout comme concluent la deuxième et la quatrième; il est ensemble et il n'est pas, comme conclut la troisième qui est au milieu de toute la *pentade* »[34]. Selon la juste remarque de Chaignet, reprise à son compte par Jean Trouillard, la disposition en chiasme des

32. PROCLUS, *Comm. Parm.*, VI, 30, col. 1060, p. 265.
33. PROCLUS, *Theol. Plat.*, I, 12, 31, 22-26, 1-3, tr. pp. 57-58.
34. DAMASCIUS, *op. cit.*, III, § 431, p. 176. Nous soulignons.

cinq hypothèses « forme donc un système organisé pentadique que les métriciens caractérisent par la dénomination de *mésodique* »[35].

Une dernière difficulté cependant demeure. Les néoplatoniciens rangent les cinq premières hypothèses en une pentade dont le *centre* de symétrie est précisément la troisième. Damascius écrit ainsi que « l'instantané serait (...) comme le centre (κέντρον) de la génération qui se déroulerait circulairement autour de lui »[36]. Mais les hypothèses se rangent par ailleurs en deux groupes, de force et de nombre inégaux. *Une* pentade et *deux* groupes selon Proclus et Damascius ? Nous resterions toujours en présence de neuf hypothèses (5 + 4), sans comprendre la règle qui commande leur composition dissymétrique.

Dans son article sur *Damascius lecteur du Parménide*, Joseph Combès a magistralement établi ce qu'il appelle la « *structure arché-logique* » du dialogue, « sorte de structuralisme de l'autoconstitution de l'âme (3e hypothèse) »[37]. Sans revenir sur sa belle interprétation de la structure de l'âme chez Proclus, dont l'intention proprement théologique nous éloignerait de notre enquête sur la figure *platonicienne* de la Pentade, et tout en acceptant ses conclusions sur la richesse heuristique d'une structure qui constitue « un *modèle* philosophique, valable par soi au-delà du donné historique qui fut son berceau »[38], nous mettrons plutôt en lumière la figure pentadique qui, sous ses deux formes, régit l'ensemble des neuf hypothèses. La *pentade affirmative* ordonne la tétrade des hypothèses positives autour de la troisième, l'*exaiphnès* constituant le foyer des oppositions, comme la

---

35. A. E. CHAIGNET, *Damascius...*, *op. cit.*, pp. 14-15. La figure rythmique proposée par CHAIGNET est :
$$A . B - C - B . ' A'$$
L'interprétation de Chaignet est reprise par J. Trouillard et par Joseph Combès.

36. DAMASCIUS, *op. cit.*, III, p. 136.

37. J. COMBÈS, *Damascius*, p. 58; diagrammes, pp. 58-59.

38. *Ibid.*, p. 60. J. Combès montre que cette structure des 9 hypothèses du *Parménide* « comporte mathématiquement 36 possibilités réciproques, constituant autant de matrices du discours ». On comprend alors que l'une des figures de cette *arché-logie*, comme l'écrit Combès, puisse non seulement annoncer, mais exposer très explicitement (*8e hypothèse*) la thèse « moderne » des *simulacres* deleuziens — ou des lignes de force des multiples pouvoirs selon M. FOUCAULT *(La volonté de savoir)*.

pentade négative distribue de même façon les quatre hypothèses négatives. La nature instantanée de l'hypothèse impaire, « point de départ des deux changements inverses », *intervalle* ou encore *entre-deux* (μεταξύ, *Parm.*, 156 *d*) des contraires où le changement s'opère, constitue en quelque sorte l'*aiguillage* de toutes les oppositions.

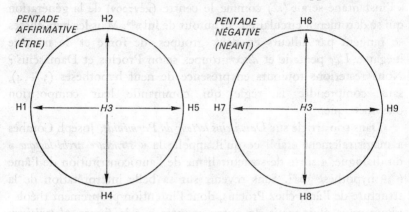

La première pentade classe les hypothèses selon deux ordres de symétrie :

1. Le rapport absolu/relatif : 1-2 et 5-4.
2. Le rapport principe/conséquence : 1-5 et 2-4.

La seconde pentade fait de même, mais en niant symétriquement les quatre premières hypothèses : 7 négation de 1, 6 de 2, 9 de 5, 8 de 4.

Pour plus de clarté, il sera commode d'unifier les deux pentades en une seule structure qui laisse apparaître l'ensemble ordonné de toutes les combinaisons entre les neuf hypothèses[39]. On retrouve ainsi sur un même axe les hypothèses paires, classées préalablement

---

39. Malgré la valeur du tableau à double entrée de J. Combès et de son diagramme centré autour de la 3ᵉ hypothèse, nous préférons pour notre part, en fonction de notre projet général qui consiste à faire apparaître la figure de la PENTADE à travers l'ensemble de l'œuvre platonicienne, représenter le réseau des 9 hypothèses sous la forme traditionnelle d'un schéma tétrapolaire inscrit dans un cercle : la Tétrade (ou Quadrature) est évoquée par les quatre bras de la croix, et la Pentade par l'unité du cercle qui n'est rien d'autre que la dilatation du centre.

à droite, et sur un second axe les hypothèses impaires, classées alors à gauche. La relation générale des hypothèses peut aussi bien s'exprimer *linéairement* que *circulairement*.

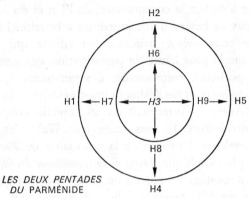

LES DEUX PENTADES
DU PARMÉNIDE

Le rapprochement des deux pentades du *Parménide* avec la pentade des genres de l'être et celle des personnages du *Sophiste,* loin d'être hasardeux, nous semble imposé par la structure même des textes de Platon. Jean Wahl montrait ainsi, au début de son étude, que c'est « le problème de la communication des genres que Socrate propose à Zénon »[40] dans la première partie du *Parménide,* et que le Maître d'Elée reprendra dans son jeu dialectique des neuf hypothèses. Il s'agit bien dans les deux dialogues de la même question et de la même méthode de recherche. Non seulement la distribution des hypothèses sur l'Un en série droite et série gauche préfigure la division orthotomique du dialogue suivant, mais encore la troisième hypothèse dessine secrètement le visage de l'Autre, que nous avons identifié à l'éléate parricide. Par ailleurs, la conduite de l'analyse dans chaque hypothèse est menée selon un ordre identique à l'exposition des cinq genres de l'être. Sous la forme de la figure pentadique, la communauté des genres joue donc déjà au cœur de la structure du *Parménide.* Il appartient à l'*autre éléate,* pour rester fidèle à son père, de porter le couteau dans l'être parménidien et d'effectuer les *trois*

40. J. WAHL, *op. cit.,* p. 22.

séparations que nous avons nommées : coupure ontologique, coupure
onto/logique, coupure logique.

Toutes les analogies que nous découvrons entre les deux dialogues
qui cherchent à établir la communauté de l'Un et du Multiple, n'interviennent pas au hasard d'une rencontre arbitraire. Elles opèrent à
l'intérieur de cette même structure pentadique qui incarne pour
Platon la forme la plus haute de participation des genres. Communauté des hypothèses, communauté des personnages, communauté
des genres, dans les trois cas l'élément impair et inattendu — l'ἐξαίφνης,
l'Etranger, l'Autre — intervient en un soudain coup de force au
centre de la quadrature. Et sans doute Jean Wahl n'avait-il pas tort
de relever l'analogie à propos de la discussion du *Parménide* : « La
conversation philosophique, *image de la communion des idées*, le passage
des idées les unes dans les autres, ne peut avoir lieu que si les idées
sont séparées de telle façon qu'elles puissent s'unir »[41]. Telle est
précisément la singulière nature de l'ἐξαίφνης, de l'Etranger et de
l'Autre : ils séparent pour mieux réunir, ils coupent pour renforcer
le lien, ils distinguent pour sauver l'identité. Ils sont le fil et le
couteau.

Le pari proposé par Socrate a donc été tenu : « L'essence de l'un,
qu'on la démontre, en soi, multiple; le multiple à son tour, qu'on le
démontre un, voilà où commencera mon émerveillement. » (*Parm.*,
129 *b-c*). Limite fugitive de l'immanence et de la transcendance,
l'ἐξαίφνης déchire et rapproche les pôles de la pentade, comme l'Autre
participe à la série immanente des genres de l'être et à la transcendance
de l'être lui-même. Non-être si l'on veut, mais paradoxal non-être
qui échappe tant au néant éléatique qu'au néant sophistique[42], afin
d'affirmer la transcendance de l'être toujours autre que ses propres

41. *Ibid.*, p. 47. Nous soulignons.
42. La neuvième hypothèse (« Si donc l'Un n'est point, les autres ni ne sont ni ne se
laissent imaginer ni un ni plusieurs », 166 *b*) présente, avec sa cascade nihiliste des *ni/ni*,
une ressemblance étonnante avec les thèses sophistiques contemporaines. Quant à la
huitième hypothèse, elle est, selon DAMASCIUS qui s'appuie sur les *Oracles chaldéens*,
celle des *simulacres* de tous les principes précédemment étudiés : son monde est « une chose
sans âme, un fantôme (φάντασμα), quelque chose de semblable à un songe, de plus en
réalité se dérobant à l'apparence » (CHAIGNET, *Damascius...*, § 453, p. 222).

déterminations. Point de rupture et point de jointure, coupure et couture, l'instantané annonce la communauté du *Sophiste* et le tissage royal du *Politique*. Point de tapisserie encore, il rappelle que la pensée dialectique, à se faufiler entre les fils redoublés du tissu de l'être, permet de déployer la Juste Mesure de la Différence.

3
L'égalité géométrique

Le τρίτον se manifeste à chacun des trois niveaux de la démarche platonicienne, pour séparer les contraires et pour les réunir. L'Etre un de Parménide, crucifié par la double dyade du multiple, reste étranger au déploiement des quatre genres qui en résulte. La *coupure ontologique* maîtrise par sa disparité constituante la parité de la quadrature (Mouvement/Repos — Même/Autre), et donne naissance à la *coupure onto/logique* qui laisse réapparaître la symétrie. La dialectique se compose en effet de deux mouvements inverses, l'un ascendant (synthèse intuitive), l'autre descendant (analyse discursive), qui se meuvent *entre* l'être et le logos, en ce trait qui sépare et réunit les deux domaines onto/logiques (*Phèdre*, 265 d-e). La dialectique ascendante, orientée vers l'unité du principe suprême dont parle la *République* (VI, 510 b), possède le privilège d'ouvrir la recherche, puisqu'elle fait *retour à* l'origine de celle-ci. La dialectique descendante, qui vient en second, manifeste plutôt le *retour de* l'origine : guidé par le souvenir de l'unité aperçue au terme de son ascension, le philosophe sait fendre l'essence unique en deux et multiplier les divisions binaires selon les articulations naturelles de l'objet à définir, jusqu'à l'obtention de l'unité logique recherchée. Avec cette *coupure logique*, pour la troisième fois la symétrie reconstitue sa division bilatérale. Mais aussitôt le chemin se dirige vers la droite, et continue ses dédoublements dans la même direction jusqu'au terme de l'enquête. Lors des trois séparations, la coupure advient à chaque fois en tiers : entre les deux couples ontologiques, entre les deux mouvements dialectiques, entre les deux voies dichotomiques. Toujours *entre*, dans l'intervalle compris entre le *terminus a quo* et le *terminus ad quem* de la quête du philosophe, elle est l'intermédiaire nécessaire qui fonde en même temps la continuité et la séparation des trois domaines.

TERMINUS *A QUO* : L'UN

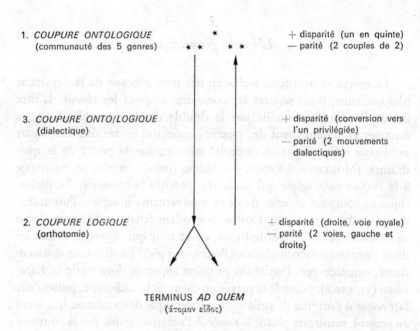

1. *COUPURE ONTOLOGIQUE*   + disparité (un en quinte)
   (communauté des 5 genres)   — parité (2 couples de 2)

3. *COUPURE ONTO/LOGIQUE*   + disparité (conversion vers
   (dialectique)   l'un privilégiée)
                                             — parité (2 mouvements
                                               dialectiques)

2. *COUPURE LOGIQUE*   + disparité (droite, voie royale)
   (orthotomie)   — parité (2 voies, gauche et
                                               droite)

TERMINUS *AD QUEM*
(ἄτομον εἶδος)

Si nous remontons à l'origine de la recherche, nous constatons que la disparité latérale de la division (privilège de la *droite*) évoque la disparité verticale de la dialectique (supériorité de l'*ascension* sur la *descente*, ou, comme diront les néoplatoniciens, de la *conversion* sur la *procession*), qui reflète à son tour la disparité ontologique de la communauté des genres, au sein de laquelle l'Etre demeure en dehors des couples formés par ses propres déterminations. Frémissante, la Différence ouvre la voie et ne laisse jamais les parités reconstituer la structure close d'un système. La dualité, constamment menacée de se figer dans la double forme de la *duplicité* sophistique, est maîtrisée par la *triplicité* qui introduit une altération inattendue dans l'équilibre de l'ensemble. Alors que le sophiste tente d'accréditer l'idée illusoire d'une double mimésis qui se redoublerait symétriquement elle-même, l'Etranger distingue deux mimésis en fonction d'un tiers, τρίτον, unité simple du modèle qui ne se confond pas plus avec l'eikastique qu'avec la fantastique. Le modèle n'a pas à ressembler à son image ou à son double, parce qu'il n'y a pas de rapport de réciprocité entre eux. C'est au contraire l'image vrai-semblable et le faux-semblant du simulacre qui doivent s'aligner par rapport au modèle. Si le monde sensible, icône ou fantasme, multiplie les ressemblances, l'intelligible impose l'existence d'un troisième terme qui échappe aussi bien à l'eikastique qu'à la fantastique, comme la coupure orthotomique se distingue radicalement de la voie droite et de la voie gauche qu'elle a mises à part dans le discours.

Les considérations précédentes nous conduisent naturellement à évoquer l'opposition des deux métrétiques, qui constitue l'un des apports essentiels du *Politique*. L'analyse détaillée des rapports de la mesure brutale et de la juste mesure, située au beau milieu du dialogue, n'est pas plus une digression dans l'enquête sur le politique que l'éloge du philosophe au centre du *Théétète* consacré à la définition de la science, ou la communauté ontologique au cœur d'un entretien voué à la chasse au sophiste. Nous sommes là, au contraire, au centre nerveux du dialogue, et peut-être de la pensée platonicienne. Grâce à la découverte de la catégorie d'Autre, dans le *Sophiste*, l'Etranger parvient maintenant à *distinguer* les *deux formes* de mesure : la première, mesure de la quantité, ne fait aucun usage de la *différence*; la seconde, mesure de la qualité, tient compte de la proportion en fonction de la nature exacte des diverses réalités envisagées. On remarquera que cette distinction décisive est justement effectuée en commun par l'Etranger et Socrate l'homonyme, dont nous avons vu à quel point il importait de distinguer leur identité et leur différence au sein du même couple.

Ou bien en effet la mesure ne prend en considération que de pures données quantitatives, selon les relations réciproques de la grandeur

et de la petitesse, sans examiner les multiples nuances du devenir
(*Pol.*, 283 *e*). Ou bien « la science de la mesure s'applique à tout ce qui
devient » (285 *a*) et sépare les êtres qu'elle compare à un *troisième
terme*, τὸ μέτριον, qui considère « ce qui est convenable, opportun,
requis (...), tout ce qui tient le milieu entre les extrêmes » (284 *e*).
La première métrétique, brutal lit de Procuste, néglige aussi bien
les différences entre les choses réelles qu'elle ramène à l'égalité, que
leur identité propre. Elle retranche ou ajoute pour obtenir sa
moyenne arithmétique et, par excès de mesure, tombe paradoxalement dans la démesure : tout est symétrique, neutralisé sous la
coupe répétitive du *Même*. En quête d'harmonie et de mélange réglé,
la juste mesure, de son côté, corrige l'identité par la différence, et
instaure une véritable communauté : nous la nommerons la *mesure
de l'Autre*. Voilà les deux jauges trouvées pour mesurer le Grand et
le Petit : « Il ne faut point en effet nous en tenir (...) à leur rapport
mutuel, mais plutôt distinguer (...) d'une part le rapport qu'ils ont
l'un à l'autre, et, d'autre part, celui qu'ils ont à la juste mesure »
(283 *e*).

Nous saurons ainsi discerner, non seulement les différences des
réalités que nous mesurons, mais encore les deux types de mesure
eux-mêmes. Il faut *dédoubler* le genre de la métrétique en deux espèces
distinctes, et repousser la tentation sophistique de *redoubler* la première
dans la seconde. Car, comme la mauvaise mimésis essaie de se substituer à la bonne, la métrétique du Même cherche à imposer sa mesure
à l'autre, à l'intérieur d'un langage qui les confond toutes deux dans
l'*homonymie*. Quoi de plus semblable en effet à la mesure que la mesure
si l'on admet d'abord que la mesure de la mesure est le semblable ?
Mais il faut briser le cercle du Même, montre l'Etranger, établir une
coupure entre les deux métrétiques, contre les hommes de peu
d'esprit qui mettent à toutes choses une livrée uniforme. « Les gens
ne sont pas habitués à diviser les choses par espèces pour les étudier;
aussi, quelque différentes que soient ces sortes de mesure, ils les
identifient tout de suite sous prétexte qu'ils les jugent semblables
et font, pour d'autres choses, tout le contraire, parce qu'ils ne les
divisent pas en leurs parties, alors que la bonne règle serait, lorsqu'on

s'est aperçu qu'un certain nombre de choses ont quelque communauté, de ne pas les quitter avant d'avoir distingué, au sein de cette communauté, toutes les différences qui constituent les espèces, et quant aux dissemblances de toute sorte qu'on peut apercevoir dans une multitude, de ne pas pouvoir s'en décourager et s'en déprendre avant qu'on ait enclos, dans une similitude unique, tous les traits qu'elles cachent et qu'on les ait enveloppés dans l'essence d'un genre » (*Pol.*, 285 *a-b*).

L'apparente ressemblance des deux métrétiques ne doit pas nous abuser. Quel principe permet en effet de les séparer et de faire un choix parmi elles ? Si nous choisissons *indifféremment* l'une d'elles, serait-ce la métrétique de l'Autre, nous ne maîtrisons pas la différence et succombons en aveugle à la métrétique du Même qui impose son leurre. Si nous cherchons en revanche à les distinguer, notre choix est à l'avance préparé par cette distinction : car nous ne pouvons *différencier* les deux métrétiques (A et B) qu'en nous appuyant sur celle qui intègre en elle la Différence, comme si le principe du choix était en quelque sorte antérieur au choix du principe. Mais alors, si la forme de l'*Autre* opère la distinction des deux mesures A et B, elle se pose nécessairement comme un troisième terme C. Bien entendu, l'Etranger ne confie pas à son interlocuteur l'existence du principe diacritique qui lui sert à établir la discrimination : le jeune Socrate, déjà embarrassé par la distinction des deux mesures, serait trop en peine de distinguer au sein de la distinction elle-même. Pourtant, comme il convient de mettre à part la coupure orthotomique des deux voies qu'elle ouvre, il s'avère indispensable d'avancer que les deux métrétiques A et B sont médiatisées par un élément C qui leur est étranger, bien que la seconde se réclame de lui. Cet élément, pourrait-on dire, n'est plus ici *la Mesure de l'autre*, mais, au rebours, *l'Autre de la mesure*. Si nous n'osons pas séparer la mesure de la différence (la bonne métrétique) et la différence de la mesure (le principe de distinction des deux métrétiques), nous retombons dans les ornières de la duplicité et laissons le champ libre à la mesure identitaire.

Aussi l'Etranger n'hésite-t-il pas à relier l'analyse des deux métrétiques à la découverte de l'Autre : « Allons-nous faire comme dans la question du sophiste, où nous avons contraint le non-être à être (...) et contraindrons-nous cette fois le plus et le moins à devenir commensurables non seulement l'un à l'autre, mais aussi à la juste mesure qu'il faut produire ? » (*Pol.*, 284 *b-c*). Le « non-être » du *Sophiste*, l'*Autre* (θάτερον), est analogue à la *juste mesure* (τὸ μέτριον) du *Politique*, mais aussi au τρίτον (τὸ ἐξαίφνης) du *Parménide*. Comme l'instantané distingue et relie les huit hypothèses positives et négatives sur l'Un, sans entrer dans la symétrie qu'il instaure — comme l'*Autre* porte le couteau parricide dans l'être éléatique pour le distribuer selon quatre ramifications — comme l'*Etranger* sépare dialectiquement les deux voies de la dichotomie et continue, à l'aide de ses dédoublements, à se distinguer d'elles, le μέτριον accomplit la discrimination entre les parentés et les dissemblances, seraient-elles celles des deux formes de mesure, afin de mettre au jour l'excellence qui, seule, est digne d'être mesurée à l'aune de la justice.

La Juste Mesure est l'absolu qui porte le dialecticien vers « l'exactitude en soi » — αὐτὸ τἀκριβὲς (*Pol.*, 284 *d*) — en accusant les différences de l'être. A elle la première place dans l'échelle des cinq biens du *Philèbe* : « C'est sur la Mesure, la Justesse, l'A propos et toutes choses pareilles (...) que s'est fixée plus volontiers la préférence » (*Phil.*, 66 *a*, traduction Diès modifiée). Ne voyons pas là une découverte tardive de Platon, qui domine les dialogues métaphysiques, mais plutôt le souci constant de sa recherche de l'être. Elle justifie les analyses de ces deux importants dialogues que sont le *Protagoras* et les *Lois*, qui renvoient cependant tous deux à leur centre commun : le *Gorgias*.

Dans le premier texte, Socrate montre au sophiste que l'art de la mesure, loin de rapporter toutes choses à chaque individu, dans cette pauvre symétrie qui fait de n'importe quel homme l'égal des autres et de la vérité, oriente au contraire vers le principe transcendant qui règle « cette recherche du plus ou du moins et de l'égalité ». Mais de quelle sorte d'égalité la science ou l'art de la mesure (τέχνη καὶ ἐπιστήμη, *Prot.*, 357 *b*) doivent-ils justement s'occuper ? C'est à l'Etranger athénien des *Lois*, dans le dernier dialogue de Platon, qu'il appartiendra de donner la réponse, en révélant à ses deux interlocuteurs que l'amitié est un effet de l'égalité, à condition toutefois de savoir la reconnaître. « Il y a en effet deux égalités, qui portent le même nom (ὁμωνύμοιν) mais en pratique s'opposent presque, sous bien des rapports; l'une, toute cité et tout législateur arrivent à l'introduire dans les marques d'honneur, celle qui est égale selon la mesure, le poids et le nombre; il suffit de la réaliser par le sort dans les distributions; mais l'égalité la plus vraie et la plus excellente n'apparaît pas aussi facilement à tout le monde. Elle suppose le jugement de Zeus et vient rarement au secours des hommes... » (*Lois*, VI, 757 *b*).

La première nommée, pure *égalité arithmétique*, prend seulement en considération la quantité abstraite, et ramène les altérités multiples à l'unité homogène. Nous connaissons la seconde depuis le *Gorgias*, dont elle constitue le cœur : « L'égalité géométrique est toute-puissante parmi les dieux comme parmi les hommes » (508 *a*). Elle seule sauvegarde la nature distincte de chaque être pour mieux épanouir la multiplicité des choses du monde au sein d'une communauté d'amitié. Elle possède une fonction logique, ontologique et cosmologique, dans la mesure où elle *fonde* l'ordre du discours, de l'être et du monde. De façon similaire, l'Etranger de Locres expliquera à ses compagnons comment le démiurge a fabriqué le corps de l'univers; pouvait-il se contenter du feu et de la terre qui lui étaient donnés ? « Que deux termes forment seuls une belle composition, cela n'est pas possible sans un troisième. Car il faut qu'au milieu d'eux — ἐν μέσῳ — il y ait quelque lien qui les rapproche tous les deux. Or, de toutes les liaisons, la plus belle est celle qui se donne à elle-même et aux termes qu'elle unit l'unité la plus complète » (*Timée*, 31 *b-c*). *Trois* termes nous sont alors présentés, à l'aide desquels nous pouvons constituer *trois* relations : 1. $a:c = c:b$; 2. $b:c = c:a$; 3. $c:a = b:c$. Tous les termes possèdent ainsi la même fonction, et jouent les uns par rapport aux autres un identique rôle de *médiation* qui permet d'établir une unité parfaite.

Le moyen-terme, que Platon nomme à la suite des Pythagoriciens *égalité géométrique* (ἡ ἰσότης ἡ γεωμετρικὴ) ne se distingue pas des idées d'Autre, d'intervalle ou de lien, présentes dans l'ensemble des dialogues[43]. Il assure, sur le mode mathématique, la nécessité ontologique de la Différence, que nous avons par ailleurs découverte sous les multiples visages de l'instantané, du τρίτον et de la juste mesure. Grâce à l'égalité géométrique se tissent les liens serrés de la Correspondance ontologique qui gouverne l'univers. Elle est la plus haute *Analogie* : à la bonne entente des dieux et des mortels qu'elle autorise, répond la fraternité véritable qui unit les hommes (*Lois*, VI, 757 *a-b*) et peut-être la φιλία originaire de la démarche du philosophe. Tout comme la suprême amitié se distingue des êtres qu'elle rapproche sans jamais les confondre (« *parce que c'était lui, parce que c'était moi...* »), l'égalité géométrique fonde la disparité des différences en une communauté unique qu'elle transcende. Nous comprenons ainsi la célèbre parole du *Gorgias* qui justifie, d'un trait décisif, nos réflexions précédentes sur le rôle de la Pentade. Socrate déclare en effet solennellement à Calliclès que, de l'avis des sages pythagoriciens :

« Le ciel et la terre, les dieux et les hommes sont liés entre eux par une communauté, faite d'amitié et de bon arrangement, de sagesse et d'esprit de justice, et c'est la raison pour laquelle à cet univers, ils donnent, mon camarade, le nom de *cosmos*, d'arrangement, et non celui de dérangement non plus que de dérèglement » (508 *a*, trad. Robin).

Entre les Quatre, la parole socratique ouvre l'espace intermédiaire de l'Egalité Géométrique. Pour la première fois Platon utilise, sans la considérer encore en son essence, ce que nous avons nommé plus haut la *Quadrature*, et qu'il nous faut mettre en regard de la *Communauté* du *Sophiste*, dont elle porte d'ailleurs le nom : τὴν κοινωνίαν. Chose tout aussi remarquable, les traits fondamentaux de cette

---

43. Pour la notion capitale d'*intermédiaire*, nous renvoyons à BROCHARD (*Et. Phil. anc.*, p. 52) : « C'est un trait caractéristique de la méthode de Platon d'avoir partout multiplié les intermédiaires, les moyens termes, si bien qu'il passe d'une manière continue d'une partie à une autre et parvient à tout embrasser » — et surtout à J. SOUILHÉ (*La notion platonicienne d'intermédiaire dans la philosophie des dialogues*) : « L'idée d'intermédiaire se rapproche de celle de la mesure et toutes deux finissent par se confondre » (p. 56); « l'intermédiaire est *l'intervalle* où les contraires viennent se transformer, le passage qui mène de l'un à l'autre, ou le *lien* qui les rattache » (p. 72).

communauté cosmologique se trouvent en même façon au nombre de quatre. Le schéma tétrapolaire met ainsi en évidence les analogies à partir de leur *foyer commun.*

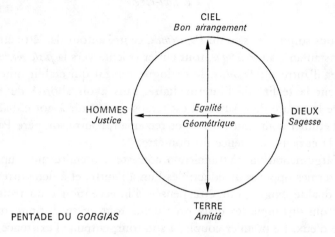

La quadrature des deux couples symétriques se trouve engendrée par la secrète présence de l'*égalité géométrique* — la Différence — qui intervient une fois encore « au milieu », ἐν μέσῳ, comme *troisième* élément de chaque couple ou *cinquième* de l'ensemble. Platon utilise l'intermédiaire *entre* deux contraires ou deux complémentaires, pour former un couple dont la nature ne se réduit pourtant pas à la somme de ses éléments. Cet étrange lien (δεσμός), qui aussi bien sépare, assure de façon permanente la même structure d'ordre en pentade dans les relations d'amitié des cinq compagnons du *Sophiste*, les rapports réglés de la double série d'hypothèses du *Parménide*, et, bien entendu, la communauté ultime qui est le modèle de toutes les autres : la κοινωνία des cinq genres de l'être. Nous sommes maintenant pour la première fois en mesure de nous tourner vers elle.

4
Le non-être

Nous sommes passés du *Parménide*, centré autour de l'être étrange de l'instantané, au *Politique*, tout entier orienté vers la *juste mesure*, de part et d'autre du *Sophiste*, le dialogue central qui établit ontologiquement la réalité de l'intermédiaire, sans avoir abordé de façon directe la nature de l'Autre. Il est temps de revenir à notre dialogue afin d'étudier comment l'Etranger reconnaît, contre son père Parménide, la curieuse existence du non-être.

L'argumentation platonicienne consiste à prendre un couple de deux termes opposés, irréductibles l'un à l'autre, et à démontrer que cette dualité exige, pour être pensée, l'intervention d'un troisième terme qui distingue les deux précédents tout en se distinguant lui-même d'eux. Le premier couple, à son tour, entraîne l'existence d'un second couple dont on établit la différence interne des éléments qui le composent et la différence externe avec l'autre couple. Les deux couples apparaissent dans le même ordre que lors de l'examen des hypothèses du *Parménide*, le *mouvement* et le *repos* précédant à chaque fois *le même* et *l'autre*. Avec néanmoins une grande différence : alors que Platon utilisait jusqu'à présent de façon implicite ces genres opposés, il décide dorénavant de les envisager en eux-mêmes, selon une dialectique régressive qui révèle la quadruple division de l'être. En-deçà des oppositions logiques du *Parménide* (affirmation et négation, position absolue et position relative), le *Sophiste* remonte vers les plus hautes catégories de l'ontologie, multiples, mais non dispersées, symétriques, mais engendrées par une origine dissymétrique. Les deux pentades du *Parménide* se réduisent désormais à la seule pentade affirmative et relationnelle de l'être, qui a intégré la négation sous la forme de l' « Autre ». L'Etranger la nomme KOINΩNIA, ou Communauté des cinq genres de l'être. Victor Brochard voyait en elle « le point culminant » de la recherche du *Sophiste* et, « on peut le dire sans exagération, la clef de voûte de tout le système platonicien »[44]. Régresser en deçà de la pentade reviendrait à s'enfermer dans l'unité vide de l'éléatisme — tout est vrai dans la tautologie indifférenciée des redoublements; progresser au-delà conduirait à s'éparpiller dans la multiplicité illusoire des simulacres sophistiques.

L'Etranger part du premier couple d'opposés (Mouvement/ Repos), qui lui est fourni par la tradition, pour assurer la réalité du second couple (Même/Autre) qui l'intéresse plus particulièrement. L'analyse détaillée des cinq genres débute en 250 *a* par la démonstration, contre les mobilistes et les immobilistes, de l'irréductibilité de l'être au mouvement et au repos. Envisagées en elles-mêmes et en dehors d'une quelconque doctrine philosophique, les deux notions apparaissent « absolument contraires » (ἐναντιώτατα, 250 *a*) — ce qui implique déjà une certaine forme d'altérité — et révèlent en même temps la présence implicite d'un troisième terme. Les contraires logiques ne sont en effet *contraires* entre eux que dans la mesure où ils *sont*. La contrariété renvoie ainsi à l'*être* (τὸ ὄν) qui jaillit « en tiers » (τρίτον, 250 *b*) entre les opposés. Et déjà, avant que la catégorie d'Autre ne soit examinée, l'irréductibilité du mouvement et du repos exige, pour être posée, une altérité préalable, antérieure logiquement comme ontologiquement aux contraires. Toute l'analyse ultérieure va alors considérer l'*être* comme l'élément impair étranger au premier couple, puis au second, enfin aux deux couples réunis, et souligner sa vocation d'altérité. En dehors du mouvement et du repos, l'être est dit « en tiers à eux surajoutés » (τρίτον, 250 *b*), « quelque chose d'autre qu'eux » (ἕτερον τι, 250 *c*), et « extérieur à leur alternative » (ἐκτὸς τούτων ἀμφοτέρων, 250 *d*).

L'imparité constitutrice de la méthode d'analyse se renforce, après la brève étude du mouvement et du repos (250 *a-d*), lorsque l'Etranger aborde le délicat problème de la prédication. « Comment se peut-il faire que nous désignons une seule et même chose par une pluralité de noms ? » (251 *a*). A propos de l'Un et du Multiple, Parménide envisageait, on s'en souvient, *trois* hypothèses dont seule *la première* était retenue : 1. L'être est; 2. L'être n'est pas; 3. L'être est

44. Victor BROCHARD, *op. cit.*, p. 142.

et n'est pas. Pour résoudre la même question, l'Etranger prend le
contre-pied de la démarche paternelle et envisage à son tour *trois*
hypothèses dont seule *la dernière* mérite l'approbation : 1. Il n'y a
aucun mélange entre les êtres (l'Un demeure absolu); 2. La confusion
règne entre les êtres (le Multiple circule anarchiquement à travers
l'Un); 3. Il existe un mélange réglé entre les êtres (l'Un maintient le
Multiple au cœur d'une communauté universelle : participation).
Exclue par la contradiction des deux précédentes, la dernière hypothèse apparaît donc *en tiers*, comme l'être face au couple des contraires,
et s'impose irrésistiblement dès que l'Etranger démontre l'impossibilité logique des deux autres.

« Τὸ τρίτον δὴ μόνον λοιπόν » (252 d)
« *Il ne reste donc que la troisième.* »

Cette solution résiduelle, qui n'est pas sans rappeler l'irruption
de la troisième hypothèse du *Parménide*, née de l'insoutenable contradiction des deux hypothèses précédentes, ne constitue en rien leur
synthèse dialectique, au sens hégélien de l'*aufhebung*. Bien plutôt, ce
tiers qui va établir les règles de la participation, sans se confondre
avec les éléments qu'il met en présence, constitue le fondement
transcendant vers lequel l'analyse reflue. Aussi intervient-il toujours
en dernier lieu, après que la réflexion a épuisé les premiers essais
d'hypothèses, grâce à une marche en retour vers le principe originaire.
Parménide au contraire, en posant d'emblée que *l'être est*, voit les
deux hypothèses suivantes choir dans le non-être, puis la contradiction.
En inversant la méthode de Parménide, l'Etranger prépare déjà son
parricide.

L'accueil favorable réservé à la troisième hypothèse oriente aussitôt la recherche vers la notion d'Autre, envisagée indirectement à
partir du paradigme des voyelles (253 a). Celles-ci se distinguent des
autres lettres en ce que, seules, « elles circulent comme un lien (δεσμός)
à travers toutes », permettant ainsi à chaque lettre de se combiner
avec une autre (ἕτερον ἑτέρῳ). Or c'est à ce moment précis de l'entretien que l'Etranger choisit de faire une pause afin d'exposer, pour la
première fois, la définition théorique de la dialectique. Cette « suprême

science » (ἐπιστήμης τῆς μεγίστης, 253 c) intervient ici aussi intempestivement que le τρίτον, dans un paradoxal renversement de situation qui laisse apercevoir, à la place du sophiste que l'on poursuivait, le visage du philosophe ! La dialectique se trouve alors expressément définie comme *la science de l'altérité* : « Diviser ainsi par genres et ne point prendre pour autre une forme qui est la même ni, pour la même, une forme qui est autre (ταὐτὸν ἕτερον μήτε ἕτερον ὂν ταὐτὸν, 253 d), n'est-ce pas là, dirons-nous, l'ouvrage de la science dialectique ? »

Notons pourtant qu'à ce moment de la discussion, le dialecticien éléate n'a pas encore fait allusion aux genres du second couple, l'Identité et la Différence. Il n'empêche que l'analyse initiale des trois premiers genres (Mouvement, Repos, Etre) est menée en secret à partir des deux genres restants : la dialectique permet de discerner (διακρίνειν, 253 e) les associations possibles des associations impossibles. Abandonnons pour l'heure, comme l'Etranger, l'enquête sur le philosophe, seul homme à posséder le don dialectique, et attachons-nous à suivre pas à pas l'analyse des relations complexes nouées entre les genres suprêmes.

Depuis le début de la recherche, nous sommes en présence de *trois* genres : le Mouvement, le Repos, l'Etre. Il convient d'étudier leurs rapports de convenance, si nous voulons connaître la loi qui régit leur communauté et découvrir éventuellement l'existence de nouvelles formes. Serrons au plus près possible le raisonnement de l'Etranger.

(1) Puisque le Mouvement et le Repos *sont*, sans pour autant se mêler l'un à l'autre, il faut convenir que l'*être* se mêle à tous les deux : nous obtenons bien trois genres, dont chacun se distingue des autres (254 d). Posés en couple à part de l'être, les deux premiers s'avèrent en même temps différents l'un de l'autre. L'Etranger n'envisage pour le moment que l'altérité « interne », pourrions-nous dire, des deux premiers genres, et non l'altérité « externe » de leur couple et de l'être. Pourtant, toutes ses paroles supposent l'existence de ces deux formes d'altérité. D'une part, en 250 b, il a établi que l'être, ajouté en tiers au Mouvement et au Repos, se distingue à la fois de chacun d'eux et de leur couple; d'autre part, en 254 d, après avoir

récapitulé les trois genres, il continue à faire porter son argumentation sur les deux premiers (δύο) en tenant le dernier en réserve. Nous sommes ainsi conduits à mettre à part, à notre tour, une altérité transcendante — ou *Différence* —, l' « être » par rapport au couple comme à chacun de ses composants, et une altérité immanente — ou *altérité* —, la séparation des deux opposés à l'intérieur du couple.

(2) Chacun des trois termes se distingue des *autres* et demeure *le même* que soi. En conséquence, ils n'existent logiquement qu'à la condition de se référer à deux nouvelles notions qui paraissent inséparables d'eux : *le même* et *l'autre* (254 e) — ce qui nous force à admettre dorénavant *cinq* genres, et non plus seulement trois.

(3) Mais ces deux genres apparus en dernier, ironise l'Etranger, sont-ils à leur tour *les mêmes* que les trois précédents, ou bien d'*autres* ? Théétète a un instant d'hésitation, aussitôt balayé par son partenaire qui envisage les deux branches de l'alternative :

A. Le premier couple (Mouvement/Repos) ne saurait être qualifié de « même » ou d' « autre » car, dans ce cas — nouvelle alternative :

a) Si le *couple* était identique au « même » : le mouvement serait le même que le repos et le repos le même que le mouvement, « le même » s'appliquant *indifféremment* aux deux genres, sans tenir compte de leur altérité — donc du rôle implicite de « l'autre ».

b) Si le *couple* était identique à « l'autre » : le mouvement serait autre que le mouvement, donc repos (puisque nous considérons leur seul couple) et le repos autre que le repos, donc mouvement. En s'appliquant une nouvelle fois *indifféremment* aux deux genres, « l'autre » se trouve par conséquent infidèle à l'altérité qu'il a pour fonction d'imposer. Si le couple Même/Autre est identique au couple Mouvement/Repos, on offusque « l'autre » par « le même », et on détruit du même coup « l'autre », « le même » (qui, privé de « l'autre », s'abîme dans la contradiction), et, bien entendu, leur propre couple qui n'a plus rien à accoupler. Il en résulte qu'il faut bien distinguer le second couple du premier, bref, *l'affirmer comme autre*, et, par là, établir la présence de « l'autre » en lui.

On peut cependant, toujours au sein de la première hypothèse A, délier le couple Mouvement/Repos et considérer chacun d'eux à part. Si l'on attribue alors « le même » et « l'autre » aux premiers genres séparément, on débouche sur une semblable contradiction :

c) Si le Mouvement était identique au « même » :

α) le Repos serait « l'autre ». Comme nous les considérons en effet séparément, nous ne pouvons attribuer dans le même temps « le même » au Mouvement *et* au Repos ;

β) donc le Repos serait Mouvement, c'est-à-dire, comme en a) et b) « le même ».

d) Si le Repos était identique au « même » :

α) le Mouvement serait « l'autre » ;

β) donc le Mouvement serait Repos, c'est-à-dire, encore une fois « le même ».

e) Si le Mouvement était identique à « l'autre » :

α) le Repos serait « le même » ;

β) donc le Repos serait Mouvement.

f) Si le Repos était identique à « l'autre » :

α) le Mouvement serait « le même » ;

β) donc le Mouvement serait Repos.

Que nous envisagions l'application identitaire des deux genres en cause au couple Mouvement/Repos ou à chacun de ses membres pris séparément, « du même coup le mouvement s'immobilisera et le repos sera mû » (255 *a*) : nous revenons invinciblement au « Même », donc à l'éléatisme, et anéantissons tous les *autres* genres.

B. Passons à l'*être*, dernier des trois genres jusqu'ici considérés, et le seul à ne pas entrer en couple avec un autre genre. Ne pourrait-il, quant à lui, être « le même » ou « l'autre », sinon encore les deux ensemble ?

Cette seconde branche de la première alternative aboutit, une fois de plus, à une conclusion identique (255 *c*).

a) Si l'*être* était identique au « même » (position absolue de la pensée éléatique) :

α) le Mouvement qui *est*, comme le Repos, serait « le même » que le Repos ;

β) le Repos qui *est*, comme le Mouvement, serait « le même » que le Mouvement.

Résultats absurdes que nous avons déjà repoussés, et qui reviennent à dire que le Mouvement et le Repos s'abîmeraient, en même temps que l'*être*, dans la neutralisation de la mauvaise Identité. Nous sommes donc contraints d'admettre « le Même » comme une forme distincte du couple Mouvement/Repos, de chacun de ces deux genres et enfin de l'*être*.

Faisons un pas en avant. Si cette quatrième forme est *distincte*, ce ne peut être que grâce à son rapport à « l'autre », une fois encore la dernière forme à se trouver soumise à l'examen théorique qu'elle conditionne pourtant par son usage opératoire ! « L'autre » est-il alors un cinquième élément, différent de ceux qui le précèdent, ou bien doit-on l'identifier à l'*être* ?

b) Si l'*être* était identique à « l'autre », c'est-à-dire si « l'autre » et l'*être* ne différaient pas (διεφερέτην, 255 *d*), ou encore, *ce qui revient au Même*, si « l'autre » était « le même » que l'*être* et l'*être* « le même » que « l'autre », alors, conséquence extraordinaire, « l'autre » ne serait pas autre que l'*être*, l'*être* autre que « l'autre », et quelque chose d' « autre » pourrait *être*, sans *être* autre qu' « autre » chose ! L' « être » de « l'autre » *n'*est donc *pas l'être*, mais l' « être » de la relation.

En un point de méthode capital (255 *d*), l'Etranger distingue avec soin la *position* de chaque genre, y compris de « l'autre », par rapport à lui-*même*, et la *relation* qu'opère « l'autre » en fonction de tous les *autres* genres. Ainsi, « l'autre, lui, ne se dit que relativement à un autre » — τὸ δέ γ' ἕτερον ἀεὶ πρὸς ἕτερον — ou, si l'on préfère, « l'autre » incarne la relation nécessaire qui assure la participation des genres et les empêche de se figer dans une stérile identité. « L'autre » donne à la Communauté une circulation et une fluidité des genres qui met en mouvement le vieil être immobile de Parménide. « Tout ce qui est autre a comme caractère nécessaire de n'être ce qu'il est que relativement à autre chose » (255 *d*). Cette propriété constante, relevons-le au passage, accorde ainsi une identité commune à toutes les altérités, d'autant que nous avons déjà dit que « tout participait au même » (τὸ μετέχειν αὖ πάντ' αὐτοῦ, 256 *a*; cf. 255 *b*).

« L'autre » est donc bien *autre* que les quatre premiers genres, *cinquième forme* qui se répand sans arrêt à travers l'ensemble. Chaque forme se démarque des formes qui restent, non pas en tant qu'elle-*même* (son identification), mais en tant que « l'autre » la parcourt comme il traverse tous les genres, y compris l'*être* lui-même.

Arrêtons-nous un instant ici. Les hypothèses rejetées échouent à chaque reprise parce qu'elles reviennent à proclamer *la prééminence du Même*; elles prouvent par l'absurde l'impérative nécessité de faire intervenir l'Autre, en dernière instance, pour briser le cercle vicieux de la Tautologie. L'Etranger fait astucieusement d'une pierre deux coups : il élimine la prétention du Même éléatique à régenter l'être et le discours, et il impose à la Communauté la présence indispensable de l'Autre. L'éléatisme est sans arrêt battu en brèche : directement, parce que le primat sans réserve de l'Identité aboutit à la confusion; indirectement, parce que cet échec de l'Identité témoigne du désir ontologique de la Différence qui sauve l'existence de tous les genres, y compris de l'Identité elle-même ! Aussi l'Etranger n'envisage-t-il pas un seul instant de détruire, contre Parménide, la catégorie du Même : avec humour, il laisse au contraire entendre que c'est le Même *lui-même* qui exige la présence de l'Autre.

Nous aboutissons à la conclusion décisive qui ne porte pas sur les cinq genres, mais sur un seul : *l'être du non-être*, c'est-à-dire l'Autre. L'ensemble des analyses précédentes conduisait inexorablement à la découverte de son existence, à propos de chaque forme, en violation de l'interdiction absolue de Parménide. Mais il n'est pas inutile d'observer que la récapitulation finale de l'Etranger (255 *e*-256 *e*), sur laquelle il nous faudra nous-même revenir sous un autre point de vue, est menée à partir du seul *Mouvement*, distingué à quatre reprises par l'Autre du reste des genres, malgré la déclaration d'intention du dialecticien : « Voici donc ce qu'il nous faut dire de ces cinq formes, en les reprenant une à une » (καθ' ἕν, 255 e). N'est-ce pas là une seconde forme de parricide logique contre l'immobiliste Parménide ?

La cause est entendue : il existe bien un être du non-être, « non seulement dans le mouvement, mais dans toute la suite des genres » (256 d-e). Partout, l'Autre empêche que chaque forme n'accapare l'être et ne fasse ainsi renaître la tyrannie de l'Identité la plus vide. L'Autre sépare le reste des genres *de* l'être, et, en retour, « l'être est autre que le reste des genres » — τὸ ὂν αὐτὸ τῶν ἄλλων ἕτερον εἶναι λεκτέον (257 a). Nous retrouvons, cette fois de manière explicite, la signification transcendante de l'altérité que nous nommions plus haut *Différence* (*supra*, p. 236), et que l'Etranger utilisait innocemment en 250 b pour établir que l'être s'avère irréductible au Mouvement et au Repos. La conclusion finale, en 257 a, ne fait qu'étendre au second couple, puis à l'ensemble de la Quadrature, l'idée essentielle de la *différence ontologique* de l'être. Il devient impossible de le réduire à l'immanence de l'une de ses scissions. Chaque fois que nous pénétrons dans la Quadrature de l'être, nous perdons de vue l'être qui semble se retirer au sein du néant. « Autant sont les autres, autant de fois l'être n'est pas ; lui, en effet, n'est pas eux, mais son unique soi (ἐκεῖνα γὰρ οὐκ ὂν ἓν μὲν αὐτό ἐστιν) (257 a). »

L'Etranger pose une dernière question avant de porter le coup final à Parménide. Quelle est la nature de cette altérité qui se glisse parmi tous les genres sans en excepter l'être lui-même ? Le vertige éléatique fascine une nouvelle fois : le non-être ne serait-il pas *le contraire de l'être* ? L'hypothèse réductrice est aussitôt abandonnée : on ne peut identifier l'altérité à la contradiction (2ᵉ hypothèse de Parménide : *l'être n'est pas*). La tentation du Néant pur, à laquelle le nihilisme éléatique d'un Gorgias avait succombé, se voit écartée, comme l'idée à l'avant-goût hégélien d'une dialectique des contradictions et de leur suppression. « Quand nous énonçons le non-être (τὸ μὴ ὄν), ce n'est point là, ce semble, énoncer quelque chose de contraire à l'être (οὐκ ἐναντίον τι), mais seulement quelque chose d'autre (ἀλλ' ἕτερον μόνον) » (257 b). Platon refuse catégoriquement de considérer *ensemble* l'être absolu et le néant absolu qui, parce qu'ils repoussent tous deux l'existence d'un troisième genre, se tiennent

figés dans un éternel face à face, lequel, tantôt se résorbe dans l'ontologie éléatique (l'être dissipe le néant), tantôt s'effondre dans la méontologie sophistique (le néant dévore l'être). Il n'y a pas de non-être
qui renverrait à l'être son reflet inversé, antisubstance annulant la
substance à son premier contact, il n'y a pas de *dualisme ontologique*
dans la pensée platonicienne, tout entière exposée aux rayons multiples de l'être. Le parricide ne parie pas *contre* : l'*anti*-éléatisme est
dépourvu de *sens*. On aura beau retourner la sphère de Parménide,
elle retrouvera toujours, comme ces bustes de magot que l'on nomme
poussahs, le même équilibre imperturbable. Aussi l'Etranger n'a pas
commis l'erreur, ni même n'a eu le mauvais goût de poser l'existence
d'un non-être absolu qui annulerait l'intuition parménidienne. Il a
calmement accompli le parricide en montrant qu'à tout instant le
non-être se mêle à l'*Un* (l'être) et aux *autres* (la Quadrature). Pourtant
il n'est pas moins être que l'*être* lui-même, il est cet élément glissant
qui demeure rebelle à toute saisie et renforce les liens de la communauté des genres. La Quadrature ouvre les quatre directions contraires
selon une distribution en croix qui rend manifeste une symétrie
interne (deux opposés) et externe (deux couples).

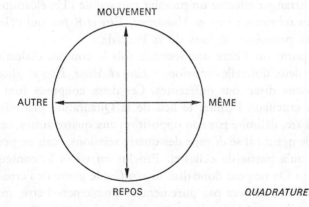

Mais la symétrie *dans* l'être ne se confond pas avec la symétrie *de*
l'être : la Quadrature joue autour du centre monadique, qui s'arrache
à la dualité et au couple pour se dissimuler dans l'imparité d'un

cinquième genre transcendant. Alors que l'Autre intervient toujours *en tiers*, τρίτον, médiation ou intervalle, l'Etre jaillit au cœur de ses quatre dimensions *en quinte*. L'Autre est attaché au chiffre *trois*, l'Etre au chiffre *cinq*. Son apparition bouleverse la parité des couples, et dévoile à l'origine de la Quadrature la figure de la *Pentade*.

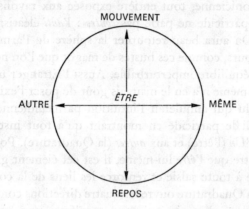

Le parricide a été consommé en trois moments distincts :

1. L'Etranger effectue un premier partage de l'Un éléatique pour obtenir les scissions : *Etre et Mouvement*, *Etre et Repos*, qui délimitent ainsi deux premières régions de la Pentade.

2. Il porte sur l'Etre une seconde fois le couteau dialectique et distingue deux nouvelles scissions : *Etre et Même*, *Etre et Autre*, qui ouvrent deux directions différentes. Ces deux coupures font apparaître, en crucifiant l'Unité, le lieu de la Quadrature platonicienne.

3. L'Etre, délimité par son opposition aux quatre autres, se retire au seuil de néant : il se dégage des quatre scissions, mais ne peut être envisagé qu'à partir de celles-ci. Proclus en tirera la conséquence naturelle : « On ne peut donc dire ni *être* (ὄν) le genre de l'être — car en ce cas l'être ne sera pas purement et simplement l'être, mais un être particulier (τι ὄν) — ni *non-être* (μὴ ὄν), de peur qu'à notre insu nous ne fassions de l'être éternel aussi un non-être »[45].

---

45. PROCLUS, *Commentaire sur le Timée*, II, 242, 11-13, trad. p. 75.

Désormais la pleine lumière éclaire la forme du non-être à un point tel que l'œil du dialecticien en reste encore tout ébloui. Il importe de garder en mémoire, avant de poursuivre notre chemin, que l'Autre a éliminé les prétentions du Néant à établir une image renversée de l'être. « Qu'on ne vienne donc pas dire que c'est au moment où nous dénonçons, dans le non-être, le contraire de l'être, que nous avons l'audace d'affirmer qu'il est. Pour nous, à je ne sais quel contraire de l'être, il y a beau temps que nous avons dit adieu » (258 e). La symétrie désormais maîtrisée, il reste à envisager comment l'être peut se plier au non-être de l'Autre et l'Autre à l'être du non-être.

Quant au *cinquième genre*, au carrefour de la Quadrature, « autre qu'eux tous, il n'est donc aucun d'eux pris à part, ni la totalité des autres moins lui-même » (259 b).

5

CARREFOUR

A ce point de notre enquête, il faut résister au tourbillon de l'insaisissable altérité qui déchire l'être et le parcourt irrésistiblement, soufflant partout son haleine de néant. « L'être, traversé par l'autre, et comme émietté par lui », selon le mot de Joseph Moreau[46], sauvegarde néanmoins l'unité de la Pentade grâce à l'action du Même. Comme les excès des mobilistes ivres n'entraînaient pas pour autant la mort du Mouvement, l'idée fixe des partisans de l'identité ne débouche pas sur la disparition du Même. Platon demeure sur ce point fidèle à l'intuition de Parménide : l'être et la pensée ne peuvent se passer de cette assise sans s'effondrer dans la démesure et le chaos. En mettant l'accent sur la Différence, nous n'avions garde d'oublier qu'elle entre en couple avec l'Identité, de la même façon que, dans la trame dramatique du dialogue, Socrate l'homonyme est le complément naturel de l'étranger anonyme. Les démonstrations de ce dernier

---

46. J. MOREAU, *Le sens du platonisme*, p. 225.

exigent en effet que chaque forme de l'être, en se détachant des autres, conserve pourtant son égalité à elle-même. Sans l'intervention de l'intermédiaire de liaison qui assure le maintien de la Communauté, l'altérité déchaînée, *hors d'elle-même* très exactement, anéantirait la recherche philosophique et son objet propre.

On ne peut donc passer sous silence la constance avec laquelle le dialecticien, en démêlant les éléments semblables, évite d'aboutir à la divagation de tous les genres, lancés en vrac sur la surface du discours. Si l'essentiel de son effort consiste à dissocier, contre Parménide, les genres qui font bloc dans la Tautologie massive, c'est pour mieux établir que chacun d'eux, à l'irréductible originalité, participe au Même. La nature de cet agent de liaison de la Communauté se distribue en effet de même façon que celle de son rival. Si l'Autre circule à travers les cinq genres, le Même ne le lui cède en rien et impose parallèlement sa fonction complémentaire : autant de fois l'Autre sépare, autant de fois le Même rapproche. L'Autre même, si l'on ose dire, n'échappe pas à cette règle en se liant toujours à son contraire dans le *même* couple, par ailleurs *différent* du premier, puisque, comme intervalle de séparation, l'Autre remplit une identique fonction de discrimination. Serait-il donc un genre extrêmement glissant, l'Autre n'en continuerait pas moins à présider aux échanges des catégories restantes. Quand l'Etranger affirme ainsi que « tout ce qui est autre a comme caractère nécessaire de n'être ce qu'il est que relativement à autre chose » (*Soph.*, 255 *e*), il souligne ce trait surprenant de l'Autre qui, parce qu'il entre constamment en relation, *est ce qu'il est*, c'est-à-dire *le même que soi*; n'étant *rien d'autre* que la relation, il doit donc être dit *la relation elle-même*. Et comme l'identité de l'Etranger qui n'est vraiment Personne — personne d'autre que lui-même — tient à son anonymat singulier, l'identité de l'Autre recouvre un manque essentiel : à jamais *autre que lui-même*, il s'avoue ainsi *le même que l'autre*. Si donc, par quelque biais, l'Autre même participait au Même, peut-être n'y aurait-il rien d'étrange à l'appeler identique.

Poussons en effet à l'extrême limite le projet sophistique d'anéantir dans l'Autre la plus infime trace d'identité, afin de libérer anarchiquement les proliférations béantes. L'Autre serait alors à tout instant non pas *altérant* (ce qui reviendrait à lui attribuer l'*identité* d'une opération permanente), mais *altéré* à l'infini, ce qu'il ne pourrait supporter que de deux façons :

1. Première hypothèse : l'Autre est altéré par *un autre* que lui, avec lequel il forme aussitôt un couple (Autre/Autre). Deux sous-hypothèses apparaissent : A. Si un troisième Autre n'intervient pas pour différencier *les deux Autres*, ils sont donc *le même* — ce qui contredit l'hypothèse; B. Si un troisième Autre opère la séparation, nous sommes conduits à dégager cet Autre altérant des deux Autres altérés, pour aboutir à ces nouvelles apories : *a)* les deux Autres qui s'opposent à l'Autre altérant, en tant qu'altérés, possèdent cette propriété identique. Nous retrouvons le couple platonicien de l'Autre (altérant) et du Même; *b)* l'Autre altérant, de son côté, parce qu'il est autre que les deux qu'il distingue, doit à son tour être distingué d'eux. Or il ne peut différer : α) — par *lui-même*, puisque, par hypothèse, il n'y a pas de Même, et puisque, toujours par hypothèse, sa fonction consiste seulement à séparer les deux Autres altérés, et non l'Autre altérant (ajouterons-nous : *lui-même* ?) des Autres altérés ! β) — par *un Autre* : à ce titre en effet, il serait lui aussi altéré et rejoindrait les deux premiers Autres dans l'identité d'un genre unique. Quelles que soient les altérités, altérantes ou altérées, auxquelles nous nous adressons, nous retombons sans cesse dans le *regressus ad infinitum* du « troisième homme », qu'il vaudrait mieux appeler ici l'argument du « troisième autre ». De toute manière, cette première hypothèse qui redouble sophistiquement l'Autre afin d'échapper à l'appel du Même, laisse éclater son évidente absurdité : le seul fait de poser *deux Autres*, ou *un double Autre*, revient en effet à le(s) fixer dans l'identité d'un *même* couple. Chercherait-on à multiplier ces autres, sans s'intéresser à ce qu'ils altèrent, que l'on retrouverait inexorablement l'unité de cette multiplicité et que l'on serait contredit par la voix du langage lui-même[47]. Comme l'avait bien compris Proclus : « La

---

47. Comme Derrida en d'autres lieux, DELEUZE réintroduit à son corps défendant l'identité prétendument anéantie : « Le simulacre est ce système où le différent se rapporte au différent par la différence *elle-même* » (*Diff. Rép.*, p. 355). Nous soulignons.

différence, en tant qu'elle est différente d'elle-même, n'est pas différence ; car elle est différente d'elle-même par le fait qu'elle participe aussi aux autres genres : par là donc elle est non-différence »[48].

2. Seconde hypothèse : l'Autre est altéré par *lui-même*. A peine énoncée, l'hypothèse sombre dans la contradiction, puisqu'elle pose l'Autre *altéré* ! Or comment l'*identité*, serait-elle l'identité paradoxale de l'Autre, réussirait-elle à *altérer* quoi que ce soit, *a fortiori* cet Autre qui, de l'aveu constant des sophistes, lui échappe toujours ? Elle ne peut donc, une fois de plus, que l'*identifier*.

Les deux hypothèses imposent une conclusion identique : lier l'Autre au Même dans la Communauté des cinq genres, ou le projeter dans des altérités éclatées, revient à appréhender une *même* catégorie de l'être et du logos. Quelles que soient les propriétés que nous lui attribuons — des divergences démentes qui font craquer le carcan de l'identité, ou une prudente disparité qui reste sagement à son absence de place — nous admettrons la permanence de cette forme au milieu des pires déformations. Quand donc nous affirmons que l'Autre est le même que l'Autre, nous ne voulons au fond *rien dire d'autre* que ceci : l'Identité de l'autre (le même comme Même) constitue la forme réciproque de l'Autre de l'identité (l'Autre comme autre). Plus simplement, nous conviendrons que le Même et l'Autre appartiennent bien au couple unique découvert par l'Etranger.

Il reste à envisager, non plus l'impensable altérité de l'Autre, mais l'Autre de l'altérité, en sa *Différence ontologique*, qui échange mystérieusement ses déterminations avec l'*être* lui-même. Le mouvement de la transcendance qui anime la communauté platonicienne l'empêche de se fermer en un système clos.

Un point paraît désormais acquis : le visage du Même et la parole de l'Autre autorisent conjointement la liaison et la séparation ontologiques des cinq genres, de la même manière que, dans la composition du *Sophiste*, l'Etranger anonyme et Socrate l'homonyme permettent les échanges des autres protagonistes. Bien plus, la symétrie du Même, présente avec la doublure de Socrate, ne peut nous refuser

48. PROCLUS, *Comm. Parm.*, VI, 173, 1178 ; 174, 1179, trad. t. 3, p. 9.

la figure symétrique de la précédente (p. 186) dans laquelle l'homonyme occupe maintenant la place de l'anonyme — et prépare ainsi
le dialogue suivant du *Politique*. Le jeune Socrate est en effet nécessairement appelé par l'Etranger comme le Même par l'Autre. Si on
le désaccouple de l'éléate, pour le considérer dans la pure redondance
du nom et du silence socratiques, le double (de) Socrate possède
incontestablement un aspect sophistique : Deleuze et Derrida ont
raison contre Platon.

Mais celui-ci a pris soin de nous en avertir : « C'est la plus radicale
manière d'anéantir tout discours que d'isoler chaque chose de tout
le reste » (*Soph.*, 259 *e*). Appliquons en conséquence cette réflexion
à ces êtres de discours que sont les personnages du dialogue lui-
même. Socrate l'homonyme se lie à l'Etranger en un même couple
qui, à son tour, renvoie au couple de Théodore et Théétète. L'analogie est rigoureuse : Théodore et Théétète ont été en effet introduits
dans le *Théétète*, avant le jeune Socrate et l'Etranger dans le *Sophiste*,
tout comme le Mouvement et le Repos forment le couple ontologique
premier qui prépare la venue du Même et de l'Autre.

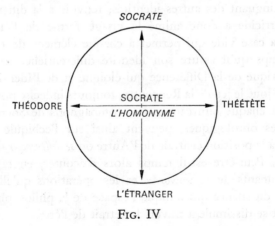

Fig. IV

L'Etranger est l'intermédiaire (μεταξύ) grâce auquel s'instaurent les rapports des autres genres et les échanges des divers
personnages. Mais cette place centrale — case vide, carte blanche ou

tache aveugle — successivement occupée par les *autres* protagonistes de l'entretien, définit en même temps leur identité. Elle devient donc aussi bien la place de l'homonyme. Il faut de toute nécessité que le Même règle avec l'Autre l'entrelacement des genres et les rencontres des personnages. Si le *joker* possède toujours la valeur constante de n'avoir aucune valeur constante, il tient cette propriété singulière, *différentielle*, des autres cartes qui, de leur côté, conservent une identité permanente. Alors que le *joker* assume n'importe quelle identité, et par là même prend une valeur, le reste des cartes ne peut se substituer à la carte sans valeur. N'en déplaise aux sophistes modernes, un jeu uniquement composé de *jokers* — *disparations* deleuziennes ou *pharmaka* derridiennes — est impensable, inréglable et injouable. Tiendrait-on en main cinquante-deux différences pures que l'on serait paradoxalement obligé de les différencier à nouveau en leur attribuant une *identité* conventionnelle. Si personne ne confond le *joker* avec une *autre* carte, c'est grâce à l'identité de cette *même* carte qui, elle aussi, possède un certain non-être puisqu'elle *n'*est *pas* le *joker*. La différence appelle, d'elle-même, l'identité, comme l'identité, en se distinguant des autres identités, renvoie à la différence.

Le parricide a donc animé le visage fermé de l'éléatisme en ouvrant la case vide qui permet à chaque élément de diverger en même temps qu'il assure son identité différentielle. Au carrefour herméneutique de la Différence qui éloigne et de l'Identité qui rapproche, se joue le jeu de la Rencontre, toujours indécise pour qui aime à hésiter à chaque bifurcation. Les compagnons de Socrate, pareils aux formes ontologiques, peuvent ainsi sur l'échiquier de l'Etre *s'identifier* à la position centrale de l'Autre ou *se différencier* de l'identité du Même. Peut-être est-il temps alors d'écouter, en rappelant les traits dominants de la κοινωνία et les opérations qu'elle autorise, cette voix du silence qui indique l'espace de la philosophie, dans le *Sophiste*, et se dissimule à travers le retrait de l'être.

QUATRIÈME PARTIE

Le silence de l'Etre

CHAPITRE PREMIER

LA TOPIQUE

I

Une épistémologie opératoire

Le cheminement du *Sophiste* nous a conduit à rapprocher la conversation philosophique dans laquelle il prend sa source et la communion ontologique à laquelle il aboutit de la figure symbolique d'un groupe à cinq éléments, ou Pentade, dont nous verrons bientôt le rôle majeur qu'il joue dans l'ensemble de la pensée platonicienne. Sans doute n'est-ce pas la coïncidence d'un nombre égal d'éléments, mais bien la fonction comparable qu'ils remplissent dans chaque assemblage, qui justifie l'analogie proposée entre la Communauté des cinq genres, celle des cinq protagonistes du *Sophiste* et celle des cinq dialogues où s'incarne, selon nous, l'âme même de la recherche platonicienne : 1. *Parménide*; 2. *Théétète*; 3. *Sophiste*; 4. *Politique*; 5. *Philosophe*. Il n'est pas sans intérêt de remarquer la position centrale du *Sophiste* dans la pentalogie envisagée par Platon, où vient jouer, à chaque moment, la forme insaisissable de l'Autre.

La correspondance se renouvelle à l'occasion des trois difficultés qui nous arrêtent encore :

1. Pourquoi *Socrate* s'enferme-t-il dans un silence de plus en plus profond, à la mesure de l'importance croissante des derniers dialogues ?

2. Pourquoi l'analyse de la forme suprême, l'*être*, pourtant promise par l'Etranger, se trouve-t-elle indéfiniment suspendue ? (*Soph.*, 250 e).

3. Pourquoi enfin le *Philosophe*, dont on annonce à maintes reprises la venue[1], n'a-t-il pas été composé par Platon qui interrompt, sans justification apparente, la continuité de la série ? Pour tenter d'apporter une réponse commune à ces trois questions, nous devrons au préalable envisager la nature de l'épistémologie platonicienne, non pas dans son rapport historique aux mathématiques grecques dont on la rapproche habituellement, mais en fonction des opérations effectives de la dialectique qui permettent d'édifier progressivement, dans le *Sophiste*, la structure logique du groupe pentadique.

Nous ne reviendrons pas sur le platonisme naturel des mathématiques qui a souvent été relevé dans l'histoire des idées, et critiqué par les courants les plus féconds de l'épistémologie contemporaine. Ainsi Jean Piaget oppose-t-il à de nombreuses reprises la position constructiviste de ces derniers, créateurs de structures opératoires ouvertes, au système immobile des formes platoniciennes retrouvées en toute passivité par la réminiscence. Peut-être cependant ne serait-il pas inutile d'établir si ce que l'on nomme habituellement, avec une certaine légèreté, « platonisme », présente le moindre point commun avec l'activité réelle de la dialectique platonicienne. Il est tout aussi illusoire de réduire celle-ci, avec Piaget, à la catégorie du « Repos », à seule fin de triompher à peu de frais de son prétendu « fixisme », que de la ramener, avec Deleuze, à la catégorie du « Même ». Il serait sans doute plus approprié de relever l'analogie profonde qui existe, malgré les inévitables différences de point de vue historique, entre le *formalisme* platonicien et l'*axiomatique* contemporaine. Après tout, Platon ne fut-il pas le premier à proposer l'hypothèse de structures logico-mathématiques à l'origine de l'être comme de la connaissance ?

Pour reprendre une belle formule de François Le Lionnais, le « temple mathématique » déploie une architecture complexe que les axiomaticiens modernes, en premier lieu Nicolas Bourbaki, ont essayé de ramener à un petit nombre de structures fondamentales, généralement au nombre de trois : « Elles s'appliquent à des ensembles

---

1. *Soph.*, 253 e, 254 b; *Polit.*, 257 a, 257 e, 258 a.

dont la nature *n'est pas spécifiée* ; pour définir une structure, on se donne une ou plusieurs relations où interviennent ces éléments (...) et qui sont les axiomes de la structure envisagée »[2]. Ces trois structures-mères (structures algébriques de GROUPE, structures d'ordre du type RÉSEAU ou TREILLIS, structures TOPOLOGIQUES), quelle que soit par ailleurs leur irréductibilité, sont définies par des relations opératoires déterminées, réversibles et liées par un principe de totalité. Les bourbakistes en mathématique et, à leur suite, Jean Piaget, en épistémologie comme en psychologie de l'enfant, ont mis l'accent sur l'importance des premières structures, en particulier sur celle de GROUPE, découverte par Galois en 1830. Nous avancerons l'hypothèse qu'une structure opératoire analogue joue de façon constante dans l'exercice effectif de la pensée platonicienne, et que le principal effort du mathématicien de l'Académie, dans le *Sophiste*, a consisté à l'abstraire des formulations intuitives du langage naturel. Du reste, si le formalisme en logique n'est rien d'autre que la réflexion méthodique de la pensée sur ses propres opérations, c'est-à-dire la démarche proprement *spéculative* de l'esprit qui engendre une théorie rationnelle, on ne s'étonnera pas que Platon, repousserait-on le « réalisme » de son attitude ontologique, soit l'initiateur d'une épistémologie « formelle » ou « structurale » avec son hypothèse de l'existence de *formes* pures (εἴδη), qui régissent l'univers à un niveau d'organisation plus élevé que celui des seuls objets sensibles.

Un même projet *architectonique* commande le formalisme platonicien et l'axiomatique contemporaine : déterminer l'ἀρχή fondatrice — on l'interprétera, selon les cas, comme « axiome » logique ou « forme » ontologique — qui préside à la constitution du réel. Les déclarations programmatiques de l'école bourbakienne rendent ainsi un son étrangement platonicien : « Dans la conception axiomatique, la mathématique apparaît en somme comme un réservoir de *formes* abstraites — les structures mathématiques; et il se trouve — sans qu'on sache pourquoi — que certains aspects de la réalité expérimen-

2. N. BOURBAKI, L'architecture des mathématiques, in *Les grands courants de la pensée mathématique* de F. LE LIONNAIS, p. 40.

tale viennent se mouler en certaines de ces formes, comme par une sorte de préadaptation »³. L'analogie des deux conceptions ne tient pas tant à la permanence d'un vocabulaire d'ordre métaphysique, duquel même l'idée de réminiscence (la « préadaptation ») n'est pas exclue, qu'à la persistance d'une intention *ordonnatrice* identique : « Le principe ordonnateur sera la conception d'une hiérarchie des structures, allant du simple au complexe, du général au particulier. » Et Bourbaki ajoute, en retrouvant l'intuition platonicienne d'un *centre* et d'une *matrice* : « Au centre sont les grands types de struc- tures (...), les *structures-mères* » *(ibid.)* On pourra, bien entendu, contester la légitimité d'un rapprochement fondé sur de simples métaphores, en objectant que l'épistémologie moderne s'interdit toute préoccupation ontologique et substitue la *relation* à l'être, le *devenir* à la permanence, l'*invention de formes en mouvement* à la découverte d'idées immuables. En outre, les mathématiciens bourbakistes, pour ne rien dire des autres écoles mathématiques, n'apprécieraient sans doute pas cet encombrant qualificatif de « platonicien » que nous ne cherchons d'ailleurs pas à leur imposer⁴.

Mais la querelle nous paraît mauvaise. Les formes platoniciennes ne s'épuisent pas en des essences séparées, inertes et exténuées de

---

3. *Ibid.*, p. 43.

4. Une contre-épreuve s'impose donc : voyons la sophistique contemporaine agresser l'axiomatique dans ce qu'elle a de plus coupable — son platonisme inavoué — en dénon- çant le complexe d'Œdipe des mathématiciens. Dans son « essai d'épistémologie fantasma- tique », intitulé *Un souvenir d'enfance d'Evariste Galois*, Pierre BERLOQUIN propose de « fan- tasmer une nouvelle présentation des mathématiques » (p. 51), afin d'éliminer « la pré- sence du père, son autorité intangible et absolue », qui se perpétue « dans un schéma généalogique hiérarchique ». Contre le complexe d'Euclide toujours vivace dans la structure *ordonnatrice* des axiomatiques, Berloquin propose un parricide qui doit beau- coup à Deleuze : « La collection d'axiomes peut être associée à l'image maternelle; elle est la matrice qui va engendrer les théorèmes; elle est fréquemment caractérisée par sa fécondité. La règle de déduction peut être associée à l'image paternelle; elle féconde les axiomes; elle est le verbe législateur auquel il faut obéir, etc. » (p. 31). Puisque le mathématicien est un géniteur, coupons-lui toute envie d'engendrer : « Le mathématicien est le membre actif qui opère la fécondation et réalise la production d'un nouveau théo- rème; il est le phallus du père-règle de déduction; gonflé du sperme logique, il le véhicule en pénétrant les axiomes-matrices » (p. 35). Qu'exige alors le simulacre ? « Un fantasme s'impose : tuer le père. Tuer le père et, au-delà, la mère dans l'image qu'en impose le père » (p. 51). « Tuer le père dans les formalismes qu'il modèle. Fantasmer des formalismes ouverts. Les vivre » (p. 60, *in fine*).

toute éternité. Qui acceptera de prêter attention aux points de méthode
énoncés par l'Etranger comme aux procédés opératoires qu'il met en
œuvre, reconnaîtra au contraire dans l'entreprise du *Sophiste* la volonté
constante d'arracher l'être et le discours à leur pétrification éléatique,
ne serait-ce qu'à travers l'importance accordée aux formes du
Mouvement et de l'Autre dans la constitution de la κοινωνία.
Lorsque Platon définit la méthode dialectique comme le procédé
qui, en déployant une forme unique à travers une pluralité de formes
distinctes (*Soph.*, 253 *d*), permet d'*unir* et de *distinguer* ces mêmes
formes en fonction de règles logiques, nous reconnaissons l'idéal
d'intelligibilité des bourbakistes. L'axiomatique, écrivent-ils, « puisant
comme (la méthode expérimentale) à la source cartésienne (...) « divi-
sera les difficultés pour les mieux résoudre »; dans les démonstrations
d'une théorie, elle cherchera à *dissocier* les ressorts principaux des
raisonnements qui y figurent; puis, prenant chacun d'eux *isolément*,
et le posant en principe abstrait, elle déroulera les conséquences qui
lui sont propres; enfin, revenant à la théorie étudiée, elle en *combinera*
de nouveau les éléments constitutifs précédemment dégagés et
étudiera comment ils réagissent les uns sur les autres »[5]. La référence
à Bacon et à Descartes ne dissimule pas l'analogie plus originelle
avec les deux mouvements de la dialectique platonicienne qui trouve
son modèle dans *la loi de composition de l'être* (liaison du Même et
séparation de l'Autre). Le *Sophiste* parvient ainsi à établir, contre le
monisme éléatique, que l'être se distribue en cinq formes opératoires,
totalement abstraites, et aussi peu spécifiées que les éléments axiomatiques des modernes.

L'objection traditionnelle qui considère les catégories platoniciennes comme des idées hypostasiées et immobiles, nous paraît
irrecevable. Nous pouvons, certes, interpréter les cinq genres comme
des partages originels de l'être et leur attribuer une « nature » ontologique : ils ne sont pourtant à aucun moment, dans l'enquête du
Sophiste, considérés en dehors de leurs relations formelles. Bien plus,
il est possible de retourner la critique et de montrer que, loin de

5. BOURBAKI, *op cit.*, p. 38.

renvoyer aux figures immobiles de quelque Panthéon métaphysique, ils constituent des *opérations*, c'est-à-dire des transformations réversibles et solidaires, définies à l'intérieur de l'ensemble réglé de la Quadrature, à la différence de certaines formes de structuralisme contemporain, lesquelles, à force de rejeter l'être au profit exclusif de la relation, finissent par considérer magiquement ces relations comme des êtres en soi, et succombent à leur propre critique du platonisme.

Nous choisirons d'interpréter sur un plan purement formel la communauté des genres, en montrant qu'elle est ordonnée selon un schéma logique, susceptible de recevoir une formalisation rigoureuse, en fonction des exigences de la mathématique actuelle, mais néanmoins similaire à la structure algébrique de groupe, dont nous rappellerons en premier lieu la définition axiomatique.

Un ensemble non vide G, muni d'une loi de composition interne faisant correspondre à tout couple ordonné (a, b) d'éléments de G, un troisième élément c, composé de a par b, et noté $c = a * b$, sera dit posséder une structure de groupe si :

1. La loi $*$ est associative :

$$\forall\, a \in G,\ \forall\, b \in G,\ \forall\, c \in G$$
$$(a * b) * c = a * (b * c)$$

2. G contient un élément neutre e tel que :

$$\forall\, a \in G,\, e * a = a * e = a$$

3. Relativement à l'élément neutre e,

$$\forall\, a \in G,\ \exists\, a' \in G,\ \text{tel que } a * a' = a' * a = e$$

a' sera dit l'inverse de a, en notation multiplicative $(a' = a^{-1})$, et l'opposé de a, en notation additive $(a' = -a)$.

Quand la loi de composition est, en outre, commutative $(\forall\, a \in G, \forall\, b \in G,\, a * b = b * a)$, le groupe est dit « abélien ». En définitive, on appelle groupe un ensemble muni d'une loi de composition associative, possédant un élément neutre et pour lequel tout élément est inversible.

Pour mettre en évidence la similitude de structure de la communauté platonicienne et du groupe abélien, nous rapprocherons de la définition de la première proposée par l'Etranger, l'exposé des propriétés du second dû à Elie Cartan :

« Parmi les genres (...) les uns se prêtent à une communauté mutuelle, et les autres non; (...) certains l'acceptent avec quelques-uns, d'autres avec beaucoup; (...) d'autres enfin, pénétrant partout, ne trouvent rien qui les empêche d'entrer en communauté avec tous. » (*Soph.*, 254 *b-c*). L'Etranger a d'ailleurs établi, en 253 *a*, la légitimité de ces liaisons et de ces exclusions, en un mot la loi de composition de la *koinônia*, grâce au *paradigme des lettres de l'alphabet*, dont certaines se prêtent et d'autres se refusent. En un langage certes différent, Elie Cartan ne dit pas autre chose :

« La notion de groupe repose sur celle de *correspondance, substitution* ou *transformation*. On désigne ainsi une opération biunivoque par laquelle, étant donné un ensemble d'objets de quelque nature qu'ils soient, on fait correspondre suivant une loi déterminée à un objet quelconque A de l'ensemble un autre objet et un seul A′ du même ensemble, de telle sorte que, réciproquement, tout objet A′ corresponde à un objet A et à un seul. L'ensemble considéré peut ne contenir qu'un nombre fini d'objets, des lettres par exemple : on a alors ce qu'on appelle une *substitution*, par exemple l'opération par laquelle on remplace respectivement les lettres *a*, *b*, *c* par les lettres *b*, *c*, *a* »[6].

L'idée commune de *correspondance* noue le lien entre la communauté des genres et le groupe algébrique, qui obéissent tous deux à une loi de composition déterminée. Le même exemple des lettres vient d'ailleurs naturellement à l'esprit du philosophe et du mathématicien pour illustrer leur exposé théorique. On pourrait objecter que, pour le second, les lettres sont combinées différemment, alors que pour l'Etranger, seules les voyelles circulent comme un lien (δεσμός) à travers l'ensemble des lettres. Mais, que les règles de l'alphabet grec s'imposent intuitivement à Platon, ou que le mathématicien impose librement une règle à un ensemble indifférencié, nous retrouvons la

6. Elie CARTAN, La notion de groupe, in *Encycl. franç.*, 1, 3; 3, 1, 66-1.

même idée d'un principe qui autorise certaines liaisons et en interdit d'autres. D'un point de vue ontologique, nous sommes toujours aux prises avec l'antique problème de l'Un-Multiple et de la prédication : les éléments du réel peuvent-ils se combiner n'importe comment et avec n'importe quoi, ainsi que le prétendent les sophistes qui répugnent évidemment à l'idée d'un *ensemble* unitaire ? Ou bien sont-ils tributaires d'une structure formelle qui, en tant que *principe* de leur communauté, soumet leurs relations mutuelles à un ordre déterminé ?

Or il nous est loisible de négliger l'interprétation intuitive des genres de l'être, pour nous occuper de la loi qui confère une certaine structure logique à leur ensemble. L'Etranger effectue en effet une série d'opérations douées de réflexivité et de transitivité lorsqu'il compose deux genres quelconques (x, y) pour retrouver un troisième genre z appartenant au même ensemble, tel que $(x, y) \rightarrow x * y = z$. Il aboutit alors à la constitution de deux groupes, formés de deux couples symétriques, à l'intérieur desquels chaque genre est l'opposé de l'autre. Cette procédure constante rappelle la définition bourbakienne d'une loi de composition sur un ensemble E : « Une application f de E × E dans E. La valeur $f(x, y)$ de f pour un couple $(x, y) \in$ E × E s'appelle le composé de x et de y pour cette loi »[7]. La κοινωνία se trouve effectivement produite par une opération biunivoque de correspondance qui détermine la structure commune de deux groupes de deux éléments inversibles que nous considérerons comme un modèle, au moins approximatif, de la structure algébrique de groupe.

Il est temps de mettre à l'épreuve notre hypothèse de recherche et de nous pencher sur l'organisation dialectique de la Communauté platonicienne, en interprétant la démarche de l'Etranger non plus à la lumière de l'eidos d'Autre, mais en fonction de l'activité opératoire mise en jeu par le mouvement propre de son analyse. Nous aboutirons à la constitution d'une table des catégories platoniciennes, dont nous verrons alors que, à la différence de maints systèmes similaires, elle n'est rien moins que rhapsodique.

---

7. BOURBAKI, *Algèbre*, chap. I, § I, I, déf. I.

2
La genèse d'une structure

Attachons-nous attentivement à la procédure dialectique que met en pratique l'Etranger dans le *Sophiste*, de la page 247 *d* à la page 256 *d*, après avoir critiqué les théories de l'être chez les Fils de la Terre et chez les Amis des Formes :

(1) 247 *d-e* : Pour en finir avec la stérile opposition des systèmes matérialiste et idéaliste, l'Etranger soumet à Théétète une hypothèse heuristique nouvelle qui définit l'être comme « ce qui a une puissance naturelle quelconque — τινα δύναμιν — soit d'agir sur ce qu'on voudra d'autre, soit de subir l'action, même la plus minime, de l'agent le plus insignifiant ». Sans doute ne suffit-il pas de relever, avec Diès, le caractère « expressément provisoire »[8] d'une telle définition qui va permettre, en introduisant le couple Mouvement/Repos, puis le couple Même/Autre, d'aboutir à la conclusion de la totale irréductibilité de l'être à leur égard. Que la définition soit provisoire n'entraîne pas qu'elle soit *inopérante*, et qu'on puisse la négliger pour revenir à la conception traditionnelle d'un platonisme figé en des structures sans genèses. Nous avancerons au contraire que cette formulation *dynamique* de l'être — « car je pose comme définition qui définisse les étants, qu'ils ne sont autre chose que puissance : ἔστιν οὐκ ἄλλο τι πλὴν δύναμις (247 *e*) » — commande de façon *opératoire* l'examen dialectique des cinq genres. Si l'être est puissance d'opération (agir/subir), les deux couples de termes complémentaires qui constituent sa *quadrature* vont définir l'un sur l'autre un certain type d'opération dont nous nous proposons d'établir la loi.

(2) 248 *d-*251 *a* : On va, en premier lieu, concéder l'être au Mouvement (249 *b*), après avoir rejeté l' « effrayante doctrine » de ceux qui immobilisent le Tout et, arrachant de son sein le mouvement, la vie, l'âme, la pensée, le laissent « solennel et sacré, vide d'intellect, planté, sans pouvoir bouger » (248 *e-*249 *a*). Il est remarquable que

---

8. Diès, *Notice du Soph.*, p. 288.

l'Etranger arrive à poser l'être de la κίνησις moins en fonction du choix contingent d'une thèse historique, l'immobilisme éléatique, qu'il chercherait à réfuter, que d'une manière purement opératoire : est-il possible de connaître *ce qui est*, sans introduire du même coup l' « action » (ποίημα, 248 *d*, 5) de l'intelligence en lui, et d'abord en l'âme (ψυχή) qui, elle-même, *est* ? Dès que la pensée se tourne vers le mouvement, serait-ce pour en assurer l'inexistence, cette pensée du mouvement se retourne dialectiquement en mouvement de pensée, comme le soulignera plus tard Hegel[9] à propos des apories éléatiques. Aussi les Amis des Formes, quand ils refusent de souiller la sérénité des εἴδη par l'attribution d'un mouvement qui témoignerait de leur imperfection, réintroduisent ce même mouvement, en quelque sorte à leur âme défendante, sinon sous son aspect grossièrement sensible, du moins sous sa forme *logique*. Si l'âme *est* mouvement, selon la doctrine constante de Platon (*Phèdre*, 245 *c*; *Lois*, x, 896 *a*), et nous entendrons dorénavant par là le mouvement opératoire du logos, le *mouvement* est donc quelque chose, ne réussirait-il pas à épuiser l'être, comme le voudraient les mobilistes. « Au mû et au mouvement (τὸ κινούμενον καὶ κίνησιν, 249 *b*) », conclurons-nous, « il faut concéder l'être ».

Aussi lorsque l'Etranger examinera les relations du Mouvement, du Repos et de l'Etre, en 250 *b*, sera-t-il naturellement conduit à affirmer que ce dernier s'introduit « en tiers » entre les deux genres précédents, — mais en tiers *dans l'âme* (ἐν τῇ ψυχῇ), en ce milieu où s'opèrent les échanges de la pensée entre les contraires conceptuels. C'est l'acte opératoire du logos qui contraint le dialecticien à poser l'être du Mouvement (contre les immobilistes), puis l'être du Repos (contre les mobilistes), en 249 *c*, enfin à reconnaître dans l'Etre une forme irréductible à leur contrariété qu'elle « embrasse » du dehors (περιεχομένην, 250 *b*).

Cette première définition de l'être par le couple Mouvement/

---

9. HEGEL, *Leçons sur l'histoire de la philosophie*, t. I, p. 141 : « La raison pour laquelle la dialectique a d'abord porté sur le mouvement, c'est justement que la dialectique elle-même est le mouvement, en d'autres termes que le mouvement lui-même est la dialectique de tout étant. »

Repos s'expose pourtant aux mêmes critiques que la théorie traditionnelle qui le réduit au couple Chaud/Froid (250 a; cf. 243 d-244 a).
Que faut-il en effet entendre par ce mot « est » qui s'attribue indifféremment à chaque terme d'un couple, quel que soit le contenu de
ces termes ? Admettra-t-on qu'il *s'identifie* au couple lui-même (et
dans ce cas, pourquoi le distinguer par un troisième nom ?), ou
qu'il se *différencie* de lui (et dans ce cas, comment l'identifier à chacun
des deux termes ?) ? Il suffit d'entrer dans le couple et d'examiner sur
le plan formel les rapports dialectiques de ses éléments pour reconnaître
la nécessité logique de poser entre eux une *médiation*. Attribuer
l'être à l'un des deux seulement reviendrait à identifier les contraires,
mouvement et repos étant alors mus, repos et mouvement étant,
aussi bien, immobiles : l'être s'avère par là le *tiers* « surajouté » au
couple considéré, *au-dessous* duquel — insistons sur ce terme : ὑπ'
ἐκείνου — s'opposent le mouvement et le repos (250 b). On doit
donc conclure que l'être n'est en rien la somme du mouvement et
du repos, bien que chacun d'eux *soit*.
   La négation de l'être (οὐκ ἐστι) se trouve aussitôt pensée, non
comme *néant* (μὴ ὄν), mais comme *altérité* distinguée des deux premiers genres : « τὸ ὂν ἀλλ' ἔτερον δή τι τούτων (ἐστὶ) — l'être est
quelque chose d'autre qu'eux » (250 c). Il y a bien ici l'utilisation
d'une nouvelle forme, l'Autre, non encore présentée sous sa dénomination technique de θάτερον, qui a pour charge de distinguer
l'être des deux formes que pourtant il rassemble. On notera la dualité
du *langage* des relations opératoires (Mouvement/Repos) et de ce
qu'il faudrait nommer le *métalangage* de la position des opérations
elles-mêmes (Etre). Il y a entre les trois formes une esquisse de
« communauté » (κοινωνίαν, 250 b), mais de communauté impaire
et dissymétrique : si le mouvement et le repos *sont*, donc à ce titre
appartiennent à l' « être », l'*être* n'*est pas* en retour mouvement ni
repos, pas plus que leur somme — il n'y a pas de conversion de l'être.
Une telle altérité, qui dessine en secret l'espace d'un quatrième genre,
se trouve aussitôt renforcée quand l'Etranger avance que l'être est
« extérieur » (ἐκτὸς, 250 d) à l'alternative : le mouvement n'est pas
en repos / le repos n'est pas en mouvement. Cette aporie de l'être,

qui rappelle l'aporie comparable du non-être évoquée en 243 *b*,
annonce à mots couverts l'entrecroisement de l'être et du non-être :

« Puisque l'être et le non-être nous embarrassent également,
l'espoir est désormais permis que, sous quelque jour, plus ou moins
clair, que l'un d'eux vienne à se présenter, l'autre s'éclairera de
même façon » (250 *e*).

(3) 251 *a* - 254 *c* : L'apparente digression sur l'Un-Multiple et le
problème de la prédication, en s'intercalant entre l'étude du couple
Mouvement/Repos et celle du couple Même/Autre, consolide l'hypothèse de l'être conçu comme puissance opératoire. Les trois hypothèses possibles sont passées en revue : *a)* Il n'existe aucun mélange
entre les genres; *b)* Tous les genres se mélangent; *c)* Seuls certains
d'entre eux entrent dans des rapports réglés (251 *d* - 253 *b*). En excluant
« *la puissance de communauté* — δύναμιν κοινωνίας » de tous les genres,
la première hypothèse aboutit à nier leur existence même : il ressort
en effet que, si le mouvement et le repos ne participent pas à l'*être*
(οὐσίας, 251 *e*), alors, nécessairement, ils ne *sont* pas. Si nous voulons
les garder, nous devons admettre qu'ils *communiquent*, c'est-à-dire
qu'ils entrent en communauté avec d'autres genres. La deuxième
hypothèse conduit à une conclusion identique et justifie ainsi le
choix de la troisième. En l'absence de « communauté » (κοινωνία,
251 *e*, 252 *b*; ἐπικοινωνεῖν, 251 *d*; προσκοινωνοῦν, 252 *a*; ἐπικοι-
νωνίας, 252 *d*; κοινωνεῖν, 253 *a*), il est exclu de poser le mouvement,
le repos, l'être ni quoi que ce soit d'autre, ou bien encore, dans
l'interprétation opératoire que nous proposons du texte, sans une
structure formelle commune aux quatre opérations, il est impossible
de penser l'une quelconque de ces opérations.

L'Etranger accepte donc la troisième hypothèse résiduelle (λοιπόν, 252 *d*), en laquelle nous voyons évoquée, sous une forme intuitive, la loi de composition de chacun des couples et de leurs opérations
mutuelles : certains genres consentent à s'unir, d'autres non, semblables aux lettres de l'alphabet qui s'accordent ou se désaccordent
entre elles (253 *a*). Ce paradigme des lettres, à peine esquissé en ce
passage, amorce la définition de la dialectique (253 *c* - 254 *b*), comme
il justifiera dans le *Politique*, de façon plus soutenue, la métaphore

du tissage, c'est-à-dire la procédure dialectique comprise comme composition de divers éléments en fonction d'une règle opératoire donnée. Pour la première fois depuis le début de l'enquête, l'Etranger ne se contente plus d'utiliser naïvement la dialectique dans la pratique naturelle du dialogue, il la met en question de manière spéculative à l'aide d'un second couple de contraires, le Même et l'Autre : elle consiste en effet à « diviser par genres et ne point prendre pour autre une forme qui est la même, ni pour la même, une forme qui est autre » (253 d). Ce nouveau couple, imposé par les relations des termes précédents, justifie l'existence des quatre combinaisons de l'Un et du Multiple qui se correspondent deux à deux, selon que l'Un l'emporte sur le Multiple ou le Multiple sur l'Un, et selon la séparation réciproque (χωρίς) de l'Un et du Multiple (253 d-e). La première hypothèse envisage l'Un émietté à travers les multiplicités qui conservent la distinction mutuelle de leurs parties. Au rebours, la deuxième hypothèse considère les multiplicités comme soumises à l'Un purement Un. L'Un de la troisième hypothèse, en sauvegardant son unité à l'inverse de la première hypothèse où il se fragmente, permet d'unifier les multiples. La quatrième hypothèse enfin, symétrique de la deuxième, considère les multiples dans leur pure séparation, non pas les *uns* des autres, puisque l'unité est effacée, mais les *autres* des autres. On obtient une double correspondance des hypothèses paires et impaires, selon le tableau suivant qui souligne, à chaque fois, la forme victorieuse :

1. L'Un multiplié par les *multiples*   Un < *Multiples*
2. Les multiples unifiés par l'*Un*   *Un pur*
3. L'*Un* multipliant les multiples   *Un* > Multiples
4. Les *multiples* irréductibles à l'Un   *Multiples purs*

A l'écho du *Parménide*, ce bref jeu de l'Un et des Multiples présente la dialectique comme le procédé combinatoire qui identifie et distingue les formes suprêmes, et affermit à nouveau l'idée d'un ensemble réglé des genres. Après avoir en effet accordé ce don dialectique au seul philosophe (253 b - 254 b) et promis d'enquêter sous peu à son sujet, l'Etranger reprend les *trois* hypothèses antérieures sur la

communauté (251 d-253 b), et les déploie maintenant selon *cinq*
possibilités distinctes (254 b-c). On se trouve confronté en réalité
aux deux branches d'une alternative (les genres entrent en communauté ou non), dont la première se divise en trois sous-hypothèses
(communautés étroite, large ou totale) :

1. Certains genres acceptent une communauté mutuelle;
2. D'autres ne l'acceptent pas du tout;
3. Parmi les premiers, quelques-uns l'acceptent avec peu;
4. D'autres avec beaucoup;
5. Les derniers, enfin, avec tous.

(4) 254 d-255 e : Nous avons considéré jusqu'alors le Mouvement, le Repos et l'Etre, et avons démontré qu'il est impossible de
mêler les deux premiers à l'aide du troisième, bien que, cependant,
l'être se mêle à chacun d'eux. Nous pouvons en conclure que, parmi
ces trois genres, « chacun d'eux est *autre* (ἕτερόν) que les deux qui
restent et *même* que soi (ταὐτόν) » (254 d). Sans reprendre l'analyse
précédemment proposée (*supra*, pp. 232-243), nous observerons que
la formulation théorique de cette question du Même et de l'Autre
était déjà précédée par l'utilisation opératoire, mais non encore
réflexive, de ces deux formes. Pour poser en effet, dès la page 250 b-c,
Mouvement, Repos et Etre comme distincts, il fallait opérer, quoique
sans le souligner, avec l'eidos d'*autre* (ἕτερόν, 250 c), et réciproquement,
pour assurer la présence de chacun des genres à soi, il fallait implicitement utiliser l'opération d'*identité* qui met chaque genre en correspondance avec lui-*même* (αὐτά, 250 a, 250 b).

Comment interpréter alors l'intervention du nouveau couple,
nouveau au moins sur le plan de la saisie spéculative des moments
opératoires antérieurs ? Si le premier couple ne peut être (ἐστι, 255 a)
l'Autre ni le Même, c'est dans la mesure où la *copule* ne signifie pas
ici l'*identité* mais désigne un autre type de relation que nous avons
qualifié de méta-opératoire. Il n'est pas permis d'identifier le premier
couple au Même ou à l'Autre, car cela conduirait à l'absurdité d'un
repos confondu avec le mouvement et d'un mouvement confondu
avec le repos. D'une manière plus générale, ne pas sauvegarder la

spécificité du second couple revient à identifier toutes les formes entre elles, c'est-à-dire à les absorber dans un seul et unique Même. A l'*identité de séparation* éléatique, où l'être prend ses distances à l'égard du néant, succéderait l'*identité de confusion* sophistique, où tout se mêle indistinctement. Identifier les deux couples, donc les quatre genres, entraînerait la destruction paradoxale de cette identification même, puisqu'on ne saurait identifier que les êtres dont on a préalablement posé une certaine distinction. En conséquence, nous sommes dialectiquement conduits à accepter le Même et l'Autre comme deux formes nouvelles qui s'ajoutent aux précédentes, ou plus exactement, nous composons la *Communauté* de l'être selon deux paires de termes complémentaires.

(5) 255 *e*-256 *d* : La récapitulation finale, limitée aux rapports de la forme du Mouvement avec les autres genres, établit ce que l'on pourrait nommer la *saturation* de la communauté des cinq genres. Certes ces derniers ont été « prélevés » parmi une multitude de formes dont le nombre n'est jamais précisé (254 *c*; 255 *e*; 256 *d*); il reste que ce prélèvement concerne « les plus grands des genres » (μέγιστα τῶν γενῶν, 254 *d*), et que nous ne pouvons en aucun cas réduire leur nombre en dessous du chiffre cinq : « ἀδύνατον γὰρ συγχωρεῖν ἐλάττω τὸν ἀριθμὸν τοῦ νυνδὴ φανέντος » (256 *d*). Peut-on alors le considérer comme exhaustif ? Nous ne voyons pour notre part aucune raison d'augmenter un nombre que Platon a voulu tel (πέντε, 256 *d*, 1), d'autant que les opérations dialectiques de l'Etranger ne concernent effectivement que le mouvement, le repos, le même et l'autre, sous la gouverne de l'être, comme nous sommes maintenant en mesure de l'établir.

Commençons par le couple Même/Autre qui articule le monde des formes ontologiques comme l'argumentation logique que nous tenons sur lui. Nous avons déjà souligné que la dialectique est définie, en 253 *d*, comme la science du Même et de l'Autre : le simple fait de *poser* séparément le mouvement et le repos implique l'identité de chaque terme à lui-même et sa distinction avec l'autre. Ils ne sont « tous les deux » (ἀμφότερα, 250 *a*) qu'à la condition d'être *l'un et l'autre*, entendons l'un-*le Même* et l'*Autre*-un, en un perpétuel jeu de renvois de l'un à l'autre. Nous proposons d'interpréter ce couple comme un groupe G d'ordre 2 muni d'une loi de composition interne G × G → G, telle qu'à certains couples ordonnés (*a*, *b*) d'éléments de G on fasse correspondre un élément *c* de G appelé le *composé* de *a* et de *b*. Quand Platon en effet « pose ensemble » (συναμ-φότερον, 250 *c*) soit mouvement et repos, soit même et autre, il effectue exactement ce que la mathématique contemporaine nomme une opération additive de *composition* (que nous noterons par le signe ∗). Dans le cas présent, en faisant agir l'un sur l'autre le Même et l'Autre, nous obtenons un composé qui est leur somme :

Même ∗ Autre = Autre
Même ∗ Même = Même

Ce couple associatif, dont chaque élément est son propre opposé, possède un élément neutre, le Même, qui est dit l'unité du couple, son élément nul, ou encore son origine. On peut construire la table de Pythagore de ce groupe :

	MÊME	AUTRE
MÊME	MÊME	AUTRE
AUTRE	AUTRE	MÊME

Si nous voulons envisager les relations de ce groupe avec le couple Mouvement/Repos, il nous faut définir maintenant l'action d'un groupe sur un ensemble. Soient G un groupe, X un ensemble. On dit que G opère dans X si l'on s'est donné un homomorphisme de G dans le groupe de toutes les permutations de X (c'est-à-dire les bijections de X sur lui-même). Nous considérerons ainsi le groupe G (Même, Autre) comme un groupe de transformations portant sur l'ensemble donné X (Mouvement, Repos), dont l'analyse dialectique est partie. L'action de G sur X est l'homomorphisme du groupe (Même, Autre) sur le groupe des permutations de X (Mouvement, Repos) qui constitue le champ d'opérations de G. Nous obtenons alors :

(1)   *Même* ∗ Mouvement = Mouvement.

Le Même identifie le Mouvement à lui-même, comme on le voit en 256 *a*, 7 : le Mouvement est « le même » (ταὐτόν), dans la mesure où « tout participe au même » (διὰ τὸ μετέχειν αὖ πάντ' αὐτοῦ). Cette participation doit être comprise comme l'identité du Mouvement avec le Mouvement, et non comme l'identité du Mouvement avec le Même : « Quand nous le disons le même, en effet, c'est sa participation au « même » par rapport à soi qui nous le fait dire tel — διὰ τὴν μέθεξιν ταὐτοῦ πρὸς ἑαυτὴν οὕτω λέγομεν » (256 *a*, 13-14). Ce qui autorise l'éléate à conclure ironiquement : « Le mouvement est donc le même et pas le même », puisque ce n'est pas sous le *même* rapport.

(2) *Même* ∗ Repos = Repos.

Le Même identifie le Repos à lui-même pour les raisons exposées dans le même passage, 256 *a*, 7. Nous savions d'ailleurs déjà que le repos, comme le mouvement, est le même que soi (254 *d*, 15, 255 *b*, 3). Dans les deux cas, l'*action* (ποίημα) du *Même* permet d'identifier chacun des éléments du couple.

Considérons maintenant le second élément du groupe G, l'*Autre*, qui agit à son tour sur l'ensemble X :

(3) *Autre* ∗ Mouvement = Repos.

Tout ce qui est autre, en effet, est autre par rapport à autre chose (255 *e*), ou, si l'on préfère, la forme du Mouvement est autre que la seconde forme de l'ensemble X, le Repos, non pas en vertu de sa propre nature — son identité à elle-même — mais grâce à « la participation à la forme de l'autre — τὸ μετέχειν τῆς ἰδέας τῆς θατέρου » (255 *e*, 5-6). Il en résulte que le Mouvement est absolument autre que le Repos (255 *e*, 11-12). De nouveau, nous entendons cette altérité du Mouvement vis-à-vis de son contraire comme sa participation à l'Autre, l'élément de G qui effectue l'opération de retournement. Il en va évidemment de même pour le second genre de l'ensemble X :

(4) *Autre* ∗ Repos = Mouvement.

Le passage 255 *b*, 3 dit clairement, du Mouvement et du Repos, que « tous deux participent au même et à l'autre — μετέχετον μὴν ἄμφω ταὐτοῦ καὶ θατέρου ». Comme l'Autre transforme le Mouvement en Repos, il change inversement le Repos en Mouvement, ou, si l'on préfère, il l'*altère*.

Considérons maintenant le couple Mouvement/Repos. Il est possible de l'interpréter à son tour comme un groupe de transformations X portant sur l'ensemble G qui devient cette fois son champ d'opérations. L'homomorphisme de X dans le groupe des permutations de G se trouve naturellement appelé par le mouvement même du texte platonicien. Nous obtenons la table suivante :

	MOUVEMENT	REPOS
MOUVEMENT	REPOS	MOUVEMENT
REPOS	MOUVEMENT	REPOS

Le Repos remplit désormais la fonction d'identification dévolue tout-à-l'heure au Même, alors que le Mouvement accomplit l'opération inverse. Que le Mouvement s'applique au Repos ou le Repos au Mouvement, la mobilité l'emporte. Mais que le Mouvement s'applique à lui-même, comme par ailleurs le Repos, c'est le Repos qui est produit. L'analyse de l'Etranger indique en effet cette participation singulière : bien que le mouvement ne soit pas identique au repos — il lui est « absolument autre — παντάπασιν ἕτερον », 255 e, 11 — pourtant, *en un certain sens*, πη, il participe à son contraire. Parce que l'application du Mouvement au Mouvement l'*immobilise*, et produit ainsi le Repos, il n'y a rien d'étrange à l'appeler « stationnaire » (στάσιμον, 256 b, 7); seul le Mouvement est en mesure d'*arrêter* le Mouvement.

Il est inutile de commenter les résultats similaires que donne l'action du groupe (Mouvement, Repos) sur l'ensemble (Même, Autre) :

(1′)   *Mouvement* ∗ Même = Autre
(2′)   *Mouvement* ∗ Autre = Même
(3′)   *Repos* ∗ Même = Même
(4′)   *Repos* ∗ Autre = Autre.

On voit suffisamment que les deux groupes G et X sont isomorphes : leurs opérations forment une correspondance biunivoque telle que l'homomorphisme de G dans le groupe de permutations de X correspond à l'homomorphisme de X dans le groupe de permutations de G.

En récapitulant ce que l'on peut dire de chaque forme à partir de l'exemple du Mouvement, on constatera que la « participation » (μέθεξις) des genres entre eux au sein de la communauté peut s'entendre en deux sens : soit la forme de l'un des deux couples considérés (Mouvement, Repos) ou (Même, Autre), qui constitue alors le champ d'applications de l'autre groupe, participe à la forme qui *opère* sur elle — ainsi le Mouvement participe au *Même*, qui l'identifie, et à l'*Autre* qui le distingue du Repos (255 *b*, 3, 255 *e*, 5-6) —, soit la forme en question, en tant qu'élément du groupe qui opère sur l'autre ensemble, participe à la forme *sur laquelle* elle opère — ainsi le *Mouvement* participe au Même et à l'Autre, qu'il transforme chacun en leur contraire. En conséquence l'*être* de chaque genre *n'est rien d'autre* que sa puissance d'*opérer* ou de *subir une opération*, son ποίημα et son πάθημα (248 *d*, 5), en parfaite conformité avec la définition opératoire de l'être que proposait l'Étranger au début de l'analyse :

« Ce qui a une puissance naturelle quelconque, soit d'agir (τὸ ποιεῖν) sur ce qu'on voudra d'autre, soit de subir l'action (τὸ παθεῖν), même la plus minime, de l'agent le plus insignifiant, dût cette puissance ne s'exercer qu'une seule fois, tout ce qui la possède est véritablement (πᾶν τοῦτο ὄντως εἶναι); car je pose, comme définition qui définisse les êtres, qu'ils ne sont autre chose que puissance (τίθεμαι γὰρ ὅρον ὁρίζειν τὰ ὄντα ὡς ἔστιν οὐκ ἄλλο τι πλὴν δύναμις) » (247 *d* 8 - *e* 4).

L'être universel ne reste donc pas planté, solennel et sacré, sans pouvoir bouger ni faire bouger, à l'image de la sphère de Parménide; bien au contraire il ouvre l'*horizon opératoire* des deux couples de la κοινωνία que l'on peut interpréter chacun comme un groupe opérant sur l'autre ensemble. Nous sommes autorisés à conclure qu'*il y a cinq formes qui sont*, l'*être* en lequel s'inscrivent Mouvement et Repos, Même et Autre, n'étant pas cependant une forme opératoire au même titre que les quatre précédents. Il répugne à une quelconque intégration dans un couple ou l'ensemble des couples, et s'il permet la composition des autres, il n'entre pas lui-même dans une composition avec quoi que ce *soit*. Tel est le paradoxe révélé par le dialecticien : l'être *fonde* la communauté des genres qu'il embrasse, mais demeure toujours dans une singularité que l'on ne peut même pas dire. Ἕτερον, τρίτον, πέμπτον encore, et finalement οὐκ ὄν, *non-étant*, si l'on admet que tout étant se définit à travers la structure opératoire des couples, l'être *des* quatre opérations échappe à la prise de l'être *comme* opération. Il n'est pas pour autant *néant*, μή ὄν, car « à je ne sais quel contraire de l'être, il y a beau temps que nous avons dit adieu » (258 e); il n'est *rien* qu'en fonction des quatre formes dont la prétention à absorber l'être se trouve anéantie, *rien de* mouvant, *de* statique, *de* différent ou *d'*identique. En revanche, il *est* δύναμις κοινωνίας, « puissance de communauté » (251 e), horizon méta-opératoire plus que méta-physique, qui *définit* (ὁρίζειν) la quadrature de l'étant sans être définissable à partir de celle-ci. Maître de ses opérations, il est lui-même inopérant; source de la puissance des Quatre — et en ce sens sa définition par la puissance restera à jamais provisoire — il est im-puissance, dans la mesure où il se situe au-dessus des opérations qui *sont*, sans qu'il *soit* à son tour opération. Paradoxe ironique, d'où l'être tient le discours à distance : si l'on *ajoute* l'être à chaque genre, on *retranche* en vérité chaque genre *de* l'être, puisque chacun d'eux *n'*est *pas* l'être. Quatre fois sont les autres, quatre fois l'être se dissimule à travers eux, car il « n'est pas eux, mais il est son unique soi » (257 a) :

« ἐκεῖνα γὰρ οὐκ ὄν ἕν μὲν αὐτό ἐστιν. »

Telle est la Topique de l'être : écartelé *entre* ses propres genres, autant de fois ils *sont*, autant de fois l'être *n'*est *pas*. Il se retire pour les laisser advenir et ils adviennent par ce retrait même. L'être doit seulement se biffer *en croix* et gagner son silence au cœur de la Quadrature, là où les Quatre naissent de sa crucifixion.

3

L'isomorphisme des groupes

Il s'avère nécessaire, si nous voulons comprendre le rôle majeur du groupe opératoire de la κοινωνία dans la spéculation platonicienne, de faire un détour par la modernité pour considérer l'épistémologie qui s'est le plus résolument opposée à la théorie « idéaliste » de Platon.

Nous aurons alors à examiner, en une rencontre assez inattendue, si l'intention constructiviste de Jean Piaget, quand elle affirme le primat des processus relationnels et opératoires dans la connaissance, ne demeure pas tributaire de la dialectique platonicienne et si paradoxalement, à rejeter l'hypothèse de structures objectives, réalistes et séparées, elle ne se prend pas au piège de sa propre critique.

Voyons d'abord comment Piaget rapproche les structures mathématiques et les structures opératoires de l'intelligence, en jetant un pont entre le domaine de l'épistémologie, exprimé dans le langage normatif de la règle, et le domaine de la psychologie, exprimé dans le langage constatatif de la loi. Les diverses conduites intelligentes, observables et expérimentables par le psychologue, s'orientent génétiquement vers une figure d'équilibre fondée sur la mobilité opératoire, laquelle, à travers les détours et les retours formels de la pensée, eux-mêmes issus de la coordination primitive des schèmes sensorimoteurs, culmine avec la structure de groupe qui établit définitivement le jeu logique de la réversibilité. Cette dernière affermit les processus de la pensée abstraite, achevés vers l'âge de 11-12 ans, et résulte donc d'une lente maturation psychologique qui édifie progressivement l'intelligence à partir de paliers plus simples (tels que la structure de « groupement », autour de l'âge de 7-8 ans). Pourtant, si l'épistémologue veut saisir la signification *logique* de cette activité opératoire, il lui faut nécessairement adopter un point de vue *non évolutif*, puisque le propre de la structure, dont le groupe nous dit-on est le modèle privilégié, consiste à *ne pas se modifier* : aucun élément ne préexiste à l'ensemble, et il n'est pas possible d'associer, par approximations et combinaisons successives, des opérations isolées pour constituer une totalité réglée. *La structure est première ou n'est pas.* « Il y a donc structure opératoire dès qu'il y a opération, et la structure d'ensemble n'est pas un produit après coup des compositions entre opérations préalables, puisque l'action initialement irréversible ne devient opératoire qu'à l'intérieur d'une structure et sous l'effet de son organisation »[10].

---

10. J. PIAGET, Structures mathématiques et structures opératoires de l'intelligence, in *L'enseignement des mathématiques*, p. 17.

Piaget ramène d'abord l'ensemble des structures intellectuelles aux trois « structures-mères » de Bourbaki, puis établit, sur l'ensemble de ses travaux, qu'*une seule* structure se retrouve continûment dans toutes les opérations logiques et tous les processus psychologiques pour coordonner en un système unique les deux formes de la réversibilité, l'inversion (négation d'une opération logique) et la réciprocité (renversement d'une relation logique sans négation des opérations). Cette structure d'ensemble des opérations formelles s'exprime sous la forme d'un groupe abélien fini de quatre transformations, bien connu en mathématiques sous le nom de « groupe de Klein » *(Vierergruppe)*, que Piaget nomme *Groupe INRC*, chaque lettre désignant une transformation (I = Identité; N = Inversion; R = Réciprocité; C = Corrélativité). Ce groupe possède à la fois la propriété algébrique de l'*inversion* et la propriété des structures d'ordre de la *réciprocité*; il joue un rôle tellement décisif dans les mécanismes opératoires de l'intelligence, que Piaget n'hésite pas à écrire : « Psychologiquement, ce groupe constitue à la fois la synthèse et la forme d'équilibre finale des deux séries des structures opératoires jusque-là distinctes, et fondées l'une sur l'inversion, l'autre sur la réciprocité »[11]. Grâce à sa double structure de réseau et de groupe, il coordonne en un système unique les structures antérieures caractéristiques de l'intelligence concrète de l'enfant : sa réversibilité opératoire définit la construction rationnelle en sa totalité, et s'enracine dans les premiers schèmes biologiques, eux-mêmes issus des structures physiques. La connaissance s'accommode ainsi de façon permanente au réel en même temps qu'elle assimile le réel au sujet connaissant. Nous n'avons plus à chercher qui, du sujet ou de l'objet, prend l'initiative dans le procès de la connaissance. Ce qui est premier, c'est la *réversibilité*, propre à la fois aux transformations de l'univers et aux opérations intellectuelles de l'homme.

Il n'est pas inutile de rapprocher la communauté de Platon, formée de deux groupes d'ordre 2, du groupe opératoire d'ordre 4 de Piaget, qui est un modèle particulier du groupe de Klein. De la

---

11. *Ibid.*, p. 28.

même façon que l'épistémologue choisit d'interpréter l'ensemble des opérations de la logique bivalente à partir du groupe de quatre transformations, nous pouvons envisager les processus opératoires de la dialectique platonicienne du *Sophiste*, et l'assemblage des quatre formes auquel ils aboutissent, non pas comme un ensemble d'éléments quelconques, *rhapsodiques*, mais comme l'*isomorphisme* des groupes G (Même, Autre) et X (Mouvement, Repos). L'action de G sur l'ensemble X définit un homomorphisme de G dans le groupe des permutations de X, comme l'action de X sur l'ensemble G définit un homomorphisme de X dans le groupe des permutations de G. Ces deux groupes sont donc isomorphes.

La réversibilité qui commande leur structure fait correspondre à chaque opération une opération inverse : il en résulte que chaque groupe possède un état d'équilibre manifesté par la présence du *MÊME* ou du *REPOS* en tant qu'élément neutre assurant la fonction d'*IDENTIFICATION*. Loin de se ramener à une forme stérile, l'identification de chaque genre à lui-même est produite par une opération directe et son inverse. A l'interprétation courante qui dénonce le « Même » platonicien en le confondant avec le « Même » éléatique, il convient d'opposer la conception originelle de l'identité platonicienne : elle ne remplit plus la fonction d'exprimer la *totalité* de l'être, à l'image de la sphère parménidienne, mais bien sa *nullité*, au sens logique du terme. Parce que la forme du Même est, en soi, *vide*, comme l'élément zéro ou nul du groupe mathématique, l'unité éléatique se trouve en quelque sorte creusée dans sa plénitude par la dialectique de l'Etranger, dont le parricide à goût de néant ne saurait se suffire de la seule forme de l'Autre. *C'est tout autant l'identité platonicienne que l'altérité (ou non-être) qui crucifie l'être immobile de Parménide.* Le Même platonicien, loin d'imposer sa chape de plomb au discours de la métaphysique occidentale, comme on le répète à l'envi, crée pour la première fois les conditions véritables d'une logique formelle[12].

12. La nécessité logique d'adjoindre un terme nul au discours philosophique, afin de lui permettre d'assurer le contrôle rationnel de sa propre intelligibilité, est établi par le R. P. DUBARLE à propos de Hegel, mais aussi de Parménide. Pour *dire* seulement l' « être », en sa totale plénitude, le penseur d'Elée fut contraint d'introduire dans son propre discours (alors que, pourtant, le *logos* est « le même » que l'*être*) le terme opératoire

Ce terme nul n'est *rien* en effet, rien que l'opération constante de mise en correspondance d'une forme quelconque avec elle-même, c'est-à-dire le principe essentiel de tout procès d'intelligibilité.

On peut aller plus loin. Il semble bien que Platon ait expressément envisagé la catégorie du Même comme une opération de composition qui ne se confond pas plus avec la Tautologie indifférenciée de Parménide qu'avec l'Identification passive de Meyerson. Dans la mesure où l'activité de l'esprit consiste aussi bien à *identifier* qu'à *différencier*, ou plutôt à différencier en identifiant et à identifier en différenciant, le Même exprime l'opération identitaire de mise en relation qui assure la possibilité de l'unité logique. « Le « un » logique », écrit Piaget, « n'est pas l'unité arithmétique puisqu'il ignore l'itération : Socrate + Socrate = Socrate, et non pas deux Socrates »[13] — ce qu'admettra certes le logicien, à défaut du sophiste. Et Piaget ajoute de l'Un logique : « Il se définit en effet par l'identité, ce qui signifie que les éléments d'une classe singulière sont tous identiques entre eux (qu'il s'agisse de Socrate, du maître de Platon, de l'époux de Xanthippe, ou de ce philosophe condamné à boire la ciguë). »

Le Même platonicien cependant, qui circule à travers tous les genres (*Soph.*, 256 a), joue un rôle plus fondamental que celui de poser la simple identité logique, serait-ce à l'égard de sa propre forme. Comme l'a remarquablement mis en lumière Heidegger, quoique dans un tout autre contexte, l'Etranger ne se contente pas d'affirmer de chaque genre de l'être, y compris du Même, qu'il est identique à soi :

« οὐκοῦν αὐτῶν ἕκαστον τοῖν μὲν δυοῖν ἕτερόν ἐστιν, αὐτὸ
δ' ἑαυτῷ ταὐτόν. »
« Chacun d'eux est autre que les deux restants, et *lui-même à lui-même le même* »[14].

de « néant », entendons la négation logique. « Au premier concept dont toute la pensée marque avec beaucoup de force la vocation à se poser en unité de quelque mathématique, s'adjoint ce « second » concept valant comme le zéro, le terme nul de la mathématique alors en vue. Il n'en faut pas plus pour avoir la première base d'un formalisme logique » (*Log. et dial.*, p. 135; cf. pp. 172, 175). Cf. aussi Le Poème de Parménide, in *Rev. sc. phil. et théol.*, 1972. L'introduction de ce terme nul dans le discours spéculatif de Hegel, où il est absent, permet au R. P. Dubarle de tenter une formalisation de la dialectique hégélienne.

13. J. PIAGET, *Traité de Logique*, p. 73.
14. *Soph.*, 254 d; HEIDEGGER, Identité et différence, in *Quest. I*, p. 258.

Le datif ἑαυτῷ souligne en effet que le Même, en chaque forme, est pensé comme *mouvement d'arrachement et de retour à soi*, possibilité d'accomplir une opération du logos qui modifie le point de départ initial, et pourtant de revenir à celui-ci. Il n'y a pas seulement un Retour du Même, dans la Quadrature platonicienne, mais un Retour de l'Autre, un Retour du Mouvement et un Retour du Repos, bref un Retour des quatre genres de l'être, distinct du simple processus d'identité, et qui évoque la fonction plus complexe de la réversibilité.

Platon ne s'est donc pas contenté d'opposer un certain non-être, l'Autre, à la belle Tautologie éléatique, il a introduit dans l'intelligible la figure réversible de la Quadrature, qui fonde la possibilité de la dialectique. Dès lors, les Quatre transformations reviennent au cœur du langage, chaque fois que celui-ci porte sur une réalité sensible quelconque, dont on peut affirmer qu'elle est la même, une autre, en mouvement ou en repos. Mais elles reviennent aussi réflexivement sur elles-mêmes afin de constituer cette unique communauté de réversibilité ontologique, organisée selon deux groupes isomorphes opérant sur un ensemble donné.

4
La structure d'une genèse

Aurions-nous eu raison de relever l'analogie des mécanismes opératoires mis en jeu dans la κοινωνία de Platon et le groupe de transformations de Piaget, que nous ne saurions pour autant passer sous silence la différence radicale qui, selon l'épistémologue contemporain, interdit de rattacher sa méthode relationnelle au réalisme ontologique de Platon. On voudra bien admettre, en retour, qu'il s'avère tout aussi utile de souligner ou d'approfondir cette même différence, cette fois en fonction de la démarche platonicienne, afin de ne pas arrêter la dialectique, dont les deux auteurs se réclament, sur un point de vue fâcheusement unilatéral. Aussi convient-il de se pencher sur le projet le plus ambitieux de Jean Piaget qui consiste à

affirmer, contre les épistémologies traditionnelles étrangères à la
dimension opératoire de la pensée la nécessité d'une épistémologie
génétique : celle-ci compléterait la tendance naturellement formaliste
des théories de la connaissance par la mise en œuvre d'une position
constructiviste. Selon Piaget, une si constante méconnaissance proviendrait du primat de l'abstraction mathématique dans la pensée
grecque depuis Pythagore et trouverait son accomplissement avec le
réalisme platonicien des Formes pures séparées du sensible. Platon
est en effet *tombé en arrêt* devant les Idées, entendons, au sens moderne,
les structures logico-mathématiques du réel. Comme elles s'imposent
irrésistiblement à l'esprit et résistent en retour à ses prises, le philosophe a conclu abusivement à leur existence éternelle, séparée, immobile. Cette Idée Fixe de Platon n'a pas cessé depuis lors d'obséder les
hommes qui se consacrent à la connaissance, des philosophes aux
mathématiciens. Il importe donc de déraciner l'inspiration fixiste des
épistémologies et de montrer comment le sujet, en intériorisant ses
actions réelles sous des formes progressivement abstraites, construit
génétiquement l'édifice de la connaissance. L'épistémologie scientifique devra trouver son équilibre entre ces deux propositions : « Toute
genèse part d'une structure et aboutit à une structure », et : « Toute
structure a une genèse »[15].

Comme nous pensons avoir fait justice de cette interprétation
qui réduit le mouvement logique des formes platoniciennes aux
structures sans genèse du réalisme ontologique, nous croyons plus
opportun d'examiner si l'épistémologie de Piaget sort elle-même
indemne des critiques qu'elle adresse à l'auteur du *Sophiste*. Les beaux
et difficiles travaux de Piaget, psychologue, épistémologue et logicien,
aboutissent en effet à trois conclusions d'ordre général.

1. Il existe une *invariance* des transformations du groupe logico-
mathématique qui constitue le fondement opératoire de la pensée.
Non seulement les structures de l'intelligence se trouvent sous la
dépendance d'une totalité primitive, mais encore « les transformations
propres à un groupe sont toujours solidaires de certains invariants,

15. J. Piaget, *Six études de Psychologie*, pp. 168-171.

d'où il résulte que la constitution d'un groupe va de pair avec la constitution d'invariants qui s'y rapportent »[16].

2. On peut mettre en évidence la *permanence* des structures fondamentales de l'intelligence ainsi que l'évolution qui conduit celle-ci au stade d'équilibre de la pensée abstraite : passage des opérations primitives de l'enfant, liées aux schèmes sensori-moteurs, aux opérations concrètes déjà intériorisées et tributaires des structures élémentaires de « groupement », pour aboutir, vers l'âge de 11-12 ans, à l'épanouissement de l'intelligence abstraite, désormais capable de raisonner sur des opérations intrapropositionnelles, elles-mêmes fondées sur la constance d'une double structure de groupe et de réseau[17].

3. L'épistémologue postule enfin l'*universalité* des conduites intellectuelles chez tous les hommes, quels que soient par ailleurs les retards imputables aux différences sociales, économiques ou culturelles. On comprendrait mal, par exemple, sa sévère critique de la pensée de Michel Foucault sans faire intervenir la notion cartésienne de *sujet*, qui lui paraît irremplaçable dans une théorie génétique de la connaissance[18]. Un tel génétisme de la permanence, de l'invariance et de l'universalité d'une nature, sinon d'une substance, n'est guère éloigné d'une sorte de néo-platonisme qui aurait négligé de méditer Platon.

On objectera à cette interprétation maligne que Piaget refuse d'admettre des structures déjà constituées, et privilégie résolument, en un louable souci dialectique, le devenir sur l'être. Nous en convenons volontiers, mais ne voyons là qu'un platonisme débarrassé de son encombrant innéisme, ou, si l'on préfère, un platonisme téléologique et non plus généalogique. L'auteur des *Structures opératoires de*

---

16. J. PIAGET, Struct. math., p. 18.
17. Cf. PIAGET-INHELDER, *De la logique de l'enfant à la logique de l'adolescent, passim.*
18. PIAGET, il est vrai, se prémunit contre la tentation du platonisme par la position d'un Sujet permanent et actif : « Sans la notion d'un sujet actif intervenant dans la connaissance et, surtout, sans la connaissance du jeu des opérations dont ces « idées » résulteraient par construction, il ne reste qu'à situer ces idées dans un univers distinct de la réalité sensible » (*Log. conn. sc., op. cit.*, p. 18). La modernité des Foucault, Derrida et Deleuze discernera dans cet *ego-centrisme* (« le sujet est un centre d'actions et de coordinations », *ibid.*, p. 1262), et ce *logo-centrisme* (« il n'existe pas de « logique sans sujet » », *ibid.*, p. 1200), un retour aux inspirations platoniciennes : substance, sujet, logos, origine, étranger à la « déconstruction de la pensée ».

l'intelligence a beau revenir sur l'activité identificatrice et différenciatrice de la pensée, il retombe avec une remarquable constance sur la même structure dès qu'il s'agit de définir l'étape *finale* de l'intelligence. Platon part de la structure pour redescendre vers les opérations concrètes, au rebours de Piaget dont la démarche expérimentale remonte des conduites élémentaires à la structure totalisante qui régit l'ensemble des opérations intellectuelles : « Le propre du point de vue génétique, en épistémologie, est de se refuser à poser d'avance un sujet pourvu d'une structure intellectuelle toute faite, et constituant un point de départ en soi »[19]. Mais que l'on pose cette structure comme première, *en soi,* καθ' αὐτό, selon une primauté ontologique qui inverse le cours naturel des choses pour en déduire ensuite le réel, ou que l'on remonte du réel premier *pour nous,* πρός ἡμᾶς, à la structure, selon une primauté épistémologique qui suit l'ordre de la découverte, on reste invinciblement pris dans le cercle : structure de l'origine et origine de la structure. Piaget peut et doit suivre l'évolution progressive de l'enfant vers la maturité, s'il veut la comprendre en psychologue; il se voit contraint, pour la juger en épistémologue, de partir des structures profondes de l'intelligence.

En d'autres termes, la pensée de Piaget gravite autour de la double question : la structure crée-t-elle une genèse ? — l'épistémologue l'emporte — la genèse aboutit-elle à une structure ? — le psychologue reprend le dessus. Or il est patent que, en dépit des déclarations d'intention de l'auteur, la structure prend dans toute son œuvre le pas sur la genèse. A cet égard, la conférence de Cerisy sur *Genèse et Structure en psychologie de l'intelligence* est très éclairante. Après avoir montré que toute genèse s'effectue entre deux structures, Piaget affirme que « réciproquement, *toute structure a une genèse* » et que les deux réalités collaborent à l'état d'équilibre, ou plutôt d' « équilibration », qui définit l'acte d'intelligence. Mais, outre que ce dernier état, avec ses formes diverses de compensation, privilégie la structure aux dépens de la genèse, et que Piaget, négligeant l'apparente symétrie de son propos, insiste bien plus sur le premier point que

19. J. PIAGET, *Introduction à l'épistémologie génétique*, p. 354.

sur le second, l'épistémologue finit par imposer l'éclatante primauté de la structure. « Une fois la structure équilibrée et cristallisée, elle s'impose avec nécessité à l'esprit du sujet; cette nécessité est la marque de l'achèvement de la structure, *qui devient alors intemporelle* »[20]. Pour corriger l'évident paradoxe de l'expression, sinon son platonisme avoué, Piaget ajoute aussitôt : « Nous en arrivons à une sorte de nécessité *a priori*, mais à un *a priori* ne se constituant qu'au terme, et non au point de départ, à titre de résultante, et non à titre de source... »

Est-on bien sûr cependant que ce platonisme de la structure n'essaie pas discrètement de remonter vers sa source ? Ne doit-on pas plutôt admettre que la structure est aussi bien le commencement que le terme, et même que le terme et le commencement forment ou ferment l'unité du cercle épistémologique ? Tous les travaux de Piaget sur la structure, entendue comme l'ensemble totalisant des opérations formelles invariantes, mettent beaucoup plus en cause l'atomisme, étranger à la notion de totalité, que le platonisme proprement dit. « Au lieu de définir les éléments isolément (...) la définition structurale consiste à les caractériser par les relations opératoires qu'ils entretiennent entre eux en fonction du système. » Et Piaget ajoute ce mot que Platon n'aurait pas renié : « Ainsi, *un principe de totalité* est donné *dès le départ* »[21].

Nul doute : le « départ » épistémologique (la totalité opératoire) précède logiquement, et même chronologiquement, le « départ » psychologique (les opérations sensori-motrices) — disons mieux : il le *fonde* ! La structure opératoire constitue le *principe* de la genèse empirique, quand bien même Piaget, pour apaiser ses remords innéistes, ajouterait que cette structure provient à son tour d'une genèse. La symétrie est artificielle et Piaget doit en convenir : « Les structures humaines ne partent pas de rien, et si toute structure est le résultat d'une genèse, il faut résolument admettre, au vu des faits, qu'une genèse constitue toujours le passage d'une structure plus simple à une structure plus complexe, et cela selon une régression

20. J. PIAGET, *Six études...*, p. 171; pp. 180-181. Nous soulignons.
21. J. PIAGET, Struct. mathém., pp. 13-14. Souligné par l'auteur.

sans fin »[22]. Si nous lisons bien ce texte, une structure préexiste à chaque genèse, mais développe un mouvement de retour — *en quoi, justement, s'incarne la genèse* — vers une structure à chaque fois plus initiale. Il n'y aurait donc plus lieu de se poser la question de l'origine, ce qui contribuerait sans doute à dissiper les dernières illusions de la philosophie.

Est-ce à dire cependant que la question de l'origine ne se pose plus à Piaget et n'intervient pas en secret pour subvertir son discours antiplatonicien ? Tout au contraire, en un geste gœthéen, sinon aristotélicien, Piaget pose l'ACTE à l'origine des opérations de l'intelligence. « L'esprit est donc activité, ou pouvoir d'opérer, (...) toute action ou toute opération suppose en son point de départ, un lien indissociable entre le sujet et l'objet »[23]. L'auteur ne dépasse-t-il pas ici l'étude expérimentale des processus psychologiques pour affirmer *ontologiquement* à la fois l'*être* de l'esprit et son *origine* opératoire ? Lorsqu'il démontre, dans ses travaux psychologiques, logiques, épistémologiques, que la RÉVERSIBILITÉ constitue la figure universelle de tous les types de transformations, des cycles biologiques aux échanges mathématiques, Piaget admet bien l'existence d'une origine absolue qu'il identifie à la structure de groupe. S'il n'y avait aucune structure à la naissance de l'être humain, mais seulement des genèses inorganisées semblables aux divagations sophistiques, étrangères à un système d'ensemble composé selon des opérations réversibles — c'est-à-dire s'il n'y avait pas une *nature première* —, on ne pourrait comprendre que *toutes* les genèses impliquent la réversibilité et aboutissent invariablement à la *même* structure ! On doit donc postuler, sinon un préformisme, du moins une action en retour des formes d'équilibre de l'intelligence sur les opérations les plus simples. La fin se trouve déjà dans le commencement : « Les actions d'ordonner les objets, les réunir ou les dissocier, les mettre en correspondance, etc., présentent *dès le départ* un aspect logico-mathématique, parce qu'en toute action il existe déjà des coordinations comportant un ordre des mouvements, des réunions, correspondances, etc. »[24].

22. J. PIAGET, *Le structuralisme*, p. 54.
23. J. PIAGET, *Intr. épist. génét.*, p. 301.
24. J. PIAGET, *Log. conn. sc.*, p. 1205.

Nous sommes en conséquence autorisés à parler du primat logique, et même ontologique, de la Réversibilité qui exerce son emprise sur l'ensemble des processus de l'univers : physiques, biologiques, psychologiques, logico-mathématiques... Dans la mesure où l'épistémologie génétique de Piaget affirme la permanence d'une structure d'équilibre de l'être, premier moteur qui origine les genèses sans être lui-même mû, « pensée de la pensée », nous la nommerions plus volontiers une *épistémologie archétypale*. Paradoxalement, Platon nous paraît plus génétique que Piaget, et Piaget plus structuraliste que Platon. La « structure » de l'épistémologue contemporain, fondée sur le facteur biologique d'assimilation, demeure « essentiellement fermée et continue »[25], et révèle l'attitude *immanentiste* commune à tous les structuralismes (totalité, système de transformations, autoréglage et fermeture). *Ça* fonctionne tout seul, en boucle, de façon synchronique et intemporelle. A l'opposé, la structure platonicienne de la κοινωνία, caractérisée, elle aussi, par sa réversibilité opératoire, *s'ouvre* vers la transcendance essentielle de l'être. Alors que la structure opératoire de Piaget représente un ensemble de schèmes réversibles et fermés, verrouillés même, coordonnés en une totalité unique, universelle et permanente, la Communauté de Platon constitue un ensemble qui tend à s'ouvrir : la γένεσις εἰς οὐσίαν (*Phil.*, 54 c) ne se referme jamais sur sa propre formalisation.

L'une se clôt en un système, serait-il qualifié de génétique, l'autre consacre ses efforts à montrer qu'une telle vision de l'être est impossible à concevoir, parce que l'être déborde de toutes parts le système. Aussi certaines rencontres inattendues montrent-elles comme un grain d'ironie. Lorsque Piaget critique le rôle excessif accordé par certains logiciens, dont Serrus, à la tautologie, il reprend *les mêmes expressions* que l'Etranger d'Elée utilisait à l'égard de Parménide : « Si la tautologie exprime vraiment tout d'avance, on est cependant bien forcé, pour dire quelque chose, sans se contenter de dire « tout »

---

25. J. PIAGET, *Intr. épist. génét.*, p. 350 ; cf. p. 355 : « Toute assimilation suppose la conservation d'un cycle se refermant sans cesse sur lui-même, et c'est en un tel fonctionnement, propre à la vie, que tient peut-être le secret de la construction indéfinie des schèmes mentaux et finalement logico-mathématiques. »

à la fois, de « tailler » en elle quelque rapport spécialisé. Or c'est
justement ici qu'intervient l'opération, si anthropomorphique soit-
elle, c'est-à-dire relative au sujet agissant : elle *introduit la vie et le
mouvement au sein de la matière « tautologique » inerte*, et substitue la
dialectique à l'affirmation absolue »[26]. Mettons en regard de ce passage la grande déclaration de l'Etranger : « Nous laisserons-nous si
facilement convaincre que le mouvement, la vie, l'âme, la pensée,
n'ont réellement point de place au sein de l'être universel, qu'il ne
vit ni ne pense, et que, solennel et sacré, il reste là, planté, sans
pouvoir bouger ? » (*Soph.*, 248 e - 249 a). Cette curieuse rencontre
nous autorise-t-elle à parler du génétisme de Platon — ou bien
plutôt du *platonisme de Piaget* ? On peut bien, avec l'épistémologie
moderne, tenir pour nul et non avenu la préoccupation ontologique
de Platon, et ne s'attacher qu'aux relations, opérations et structures,
la question ne s'en pose pas moins : existe-t-il des relations en dehors
de l'être ? Les expériences de Piaget et leurs conclusions épistémologiques dissimulent difficilement des postulats d'ordre ontologique
qui orientent vers un *focus imaginarius* l'ensemble de ses réflexions.
Il y a des structures opératoires qui naissent des activités concrètes
du sujet, mais dont les caractères autonomes ne se réduisent pas à
un assemblage hétéroclite d'éléments dispars. Nous sommes sans
cesse renvoyés de la poule-genèse à l'œuf-structure : si la structure,
comme système de transformations autonomes, n'est pas première
génétiquement, puisqu'elle renvoie au cercle originaire de la genèse
et de la structure, elle est pourtant première épistémologiquement et
ontologiquement. Quand Piaget met en évidence l'existence du
groupe commutatif d'ordre 4, *origine* de la rationalité réversible qui
ne s'épuise pas dans le *début* de la vie psychique, et qu'il retrouve dans
toutes les structures physico-biologiques[27], il aboutit, *volens nolens*,
à des conclusions métaphysiques.

---

26. J. PIAGET, *Traité de Logique*, p. 267. Nous soulignons.
27. J. PIAGET, *Le structur.*, p. 39 : « Il existe donc des « structures » physiques indépen-
dantes de nous, mais qui correspondent à nos structures opératoires. » Le *réalisme* des
structures est ici peu contestable.

Si l'on objecte que l'épistémologie de Piaget fait peu de cas des séductions de l'essence, et proclame hautement sa dimension opératoire, nous répondrons qu'il en est exactement de même chez le philosophe de la γένεσις εἰς οὐσιαν, et que nous ne voyons pas plus d'inconvénients à parler d'un Platon généticien que d'un généticien platonisant. Nous renverserons même l'objection : le structuralisme génétique de Piaget, comme l'ensemble de l'idéologie « structuraliste » par ailleurs, frôle souvent un hyper-platonisme d'autant plus suspect qu'il se prétend innocent. Si le « platonisme », au sens historique du terme, désigne une ontologie réaliste qui hypostasie les essences, alors il faut convenir que les structuralismes contemporains n'ont pas grand-chose à lui envier. Leurs structures seraient-elles en mouvement — mouvement synchronique aussi convaincant que le « mouvement passif » que Diès daignait accorder aux formes platoniciennes — selon une autoconstruction permanente, elles *sont* pourtant bien *réelles* pour leurs adeptes et n'échappent pas si facilement à l'accusation de « chosisme ».

Bien qu'il dénonce de bonne foi le structuralisme « statique » et le « réalisme de la structure », justement qualifié de « danger permanent », Piaget n'en continue pas moins à poser, dans le droit-fil du réalisme cartésien, donc de l'ontologie traditionnelle, une *res cogitans* et une *res structura* dont on se demande quelle troisième substance permet dialectiquement l'union ! Piaget défend ainsi l'existence du sujet contre l'entreprise subversive de Michel Foucault : « Le sujet existe parce que, de façon générale, l' « être » des structures, c'est leur structuration »[28]. Si nous comprenons bien, et quels que soient les repentirs typographiques : 1. Il y a un *être* du sujet. Le *Cogito*, ancré dans l'organisme et le monde physique, ne se réduit pas à « une certaine déchirure dans l'ordre des choses » ; 2. Cet être subjectif, lui-même structuré, dépend d'une origine plus haute, *l'être des structures*, que Piaget nomme habilement « structuration » pour éviter le reproche de transcendantalisme et accentuer son aspect constructiviste. Mais remplacer la *structure* par la *structuration*, comme

28. J. Piaget, *ibid.*, p. 120.

ailleurs l'*équilibre* par l'*équilibration*, c'est utiliser le procédé, justiciable
d'une saine critique nominaliste, qui, sous couvert d'un mot nouveau,
laisse entendre un parler bien antique ! L'acte de la substance (la
structuration) dépend en effet elle-même dialectiquement de la
substance de l'acte (la structure). Il faut bien, en tout état de cause,
que la structure soit une réalité, et que cette réalité soit quelque part :
dans le sujet, dans l'objet, ou en elle-même, c'est-à-dire en Dieu. *Dum
Structura calculat, fit mundus.* Si la structure ne se confond pas avec les
phénomènes qu'elle met en jeu (« les structures ne sont pas observables
comme telles et se situent à des niveaux où il est nécessaire d'abstraire
des formes de formes ou des systèmes à la *nème* puissance »)[29], elle mène
donc une existence séparée, sous quelque forme que ce soit, des
réalités empiriques. On restaure alors la *séparation* platonicienne
de l'intelligible et du sensible pour retomber sur les vieilles apories de
la « participation » : la pensée de Piaget est une pensée nouvelle
du χωρισμός.

Pour éviter d'exiler la structure « dans l'empyrée des transcendan-
talismes » vers lequel elle tend naturellement, puisqu'elle possède
« un statut intemporel en tant que réversible », on essaiera de la situer
de façon immanente « à mi-chemin entre le système nerveux et le
comportement conscient lui-même »[30]. Ne glisse-t-on pas ici vers
l'entre-deux sophistique, c'est-à-dire vers le *ni-ni* ? De quelle façon
cette structuration relie-t-elle le physique et le psychique, pourquoi
se place-t-elle « à mi-chemin », quelle signification accorder à cette
dualité de fait qui ne recouvre pas l'unité de droit de la structure ?
Nous demeurons dans une incertitude totale devant cette structure
opératoire anti-platonicienne, qui sauvegarde farouchement sa *réalité*,
sa *permanence*, son *intemporalité*, et sa *transcendance*.

Comment en effet le système totalisant, autotransformant et
autoréglé, s'incarne-t-il dans l'expérience concrète de l'homme,
sans pour autant perdre sa virginité intelligible ? Inlassablement,
Piaget répond qu'il est issu génétiquement des conduites du sujet,

---

29. J. PIAGET, *ibid.*, p. 117.
30. *Ibid.*, p. 13; p. 57; p. 119.

des manipulations concrètes de celui-ci aux opérations intellectuelles abstraites régies par le groupe de quaternalité. Le psychologue retrouve ainsi la vieille solution du parallélisme psycho-physique, et postule l'isomorphisme de la structure logico-mathématique et de la genèse psychologique. Mais cela ne satisfait toujours pas à la question kantienne qui hante Piaget : *comment l'isomorphisme est-il possible ?* Répondre par le mot magique « réversibilité » revient seulement à remplacer un mot par un autre, puisque l'isomorphisme de deux éléments tient précisément à leur réversibilité commune !

En outre, le passage du psychologique à l'épistémologique, de la genèse à la structure, reste toujours aussi mystérieux, à moins de restaurer un nouveau finalisme, sinon un occasionnalisme, encore plus opaque. Piaget admet que les schèmes sensori-moteurs de l'enfant, peu à peu intériorisés sous forme d'opérations logiques, débouchent naturellement sur les structures rationnelles de la réversibilité. Mais pourquoi l'animal ne parvient-il pas à effectuer une semblable démarche ? Si Piaget répond en biologiste, il renvoie la question à l'infini, puisque la biologie elle-même repose sur la chimie, puis sur la physique, celle-ci à son tour sur les mathématiques, et ces dernières enfin sur les activités opératoires de l'intelligence humaine ! Il y a toujours cercle dans le sujet, dans l'objet, dans les sciences et dans la réversibilité elle-même. Ça tourne bien rond : « C'est cette circularité du sujet et de l'objet, issue de la circularité de l'organisme et du milieu et source de la circularité de l'implication et de la causalité, qui rend compte de la forme circulaire du système des sciences »[31]. Une répétition aussi harmonieuse nous paraît évoquer davantage la *sphère* de Parménide que la quadrature platonicienne.

Car si le Cercle — le groupe de réversibilité — est premier, c'est donc lui qui donne naissance à la genèse et commande une épistémologie qu'il vaudrait mieux qualifier de « circulaire » que de génétique. Comment l'évolution temporelle de l'intelligence selon une série *linéaire*, marquée par des étapes déterminées, pourrait-elle donner, en s'intériorisant, une structure logico-mathématique dont

31. J. PIAGET, *Log. conn. sc.*, p. 1221.

le trajet est *circulaire* ? Comment passer de la genèse (temporelle) à la structure (intemporelle), de la ligne (historique) au cercle (éternel) ? Où se trouve l'ἐξαίφνης du *Parménide* pour produire les métamorphoses instantanées et réciproques d'une conduite génétique ouverte et d'une structure sans portes pour entrer ni fenêtres pour sortir ? Le cercle épistémologique, en sa clôture, va mettre en mouvement le cercle biologique, puis le cercle physico-chimique, enfin le cercle mathématique pour se reformer, par un retour plus extraordinaire que les réversibilités régionales de chaque science, en un nouveau cercle épistémologique qui est en réalité le même qu'auparavant. Il faut penser ce cercle en Repos.

Cercle des cercles, éternel Retour du Même dont la genèse ne constitue qu'un immense processus cyclique d'identification, l'intuition opératoire de Piaget revient finalement à l'*éléatisme* : la réversibilité n'est autre que la spéculation identitaire des quatre miroirs courbes qui se renvoient indéfiniment les uns les autres. Nous tournons une fois de plus en rond, avec cette seule différence que le cercle ontologique subit dorénavant le baptême de la scientificité. « Comme les sciences forment un cercle et non pas une série linéaire, descendre de la biologie à la physique, c'est ensuite remonter de celles-ci aux mathématiques et finalement revenir... disons à l'homme pour ne pas décider entre son organisme et son esprit »[32].

Il manque au structuralisme la dimension de l'être. L'ironie de sa condamnation du platonisme tient en ce qu'il est lui-même un nouveau platonisme — *sans Platon*, ou un nouvel éléatisme — *sans l'Etranger*, autrement dit une pensée du *système*. Car s'il n'y a qu'une maison de l'être pour Platon, il y a plusieurs demeures dans la maison structurale, dessinées selon le même plan circulaire de la Tautologie suprême, en ce dédale inépuisable de la ligne courbe.

Loin de se clôre au contraire en un circuit fermé, la pensée platonicienne, prodigue de ses détours et ses retours à l'œuvre dans la

32. J. PIAGET, *Le structural.*, p. 119.

communauté ouverte des dialogues, est une ontologie opératoire fondée sur la Différence. L'Etre se donne à la pensée dans le partage originel de la Quadrature, dont la réversibilité assure le retour régulier des Formes. Mais il se retire du partage qu'il conduit pour se réfugier dans son altérité essentielle. Deux principes gouvernent ainsi la Pentade : un principe d'immanence, qui commande la distribution symétrique, régulatrice et opératoire des quatre genres en leur espace de jeu commun. Et un principe de transcendance, rebelle à la parité, secrètement lié à la Quadrature qu'il anime.

La Pentade, dont l'Oracle est l'Etranger, n'affirme ni ne dissimule l'être — elle le suggère.

5

TLÖN

On pourrait, sans trop de risques, esquisser la définition du platonisme comme l'histoire d'une longue dénaturation. A peine échappe-t-il à la fascination de l'Immobile qu'il tombe sous le coup de l'exorbitant privilège de l'Identique. Aveugle au parricide, Piaget reproche à Platon d'avoir oublié l'aspect opératoire de la dialectique, d'un point de vue structuraliste. Dans une perspective humaniste, qui se réclame à la fois de Descartes et de Sartre, Rolland de Rénéville accuse l'auteur du *Sophiste* d'avoir perdu le sens de la différence. Nous ne pouvons donc éviter de rencontrer sa brillante étude sur le problème de l'Un-Multiple chez Platon et les sophistes, qui aboutit en effet à établir que la doctrine platonicienne des Formes, malgré de timides audaces, n'a pu triompher de l'ontologie éléatique et, en voulant restaurer la transcendance du logos, a manqué l'humanisme libérateur des sophistes.

La Négativité avait une première fois jailli de cette fissure ouverte par l'éléatisme entre l'être et la parole, dans son effort héroïque pour penser par-delà toute détermination conceptuelle. Désormais le mouvement de la négation allait se développer chez Zénon, puis les éristiques et les sophistes, pour frôler bientôt une sorte de « *Cogito*

implicite du nihilisme »[33]. Rien n'échapperait à la critique universelle
et dissolvante des sophistes qui, sur un champ de ruines ontologiques,
préparaient la libération du langage humain. La subversion sophistique de l'être éléatique constitue ainsi le moment décisif de l'histoire
où, pour la première fois, l'homme tenta de s'instaurer lui-même
comme source réelle des valeurs. Contre les privilégiés qui fondaient
leur commandement sur l'*ordre* intangible de la Vérité religieuse ou
métaphysique (l'Αρχή, emprise de l'origine, justifie l'*Archonte*, le
chef-roi), les prétendants essayèrent inlassablement de ruiner l'Autorité
de l'ontologie afin d'assurer les chemins de la liberté sociale et politique. Faute cependant de concevoir « le sujet en première personne »,
c'est-à-dire le *Cogito*, les partisans de l'homme-mesure restèrent prisonniers de l'abstraction du « subjectivisme radical » et s'écroulèrent
sous les coups répétés du platonisme. S'ils avaient montré plus
d'audace encore, les sophistes auraient reconnu au fond du sujet
singulier l'horizon de l'universel et établi le fondement transcendantal
de la loi. A l'avènement de Socrate, la pensée grecque ne garderait
plus que « le souvenir d'avoir en quelque sorte écrasé sous l'en-soi
l'homme un moment soulevé vers sa libération »[34].

Socrate et Platon allaient-ils accomplir cette révolution du *Cogito*
qui, avec l'avènement de l'humanisme, amènerait une révolution
politique et sociale ? Tel est l'enjeu, selon Rolland de Rénéville, qui
pousse à l'extrême les théories relativistes de Dupréel, du conflit
supra-historique qui opposa la pensée platonicienne à la sophistique :
l'ontologie de la *maîtrise* contre l'humanisme des *serviteurs*, l'aristocratie des *Formes* privilégiées contre la démocratie des *Valeurs*
humaines, trop humaines. Malheureusement Platon, à la suite de son
maître, trahit l'héritage sophistique et inversa les rapports du logos
et de l'homme; il succomba à cette « maladie infantile » qui consiste à
hiérarchiser les Formes en une verticalisation ascendante. « En
oubliant plus ou moins délibérément que le logos prend son origine
dans l'homme » — ce que Rolland de Rénéville, pas plus que Dupréel,

33. J. ROLLAND DE RÉNÉVILLE, *L'Un-Multiple...*, p. 47.
34. *Ibid.*, p. 67.

ne se donne la peine d'établir[35] — Platon définit une fois pour toutes la tâche du philosophe : revenir vers le logos et se perdre en lui. Après Feuerbach, Rolland de Rénéville nomme ce mouvement ascensionnel de la dialectique : *aliénation*.

Le fourvoiement de la pensée platonicienne provient alors d'une interprétation erronée de la catégorie d'*Autre*, en laquelle le philosophe n'arrive pas à reconnaître la Négativité en acte et son rôle essentiel de Médiation. Trois moments gouvernent cette approche de l'Autre et en accentuent l'échec : le *Parménide*, le *Sophiste* et le *Philèbe*.

Dès sa première hypothèse, le *Parménide* frôle un *Cogito* avec le jaillissement du Néant au cœur de l'Un absolu, mais échoue faute d'avoir assimilé les εἴδη aux νοήματα, les Formes aux Pensées du sujet. La réflexion s'enferme alors dans la stérile opposition des deux premières hypothèses qui anéantissent le Multiple dans l'Un ou l'Un dans le Multiple, avant d'atteindre, par une sorte de saut, cette fameuse troisième hypothèse dont la position et l'obscurité ont tellement intrigué les commentateurs. Après les néo-platoniciens, Rolland de Rénéville met en évidence l'importance de l'hypothèse impaire, pour finalement n'y voir qu'un « vestige au sens transformiste du terme », « une voie sans issue » liée à son « imparité » et à sa « situation unique »[36].

L'argument se révèle peu probant et, pour tout dire, contradictoire. On nous affirme que la voie nouvelle suivie par Platon pour résoudre l'antinomie de l'Un-Multiple se distingue par son imparité, sorte de synthèse des autres voies, et on corrige aussitôt en déplorant que, dans la mesure où elle demeure solitaire, l'imparité de la voie entraîne l'échec de la voie de l'imparité. En privilégiant ici inconsciemment la parité des hypothèses, l'interprète présuppose que Platon lui-même recherche cette parité et doit, en conséquence, abandonner l'hypothèse impaire. Bien au contraire, si Platon choisit de la placer dans une situation singulière, en rompant délibérément la symétrie

---

35. *Ibid.*, p. 122.
36. *Ibid.*, p. 147; p. 148.

apparente des deux séries, c'est pour insister sur la signification originaire de cette *monade* qui commande l'ensemble des huit hypothèses ! En posant l'étrange existence de ‖l'ἐξαίφνης antérieurement aux deux fils qu'elle a pour charge de nouer, Platon assure à la fois la symétrie du Même et la dissymétrie de l'Autre, annonçant ainsi le *Sophiste*. Or si l'interprète reconnaît dans le τρίτον « l'origine radicale, *transcendantale*, de toute saisie, pulsation (...) première, zéro absolu »[37], il se dépêche pourtant de refouler cette différence initiale chez Platon et de prétendre que celui-ci l'a négligée. Comment Platon aurait-il pu abandonner la voie qui prépare le parricide, et construire un dialogue entier autour d'une hypothèse ontologique sans aucun avenir ?

De façon plus générale, Rolland de Rénéville méconnaît constamment le sens de la démarche platonicienne en l'assimilant à un cartésianisme larvé ou à un humanisme avorté : « La notion d'Autre », énonce-t-il comme un postulat irréfutable, « aux yeux de Sartre, doit être identifiée à la conscience »[38]. En dehors du fait que les yeux de Sartre ne nous paraissent pas précisément regarder du côté de Platon qui, sauf erreur, est davantage concerné dans le *Parménide* que l'auteur de *L'Etre et le Néant*, nous ne comprenons pas en quoi l'ἐξαίφνης ou l'*Autre* pourrait s'*identifier* au *Cogito*. Alors que Platon, de l'aveu même de son critique, remonte manifestement à l'origine radicale « où naît et s'accomplit le mystère de l'Un-Multiple »[39], on tente d'immanentiser sa démarche en introduisant subrepticement un *cogito*. En clair, Platon échouerait dans son entreprise parce qu'il n'est pas Sartre, ce qui, assurément, peut paraître déplorable, mais assez étranger aux préoccupations du philosophe grec !

Qui échoue alors à sauvegarder l'essentielle altérité de la troisième hypothèse ? Platon, quand il insiste sur son caractère impair, unique et transcendant — ou bien l'interprète moderne frotté d'humanisme, lorsqu'il réduit cette altérité à l'identité d'un *cogito* réflexif ? Nous retrouvons ici l'habituel procédé de subversion sophistique qui

37. *Ibid.*, p. 152.
38. *Ibid.*, p. 153, n. 2.
39. *Ibid.*, p. 153.

ramène l'altérité de l'Autre à l'identité du Même, et aplatit en quelque sorte la transcendance sur l'immanence. Rolland de Rénéville hésite ainsi entre la reconnaissance de l'altérité positive chez Platon et la méconnaissance de cette altérité qu'il veut à tout prix identifier à la négativité hégélienne ou à la conscience sartrienne. Il avance même que, si cette troisième hypothèse « avait été jugée exhaustivement satisfaisante, elle aurait dû clore le dialogue ». Nous comprenons plutôt que, dans ce cas, la suite des hypothèses, de la quatrième à la neuvième, n'ayant plus de raison d'être, la symétrie aurait disparu. En conséquence, la troisième hypothèse perdrait son *imparité* et ne pouvait plus tenter « une incursion dans l'ombre où s'élabore toute symétrie »[40].

Comme Deleuze et Derrida, Rolland de Rénéville en arrive insensiblement à voir dans la conscience — l'humanité de l'homme — un pouvoir de reproduction *mimétique*. La conscience est *libre* parce qu'elle s'enveloppe de *négativité* quand elle pose l'être dans son arrachement à lui : il faut rapprocher de la conscience thétique sartrienne l'art du sophiste, faiseur de prestiges et créateur de fantasmes. Platon a choisi la mauvaise altérité, comme d'autres le mauvais infini, en se contentant d'une altérité « immanente » aux choses, qui n'altère pas vraiment, mais « installe en quelque sorte chaque étant dans son lieu ». Au contraire, nous dit-on, l'altérité « véritablement altérante » réside dans le « négatif » qui, par sa fonction réfléchissante, fait naître la conscience et la distingue des objets qu'elle pose. On voit que l'interprète inverse le sens des deux altérités que nous avons reconnues chez Platon et cherche à les réduire à la seule *Négativité*, donc, malgré tout, à l'Identité présente sous la forme négative de la conscience. Mais l'Autre esquive à la fois la contrariété et l'identité : autre que les autres et autre que l'être, l'Autre éprouve son « unique soi » (ἓν μὲν αὐτό, *Soph.*, 257 *a*) dans l'infinie distance qu'il garde à l'égard de toutes les catégories. Comme l'être, lié à chaque genre, n'est pourtant pas ce genre, l'Autre qui est et n'est pas distingue ces mêmes genres, mais se distingue à son tour de cette distinction. Il *est* pure différence,

---

40. *Ibid.*, p. 157; p. 153.

sans pour autant, puisqu'il est *autre*, s'identifier à l'être. Sous un certain rapport, l'*être* est et n'est pas (entendons l'Autre, puisque le Néant absolu, « objectif » du nihilisme ou « subjectif » de l'humanisme, a été rejeté par l'Etranger), et aussi l'*Autre* n'est pas et cependant est (entendons l'être). Ce mixte d'être et de non-être, origine initiale de l'ontologie, n'entre pas en couple avec le néant qu'il a déjà intériorisé.

Aussi devons-nous écarter le contre-sens de Rolland de Rénéville qui conclut de son étude du *Sophiste* que l'Etranger « s'accorde de la négation et de l'altérité une définition chosiste ». N'est-ce pas plutôt le disciple de Sartre qui chosifie l'altérité quand il la ramène à l'*identité* de la « négation interne et fondative, dont procède toute la négation externe et fondée » ? La différence platonicienne entre la négation et la différence s'altère chez Rolland de Rénéville au point de se renverser en négation de la différence entre la différence et la négation. De nouveau, pour les sophistes anciens ou modernes, se découvre la fascination envers le champ de ruines du nihilisme : « Il n'y a d'être réel (...) que l'être dévoré, du cœur de lui-même, par sa propre négation »[41]. Le sophiste cherche à *identifier* l'être de l'ontologie platonicienne à la négation du nihilisme sophistique. Nous retrouvons l'ombre équivoque du Semblant, vingt-cinq siècles après le grand débat entre Platon et Protagoras : « L'être absolument être est celui non de l'identité morte mais de cette ipséité qui, parce qu'elle est par excellence le lieu de la vie, de l'âme, de la passion, l'est du même coup de la position, ou théticité, *et donc de l'eikastique générale* »[42].

Platon n'a pas osé suivre jusqu'au bout la voie de la Semblance et poser, dans le néant de sa liberté, la conscience comme ipséité productrice d'images et de simulacres. Il s'est condamné par là, nous assure-t-on, à régresser vers l'éléatisme et à renoncer à la libération offerte par la négativité en acte. Passant prudemment sous silence le parricide, l'interprète conclut à l'échec magistral de Platon qui doit abandonner son projet initial. « Le mouvement historique inachevé par lequel le *Sophiste* eût dû être suivi d'un dialogue intitulé

---

41. *Ibid.*, p. 204; p. 205.
42. *Ibid.*, p. 208. Nous soulignons.

le *Philosophe*, c'est-à-dire consacré à l'homme en pleine possession de la conscience de soi »[43] n'a en effet jamais vu le jour.

Le tour est joué : l'obsession humaniste de Rolland de Rénéville l'a conduit à interpréter le *Philosophe* comme un traité *De l'Homme*, puis, devant l'absence du dialogue, à constater l'échec de l'anthropologie platonicienne ! Mais il n'explique pas pour quelle raison ce mouvement historique resté « inachevé » aurait échoué sur l'altérité de l'homme. Bien plus, il hésite constamment entre deux appréciations : tantôt il dénonce en Platon le philosophe qui a trahi l'idéal sophistique en se contentant d'une altérité seconde, tantôt il reconnaît que l'être du *Sophiste* « récèle la négativité en son sein, « comme un ver », sous les espèces de l'Autre »[44]. Dirons-nous alors, selon l'habituel balancement sophistique, que l'ontologie platonicienne n'a réussi à rendre compte *ni* de la négativité *ni* de la différence, et s'est ainsi ôté le droit de saisir la nature originaire de l'altérité ?

La fin de l'analyse confirme la sévérité de la critique : dans le *Philèbe*, Platon coupe définitivement les ponts avec la négativité sophistique et « péjore » l'Autre assimilé ontologiquement au *plaisir*, dont il refuse la prééminence et même la certitude. Rolland de Rénéville ne songe pas un instant à chercher l'Autre du côté du *cinquième genre* diacritique que Socrate laisse ironiquement dans l'ombre; il lui faut à tout prix l'identifier au plaisir fantasmatique que Philèbe et Protarque mettent au premier rang des biens. « Ni désir insatisfait ni satiété, mais nié de celle-ci et niant celui-là, cependant doté d'une sorte d'être glissant, le plaisir est donc bien, comme nous l'avions vu de l'*autre*, un être de ce qui n'est pas, un non-être de ce qui est, la négation même, l'altérité altérante »[45]. Aussi l'ultime chapitre de Rolland de Rénéville, *la dernière philosophie*, affirme-t-il que la seule certitude de l'humanité de l'homme réside dans l'autre, support ontologique du plaisir. Comme chez Deleuze, Diogène le cynique

43. *Ibid.*, p. 209, note 1.
44. *Ibid.*, p. 222. La constance des métaphores nihilistes est remarquable : le ver, le rongeur, le dévoreur, qui contaminent l'être ou le dégradent chez Rolland de Rénéville, les meutes de rats chez Deleuze-Guattari.
45. *Ibid.*, p. 243. On notera, avec la double dénégation, le glissement progressif vers le plaisir, de Protarque à Derrida et Rolland de Rénéville.

devient la figure philosophique qui pervertit la vérité platonicienne. Il n'est plus question de suivre la dialectique du *Banquet* qui sublime l'amour vers l'Autre ; il faut parier pour le désir de néant et d'angoisse en quoi l'homme s'éprouve comme l'origine absolue de toutes choses. La pensée du simulacre unit une fois de plus son désir de domination et son goût, plus profond encore, de néant : « L'objet du désir n'est, en soi et par soi, *rien*, sinon une occasion pour lui de surgir »[46]. On comprend la raison de la prolifération des métaphores nihilistes sous la plume de l'auteur, qui associe la dégradation, la destruction, la ruine, à la négativité ontologique, afin de désarmer l'*affirmation* platonicienne et d'anéantir le mouvement généalogique de la Différence.

Loin donc que le nihilisme trouve sa source en Platon, selon l'interprétation couramment attribuée à Nietzsche, il prend racine, ou rhizome, dans le désir sophistique qui, de Protagoras à Deleuze, se conforte dans l'utopie de sa négativité. Comme la sophistique ne peut pas ne pas s'apercevoir qu'elle ne tient son semblant d'être que de la philosophie qu'elle nie, c'est-à-dire du *refus de l'autre* sur lequel pourtant elle vit en parasite ontologique, elle cherche à la ronger, à la détruire de l'intérieur, « comme un ver ». Elle feint de refuser la négation au profit de la différence, mais, pour ce faire, pense *contre* la philosophie, simule *contre* le dialecticien, choisit la négativité *contre* l'altération absolue. Jouant de toutes les ambiguïtés, elle s'installe *entre* la double dénégation qu'elle adresse aux modèles, dans le non-lieu d'une Mimésis généralisée. Telle est bien la signification de la conscience « thétique » que Rolland de Rénéville introduit par force dans la pensée grecque. Il y a une unité fondative de l'homme qui se saisit elle-même comme scission ou décalage par rapport à l'objet, et qui, par sa négativité, fait apparaître les choses. Platon n'a pas eu l'audace d'établir la réalité de cet « acte scissivo-réflexif »[47] et, en couronnant l'effort sophistique, de permettre à l'homme d'arriver en possession de la conscience de soi. Mais alors, pour juger Platon

46. *Ibid.*, p. 257.
47. *Ibid.*, p. 207.

en fonction de la problématique sartrienne, notre critique s'interdit non seulement de comprendre l'originalité de l'attitude philosophique, mais encore de saisir la vraie nature de l'Autre. Tout le débat, l'Etranger ne se lasse pas de le répéter, se tient entre la contradiction et la différence : le sophiste refuse la validité du principe de contradiction, ontologiquement fondé, et prétend différer indéfiniment dans le redoublement de ses fantasmes. A son tour, Rolland de Rénéville rejette l'ontologie platonicienne, qualifiée avec mépris de « chosiste », pour laisser jaillir l'altérité altérante de la conscience. L'interprétation « psychologiste » de l'ontologie platonicienne a beau reprocher à Platon d'instaurer une altérité qui n'altère pas, elle n'en retombe pas moins dans la négation sophistique de cette altérité. Nous avons montré que l'Etranger séparait soigneusement l'altérité spécifique de chaque genre par rapport aux autres (distinction *opératoire* des quatre branches de la Quadrature) de la Différence originelle de l'être, rendant ainsi inopérant le traditionnel reproche : « La doctrine des Formes, en enfermant la pensée dans chaque forme et les formes en une seule qui fonde leur être, retournait droit à l'éléatisme »[48]. Tout au contraire, Platon sauvegarde la tension continue de l'Un et du Multiple et n'enferme pas le cheminement philosophique en un système clos. Dès que Rolland de Rénéville cherche à découvrir une altération « subjectiviste » dans la dialectique platonicienne, il se heurte à la distinction initiale de l'altérité et de la différence et prend indifféremment l'une pour l'autre. Il désire découvrir une altérité phénoménologique dans un *cogito* esquissé; qu'il ne s'étonne pas de trouver une différence ontologique sans l'esquisse d'un *cogito*.

Platon n'accomplit aucun retour à Parménide car l'être, pensé dialectiquement à travers la médiation de ses catégories, ne s'offre jamais seul. Mais il ne se réduit pas à l'une des déterminations que le discours utilise pour s'approcher au plus près de lui : il joue dans la cinquième dimension de l'imparité, ἕτερον τι, originellement autre. A la différence de Parménide et de sa postérité sophistique, baignant

48. *Ibid.*, p. 97.

dans l'immanence ontologique et fantasmatique, la pensée platonicienne affirme pour la première fois la transcendance de l'être et
s'éprouve comme *philosophie de la Séparation*. Dès lors, toute philosophie s'avoue platonicienne, voudrait-elle, à l'image de Nietzsche,
« renverser le platonisme », qui naît de l'expérience de la Différence
ontologique. En regard, la pensée sophistique, de Protagoras à
Derrida, ne prouve sa symétrie à l'encontre de la pensée qu'elle
simule qu'en se révélant comme *séparation de la Philosophie*. En privilégiant la semblance au détriment de la différence ontologique, elle
ne tarde donc pas à rejoindre la pensée éléatique. Ainsi, lorsque
Rolland de Rénéville admet que la présence de l'Autre entraîne
« une dégradation d'être »[49] à l'origine de l'*existence*, le choix même
de l'expression ne témoigne-t-il pas d'une nostalgie inavouable de
l'éléatisme ? Loin de se dégrader au contraire, l'être platonicien du
παντελῶς ὄν s'enrichit de ses quatre dimensions. Il ne s'épuise jamais
dans l'identification stérile avec l'une d'entre elles : sans cela, nous
n'obtiendrions qu'un éléatisme éclaté en cinq directions, prisonnier
de cinq sphères immobiles dont nous nous demanderions en vain
quelle est la *relation* !

La catégorie d'Autre est bien, selon le mot de Ricœur, « cinquième
et dernière » et, au cœur de l'être lui-même, « la catégorie la plus insaisissable »[50]. Dernière certes, mais aussi bien première, puisqu'elle
n'échappe aux prises de la connaissance que dans la mesure où elle
l'oriente initialement vers un être situé au-delà d'elle-même. Plus
insaisissable que l'être, certes encore, si l'on entend par là que l'être
platonicien incarne la différence originaire et ultime. Nous pouvons,
selon le contexte, insister sur le caractère *ontologique* de la différence
ou sur le caractère *différentiel* de l'ontologie. L'être *est* autre, sans
être l'*Autre* : centre antérieur à la séparation même des genres, il en
constitue en quelque sorte la racine, comme le remarquait Damascius.
« De même que le mot *est* est le lien des autres mots, verbes et noms,

---

49. *Ibid.*, p. 224.
50. P. RICŒUR, *Etre, essence et substance chez Platon et Aristote*, pp. 54-55.

de même l'être, τὸ ὄν, est le lien de toutes les espèces, la racine pour ainsi dire de toute espèce, de laquelle et en laquelle toute espèce croît, germe et est fondée »[51].

Par le jeu de ses dimensions qui se séparent et s'assemblent, la Quadrature ouvre l'horizon de l'être qui transcende le domaine de leur rencontre.

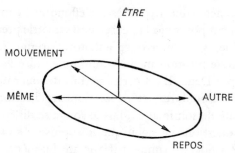

Chacune des flèches opératoires traverse l'être et se distingue des autres, mais l'être échappe à leur visée comme à leur intersection : il est le Simple à partir duquel les Quatre reviennent. Partout joue la Différence, non le néant que l'Etranger ne saurait accorder. Il repousse en effet formellement la symétrie externe entre le groupe ontologique (la κοινωνία) et ce que l'on pourrait appeler le groupe méontologique (l'ἀντί-κοινωνία du Néant, dissoute dans le Non-Mouvement, le Non-Repos, le Non-Même et le Non-Autre). Un tel redoublement s'avère irreprésentable :

1. Ou bien chaque genre s'annule en rencontrant l'anti-genre correspondant, ce qui revient à dire que l'Ontologie et la Méontologie se détruisent mutuellement : il ne reste RIEN. Nous débouchons alors sur la conclusion contradictoire d'une Méontologie qui n'est pas annulée, puisqu'elle l'emporte sur l'Ontologie, de telle sorte que le Néant est et que l'Etre n'est pas.

2. Ou bien chaque genre et son anti-genre demeurent en équilibre : l'Ontologie et la Méontologie se font face en une opposition statique dont il faut bien chercher le fléau. Un tiers manque de toute

51. DAMASCIUS, *Problèmes...*, § 62, p. 215.

nécessité pour établir cette symétrie, serait-ce la surface glacée d'un miroir. Nous voilà renvoyés à l'argument sophistique du troisième homme !

Cet acharné désir de symétrie qui obsède les sophistes, dans ce que l'on pourrait nommer l'illusion du miroir, est déjà envisagé par Platon dans le *Parménide*, pour se trouver définitivement rejeté : les septième et neuvième hypothèses s'effondrent dans le nihilisme absolu. On ne peut poser par la pensée une symétrie première, comme celle du Double, sans interroger aussitôt l'origine nécessairement antérieure de cette position même : quoi qu'en dise le sophiste, rien ne commence par Deux. Il est certes permis de jouer un moment sur les reflets et les doublures, et de se donner l'illusion que *rien* ne distingue Socrate de son image. Mais le songe se dissipe dès que l'on pose la *simple* question qui débusque le sophiste : « Qu'*est*-ce que le miroir reflète ? » Socrate simule-t-il Socrate lui-même, en tant qu'il est lui-même Socrate, parce que le *double nom* désigne indifféremment l'un ou l'autre, ou plutôt le même, s'il est vrai qu'il n'y a pas *ni* d'un *ni* d'autre ? Dans ce cas, Socrate et le sophiste se confondent en un identique fantasme. Quels que soient donc les efforts de l'auteur du *Sophiste* pris à son propre piège, la mort de Socrate était justifiée : le sophiste qui ne savait rien n'était rien d'autre qu'un sophiste, plus roué peut-être que ses compagnons. Plus roué ou plus innocent ? Car enfin, ce que sophistes anciens et modernes se gardent bien de souligner, c'est la *différence* ultime entre le philosophe qui se défendait d'être un sophiste et le sophiste qui ne répugnait pas à affecter le masque du philosophe. La différence ontologique se nomme ici tout simplement : ciguë — il faut peut-être relire le *Criton*. Quant au sophiste, aujourd'hui comme hier, il se contente de mimer le jeu tragique de la mort dans la seule écriture : ne lui demandons pas de pousser la ressemblance jusqu'au bout et d'avouer à son corps défendant que la philosophie est décidément un trop grand risque à courir.

Que veut en effet nous dire l'*ironie* platonicienne lorsqu'elle questionne :

« Eh bien, Socrate, tu entends ce que dit Socrate ? »

Imaginons un instant que le texte du *Politique* ait été perdu, et que les hasards de l'histoire n'en aient conservé que cette singulière bribe de dialogue. Qu'en concluraient les exégètes modernes ? Une erreur de copiste, une confusion de noms, une plaisanterie de Platon, une conversation de Socrate avec son démon ? Ou bien encore l'acte « scissivo-réflexif » d'une conscience balbutiante ? Penseraient-ils à interroger le redoublement du simulacre et à mettre en cause sa duplicité native ?

La question de l'Etranger, en tout cas, ne saurait à son tour être simulée, qui trouve son origine dans le lieu de toute Dissimulation, le langage, et se répète, impassible : pourquoi trouvons-nous en présence deux Socrates ? Que signifie cette surprenante homonymie ? La symétrie platonicienne du double (de) Socrate est autrement probante que l'exemple des mains symétriques de Kant : son aspect spéculaire, au seul niveau de l'écriture, ne suscite aucune différence externe que l'espace arbitrerait. Pour l'entendement identifiant, Socrate est identique à Socrate dans la répétition neutralisante du Même. Les simulacres de l'homonymie se portent dans le discours au point extrême du renversement sophistique : le langage du simulacre avoue qu'il n'est qu'un simulacre de langage. En conséquence, il ne peut plus rien *dire* — et le jeune Socrate se tait.

Quand l'Etranger, pourtant, demande à Socrate s'il entend ce que dit Socrate, c'est la *question* elle-même, signe de l'irréductible différence entre le questionneur et le répondant, qui autorise à distinguer le premier Socrate *qui entend* du second Socrate *qui dit*. Leur rapport n'est donc pas *in-différent*, comme voudraient le laisser croire les sirènes sophistiques. Il n'est surtout pas indifférent que ce soit la figure énigmatique de l'Etranger qui repose la question du second Socrate au premier, et institue la symétrie d'un possible dialogue, en intervenant en tiers dans leur rencontre. Si Platon avait fait poser cette question à un autre que l'Etranger, plus encore, s'il n'avait pas mis en scène l'éléate parricide dans le *Sophiste* et le *Politique*, sa recherche risquait de s'abîmer dans la sophistique. Anytos et Mélétos auraient eu raison contre Socrate : il n'y a pas de différence entre le philosophe, semblable aux « sophistes accomplis » — οἱ τέλεοι σοφισταί — comme l'Etrangère du *Banquet* (208 *c*), et l' « authentique sophiste » — τὸν ὄντως σοφιστὴν (*Soph.*, 268 *d*) — qui imite la conduite du philosophe. Les deux Socrates sont indiscernables tant qu'on ne prend pas garde, non pas au *modèle* (que le simulacre rejette), mais au *miroir de l'Autre* qui permet l'existence du reflet, serait-ce comme une simple image virtuelle. Aussi Platon donne la parole à l'Autre, dans le *Sophiste* et le *Politique*, à cet *intermédiaire* indispensable *entre* le modèle et le simulacre. A l'Etranger, belle figure de l'eikastique, dont le logos prend racine dans le silence de l'être...

Il faut cependant se garder des pièges du miroir. Borgès nous incite à la prudence dans sa nouvelle *Tlön Uqbar Orbis Tertius*, qui unit de manière indissoluble l'éléatisme du miroir de la Connaissance et le redoublement sophistique de l'Encyclopédie. Que proclame en effet l'hérésiarque d'Uqbar, dont l'existence de simulacre est révélée par les quatre pages additionnelles et fallacieuses de l'*Anglo-American Cyclopoedia*, tome XLVI ? « *Les miroirs et la paternité sont abominables* (mirrors and fatherhood are abominable) *parce qu'ils (...) multiplient (l'univers) et le divulguent* »[52]. A refuser la paternité, les êtres des miroirs n'hésitent pas à faire proliférer les filiations douteuses pour envahir l'autre côté et occuper la place des modèles. L'être pourtant se tait, aussi indifférent à leurs désirs ombreux que Socrate face à son double. Platon fait tenir sa défense à l'Autre, miroir lisse et translucide de la différence, si translucide d'ailleurs que l'on en vient à oublier son existence pour se pencher uniquement sur les reflets qu'il anime. Les simulacres d'Uqbar rêvent ainsi le monde illusoire de Tlön, où toutes choses se redoublent, mais que l'on ne peut appréhender qu'à travers la révision en langue anglaise d'*Orbis Tertius* qui répète les quarante volumes de la première *Encyclopédie* de Tlön. Les labyrinthes éléatiques de Tlön se redoublent alors à l'infini dans l'*écriture* d'*Orbis Tertius* qui ne tarde pas à désintégrer le monde réel, avec l'irrésistible envahissement de proliférations symétriques. Si Borgès a judicieusement rapproché les miroirs et la paternité de *Tlön*, les simulations d'*Uqbar* et le redoublement encyclopédique d'*Orbis Tertius*, c'est sans

---

52. BORGES, *Fictions*, *op. cit.*, p. 36.

doute pour laisser deviner comment l'absurde identification du Même *multiplie*, et jamais ne divulgue, la duplicité aveugle des fantasmes dans le *renversement* du *T.O.U.T.*

Il ne sert à rien de briser le miroir : cela ne peut qu'accroître encore la prolifération des simulacres qui guettent le modèle d'un abominable sourire brisé. Afin de dissiper à jamais les illusions du Même, Socrate laisse le miroir prendre la parole : seul l'Autre saura dire ce qu'il en est de l'être. Mais à l'être lui-même, toujours présent en son retrait, il n'est pas donné de parler.

Tout le reste, le *Philosophe* l'atteste, est *silence*.

CHAPITRE II

LE GRAND DÉTOUR

I

Le retrait

On ne saurait plus longtemps éluder la question : pourquoi Platon tient-il Socrate à l'écart du *Sophiste* et du *Politique*, qui décident de l'orientation ultime de sa pensée, et ne rédige-t-il pas le dernier dialogue de la série, le *Philosophe* ? Il semblait avoir les meilleures raisons, littéraires et dramatiques, sinon philosophiques, de mettre une dernière fois en lumière la figure de son maître. Comment se refuser à une joute dialectique avec l'Etranger, ne serait-ce que par respect envers l'hôte et la pensée qu'il incarne ? Comment aussi ne pas prendre sa suite, après l'enquête sur le sophiste, pour examiner avec le jeune Socrate un sujet que l'on s'était promis de traiter ensemble ? On comprend difficilement que sur le propos même du débat (la distinction du sophiste, du politique et du philosophe) comme sur le fond de la recherche (l'établissement d'une ontologie différenciée qui résolve les apories de l'Un et du Multiple), le maître de Platon ne trouve rien à dire. Alors que la pensée platonicienne reflue vers sa source afin d'établir sa propre origine, son inspirateur demeure en retrait et n'accompagne pas la régression ontologique, comme si l'Etranger était seul apte à orienter un tel mouvement.

Notre surprise devant ce silence inattendu provient d'ailleurs du *procès* même qui conduit le *Sophiste*. Socrate aurait enquêté, sa vie durant, sur le simulacre du philosophe, l'être aux mille tours et aux mille formes, pour finalement, lors de la dernière chasse, laisser à un autre le soin de le débusquer de son ultime repaire ? Est-il concevable que Socrate ne cherche pas à affronter le gibier qu'il a si longtemps suivi à la trace, et que le sophiste, en retour, demeure indifférent à la poursuite et même à l'hallali ? Le dialogue brille en quelque sorte par cette double absence, dissimulée pourtant par la double présence, tout aussi étrange, de l'éléate anonyme et de l'athénien homonyme.

Nous avons déjà indiqué le sens de notre interprétation. Si le sophiste se retranche derrière le simulacre, et si le philosophe se tient aux côtés du modèle, alors ce n'est pas à celui-ci qu'il appartient de mettre en cause les fausses semblances. Socrate reste silencieux devant Socrate, parce qu'il est impossible d'identifier l'Etre et le Même sans retomber dans les apories éléatiques ou s'égarer parmi les fantasmes sophistiques. Seul l'homonyme rompra le silence dans le *Politique*, après que l'Etranger a brisé l'indifférence sophistique du modèle et du simulacre en révélant l'existence de l'Autre. Mais Socrate demeure aussi silencieux devant son hôte : l'Etre ne s'identifie pas plus à l'Autre qu'au Même, et évite de lier sa parole aux genres qui font signe vers lui et le dissimulent.

Telle nous paraît être la fonction paradoxale du *silence* en un dialogue qui porte sur les multiples significations de la *parole* et met en accusation les créateurs de « fictions parlées sur toutes choses » (εἴδωλα λεγόμενα περὶ πάντων, 234 c). Non seulement la dialectique de l'Etranger et de Théétète prend sa source dans le silence des deux Socrates du *Sophiste*, mais encore les quatre dialogues métaphysiques culminent dans le secret mutisme du *Philosophe*. L'exercice constant de la démarche philosophique témoigne à la fois que la parole repose sur le partage premier du silence, et que celui-ci est ressenti, en son point d'origine, grâce à la parole qui sait le recueillir et en protéger le sens.

La secrète présence du silence rythme en effet de façon continue les dialogues de Platon, fidèle sur ce point aussi à l'enseignement de son maître. On sait que Socrate aimait à s'absorber dans de profonds silences, inattendus pour un entourage qui connaissait son goût

immodéré des discours. Sacrifiait-il ainsi, en quelque remords tardif,
au Silence, comme il devait le faire enfin dans sa prison, à la Musique
délaissée ? Chacun garde à l'esprit le long recueillement qui l'immobilise près de la demeure d'Agathon et l'écarte de la fête jusqu'au
milieu du repas. Cette intrusion intempestive de la méditation peut le
saisir en toute occasion, même au cœur de la guerre, et les soldats de
Potidée garderont longtemps en mémoire l'image de Socrate debout,
plongé dans ses réflexions toute une journée et toute une nuit, jusqu'au
lever du soleil qui le voit enfin s'animer et partir seul, comme au
lendemain du banquet. On se rappelle surtout l'émouvant silence
du *Phédon* : après avoir confié à ses proches les premiers arguments
sur l'immortalité de l'âme, Socrate se recueille un long moment avant
son chant du cygne (84 *b-c*; 95 *e*). Comme une pause musicale, souffle
à peine suspendu à l'orée de la fête, de la guerre et de la mort, le
silence socratique ressource la parole à l'être dont elle provient
pour retendre ensuite l'âme de sa recherche. Le discours s'achève alors
dans le silence aporétique d'une écoute fautive de l'être, ou dans la
réserve pleine de pudeur du penseur qui laisse naître à elle-même la
vérité de sa question.

Le silence protège le secret de l'ontologie. Car la tension répétée
des dialogues implique la quiétude contenue d'un silence initial que
chaque nouvel entretien déchire, dans le jaillissement incertain des
demandes et des réponses. La parole brode ses entrelacements de noms
et de verbes sur la trame originelle bientôt recouverte, fait écho à
l'appel silencieux qui anime sa voix, mais que jamais pourtant elle ne
parvient à dire. Il y a non seulement un prolongement métaphysique
naturel du langage, toujours *au-delà* de ce qui est énoncé (sa *résonance*
dans l'âme de l'interlocuteur n'exige-t-elle pas la présence du silence ?),
mais aussi un fondement du langage, *en-deçà* de ce qu'il exprime, et
qui se montre rebelle à l'énonciation. La parole platonicienne a pour
rôle de disjoindre ce logos antéprédicatif, unitaire et muet, avant de
reconstituer l'unité mouvante et brisée de la dialectique qui reste,
elle aussi, un beau risque à courir. Nous accédons au dénuement
absolu de l'être que le questionnement ironique poursuit sous la
trop riche contradiction des opinions qu'il dénonce. Pour Platon

comme pour Socrate, le langage, malgré la complexité de son tissu logique, cherche à demeurer fidèle à la Simplicité qui le conduit. Ici encore, l'expérience de la séparation ressentie au sein du logos déchiré et recousu par la dialectique, évoque la nostalgie de l'unité rompue. L'*ironie* de Socrate ne dit pas autre chose, qui dévoile à son partenaire, sous l'apparence d'un savoir prétendu, l'abîme qui le sépare de lui-même, la blessure ontologique dont ses contradictions portent à jamais la trace. Il ne sert donc à rien de fuir hors de soi pour appeler à l'aide Simonide ou quelque autorité supérieure, si l'on veut maîtriser l'essence de la justice; il est tout aussi oiseux de se rapporter à l'opinion du grand nombre, qui disperse les membres épars du logos dans l'indifférence générale. C'est ton seul accord que je désire, répète avec patience Socrate à Gorgias comme aux sophistes qui l'entourent, l'accord consonant de ta pensée avec elle-même : « Ton seul suffrage me suffit, et pourvu que je le recueille, j'abandonne tous les autres » (*Gorgias*, 476 *a*).

Socrate ne trompe donc personne lorsqu'il avoue, cette fois avec *humour*, qu'il ne témoigne guère en ses entretiens que de son ignorance. En tentant l'impossible retour à sa propre origine, il a aperçu, comme en un éclair qui, s'il déchire la nuit opaque, relie cependant la terre et le ciel, que sa recherche tenait ses racines de cette ignorance première dont le plus sage des hommes ne peut rien dire. L'aveu socratique ne fonde pas une dialectique de l'erreur qui dénoncerait les vérités premières pour aboutir à l'ignorance éternellement seconde des erreurs rectifiées. Il n'instaure pas non plus cette naïve pédagogie de l'imitation qui promet au disciple la perte de ses illusions à condition d'obéir aveuglément au maître. Socrate met au contraire en œuvre un mouvement de remontée à l'origine de l'expérience qui dissout les opinions dérivées, retrouve l'initiale primitivité altérée par les faux-savoirs. Cette flexion en retour de l'esprit sur lui-même, *réflexion métaempirique*, s'installe d'emblée sur le terrain de l'ontologie, puisqu'elle s'interroge sur la source de toute interrogation. A ce titre, la recherche dialectique de l'accord parfait, communauté de sons multiples recueillis en une unique harmonie, s'inspire du son pur et originel, antérieur à l'accord comme au désaccord — le Simple. Mais

la musique de cette unique note est silencieuse, au sens où Keats
suggérera que les mélodies les plus douces sont celles dont nous
restons à l'écoute, sans jamais pouvoir les entendre.

Là gît sans doute le plus grand paradoxe : plus notre connaissance
du langage s'enrichit dans la recherche commune du dialogue, plus
le dialogue se dirige vers une primitivité antérieure au langage; il
opère un retour vers sa propre origine, non pour se fuir — son
enquête s'affirme *dialectique* — mais pour approcher l'être simple qui
se distribue dans les parties du discours. On n'évitera pas, si l'on est
philosophe, ou bien si, en linguiste, on s'inquiète des significations
qui débordent à chaque instant l'élément physique du langage, de
faire appel à une dimension métaphysique, comme Chomsky avec
son concept de « compétence linguistique » par exemple. Prise dans
le réseau de sa propre rigueur, la science peut, et même doit s'en tenir
au fonctionnement de la langue tel qu'il lui est donné dans l'expérience
du signifiant, et éliminer, comme dit Etienne Gilson, « tout ce qu'il
peut y avoir d'immatériel, d'imprévisible et de libre » dans l'usage
empirique ou la construction rationnelle du langage ; il reste que ce
gêneur, le *sens*, demeure réfractaire à l'entreprise objectivante. Aussi
bien chaque discours se propose-t-il, comme en filigrane, de remonter
à l'origine des langues.

Or telle est l'ambition de Platon à travers l'ensemble de ses
dialogues : le logos *signifie*, indique l'unicité du sens malgré les
discontinuités des paroles et les ruptures imposées par les divers
locuteurs. S'il est vrai qu' « on ne parle pas pour ne rien dire », alors,
conclut Gilson, « il doit bien y avoir dans la réalité du langage, *tel
qu'il est*, quelque chose qui invite à philosopher »[1]. Ce n'est pourtant
pas de l'extérieur que la métaphysique vient *imprimer* ses soucis
propres sur le langage; c'est le langage lui-même qui *exprime* son
origine radicale dès qu'il entreprend de questionner sa véritable
nature. Il est alors conduit naturellement au silence. Platon revient
sans cesse sur cette idée, tant par l'utilisation pratique de ces pauses
qui scandent le cours incertain de la dialectique, que par sa réflexion

---

1. Etienne GILSON, *Linguistique et Philosophie*, p. 46; p. 11.

théorique sur les rapports du langage au silence qui le crée. Ce n'est pas un hasard heureux qui rapproche le *Théétète* et le *Sophiste* dans l'identique conjonction de la Parole et du Silence. Au premier dialogue qui considère la pensée comme « une conversation que l'âme poursuit avec elle-même » (*Théét.*, 189 *e*) répond en écho, dans le second, « le dialogue intérieur et silencieux de l'âme avec elle-même » (263 *e*).

Eprouvé dans l'absence du dialogue annoncé, le retrait de Socrate laisse entendre, en son singulier silence, que l'être aime à faire retraite à l'abri de ses quatre partages. Il atteste en amont du mystère de l'origine qui se voile au cœur de la parole; en aval, il évoque le secret dernier d'une pensée qui a compris son impuissance radicale à rendre raison d'elle-même. L'absence du *Philosophe*, qui devait présenter en son absolue différence celui qui dissipe les ombres des simulacres, prend ainsi la double signification d'un hommage rendu à l'homme qui dédaignait d'écrire et d'une conscience lucide de son enseignement. L'être est rebelle à l'objectivation des catégories du discours, et le dialogue annoncé entre Socrate et son homonyme, véritable conversation de l'âme avec elle-même, échoue sur les berges du silence.

Au reste, l'insuffisance, sinon la perversion d'un langage qui joue parfois à son propre maître, constitue le thème central de la réflexion platonicienne, du *Cratyle* et du *Phèdre* à la *Lettre* 7. Sacrifier le logos à l'immanence du signifiant, c'est accepter le jeu mortel des simulacres et finir par se faire *prendre au mot*. Les trois dialogues centraux du groupe métaphysique dénoncent tour à tour la radicale impuissance du mot coupé de la chose. *Théétète*, 177 *e* : « Qu'on ne nous parle point du nom ! C'est de l'objet recouvert par le nom que nous avons à faire l'étude. » *Sophiste*, 218 *c* : « En toute matière, ce qu'il faut, c'est se mettre d'accord l'un avec l'autre, au moyen d'explications, sur la réalité de la chose, plutôt que de le faire, sans explication, sur le nom seulement. » Le *Politique* enfin, 261 *e* : « Si tu évites de prendre trop au sérieux les mots, tu deviendras plus riche en savoir dans tes vieux jours. » Innombrables sont les textes qui accentuent la séparation entre l'immanence du mot et la transcendance du sens. On retiendra surtout le dernier mot, si l'on ose dire, de Socrate qui renvoie dos à dos Cratyle et Hermogène : « Contentons-nous de convenir que ce n'est pas des noms qu'il faut partir, mais qu'il faut apprendre et rechercher les choses en partant d'elles-mêmes bien plutôt que des noms » (*Crat.*, 439 *b*).

Loin donc que ce soit le langage qui fasse cercle (comme dans les définitions nominales qui s'épuisent d'un mot à sa définition), puisqu'il nous dirige au contraire vers ce qui n'est pas lui, c'est le silence qui forme et ferme l'orbe de la répétition : à la fois initial et final, présent parfois comme par une trouée dans l'étoffe serrée du langage (ainsi les deux silences du *Phédon* qui viennent au moment opportun), le cercle du silence dessine, en creux, l'être. A l'inverse, le langage circulaire des sophistes détruit l'être dans l'anarchique redoublement de leurs fantasmes, lesquels, en dépit des métaphores visuelles du *Sophiste*, ne prennent leur lieu que dans le discours. La sophistique n'est pas liée au langage tenu sur les simulacres — cela, c'est philosophie — mais au langage des simulacres lorsque ceux-ci, dans l'ivresse de leurs discours, réduisent ces derniers au jeu verbal et vide de leurs simulations.

Puisque l'être du silence ne peut lui-même *répondre* aux assauts du langage sophistique, décentré, dispersé, disséminé, Socrate laisse à l'Etranger la charge de démasquer les impostures. L'Autre ici, c'est l'autre langage, qui refuse de se perdre dans les labyrinthes des fictions en paroles, et ressaisit son cours à la lumière de l'être. La première question de Socrate à l'Etranger n'était donc pas sans arrière-pensée : comme il y a « trois noms » — τὰ ὀνόματα τρία, 217 *a* — pour le sophiste, le politique et le philosophe, distingue-t-on à Elée « trois genres » — τρία καὶ τὰ γένη — « un pour chaque nom » ? En sollicitant ainsi l'aide de l'Etranger, Socrate faisait d'une pierre deux coups. D'une part il se retirait de l'entretien, laissant à deviner que l'être, en son silence, demeure indifférent aux jeux des simulacres. Il mettait en question, d'autre part, la stratégie sophistique qui s'épuise à nier la distinction entre les êtres et identifie en un semblable fantasme toutes les formes du pouvoir. La question socratique incitait l'Etranger à *accuser* la fonction simulatrice de la parole, et à révéler son impuissance naturelle à enserrer l'être dans les mailles du discours.

Le dialecticien devait alors établir que le langage *accuse* lui-même le réel (au sens où celui qui « accuse » un coup rend manifeste sa présence) à travers l'existence des quatre *catégories* de l'être.

Aussi n'est-ce pas le *sophiste* que l'Etranger accuse dans le dialogue qui porte ce *nom* (on n' « accuse » pas un simulacre : on le dissipe ou on en jouit), mais le langage dans sa duplicité, qui peut aussi bien abolir l'être, pour faire monter les simulacres, que s'abolir en lui, pour écouter la voix du silence. Le sophiste évite de paraître en personne à un procès qui s'intéresse au seul logos, car il n'existe en définitive qu'au niveau du signifiant « sophiste » ou « Socrate ». Ici encore, l'illusion règne : le nom du simulacre (sophiste) se réduit à imiter le simulacre du nom (Socrate).

Platon ne succombe pas à la contradiction en traçant les limites du langage à l'aide de ce même langage, bordé par le mythe et le silence. Si l'on a souvent souligné, à juste titre, que les apories du *logos* conduisaient Platon à l'orée du *muthos*, on a peut-être moins insisté sur l'orée du silence. Er a pu revenir des Enfers pour confier aux hommes le sens de leur destinée, le philosophe, quant à lui, ne saurait franchir les bornes de la parole. Le silence joue ainsi, dans le chemin de pensée platonicien, un rôle plus élevé que le discours vraisemblable du mythe. Et ce n'est pas sombrer dans « une conception *mystique* de la dialectique », comme le reproche H. Joly à certaines interprétations, que de constater que, pour Platon, « le plus connaissable est aussi le plus ineffable »[2]. Au-dessus du mythe et de la mort, le silence, risque ontologique suprême, point au seuil de la transcendance... Aux dernières heures du *Phédon*, avant d'aborder l'épreuve de l'immortalité de l'âme, Socrate retient son souffle et sa parole. Dans la *République*, il tait à Glaucon la science prodigieuse de la dialectique et son origine ultime, l'ἐπέκεινα, pour se replier sur le langage technique des sciences propédeutiques. Nous aurons à découvrir de plus surprenants silences encore, et des césures bien intempestives, sur les lèvres mêmes de la divinité. Devrons-nous quand même parler d'un silence mystique ?

2. H. Joly, *Le renversement platonicien*, p. 97.

2
L'ombre pour la proie

La commune absence du philosophe et du sophiste ne rapproche pas plus les deux hommes qu'elle ne confond leurs discours. Puisque le sophiste joue malignement de cette ambiguïté pour mieux simuler le philosophe, il suffit à ce dernier d'établir la différence entre le langage et l'être pour échapper à un adroit rival qui ne l'embrasse que pour mieux l'étouffer. S'il veut rendre raison de la constante renaissance des simulacres, le discours doit se mettre lui-même en question et, dans ce mouvement de retour à soi, comprendre que sa véritable puissance réside paradoxalement dans son insuffisance. Egaré sur la surface indifférente d'un signifiant sans localisation ni profondeur, le logos ne serait jamais en mesure d'interroger son être propre et de manifester, par le décalage minimal qu'exige toute réflexion, la possibilité de la transcendance. Dès qu'il pose au contraire une *question*, creusant entre l'origine de celle-ci et son expression l'écart radical de l'exigence du sens, le langage accuse la dimension sémantique : il révèle la présence nécessaire des catégories de l'ontologie. L'enquête de l'Etranger a donc été menée de main de maître. La démonstration de la communauté opératoire des cinq genres, qui régit les liaisons et les dissociations dans l'être, interdit « d'isoler quelque chose de tout le reste » (*Soph.*, 259 e) et permet de répondre à la question : « Comment le langage est-il non pas possible, mais *réel* ? » Le dialecticien réussit alors à sauver le langage du néant pour le « garder (...) au nombre des genres de l'être » (τῶν ὄντων γενῶν, 260 a).

Cette sauvegarde se voit aussitôt confiée à la *philosophie* qui, sans avoir été annoncée, fait une irruption brusque dans un entretien consacré à la *sophistique*. Sans communauté des genres, nous serions privés du langage, et « nous en priver, en effet, serait d'abord, perte suprême, nous priver de la philosophie ». De manière plus générale, à refuser l'être, nous détruirions aussi bien la philosophie que la possibilité de discourir sur un quelconque sujet — par exemple sur l'impossibilité de discourir ! Si nous voulons garder le discours, il nous faut montrer ses limites et son exigence naturelle de transcendance. Seul le long détour par la communauté ontologique permet à l'Etranger de résoudre définitivement le problème de la prédication et de donner un statut à l'errance et à l'illusion.

Théétète hésite encore à se lancer dans de nouvelles recherches. Mais son compagnon lui rappelle que cette sorte de non-être qu'est l'Autre doit se mêler à l'opinion et au discours, si l'on veut éviter cette conclusion absurde : toute parole énoncée exprime le vrai ! Grâce à l'intervention de l'*autre* — et nous discernons déjà en lui le cinquième genre diacritique laissé sans nom dans le *Philèbe* — l'opinion fausse et le discours faux deviennent possibles, et, au premier chef, l'illusion sophistique.

L'Autre présente ainsi une double fonction : dans le discours commun, il risque d'*altérer* l'énonciation et de mal accorder les genres entre eux. Mais dans l'analyse philosophique de ce discours faux, il permet de *distinguer* la communauté réelle de la communauté illusoire, de dénoncer la tromperie (ἀπάτη) génératrice « d'images, de copies et de fantasmes » (260 *c*). C'est donc bien l'Autre, inévitablement la meilleure et la pire des choses, qui commande la vie du langage. S'il se relie à l'être, il accomplit correctement sa fonction discriminante en séparant ce qui est de ce qui n'est pas ; s'il repousse l'être, il confond tous les éléments du discours et dissout l'être de la différence. Tout revient alors au Même, selon l'habituel procédé de la semblance sophistique. Admettons un instant que *le non-être ne soit pas* (260 *d*) : nous laissons proliférer les identités fantastiques qui répètent les longues théories de simulacres. Dès lors, le stade de l'erreur (qui renvoie encore au vrai dont elle se détache par altération) fait place au stade de l'errance (qui ne renvoie plus au vrai auquel elle s'attache pourtant par identification). Que l'on ne s'en étonne pas : la fonction de l'Illusion ne consiste-t-elle pas à se laisser prendre à son propre jeu ?

La démarche de l'Etranger s'avère ainsi d'une grande simplicité et d'une rare élégance : la communauté des genres, en révélant l'existence de l'Autre, établit la réalité de la fausseté et de l'illusion dans le langage, en dépit des protestations du sophiste qui y trouve refuge. C'est bien là qu'il faut *attacher* le gibier et le réduire enfin à merci (261 *a*).

La réflexion inquiète de Théétète, qui interrompt un moment la chasse, mérite qu'on s'y arrête. La poursuite du sophiste paraît en effet de plus en plus vaine au jeune homme inexpérimenté qui voit sa proie se jouer de lui; une difficulté vaincue, le sophiste en oppose une autre, puis une autre encore, et ainsi de suite à l'infini : « Après quoi s'élèvera peut-être un nouveau problème, qu'un autre encore viendra doubler, et jamais, à ce qu'il semble, nous ne verrons le bout » (261 *a-b*). On aura reconnu la stratégie sophistique de la *prolifération indéfinie*, qui redouble *de* duplicité et *les* duplicités, afin d'exposer les discours à *n* puissance 2. Mais l'Etranger annule aussitôt cette progression anarchique en imposant une *division* tout aussi indéfinie des faux-semblants, dédoublant chaque fois que le simulacre redouble, pour régresser vers l'origine de la prolifération illusoire. « A se décourager devant ces premiers obstacles, que gagnerait-on contre les seconds, que de n'y point avancer d'un pas ou même d'être refoulé vers l'arrière » (261 *b*). On retrouve l'argument zénonien de la *dichotomie* que l'éléate ne manque pas de connaître; mais on notera que, cette fois, c'est la tortue sophistique qui tente de tirer parti de l'argument pour paralyser un étranger immobile à grands pas.

Le reste sera désormais plus facile. Les deux hommes vont triompher de l'apparente paralysie du langage et résoudre la vieille question de la prédication. Il s'agit d'entrelacer les verbes et les noms qui s'accordent naturellement et qui portent sur quelque chose de réel, car « le discours est forcément, dès qu'il est, discours sur quelque sujet (τινὸς); qu'il le soit sur rien (μὴ τινὸς), c'est impossible » (262 *e*). Deux conditions sont requises : 1. Que le discours ne se borne pas à relier les seuls noms, mais leur impose *l'activité opératoire des verbes*, mêlant ainsi les actions aux sujets de ces actions (262 *a-d*); 2. Que le discours fonde son accord sur l'être de ce qui est, et non sur rien. Des deux discours qui parlent de toi, expose l'Etranger à Théétète — « Théétète est assis », « Théétète, avec qui présentement je dialogue, vole » — « celui des deux qui est vrai dit, de toi, ce qui est, tel que c'est » (263 *b*). Alors que la fausseté revient, non seulement à dire *l'autre de l'être* (ὄντα ἕτερα), mais *l'autre du même* et *le même de l'autre* : énoncer en effet « comme autre ce qui est même, et comme étant ce qui n'est point » (263 *d*), voilà l'assemblage réel du discours faux dont on maîtrise ainsi l'être. Telle gît, en ses plis et replis, l'illusion sophistique : identifier même, autre, être, non-être, en repoussant toujours la différence au bénéfice de la semblance, ou plutôt, dans ses redoublements incessants, de la *re-(s)semblance*.

Désormais fidèle à l'arme diacritique de la différence, la fin de l'enquête s'efforce de diviser toutes les formes de semblances — copies, images et simulacres — pour séparer sans confusion possible le philosophe de son double, et ainsi purifier le *logos* (227 *d*). Nous le savions d'ailleurs depuis quelque temps déjà : le philosophe et le sophiste, la bête la plus sauvage et l'animal le plus apprivoisé, aiment à confondre leurs ombres à la tombée du jour, *entre chien et loup*. Mais devons-nous, sans autre examen, identifier le crépuscule des idoles et celui des images, l'aurore des icônes et la nuit des simulacres ?

Lors des premières tentatives de définition du sophiste, comme l'analyse des genres de l'être n'avait pas encore été effectuée, l'Etranger ne pouvait rompre l'illusion de la similitude et affirmer l'intime différence des deux êtres. Son inquiétude laissait pourtant deviner l'orientation future de l'enquête : « C'est, par-dessus tout, à l'égard des ressemblances qu'il faut se tenir en garde perpétuelle » (231 *a*). Sans un statut ontologique accordé à la ressemblance, nous entrions dans la ronde des simulacres, prenions le loup pour le chien, et même, à suivre au plus près l'analogie de la chasse, lâchions la proie pour l'ombre ! Sans nous attarder aux images du « repaire », du « gîte » ou du « refuge inextricable » (235 *b*, 239 *c*, 260 *c*), qui ont l'inconvénient d'être trop réalistes pour suggérer avec justesse le procédé sophistique de *déréalisation*, nous soulignerons plutôt le rôle de l'*ombre* au cours de cette épuisante poursuite.

Le *faiseur d'idoles* (εἰδωλοποιὸν, 239 *d*) ne se cache pas derrière les ombres qu'il produit, comme le montreur de marionnettes à l'abri de sa murette. Souffle protéiforme qui se déréalise lui-même, il ne se trouve jamais *quelque part*, en un *lieu* originaire, coulisse ou masque, qui définirait sa manière d'*être*; il ne possède au contraire

aucune *topique*. Ses mouvements continus de simulation détruisent
radicalement les notions de *site* et de *situation*. Nous devons donc,
à notre tour, déréaliser la traduction de Diès qui rend l'ἄπορον
τόπον, mot à mot « lieu sans passage », par « refuge inextricable »,
et risquerons la traduction qui paraît la plus fidèle au leurre du
signifiant : le sophiste ne se cache ni ne se dissimule dans un antre
réel, il *simule* le philosophe dans le *non-lieu* de ses fantasmes parlés, c'est-
à-dire, pour l'entendre d'une oreille grecque, dans l'*utopie* du langage.

    La démarche du marchand d'illusions est habile : il feint d'ignorer
son propre art des simulacres, dédaigne de le situer en quelque théâtre
d'ombres, ferme les yeux sur le monde, ou cherche à nous convaincre
qu'il « n'a point d'yeux du tout » (239 *e*). Parce qu'il refuse aussi
bien les modèles que les copies pour fantasmer ses propres fantasmes,
une seule voie lui reste ouverte : il « feindra d'ignorer miroirs, eaux et
vue même », c'est-à-dire non pas les réalités qu'il imite, mais *les instruments de sa duplicité*. Lui répéter que tout simulacre est *simulacre de
quelque chose* (τινός), c'est supposer qu'il y a des choses qui *se distinguent* des simulacres, ce dont il ne conviendra jamais. Il abandonnera
donc les eaux, les miroirs, les idoles peintes ou gravées, images encore
trop réelles, et demandera avec une fausse naïveté ce qu'on entend
par ce *nom* unique d'εἴδωλον. Comme le souligne l'Etranger, son
utopie tient dans le seul langage : aussi la chasse du dialecticien, loin
de s'exercer en plein air, de forêts en clairières, se développe-t-elle
sur le terrain plus aride des définitions. Théétète le comprend en
dernier ressort quand il qualifie la ressemblance sophistique d'*atopique* (240 *c*). L'atopie du sophiste, qui cherche à simuler la conduite
bien différente de Socrate, comme l'errance du vagabond se prend à
imiter l'exil du voyageur, évoque avec justesse la déréalisation des
simulacres. Ce ne sont pas des « choses » matérialisées dans les eaux
et les miroirs, le bois ou la pierre, mais des « signifiants » libres, aux
amarres rompues, qui dérivent de la seule *fantaisie* du sophiste. Il
n'y a de fantasme que du langage, comme Freud aura le mérite de le
redécouvrir. Doit-on pour autant réduire le pouvoir du langage au
seul jeu divagant de ses fantasmes ?

    Aussi la philosophie, à dénoncer sans complaisance la prétention des simulacres, se trouve-t-elle inéluctablement liée à la sophistique, en un inquiétant mélange d'être et de non-être, de clarté et d'obscurité. L'aporie semble incontournable, qui indique pourtant le chemin à suivre :

« Puisque l'être et le non-être nous embarrassent également, l'espoir est désormais permis que, sous quelque jour, plus ou moins clair, que l'un d'eux vienne à se présenter, l'autre s'éclairera de même façon » (250 e).

Dans le langage de l'ontologie, l'Etranger annonce ici le coup de théâtre qui, de l'ombre, va faire brusquement régner l'éblouissement : la métamorphose du sophiste en philosophe. La chasse épuisante qui contraignait sans cesse les poursuivants à lâcher la proie pour l'ombre, se retourne à l'improviste et les force d'un coup à rejeter *l'ombre pour la proie*. Et l'Etranger de feindre l'étonnement : « Est-ce que nous serions, par Zeus, à notre insu, tombés sur la science des hommes libres, et ne risquons-nous point, nous qui cherchions le sophiste, d'avoir, avant de le trouver, découvert le philosophe ? » (253 c).

L'enquête s'est renversée de déconcertante façon : la chasse au gibier a révélé le chasseur à lui-même, et le sophiste, *touché par la dialectique*, s'est mué en philosophe. Puisque nous possédons désormais le critère distinctif qui sépare les deux personnages, la confusion jouée entre le philosophe et le sophiste tourne à la confusion bien réelle de ce dernier. Si le philosophe se dissimule dans la clarté, au point de rester ébloui devant la bouche d'ombre, le sophiste ne supporte jamais le regard du soleil. Nous retrouvons le *double aveuglement* de nuit et de lumière que Socrate discernait dans la *République* (VII, 518 a). Alors que le sophiste se complaît dans les jeux obscurs du langage, le philosophe, appliqué à « la forme de l'être » — τῇ τοῦ ὄντος ἰδέα (254 a) — rayonne de « l'éclat dont resplendit cette région ». L'équivoque levée, nous pouvons suivre la piste toute fraîche du gibier afin de dissiper, plus que ses incertains simulacres, l'utopie du discours qui en est la source. Quant au philosophe, nous savons dorénavant « *en quel lieu* — ἐν τοιούτῳ τινὶ τόπῳ » nous le pourrons trouver — *si nous venons à le chercher*...

Remarque incidente bien ambiguë. Nous qui connaissons maintenant la *topique* du philosophe, en sa Quadrature étoilée, devrons-nous garder le désir de chercher jusqu'au *Philosophe*, si nous comprenons avec l'Etranger du *Sophiste* que la découverte de celui-ci constitue, du même coup, la révélation de celui-là ?

3
Simulation et dissimulation

Il existe un véritable pari platonicien. Tout se joue en effet dans le retournement inattendu qui bouleverse l'économie générale de la recherche. Alors que le prologue du *Sophiste* mettait en parallèle le sophiste, le politique et le philosophe, pour interroger leur unique ou triple nature; alors que l'enquête s'orientait linéairement de l'un à l'autre des personnages, du *Sophiste* au *Politique* et au *Philosophe*, brusquement, dès le premier acte, le mouvement se trouve rompu par un coup de théâtre : le sophiste, retourné, dévoile le visage du philosophe. Les deux personnages extrêmes se rejoignent sans passer par la médiation du politique, et le dernier texte de la série s'évanouit comme si la recherche avait perdu sa raison d'être, au moment même d'arriver au port. L'Etranger a accompli son rôle, avec l'aide de Théétète, en ce qui concerne le sophiste et le politique, mais Socrate, qui devait s'occuper du philosophe avec son jeune homonyme, laisse l'entreprise de l'éléate inachevée. A la triade annoncée : *Sophiste, Politique, Philosophe*, se substitue une dyade déséquilibrée : *Sophiste/ Philosophe, Politique*, comme si le premier texte avait absorbé le troisième.

Bien entendu, ce changement ne présente rien d'accidentel. Platon n'a en aucune manière modifié ses plans d'un dialogue à l'autre, ou n'a été empêché de parvenir à ses fins par quelque circonstance malheureuse. Il a composé très consciemment l'ensemble des cinq dialogues qui reflète la communauté des cinq compagnons et dissimule en son sein la κοινωνία, à partir de cette dissymétrie fonctionnelle qui va accomplir la fondation de la philosophie. L'enjeu était triple : assurer la possibilité du langage (en résolvant les apories de la prédication), dénoncer la sophistique (qui réduit le logos à la duplicité du signifiant), établir la réalité de la philosophie (comme chemin du retour à l'origine). Mais Platon se trouve affronté à l'inextricable enlacement du sophiste et du philosophe, semblables tant par les noms qui désignent leurs fonctions que par leur fonction d'étudier les noms. Comment distinguer les deux êtres atopiques qui passent leur temps à converser et prétendent rendre meilleur grâce à l'exercice de la seule parole ? Certes le politique parle aussi, mais la *praxis* de son pouvoir contrebalance toujours le pouvoir de sa *lexis* énoncée sur la place publique. L'enjeu de la compétition entre les trois hommes se ramène à la simple question héritée de la découverte grecque de l'autonomie du langage : *qui sera le maître ?*

Le combat pour la maîtrise met ainsi aux prises ceux qui tentent d'assurer leur domination politique, soit à partir de la voie gauche de l'immanence et des simulacres, soit à partir de la voie droite de la transcendance et des modèles. La lutte est d'autant plus confuse que les deux compétiteurs apparaissent le plus souvent indiscernables. A dénier en effet au philosophe toute originalité, le sophiste producteur de fantasmes prend subrepticement sa place. Le philosophe à l'inverse, en premier lieu Socrate, ne craint pas de brouiller les pistes et de jouer à l'occasion le jeu du sophiste. De l'*Hippias majeur* au *Sophiste*, Platon multiplie les équivoques en acceptant de combattre sur le terrain de ses adversaires — le langage — à l'aide de leurs propres armes — les semblances. Nous avons déjà relevé les répétitions constantes d'éléments similaires, les duplications des visages et des noms, les sosies et les homonymes, la duplicité générale des situations dans les dialogues, qui culmine avec l'étrange filiation de l'éléate et la singulière présence du double (de) Socrate. Le *Politique*, avant même de dénouer le lien apparent des deux métrétiques, s'ouvre sur l'ironique mise en question de la ressemblance étonnante de Théétète et de son compagnon d'études avec Socrate, qui s'adresse en ces termes à l'éléate : « Tous les deux, Etranger, ils ont chance bien certainement d'avoir avec moi, je ne sais comment, quelque parenté !

En tout cas, à vous entendre, celui-là, avec la figure qu'il a, me ressemble visiblement; quant à celui-ci, il porte le même nom que moi, et d'elle-même, cette appellation produit comme une communauté de famille » (257 *d*-258 *a*).

Si le philosophe et le sophiste se ressemblent comme chien et loup, leurs stratégies jouent au sein des *semblances*, et tendent à s'identifier au préfixe près. A la stratégie sophistique qui prolifère entre les *re*ssemblances, par l'art de SIMULATION, répond comme son ombre la stratégie philosophique qui distingue les *dis*semblances, par son art de DISSIMULATION. Les deux mouvements sont exactement inverses, à l'imitation du philosophe et du sophiste : ce dernier a pris l'initiative du combat en libérant le pouvoir des simulacres au cœur du langage commun. Il lui faut donc répéter doubles, fantasmes, ombres et reflets, à l'infini, sans jamais faire retour à l'origine de ces redoublements ni interroger le sens de leur production; le sophiste récuse aussi bien l'être, qui donne un *statut* au langage, que le non-être, qui rend possible l'erreur et l'illusion : tout devient vrai pour lui, dans l'indistinction absolue des êtres, des paroles et des hommes. L'attitude sophistique, de Gorgias et Protagoras à Deleuze et Derrida, rejette le discours magistral de la transcendance et ruine l'ontologie, afin d'assurer la suprématie du principe d'immanence. Le monde du sens est projeté sur une surface plate et indéfinie, parcourue de proche en proche par des séries de signifiants hétérogènes qui ont aboli les signifiés transcendantaux. Parler même de rhizome, ou *du* rhizome, devant les enchaînements errants des « multiplicités plates à *n* dimensions (...) asignifiantes et asubjectives »[3], *cela ne veut plus rien dire* : plus de divorce entre le vouloir et le dire, l'intention signifiante et l'expression signifiée. *Il y a des signifiants*, risquera-t-on seulement, zones excentriques dénuées de centre coordonnateur et de lignes de force. A la surface du langage, n'importe quoi peut être dit par n'importe qui, sans souci de différence ou de

---

3. Deleuze-Guattari, *Rhizome*, p. 25. N'objectons pas que cet ouvrage possède au moins le *sens* de substituer aux racines philosophiques les tiges, bulbes et tubercules sophistiques : « On ne demande jamais *ce que veut dire* un livre, signifié ou signifiant, on ne cherchera rien à comprendre dans un livre » (pp. 10-11).

hiérarchie. L'homme, non pas comme être générique, mais comme singularité divagante, rebelle à la filiation et indifférent à l'origine, s'affirme la mesure de toutes choses. N'admettant pas de modèles, les ensembles nomadiques récusent en même temps les miroirs, les eaux ou les peintures qui laissent à supposer qu'ils répètent *quelque chose*. Le mime derridien ne mime rien, le rhizome deleuzien ne rhizome rien : ils ne *sont* pas les dérives lointaines du principe — ils apparaissent magiquement, fantasment. Et rien de plus.

Le *vertige* (σκοτοδινία) envahit alors le philosophe devant ces thaumaturges confondus avec leurs ombres (*Soph.*, 264 *c-d*) : « Un vertige plus ténébreux encore nous submergea, quand apparut l'argument qui, envers et contre tous, soutient que copie, image, simulacre, rien de tout cela n'est, puisqu'il n'y a fausseté en aucune façon, en aucun temps, en aucune part. » Dans ce chaos du Même où titubent les simulations ivres, nul ne peut poser la question de leur production ; quel recul, en arrachant le langage au plat pays sophistique, pourrait le permettre ? Mais dès lors que la communauté des genres a distingué la nature de l'Autre de celle du Même, le dialecticien possède l'outil diacritique qui sépare les semblances réelles des semblances illusoires, et expose comment les simulacres utopiques peuvent avoir *lieu*. Aussi les dernières pages du *Sophiste* sont-elles consacrées, non pas seulement à la récapitulation générale des diverses définitions du faiseur de mirages, mais surtout à la *dissociation* ultime de toutes les formes de semblance.

Pour mener à bien son entreprise, l'Etranger doit dissoudre la fallacieuse unité du Même, et libérer son altérité cachée — en d'autres termes : DIS-SIMULER. La Dis-simulation constitue en effet le mouvement inverse de la Simulation : alors que celle-ci s'accorde en fonction du *semblable* et de l'*unité* qui sont donnés *ensemble* (*similis* : « semblable », issu de *semilis*, lié à *simul*, « en même temps », et à *simulo* : « copier, imiter, feindre », qui donnera *simulatio*, « faux-semblant », dérive de la racine indo-européenne **sem* : « un », qui exprime l'identité, et que l'on retrouve dans le grec ὁμός, « semblable, pareil », qui donne ὁμοίωσις, « ressemblance, analogie »); celle-là met au contraire en lumière le défaut de semblance et d'unité. *Dissi-*

mulatio, de *dis-*, particule marquant la division, la dis-tinction, la dis-jonction, et de *simulatio*, signifie originairement la *séparation* à l'intérieur d'une ressemblance[4]. *Dis-simuler*, c'est moins cacher, obscurcir, offusquer quelque chose, que différencier en elle son être de son paraître : le masque et le déguisement dissimulent, donc protègent, mais en même temps se donnent pour distincts de ce qu'ils voilent. Alors que la simulation, dans l'excès de ses ressemblances, *redouble* le Même à l'infini, la dissimulation, dans le défaut de la semblance, *dédouble* le Même pour en atteindre l'altérité secrète. L'une exhibe la surface du signifiant en sa nudité, l'autre révèle que la superficie se rattache à la profondeur. La Dissimulation présente elle-même cinq niveaux distincts dans l'œuvre platonicienne, qui possèdent tous le même caractère disjonctif, depuis la forme littéraire la plus apparente jusqu'à la structure la plus cachée vers laquelle l'interprétation généalogique remonte.

  1. *La première dissimulation* met en cause la présence de Platon dans son œuvre écrite. Enigmatique, il ne se met jamais en scène dans ses textes philosophiques et repousse fermement dans la *Lettre 7* la seule idée d'une doctrine propre. Est-on pour autant autorisé à mettre la pensée des dialogues au compte de celui qui refusait d'écrire ? Paul Friedländer a justement montré que, si le silence de Platon sur lui-même est « un phénomène unique », « no less surprising that the silence of Plato's « I » is something else that necessarily corresponds to this silence, namely, the incomparable status of Socrates in Plato's works »[5]. Au sens strict, il n'y a pas plus de philosophie socratique que de doctrine platonicienne, puisque Socrate, qui n'écrivait pas, ne nous est connu que par les textes de ses ennemis et de ses disciples. Mais rien ne permet d'affirmer que les paroles du Socrate platonicien sont véritablement socratiques — pas plus d'ailleurs que platoniciennes ! Comment savoir en toute certitude si Platon se reconnaît

---

4. ERNOUT et MEILLET, *Dictionnaire étymologique de la langue latine*, signalent que les grammairiens latins différenciaient *simulo* de *dissimulo*, et citent le mot de SUÉTONE (*Diff.*, p. 290) : « Simulamus quae nescimus, dissimulamus quae scimus. » C'est l'exacte définition du *sérieux* sophistique et de l'*ironie* philosophique.

5. P. FRIEDLÄNDER, *op. cit.*, I, p. 127.

davantage en Socrate, Calliclès ou l'Etranger d'Elée, alors que les personnages des dialogues n'ont pour nous que l'épaisseur de son écriture ? Si l'on ne peut remonter à Socrate à partir de Platon, on ne réussira pas davantage à atteindre Platon à partir de Socrate ou d'autres interlocuteurs de ses dialogues.

A jamais dissimulé par ses fictions littéraires, Platon est le dramaturge, sinon le démiurge, de la philosophie. On connaît le désaveu du langage, plus encore de l'écrit, dans l'important intermède de la *Lettre 7* qu'il est difficile de ne pas rapprocher des digressions centrales de la *République* et du *Théétète* sur la place du philosophe dans la cité. La même question guide la plume de Platon : qu'est-ce que la philosophie ? « De moi, du moins, il n'existe et il n'y aura certainement jamais aucun ouvrage sur pareils sujets » (341 *c*). Quant à l'écrit, « aucun homme raisonnable ne se risquera à confier ses pensées à ce véhicule, surtout quand il est figé comme le sont les caractères écrits » (343 *a*). Le rejet du dogmatisme, donc de tous les platonismes et antiplatonismes futurs, ne saurait être mis en doute. Mais comment savoir si cette lettre, pour autant qu'elle soit authentique, ne dissimule pas, à son tour, les intentions véritables de son auteur ? Et, de nouveau, la question : pour quelle raison Platon se dissimule-t-il dans son œuvre, au point même de nier l'existence de celle-ci ?

Une chose pourtant est sûre : bien avant Pascal, Platon reconnaît que se moquer de la philosophie, c'est vraiment philosopher. « C'est pourquoi tout homme sérieux se gardera bien de traiter par écrit des questions sérieuses et de livrer ainsi ses pensées à l'envie et à l'inintelligence de la foule » (344 *c*), nous confie-t-il à travers toute son œuvre où παιδιά et παιδειά tissent leurs liens indissolubles. La philosophie est née, comme en se jouant, de cette première dissimulation de l'écriture qui déjà fait signe vers d'autres domaines plus cachés. Si Platon décidait néanmoins, malgré le *Phèdre* et sa condamnation de l'écriture, *pharmakon*, drogue et sortilège, malgré le *Cratyle* et la *Lettre 7*, de composer une immense dramaturgie philosophique, sans doute avait-il découvert la méthode appropriée à son intuition, pour sauver l'écriture de l'écriture elle-même.

2. C'est *la deuxième dissimulation*, que Platon emprunte à Socrate,

sinon à Parménide, mais dont il fait un usage plus complexe, puisque l'*ironie* abandonne maintenant le terrain de la parole pour gagner celui de l'écriture. Le *questionnement* cherche à *dis-socier* la personnalité du répondant, en dénouant la simulation initiale de ses opinions, pour laisser naître en lui l'Autre, s'il le faut contre lui-même. « Connais-toi toi-même », détruis par le jeu ironique l'identité illusoire qui fait de toi ton propre simulacre, le comédien de ton propre idéal dira Nietzsche, fais pénétrer en ton sein la lame du questionnement, et tranche. Désormais ἀσύμφωνος, « discordant », tu pourras alors ressentir la présence d'un Autre, plus profond que toi-même, soigneusement protégé de ton indifférence : l'être. Paradoxale ironie, qui n'atteint l'accord parfait des esprits qu'à la condition de multiplier d'abord les dissonances les plus violentes !

L'ironie dissimule d'autre part la finalité réelle de la recherche commune. Son partenaire ne comprend généralement pas où Socrate le guide, et se retrouve souvent, tout abasourdi, devant l'objet même de l'enquête qu'il avait eu tout le temps sous les yeux ! Dans la *République*, Glaucon continue sur sa lancée à poursuivre l'essence de la justice, sans prendre garde qu'elle est déjà présente dans leur entretien, dissimulée sous l'unité dialectique des trois vertus de l'âme. Quant à Théétète, dans le *Sophiste*, il se heurte intempestivement au philosophe au moment précis où il désespère de trouver même le sophiste ! Ne réduisons pas cependant la portée ontologique de la méthode à un simple artifice psychologique : plus qu'un art de convaincre, l'ironie est l'art de rechercher ce que la réminiscence rappelle à l'homme. Lorsqu'elle reflue sur sa propre source, l'ironie découvre la marque originaire de la séparation ontologique et devient *humour* (« *Je ne sais qu'une chose...* »), imperceptible distance de soi à soi, qui interdit de coïncider avec les fantasmes de son propre langage. On rapprochera cette étrange faculté de rentrer en soi-même, du *démon* de Socrate et de ses méditations silencieuses qui instaurent une distance entre la pensée et ce qui se donne à penser. Contre le sérieux sophistique à l'identité massive, sans la moindre fissure, « esprit de lourdeur » dont parle Nietzsche, l'humour platonicien affirme sa légèreté et sa liberté. Comment cependant ce double mouvement d'ironie centrifuge et d'humour centripète s'exprime-t-il concrètement dans la structure dramatique des dialogues ?

3. Grâce à *la troisième dissimulation*, incarnée par les divers personnages. Nous avons déjà noté que la tradition néoplatonicienne s'est plu à multiplier les interprétations allégoriques de la *forme dramatique* des dialogues selon tout un jeu d'allusions théologiques, métaphysiques et morales. Pour notre part, nous croyons avoir établi l'existence d'une dissimulation plus originelle encore, dans les dialogues métaphysiques, à travers le symbolisme des cinq protagonistes des entretiens. Comme l'être ne peut s'atteindre qu'à partir de la maîtrise des cinq genres, le philosophe se dissimule ici sous la personnalité distincte des cinq compagnons. Si nous suivons le principe de communauté révélé par la κοινωνία, nous admettrons que le dialecticien se *dissimule*, donc se *divise*, non pas dans le simple dédoublement du questionneur et du répondant, mais dans la distribution des cinq personnages. Dans le groupe des cinq dialogues qui assure la communauté des cinq genres, le dialecticien se *dis*simule, mais en même temps se *dis*cerne en chacun des protagonistes qui *cernent* l'être sans jamais parvenir à l'enclore dans une *eidos* déterminée. Et comme il est impossible d'envisager l'un de ces dialogues sans le rapprocher des autres, ni l'un des genres sans souligner les relations opératoires qui le relient à ses proches, il s'avère impossible de considérer à part l'un des cernes du dialecticien. L'homme qui joue de la dichotomie se trouve lui-même divisé en deux couples de deux personnages, le cinquième et dernier protagoniste, Socrate, demeurant aussi insaisissable que l'être ou le dialogue du *Philosophe*. Si le sophiste est l'être du *commun*, le philosophe est celui de la *communauté* : l'Etranger montre ainsi à Théétète en quoi leur démarche les distingue :

« Entreprenons donc à nouveau, scindant en deux le genre proposé, d'avancer en suivant toujours la partie droite de nos sectionnements, nous attachant à ce qu'ils offrent de communauté avec le sophiste jusqu'à ce que, *ayant dépouillé celui-ci de tout ce qu'il a de commun* (τὰ κοινὰ πάντα), nous ne lui laissions plus que *sa nature propre* » (264 e).

4. Présente dans les débats effectifs des personnages des dialogues,

la dialectique exprime *la quatrième dissimulation*, grâce à l'opération constante de division qui, utilisée innocemment dans les textes antérieurs, parvient à une parfaite maîtrise dans le *Sophiste* et le *Politique*. Elle constitue la seule arme adaptée à la simulation, une réfutation des sophistes qui divise ontologiquement duplicités et semblances, dissimule impitoyablement les fantasmes que le langage simule. La dialectique ne cache pas pour autant, elle dévoile au contraire en séparant les semblances réelles des ressemblances illusoires, et atteignant enfin le producteur de tous ces *lieux communs* « dans sa nature propre ». Elle introduit alors trois distinctions dans le langage qu'elle utilise et en même temps étudie : 1. Elle *sépare* les formes selon le procédé binaire de l'orthotomie et privilégie dans tous les cas la droite coupure qui oriente la recherche; 2. Elle *différencie* le logos de son utilisateur en montrant que celui-ci, loin de rester à la surface des signifiants, se projette intentionnellement au-delà, vers l'Etre qui fait signe; 3. Elle *disjoint* enfin le langage de l'être en lequel il s'enracine, mais dont il ne peut rien dire. Pour cette dernière raison, la dialectique s'achève chez Platon, et sans doute dans toute philosophie véritable, au seuil de la dissimulation originaire — celle du *silence*.

5. Nous la nommons « originaire » parce que, en elle, prennent naissance les dissimulations précédentes. Là se situe *la topique de l'être*, le lieu secret — ἐν τοιούτῳ τινὶ τόπῳ — que nous pourrions peut-être approcher, si nous venions à le chercher. L'être se retire au-delà, vers le faîte éblouissant de l'ἐπέκεινα, dissimulation première et dernière qui protège le jeu dialectique, les personnages des dialogues, la méthode ironique et Platon lui-même, plus étrange encore en sa familiarité que le voyageur venu d'Elée. Nous reviendrons, dans notre cinquième chapitre, sur ce chemin dialectique aux cinq moments dont nous établirons qu'il définit la démarche constante de Platon. Nous l'avons déjà nommé, de son nom pythagoricien : la *pentade*.

Car il faut, pour le moment, retourner à la lutte serrée à laquelle se livrent le sophiste et le philosophe. Aveugle et sourd à la nature de l'altérité, le faiseur de simulacres occupe, arpente, redouble la surface fantasmatique, sans retenir jamais les variations multiples de son désir ni la succession divagante des ombres. Chez cet esprit momentané, le langage fait bloc, sans pour autant évoquer un volume : c'est l'impénétrabilité de l'épiderme, de la coquille, de l'écaille qui le fascine, dans l'horizon plan d'une surface qui ne se survole pas elle-même et glisse latéralement de signifiants en signifiants sans origine ni finalité. Son adversaire n'échappera au vertige de ces labyrinthes que par un mouvement constant de dissimulation qui ne se ramène en aucun cas à des actes d'omission, de duplicité ou de mensonge. Platon, et là sa pensée se montre extraordinairement difficile à cerner, *ne nous cache rien, mais nous dissimule tout*. Sa philosophie tout entière se déploie dans le retour constant à l'origine que nous avons nommé « dissimulation », c'est-à-dire distinction et destruction des simulacres pour retrouver la source non occultée de leur production.

La dernière enquête de l'Etranger (264 *c*-268 *d, in fine*), suivant le grand détour ontologique par la communauté des genres, réactive la chasse et sonne maintenant l'hallali. Le filet se resserre impitoyablement, maille par maille, autour de la proie protéiforme dont chaque métamorphose est aussitôt saisie, sectionnée, bientôt détruite. Nous revenons naturellement au paradigme du pêcheur à la ligne dont nous étions partis, au début du dialogue (218 *e*), et qui apparaissait comme un simple exercice scolaire de peu de conséquence. Pourtant il avait introduit, dès la troisième division (219 *e*), la métaphore de la chasse qui allait gouverner la conduite commune du dialecticien et de son partenaire, après la première séparation de l'art de production, à gauche, et de l'art d'acquisition, à droite de la fourche. On avait entrevu le sophiste dans une cascade de définitions qui étaient autant d'éblouissements au sein de la *voie droite* de l'acquisition. L'Etranger n'avait pu mener alors à bien la poursuite, égarée entre les cinq ou six simulacres que *produisait, de la voie gauche*, le sophiste, et qu'il redoublait comme autant de leurres sur l'autre voie. Nous nous étions fourvoyés dès le départ dans les chemins touffus de l'acquisition, sans songer à emprunter la voie de la production et restions perdus

devant l'excès désordonné des simulacres. Le sophiste se manifestait
en effet comme :

1. Un chasseur intéressé de jeunes gens riches (223 *b*);
2. Un gros négociant en sciences diverses (224 *d*);
3. Un petit commerçant, de première ou de seconde main (224 *e*);
4. Un athlète en discours enrichi dans les querelles privées (225 *c*);
5. Un réfutateur de vaine sagesse qui purifie l'âme des souillures
   de l'opinion (231 *b*).

Théétète hésitait devant la multiplicité d'aspects de l'être ondoyant
et divers dont la dernière définition, celle du purificateur, s'approchait
au plus près de celle du philosophe[6].

Il ne s'agit plus désormais de courir de l'un à l'autre des reflets
que produit le faiseur de simulacres prudemment resté à l'écart.
L'Etranger *fait demi-tour*, abandonne la voie droite de l'acquisition
— là où se situe *le philosophe qui cherche à acquérir, et non à produire, la
sagesse* — pour *revenir en amont* vers la bifurcation avec la voie gauche.
Entre-temps en effet, le *détour* ontologique par la κοινωνία et la
découverte de la différence ont permis de poser correctement, puis de
résoudre, l'épineuse question de l'*errance*, et de comprendre le sens
de la « mimétique », *sorte de production* (τίς, 265 *b*), donc de faire *retour*

6. L'Etranger passe subrepticement de 5 définitions du sophiste à 6, entre la recherche
effective (223 *b*, 224 *c*, 224 *d*, 225 *e*, 231 *b*) et la récapitulation (231 *d*-231 *e*). Si l'on
compare les deux classements, on observera que, la seconde fois, l'Etranger *dédouble*
la définition du sophiste-commerçant en détaillant, puis en fabricant-vendeur (231 *d*),
juste après avoir contesté la définition du sophiste-purificateur (laquelle, effectivement,
sera rejetée par la suite). Ce qui nous conduit à admettre *5 définitions* dans le premier cas
(lorsque la purification sophistique n'est pas encore mise en cause) : 1. chasseur; 2. négociant; 3. petit commerçant; 4. éristique; 5. purificateur; — et encore *cinq définitions* dans
le second (le cinquième aspect précédent passant à la sixième place, pour se voir ensuite
éliminé, tandis que le troisième se dédouble) : 1. chasseur; 2. négociant; 3. commerçant
de détail; 4. commerçant de gros; 5. éristique.
   Tout se passe comme si Platon voulait retrouver à travers les visages brouillés du
sophiste, le chiffre symbolique de 5, déjà présent d'ailleurs, comme le note V. GOLD-
SCHMIDT (*Questions platoniciennes*, p. 25), dans la classification des matières d'enseignement
des sophistes : 1. les choses divines et cachées; 2. les choses visibles de la terre et du ciel;
3. le devenir de l'être; 4. les choses politiques ; 5. la controverse, c'est-à-dire, selon
V. GOLDSCHMIDT, « la théologie, la cosmologie, la politique (et la morale), auxquelles
on peut joindre la logique », cf. *Soph.*, 233 *b-e*.

à cette dernière. La recherche a été admirablement menée par l'éléate qui a fait mine de se perdre vers la droite où il acquérait en réalité l'habileté dialectique par la pratique répétée de la méthode de division et où il découvrait le visage du philosophe. Pourtant, si nous suivons bien sa démarche, nous reconnaîtrons un faux pas très révélateur. L'art mimétique intervenait en effet après la définition du sophiste comme « contradicteur » (ἀντιλογικὸν, 232 b), la notion de lutte contradictoire provenant elle-même de la troisième division du pêcheur à la ligne : à gauche, la *lutte*, à droite, la *chasse*, les deux espèces appartenant au genre commun de la *capture*. Mais alors que toutes les divisions depuis le début de l'entretien jusqu'à son heureux dénouement *s'orientaient spontanément vers la section droite de chaque alternative*, une seule fois *un gauchissement* discret avait eu lieu au niveau de la lutte et de la chasse. Nous avions flairé, puis suivi avec trop de hâte la piste de droite, inconsciemment guidés par la rectitude philosophique de la dichotomie, alors que le gibier *se faufilait sur notre gauche*. Au lieu de *lutter* pied à pied contre le sophiste, nous *chassions* les fantasmes impuissants vers lesquels il nous avait aiguillés[7].

Rectifions maintenant le tir, et allons chercher droitement le sophiste à gauche, dans l'art de production, où il s'est glissé en tiers à la suite de la production naturelle et de la production artificielle (219 b). Dès lors la division sectionne toutes les formes de la prétention sophistique et, en réduisant peu à peu le domaine de la production, enferme le gibier dans un filet inexorable. Toute production se divise en effet en deux espèces, l'une divine, l'autre humaine, qui répondent à une définition identique : *amener quelque chose du non-être à l'être* (265 b). Cette propriété que l'Etranger avait reconnue dans ses premiers échanges avec Théétète, ne lui était alors d'aucune utilité, puisqu'elle présupposait l'existence du non-être niée par le sophiste, et qu'il ne savait par ailleurs pas davantage en quoi pouvait bien consister l'être. Aussi choisissait-il d'abandonner cette voie pour l'instant stérile au profit de la voie droite de l'acquisition, en s'inter-

---

7. Aussi devrions-nous, en toute rigueur, réserver le terme de *chasse* pour la seule démarche du philosophe en *quête* de l'être, et utiliser le terme de *lutte* pour le combat contre les simulacres du sophiste.

disant de comprendre du même coup *la production des simulacres*. Il ne pouvait alors qu'*acquérir* péniblement les cinq ou six définitions qui étaient autant de fantasmes, mais en même temps d'exercices dialectiques. L'aporie du non-être résolue grâce à la présence de l'Autre, la recherche peut sauver la production, attester qu'elle conduit réellement du non-être à l'être, et distinguer en elle la partie divine de la partie humaine.

Mais cette fois, nous assistons au bouleversement décisif qui, dans l'ordre de la division dichotomique, fait écho au coup de théâtre dialectique de la découverte du philosophe. *La division se dédouble en effet elle-même selon un double point de vue.* Au lieu de sectionner *latéralement* (κατὰ πλάτος) le genre comme à l'ordinaire, l'Etranger sectionne aussi la production *longitudinalement* (κατὰ μῆκος) et propose en conséquence, non plus *deux* branches d'une alternative (gauche/droite), mais *quatre* (gauche/droite, haut/bas) (266 a). La double

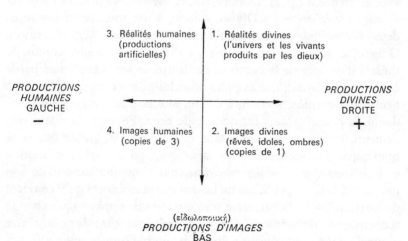

division s'effectue selon deux axes de coordonnées qui définissent
quatre régions distinctes, dans lesquelles il est difficile de ne pas voir
un rappel de la *Quadrature* de l'être, que le dialecticien vient à peine
de découvrir.

Chaque forme latérale est double : la *production du réel* est soit
humaine (partie gauche subordonnée), soit *divine* (partie droite privilégiée). A son tour, la *production d'images* se scinde en *images humaines*
(à gauche) et *images divines* (à droite). Quant à la division longitudinale,
elle assure évidemment la supériorité des *réalités* sur les *idoles fabriquées*.
Le mouvement dialectique qui dédouble à deux reprises la production
(« καὶ κατὰ ταῦτα δὴ πάλιν ἡ ποιητικὴ διχῆ διαιρεῖται : voilà donc que
la production se dédouble à nouveau », 266 *a*) constitue une fausse
symétrie qui fait prédominer le *haut* sur le bas, la *droite* sur la gauche,
mais aussi la *droite* sur le haut. Quoique inférieures, les images divines
l'emportent à la droite du tableau sur les réalités humaines orientées
vers la gauche.

Considérons maintenant les seules images humaines, la plus
pauvre des quatre sections du tableau, et distinguons de nouveau
en elle la production des *copies* (τὸ εἰκαστικόν) de celle des *simulacres*
(τὸ φανταστικὸν), comme nous en étions auparavant convenu (266 *d*,
avec référence à 236 *c*). Dorénavant, la division va jouer *à l'intérieur
du simulacre lui-même* : « Divisons donc, à son tour, le simulacre en
deux — τὸ τοίνυν φανταστικὸν αὖθις διορίζωμεν δίχα » (267 *a*).
D'un côté, le simulacre qui use de divers instruments, comme le
théâtre d'ombres de la caverne; de l'autre, le simulacre mimé par le
corps de l'imitateur, qui se prête donc lui-même comme instrument.
Seule cette dernière section, à droite, intéresse l'Etranger, qui abandonne la première sans lui donner de nom. Pourtant la distinction
demeure encore insuffisante, tant que l'on ne dédouble pas cette
mimétique corporelle en *bonne mimétique*, qui connaît son modèle
et le respecte, et *mauvaise mimétique*, qui témoigne surtout de son
ignorance. L'Etranger hésite un instant quant aux noms qu'il convient
de leur attribuer : la première sera qualifiée de « mimétique savante
accompagnée de science — τὴν δὲ μετ' ἐπιστήμης ἱστορικήν τινα
μίμησιν » (267 *e*), et concerne donc l'art du philosophe qui n'a jamais

refusé l'imitation, mais a révoqué ses prétentions à gouverner la connaissance sans prendre appui sur l'être. Enivrée de faux-semblant, la seconde se réduit à la « doxomimétique accompagnée d'opinion — τὴν μὲν μετὰ δόξης μίμησιν δοξομιμητικὴν » (267 d), imitation impure de la précédente. Et là encore, un nouvel examen s'impose : le doxomime présente une « paille » (διπλόην τινά), une fissure interne qui, d'elle-même, distingue le simple imitateur naïf (ὁ εὐήθης), sans mauvaise volonté et qui ne prétend guère qu'à s'amuser, de l'imitateur ironique (εἰρωνικὸν μιμητὴν), questionneur ignorant, mais habile à donner le change (268 a).

Inflexible, la division dédouble ce dernier en *démagogue*, qui va imiter le véritable homme politique sur l'agora, alors qu'il n'est qu'un « orateur populaire » (δημολογικόν), et en imitateur ironique qui contredit son adversaire dans les réunions privées — le *sophiste* (268 c). Voilà prise au piège la proie si rusée, que les divisions répétées ont acculée à ce semblant d'être comme à ce semblant de nom. Car Théétète relève avec finesse sa dernière duplicité : le sophiste n'est pas un sage, mais un imitateur de celui-ci. Comme il imite en toutes choses son modèle, il façonne aussi son *nom* à sa ressemblance, et se qualifie orgueilleusement de *sophiste*. Σοφός/Σοφιστής : l' « être » du fameux sophiste se réduit à l'épaisseur d'une seule syllabe — de trop, comme il se doit.

Voilà enfin le sophiste dénoncé.

Il reste à fermer la chaîne en renouant, depuis le commencement, toutes les mailles qui ont servi à capturer le gibier. Une dernière fois, l'Etranger met en œuvre sa méthode généalogique, qui ne prend pas la récapitulation pour un simple résumé, mais remonte à l'origine de la recherche (ἐπ' ἀρχήν) et enserre le sophiste dans le filet de la définition finale unique, qui dissipe les cinq ou six fantasmes précédents. On n'atteint plus, cette fois, le simulacre d'un être, mais bien *l'être du simulacre* enfoui au cœur de sa pratique réelle :

« Art de contradiction qui, par la partie ironique d'un art fondé sur la seule opinion, rentre dans la mimétique, et, par le genre qui produit les simulacres, se rattache à l'art de créer les images; cette portion, non point divine, mais humaine de l'art de production, qui,

ayant pour domaine propre les discours, y fabrique ses prestiges... »
(268 *c-d*).

... telle est la race, tel est le sang du sophiste.

Tel est avant tout son lieu utopique : *le discours*, où les simulacres
répètent leurs indifférents éclats. Ombres, jeux d'eau, reflets et
miroirs amusent le sophiste, mais se gardent de le dénoncer : à jouer
à notre tour avec eux, nous entrerions dans le jeu sophistique et
perdrions notre chemin dans les prestiges de ses images. Si nous
situons au contraire la production des simulacres dans le langage
seul, nous éliminons le vertige sophistique, nous réfutons ses prétentions — nous comprenons enfin sa *généalogie*.

4
La Tétralogie

Nous pouvons maintenant proposer une interprétation générale
des cinq dialogues métaphysiques, dont aucun interprète ne met
sérieusement en doute la cohérence et la continuité. Certains, il est
vrai, surpris par l'absence intempestive du *Philosophe*, cherchent à
lui substituer une doublure afin de compléter l'ensemble. Or c'est
précisément à partir du dialogue manquant, tache aveugle de la méditation platonicienne, que nous essaierons de reconstituer la triple
filiation, littéraire, dramatique, philosophique, qui oriente la tétralogie vers la source première de son cheminement, et dévoile le
mouvement continu du *retour*.

Il faut en premier lieu relever le procédé constant d'écriture
rétroactive qui place ce drame inachevé, en cinq actes, sous le signe
de la Mémoire. Dès l'abord, ces quatre dialogues imposent une
distanciation étrange, à la lisière du mythe et de l'histoire, qui va se
répétant et même se renforçant d'un texte à l'autre. Nous avons déjà
noté l'aura mythique du *Parménide* dont la narration à tiroirs repousse
vers un temps légendaire la rencontre de Parménide et de Socrate.
Comme de majestueuses propylées, le premier dialogue ouvre le

chemin qui ramène en amont vers l'initial. Car le *Parménide* commence paradoxalement par le retour : dès le prologue, le récit remonte par trois fois le cours du temps et reconstitue la merveilleuse entrevue de l'Athénien et de l'Eléate, cinquante années auparavant, pour les philosophes de Clazomène qui désirent l'entendre.

Ce procédé de narration en « flash-back », dont le modèle se trouve dans l'*Odyssée* avec les récits chez Alkinoos, est repris discrètement dans le *Théétète*, dialogue non plus conté, mais lu. Théétète, ensanglanté, revient mourir à Athènes des blessures reçues à la bataille de Corinthe. Bouleversés par la nouvelle, Euclide et Terpsion de Mégare éprouvent le désir de se remémorer le premier entretien de leur ami avec Socrate, à la veille du procès de celui-ci. Ils retrouvent les temps heureux où le bouillant adolescent jouait face au philosophe, déjà proche de la mort, le rôle que ce dernier avait tenu devant Parménide. Un seul intermédiaire cette fois rapporte l'entrevue, Euclide, dont un jeune esclave donne lecture des notes qu'il avait prises après avoir questionné Socrate. Les deux images de Théétète mourant et de Socrate mort s'interposent désormais entre la rencontre lointaine des deux hommes et le récit d'Euclide, tandis que par ailleurs, au cours de l'entretien, Socrate conte à Théétète comment il approcha le vieil éléate dans sa jeunesse. Le modèle de la rencontre du *Parménide*, repoussé en arrière lors des trois narrations du premier dialogue, se répète donc dans le *Théétète*, pour s'éloigner davantage encore dans le passé, avec la substitution dans le récit de l'*écriture* à la *parole*.

Vient la césure du *Sophiste*. Lié au *Théétète* dont il prolonge la conversation, il se distingue des deux dialogues précédents par son procédé d'exposition. Il ne s'agit plus en effet d'un récit, mais d'un dialogue apparemment pris sur le vif : aucune référence au passé, mis à part le bref rappel du rendez-vous de la veille et des rapides échanges entre l'Etranger et Théétète antérieurs au dialogue. Pourtant le texte fait davantage écho que le *Théétète* à la rencontre initiale du *Parménide*, grâce au double visage de l'étranger éléate et du jeune Socrate. Puis, sans la moindre solution de continuité, s'ouvre le *Politique* qui mentionne à trois reprises l'enquête précédente et accomplit surtout un surprenant saut en arrière, loin en-deçà du

Parménide, avec le mythe de Cronos[8]. La tétralogie s'achève au moment le plus inattendu par une rupture définitive : la distance infinie du *Philosophe* qui répond, en un tardif écho, à l'éloignement mythique du *Parménide*. Chaque dialogue se détache ainsi progressivement du modèle initial, tout en continuant de regarder vers celui qui le précède, jusqu'au dernier qui effectue le plus grand retour, par dessus les trois textes, vers le temps qui précéda l'âge des hommes.

Tous ces retours s'accompagnent cependant, vers l'aval cette fois, d'un regard de plus en plus aigu en direction de l'étape suivante. Considérons d'abord la trilogie interne : *Théétète-Sophiste-Politique*. Le premier dialogue appelle discrètement le prochain entretien, sans en préciser le thème (*Théét.*, 210 *d, in fine*); le deuxième lance les trois enquêtes sur le sophiste, le politique et le philosophe (*Soph.*, 217 *a*); quant au dernier, il annonce à deux reprises la conversation qui doit clôturer la recherche, entre Socrate et son jeune homonyme (*Polit.*, 257 *a*, 258 *a*). Reste le *Parménide*, qui occupe littérairement une place d'autant plus exceptionnelle que, lieu originaire des renvois ultérieurs, il semble lui-même ne renvoyer à aucun texte.

A y regarder de près, on remarque pourtant que ce premier maillon de la chaîne constitue comme le paradigme des ouvrages suivants : il se compose en effet de *trois* dialogues successifs — Zénon et Socrate, Socrate et Parménide, Parménide et le jeune Aristote — dont les thèmes et les figures des protagonistes vont se répéter par la suite. Ainsi, au débat entre Socrate et Zénon sur l'inexistence du Multiple, qui justifie *a contrario* la thèse parménidienne, répond la discussion du mobilisme dans le *Théétète*. Socrate, maintenant âgé, prend la place de Zénon pour critiquer les adeptes du Mouvement, contre le jeune Théétète, image inversée de Zénon, qui défend le Multiple avec la même vigueur que Socrate autrefois.

La scène suivante, qui met aux prises Socrate et Parménide à propos de l'hypothèse de la participation, trouve son pendant, au cours du *Sophiste*, avec la recherche commune de Théétète, image de

---

8. Si le *Parménide* est tout entier mythique, aucun mythe n'intervient dans les deux dialogues intermédiaires (*Théétète-Sophiste*), alors que le *Politique* offre le plus surprenant des mythes platoniciens. La scansion de la tétralogie est nette : *mythe*-logos/logos-*mythe*.

Socrate, et de l'Etranger, fils spirituel de Parménide; elle aboutit à la découverte de la communauté des genres qui résout précisément les apories de la participation[9]. Enfin le long exercice de Parménide avec le jeune Aristote a sans doute inspiré le *Politique*, qui met en présence l'Etranger et le jeune Socrate. A l'aide de ces glissements et de ces substitutions, Platon sauvegarde l'intuition première du *Parménide* qui répercute ainsi, dans les recherches ultérieures, l'opposition de l'Un et du Multiple.

Ce jeu régressif et progressif d'allusions littéraires nous introduit naturellement à la *filiation dramatique* des cinq principaux personnages. La succession polyphonique des dialogues nous paraît en effet suivre l'ordre d'apparition des protagonistes, lequel, à son tour, reproduit l'ordre des cinq genres de l'être.

	1. DIALOGUES	2. PERSONNAGES	3. GENRES
Premier couple de dialogues aporétiques	1. *PARMÉNIDE* 2. *THÉÉTÈTE*	Parménide-Socrate Socrate-Théétète	REPOS MOUVEMENT
– – – – Césure – – – –			
Second couple de dialogues concluants	3. *SOPHISTE* 4. *POLITIQUE*	Théétète-l'Etranger l'Etranger-Socrate le j.	AUTRE MÊME
——— Coupure ———			
	5. *PHILOSOPHE*	Socrate le j.-Socrate	ÊTRE

Nous nous croyons autorisé, en fonction de nos analyses antérieures, à assurer la simple correspondance empirique entre les familles de dialogues et les familles d'interlocuteurs, souvent relevée, dans ce qui fonde *ontologiquement* l'idée même de correspondance : la

---

9. Comme les définitions de la science dans le *Théétète*, les apories du *Parménide* sont au nombre de trois : 1. La forme est unité synthétique (132 *a*). Objection : l'argument du troisième homme. 2. La forme est pensée (132 *b*). Objection : comme la pensée est nécessairement pensée *de* quelque chose, τινός, elle renvoie à un aspect unique du réel. Nous retrouvons l'hypothèse précédente. 3. La forme est paradigme (132 *d*). Objection : si la participation est une ressemblance entre le paradigme et la copie, tous deux participeront à une forme nouvelle dont il faudra assurer la participation avec les deux premières, et ainsi de suite à l'infini.

communauté des genres. De même que l'on ne peut comprendre l'un des genres sans l'inclure dans un couple, puis chaque couple sans le relier au second couple, donc en définitive les quatre genres en dehors de l'être, il est impossible d'envisager isolément chacun des dialogues métaphysiques sans le rapprocher de son complément naturel, chaque couple de l'autre, et enfin la tétralogie du dialogue absent vers lequel la lignée entière conduit.

De son côté la forme dramatique, loin d'être accidentelle, révèle que chacun des cinq compagnons peut être associé à l'un des genres et à l'un des textes. Platon a-t-il clairement recherché cette correspondance, ou bien s'est-elle imposée à lui de façon naturelle ? Nous ne pouvons que proposer ici notre hypothèse, confortée cependant par l'ordre des dialogues et leur scansion. Il est douteux, par exemple, que le choix et la succession des *titres*, qui renforcent l'opposition des deux couples de textes, soient purement fortuits. Viennent en premier lieu deux dialogues portant les noms de deux *personnages* : *1. Parménide ; 2. Théétète*, composant le couple traditionnel du dialecticien et de son partenaire. En second lieu, deux dialogues se trouvent associés à deux *fonctions* : *3. Sophiste ; 4. Politique*, inégalement valorisées[10]. Le *Philosophe*, que l'on pourrait sous-titrer « ou *Socrate* » demeure bien entendu étranger aux deux couples et constitue le foyer vers lequel ils s'orientent.

L'interprétation nous paraît ainsi devoir tenir compte des rapports littéraires et dramatiques qui laissent peu à peu deviner le sens véritable du cheminement philosophique. Le *fil* conducteur avoué — la question de l'Un et du Multiple — suit l'ordre des genres de l'être et remonte, au fil de la réminiscence du *Théétète*, au fil du couteau de

---

10. Si l'on tient compte de la valeur accordée au *titre* de chaque dialogue, le *Parménide* est plus accentué que le *Théétète*, et le *Politique* que le *Sophiste* :

     nom-nom/fonction-*fonction*
      +   —   —   +

Soit la même scansion au niveau des titres qu'au niveau de l'écriture du logos et du mythe. La césure intervient toujours entre le *Théétète* et le *Sophiste*, malgré leur continuité apparente. Enfin, selon la réussite ou l'échec de la recherche, nous obtenons :

     Parménide   *Théétète*   *Sophiste*   *Politique*
       —   —   +   +

l'Etranger et de sa filiation parricide, au fil du tisserand royal, vers l'anneau de l'être. Qui tient le fil ? Peut-être Platon, peut-être le philosophe dissimulé dans le dernier dialogue — peut-être Dieu lui-même, dont nous ne sommes que les marionnettes ?

La filiation interroge continûment son origine, de la dialectique étourdissante du *Parménide* au silence suspendu du *Philosophe*, du nom vénérable du maître d'Elée à l'ultime anonymat du penseur qui s'abîme dans la contemplation de l'être. Elle ne connaît au fond qu'une seule question : qu'est-ce que le philosophe ? Socrate ou — *Personne* ? D'un dialogue à l'autre, son visage se révèle peu à peu et se détache des traits similaires de ses rivaux, sans jamais pourtant offrir l'épreuve positive de son regard. Ainsi la joute du *Parménide* ne semble pas encore dégager la nature philosophique, et même prend plaisir, les deux Eris confondues, à redoubler d'arguments parfois sophistiques pour faire échouer l'entretien. Jeu laborieux ou brillante escrime, sa dialectique révèle et dissimule l'être au cœur des deux pentades, de même que Parménide, avec un humour formidable, se cache derrière l'océan d'arguments qu'il oppose à sa propre doctrine. Comment d'ailleurs atteindre l'éléate, absent au début de l'entretien, dont la pensée se montre aussi rebelle à la dialectique zénonienne qu'à l'assaut de l'impitoyable critique des neuf hypothèses sur l'Un ? Mais déjà la singulière existence de l'ἐξαίφνης oriente le chemin dialectique vers la Fondation. Nous partons des rives du REPOS, intuition centrale de l'éléatisme, et semblons, tel Achille, ne pas avancer d'un pas dans ce dialogue, immobiles devant l'équilibre cristallin des hypothèses, en arrêt devant leur ordre symétrique sans défaut.

Socrate hésite encore à s'attaquer à la doctrine immobiliste dans le *Théétète*, car il n'est pas permis, alors que l'on s'intéresse pour l'heure au problème de la science, de la traiter avec négligence; auparavant, il convient d'examiner la thèse adverse avec l'aide de Théétète qui défend avec fougue l'eidos de MOUVEMENT. La discussion du mobilisme protagorien, en établissant l'insuffisance de cette thèse qui dissout toutes choses, purifie en quelque sorte le mouvement qui jouera le rôle que l'on sait dans le *Sophiste*. Le rela-

tivisme entraîne surtout la question de l'erreur et de l'opinion fausse,
dont Socrate ne se tire qu'en postulant l'existence nécessaire de
« communs » (τὰ κοίνα, 185 e), première esquisse de la κοινωνία,
dans l'âme de celui qui connaît. Et déjà la présentation dialectique
des treize hypothèses sur l'impossibilité de l'erreur utilise de façon
opératoire les catégories de Même et d'Autre (192 a-c).

Quel que soit cependant l'intérêt d'une recherche qui échoue à
trois reprises sur la définition de la science, l'apport philosophique
de ce dialogue, aussi aporétique que le *Parménide*, se situe ailleurs.
L'apparente digression sur le *loisir* (σχολή) constitue en réalité le
noyau de la réflexion platonicienne (172 c-177 b). Centre de symétrie
de l'ouvrage, cet intermède intempestif amplifie les remarques
antérieures sur la maïeutique et présente une extraordinaire peinture
du philosophe. *Etranger* aux querelles quotidiennes des tribunaux
et de l'agora comme à l'affairement servile des pragmatistes de toute
espèce, le philosophe est présenté comme l'homme qui se rend semblable à Dieu dans la mesure du possible. Tout est affaire d'allure — et
un seul trait suffit : à la différence du réaliste vulgaire, le philosophe
sait dignement « relever son manteau sur l'épaule droite à la façon
d'un homme libre » (175 e).

Au fur et à mesure que s'enrichit l'investigation, la réflexion
philosophique revient sur elle-même et questionne uniquement ce
qui s'avère digne de question : l'étonnement de se trouver en chemin
vers l'être. Mais tant que la Différence n'a pas été assurée, le philosophe risque d'être confondu avec ses simulacres — habiles marchands de paroles qui font profession de leur savoir, ou rêveurs
éveillés qui tombent de puits en puits. C'est seulement dans le
Sophiste que l'Autre permet à l'Etranger de faire apparaître le philosophe dans l'image renversée et redressée du sophiste. La véritable
nature du dialecticien se dessine grâce à deux traits nouveaux révélés
par la pratique de son discours. D'abord la dichotomie, qui dissimule
sous l'apparence scolaire de ses exercices de division, la coupure
parricide de la Différence. Le dialecticien sait désormais dénoncer
la fausse identité des simulacres, et ne confond plus le voyageur
avec l'ombre qui colle à ses pas. La communauté des genres, ensuite,

maintient l'être dans le jeu réglé de la Quadrature qui échappe aux vertiges de la dissémination. Le retournement capital, disons même la conversion, a lieu : le voile sophistique des apparences mensongères se déchire, et l'horizon de l'être s'ouvre au philosophe à partir des quatre partages ontologiques. Pourtant le retour va jouer une dernière fois à nous égarer dans les multiples détours du Même.

Car le *Politique* ne parle pas tant de l'homme royal ou des différentes constitutions que de l'art supérieur de filer le Même et l'Autre. La question mérite que l'on s'y arrête assez longuement. Pareil au métallurgiste, le dialecticien sait purifier le genre tellement glissant des semblances par une exacte discrimination du Même éléatique, sophistique ou philosophique. Le royal tisserand, qui entrelace les fils souples de la trame et les fils rugueux de la chaîne, ne doit pas faire oublier le philosophe qui *tisse* la métaphore. Aussi l'Etranger ne parviendra-t-il à la définition finale du tisserand royal qu'en effectuant les trois détours qui nouent, point par point, le tissu philosophique. Trois fils s'enroulent ici sur le fuseau de l'être : *la juste mesure, le paradigme, le mythe de Cronos*. Tous trois disent le Même — c'est-à-dire la présence constante de l'Autre sur le chemin du retour.

1. La Juste Mesure :

Tout d'abord, il faut subir l'épreuve du *détour*. Jamais sans doute ne s'était imposée avec une telle nécessité, dans le voyage du philosophe, l'exigence du « long circuit » de la *République* (VI, 504 *d*). Détours, circuits ou digressions s'amplifient à mesure que le cheminement dialectique approche de son terme. Aussi l'Etranger éprouve-t-il quelques scrupules, à l'image de Socrate (*Théét.*, 200 *c*). Deux voies s'ouvrent en effet à la recherche, l'une rapide et séduisante, l'autre longue et laborieuse (*Polit.*, 265 *a*). Parce qu'ils ne s'exercent encore que sur de faciles sujets, le dialecticien et son partenaire les parcourent allégrement toutes les deux. Cependant la suite de l'enquête développe de nouveau des circuits si complexes que l'Etranger s'interroge sur leur utilité : la division du tissage, l'analyse des rivaux du politique, la distinction des causes propres et des causes auxiliaires ne sont-elles pas superflues ? « Que ne répondions-nous tout

de suite : « Le tissage est l'art d'entrelacer la chaîne et la trame »,
au lieu de tourner ainsi en cercle et de faire des tas de distinctions
inutiles ? » (*Polit.*, 283 *a-b*).

Dès lors, les considérations du *Politique* sur la juste mesure, loin
de se réduire au traditionnel débat rhétorique sur la longueur des
discours, sont logiquement amenées par les digressions du mythe
et du paradigme. Chaque détour engendre le détour suivant : le
mythe initial du pasteur divin, qui décrit un *modèle* politique ina-
dapté aux temps présents, entraîne la réflexion sur le *paradigme*;
celui-ci, à son tour, avec le premier essai de définition du tissage,
justifie la remarque incidente sur la longueur des digressions et sur
le μέτριον. Alors que nous semblons nous éloigner de plus en plus
de la recherche primitive, nous préparons en réalité la définition de
l'homme royal qui sait tisser l'étoffe unique de la matière sociale.

Quant à la juste mesure, sur laquelle nous ne reviendrons pas
(cf. *supra*, p. 225), bornons-nous à observer qu'elle occupe ici le
champ rhétorique (l'équilibre du discours), politique (la justice
distributive) et ontologique (la différence du μέτριον). Elle arrache
la forme du Même à l'aveugle égalité de la mauvaise métrétique et
des faux-semblants de justice, grâce à sa fonction discriminatrice.
L'*Autre* du *Sophiste* disjoint désormais les deux métrétiques comme
les deux rivaux en compétition, le sophiste et le politique. Comme il
sauvait le mouvement contre ses furieux adeptes, Platon soustrait le
Même à sa perversion sophistique et renforce sa nécessaire présence
dans la pratique de la Mesure.

2. *Le Paradigme :*

« Prenons un exemple.. », aime à proposer Socrate, et après lui
l'Etranger (*Soph.*, 218 *e*; *Polit.*, 279 *a*). Pêche à la ligne ou tissage des
laines, l'exemple semble choisi au hasard, pour éclairer quelque tâche
ardue, et ne jamais tirer à conséquence. Pourtant, à y regarder de
près, on y discernera l'origine de la méthode de division elle-même.

A travers l'exemple (παράδειγμα), l'*essence* du genre à définir
prépare le chemin de la recherche. On ne peut en effet trancher les
fils embrouillés des opinions, et séparer au fil du rasoir les gauches
symétries pour rétablir les droites filiations sans postuler l'unité

de composition du genre et l'existence d'une correspondance naturelle entre les espèces qui le constituent. Aussi le paradigme s'inscrit-il
sous le signe de la réminiscence : « Car on pourrait presque dire que
chacun de nous sait tout comme en un rêve et se retrouve ne rien
savoir à la clarté de l'éveil » (*Polit.*, 277 *d*). Nous le définirons heuris-
tiquement comme le *procédé analogique* qui rend manifeste la *communauté* de rapports entre deux sujets, dont l'un est d'un abord plus
aisé. Les petites et les grandes lettres de la *République* (II, 368 *d*), qui
servent à appréhender l'essence de la justice, ou la généralisation de
Théétète qui ramène l'ensemble des irrationnelles à un genre unique
(*Théét.*, 147-*d*-148 *b*) afin de proposer une définition de la science,
constituaient dans les dialogues précédents des paradigmes dont la
nature restait cependant obscure.

Comment en effet le dialecticien établit-il la *répétition* (ἀνα) d'un
rapport (λόγος) identique, en sautant d'un ensemble donné à un
autre ? Qu'est-ce qui légitime, dans le cas du *Politique* en particulier,
cette longue *chaîne* de métaphores qui relie fil, trame, tissu et navette,
chez le tisserand comme chez l'homme royal ? Si Aristote se montre
sévère à l'égard de la méthode paradigmatique de son maître qu'il
assimile à une induction imparfaite[11], est-on pour autant autorisé à
réduire le paradigme, dont le fondement est rationnel, à la démarche
empirique qui conduit du particulier au particulier ? V. Goldschmidt
a nettement relevé les incompatibilités des deux méthodes. Le paradigme se distingue de l'induction : « *a)* Par son intention d'exercice;
b) Par son passage du sensible à l'intelligible ; *c)* Par son fondement
métaphysique »[12] — tout autant que *cosmique*, ajouterons-nous, en
suivant le même auteur.

C'est le retour du Même au cœur de l'Autre qui légitime, dans sa
mise en correspondance de deux ensembles différents, l'emploi du
paradigme et sa fonction analogique[13]. Rien n'est fortuit dans l'écri-

---

11. ARISTOTE, *Premiers Analytiques*, II, 24, 69 *a*.
12. V. GOLDSCHMIDT, *Le paradigme dans la dialectique platonicienne*, p. 94.
13. Paul GRENET (*Les origines de l'analogie philosophique dans les dialogues de Platon*)
définit l'analogie comme un mixte de Même et d'Autre, dans lequel « l'inévitable faille
d'une dissemblance interne » (p. 232) joue le rôle principal. « Elle requiert, de plus,

ture platonicienne, qui paraît jouer au hasard des rencontres entre les dialogues, les personnages et les catégories ontologiques. Ces trois groupes possèdent, nous l'avons montré, une *structure identique* qui commande la recherche dès l'origine, bien qu'elle ne soit découverte qu'en dernier. Il suffit alors de suivre l'analyse théorique qu'en propose l'Etranger pour voir apparaître, dans le *Politique*, la figure de la pentade.

Qu'est-ce qu'un paradigme? demande en effet l'éléate, en cherchant cette fois à dépasser son emploi heuristique traditionnel. Or une rencontre « *très atopique* » (μάλ᾽ ἀτόπως, 277 *d*) le frappe soudain et lui dévoile l'aspect *circulaire* de la connaissance : « Un paradigme, ô bienheureux jeune homme, il m'en faut un maintenant pour expliquer mon paradigme lui-même. » Après que la maïeutique du *Théétète*, rejoignant la réminiscence du *Ménon* et du *Phédon*, a rappelé l'idée féconde que la vérité se précède toujours elle-même dans l'âme de celui qui la cherche, le paradigme du *Politique* révèle avec humour *le cercle du Même* à l'origine de la connaissance : l'explication du paradigme doit en effet prendre appui sur le paradigme de l'explication. Nous sommes contraints de recourir à un « paradigme de paradigme », et même à un « paradigme de paradigme de paradigme », si nous voulons résoudre cette question en apparence bien anodine : qu'est-ce qu'un exemple ?

Prenons justement un exemple : celui des lettres de l'alphabet (στοιχεῖα, 277 *e*), que le grammairien unit ou sépare en diverses syllabes. L'analyse de l'Etranger met clairement en lumière *trois* niveaux différents du paradigme :

1. *L'être du paradigme (P 1)* : comme il demeure problématique, on va l'illustrer par un exemple.

2. *L'écriture, paradigme de l'être du paradigme (P 2)* : elle permet au dialecticien de faire un pas en arrière afin de mieux saisir l'analogie instaurée par l'exemple. Mais, à son tour, l'écriture a besoin d'un exemple pour être apprise à ceux qui l'ignorent.

---

l'appartenance de ses deux termes *à deux ordres* de réalité hétérogènes, ou tout au moins à deux plans irréductibles de cognoscibilité; enfin elle doit consister non pas dans un simple rapport de ressemblance, mais dans une *ressemblance de rapports* » (p. 11).

3. *Les syllabes, paradigme de l'écriture, elle-même paradigme de l'être du paradigme (P 3)* : certains groupements de lettres, en effet, montés en parallèle, deviennent des modèles d'écriture pour les très jeunes enfants (278 *b*).

Ces trois niveaux constituent le premier rapport *formel* du paradigme, dans le *Politique*, qui prépare le second rapport *matériel* lié à la recherche effective sur la nature de l'homme royal. En soi, l'exemple de l'écriture ne possède guère plus d'importance que celui du pêcheur à la ligne, mais il annonce l'analogie entre le tissage des laines et le tissage des fils politiques.

Or ce second rapport, qui recoupe en quelque sorte transversalement le précédent, comporte de manière semblable *trois* niveaux :

1′. *L'être du paradigme* qui fonde nécessairement, au cours de l'analyse, l'analogie entre :

2′. *Le paradigme du tissage des laines*, clarifiant les opérations de séparation et d'assemblage des fils — et :

3′. *Le paradigme du royal tisserand*, dont le propos consiste à unir la chaîne et la trame du tissu politique.

Quand nous posons la simple question : « Qu'*est*-ce qu'un paradigme ? », nous voyons que son être se trouve imbriqué en deux contextes différents *qui sont ainsi rapprochés*, malgré l'absence de rapports apparents entre l'écriture, le tissage et la politique. On notera que le paradigme de l'écriture est implicitement régi par l'aspect opératoire de la κοινωνία : instruits par l'exemple des syllabes rapprochées ou séparées, les débutants, déclare l'Etranger, parviennent peu à peu devant chaque élément « à épeler autrement que les autres celui qui est autre, et toujours de même et invariable façon celui qui est le même » (278 *b*). Parallèlement, l'intermédiaire de séparation (l'Autre) et l'intervalle de liaison (le Même) tissent en commun l'étoffe politique du second paradigme.

Dans les deux dialogues, l'Etranger a donc inversé sa démarche réelle à des fins pédagogiques. C'est le *tissage ontologique* des cinq genres de l'être — entendons la Dialectique —, orienté vers la transcendance du *Modèle* (ἕτερον τι), qui justifie l'exemple, à première vue

déplacé, du *tissage politique*, grâce à la médiation du *tissage grammatical*.
La réunion des deux contextes — écriture et tissage — laisse apparaître alors la figure pentadique du paradigme, orientée selon l'axe
horizontal de la recherche *(l'écriture)* et selon l'axe vertical de la
découverte *(le tissage)*. Nous indiquons sur le schéma polaire les
divers éléments dans l'ordre de leur apparition.

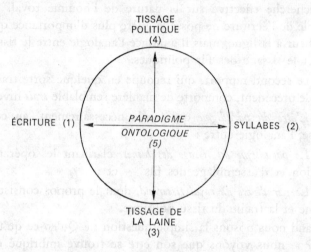

Au centre de la quadrature, l'*être* du paradigme commande la
première analogie entre l'exemple de l'écriture et celui des syllabes,
puis la seconde entre l'exemple du tissage de la laine et celui du
tissage politique. Lui-même, pourtant, n'apparaît à aucun moment
directement : il est saisi à travers l'activité opératoire de la dialectique
qui possède, comme nous l'avons mis en évidence, la propriété
logique d'*isomorphisme*.

« Ce qui constitue un paradigme », énonce en effet l'Etranger,
« c'est le fait qu'un élément, se retrouvant le même dans un groupe
nouveau et bien distinct, y est exactement interprété, et, identifié
dans les deux groupes, permet de les embrasser dans une notion
unique et vraie » (278 c).

Le détour du μέτριον, puis le retour du paradigme à la communauté qui le fonde, nous conduisent maintenant à tenter le pas en

arrière du mythe. C'est là, en apparence, la digression la plus surprenante du *Politique* : quel rôle peut bien jouer le récit légendaire de l'âge d'or de Cronos dans un dialogue consacré à la nature de l'homme politique ? Peut-être ce dernier détour est-il en réalité le *modèle* même du retour, qu'un ultime fil, *le fil d'or d'Atrée*, assemble, dans la lumière du mythe, au paradigme et à la juste mesure.

3. *Le Mythe de Cronos*

Parce qu'elle chante dans la langue des dieux l'origine du monde et des événements primordiaux qui ont scellé le destin des hommes, la parole mythique s'avère radicalement rétroactive. « Il ne suffit pas de connaître l' « origine », il faut réintégrer le moment de la création de telle ou telle choses », note Mircea Eliade. « Or ceci se produit par un « retour en arrière » jusqu'à la récupération du Temps originel, fort, sacré »[14]. Dès lors, parler du mythe de l'éternel retour, c'est succomber aux charmes de la redondance. Le mythe *est* retour, rien d'autre que retour, et s'inscrit naturellement sous le signe du Modèle initial. Le retour du paradigme répète sans fin, dans les multiples éclats de l'origine, le paradigme du retour. Au commencement était le Cercle.

Ou plutôt *deux* cercles pour Platon. Deux cercles alternants selon le règne de Cronos ou celui de Zeus, dont le premier pourtant constitue le modèle privilégié. Le grand mythe du *Politique*, en sa structure circulaire, renoue indissolublement les deux autres fils du texte, le paradigme et la juste mesure. D'entrée de jeu, le détour par le mythe avoue qu'il prépare le retour au point où la question politique prend son sens : Πάλιν τοίνυν ἐξ ἄλλης ἀρχῆς δεῖ καθ᾽ ἑτέραν ὁδὸν πορευθῆναί τινα — « Il nous faut donc reprendre la question d'un autre point de vue et suivre une route nouvelle » (268 *d*). C'est bien ce que tente de réussir le récit : non pas simplement remonter au commencement du cycle cosmique actuel, régi par Zeus, mais retrouver le cycle de Cronos, dont le mouvement est *rétrograde* par rapport au

---

14. MIRCEA ELIADE, *Aspects du mythe*, p. 52. Cf. R. WEIL, *L'archéologie de Platon*, p. 13 : « Au commencement était le mythe. L'histoire platonicienne — comme la physique platonicienne — part d'un mythe qui l'encadre et qui la soutient : elle part du mythe et elle y aboutit. »

nôtre. Suivons d'abord les trois légendes que l'Etranger conte au jeune Socrate, qui n'est pas très éloigné des jeux de l'enfance :

a | *la querelle d'Atrée et de Thyeste* (268 e - 269 a) : Le prodige de l'agneau à la *toison d'or* annonce à l'évidence le récit de l'âge d'*or* de Cronos, qui suit immédiatement, et le paradigme du tissage des *laines*, choisi plus loin de préférence aux autres formes de tissage. Il rappelle en même temps le résultat antérieur de la division des sciences qui aboutissait à l' « art du pasteur » (267 d). Pour témoigner en faveur d'Atrée, légitime propriétaire de l'agneau merveilleux, le dieu intervertit la marche des astres et « introduisit l'ordre actuel » (269 a), expressément rapporté à Zeus.

b | *la royauté de Cronos* (269 a) : l'Etranger n'y fait ici qu'une brève allusion.

c | *les fils de la Terre* (269 b) : à l'âge précédent, les hommes ne s'engendraient pas les uns les autres, mais naissaient adultes de la terre, puis retournaient, en rajeunissant, vers leur propre origine.

Ces trois légendes merveilleuses, comme beaucoup d'autres, proviennent d'une même *cause* (αἴτιον, 269 c, 270 b) : l'alternance de l'univers qui défile sur son axe comme un fuseau, une toupie ou une sphère armillaire, « tantôt dans le sens de son mouvement actuel (Zeus), tantôt dans le sens opposé (Cronos) » (270 b). Il faut encore comprendre le principe de ces deux mouvements contraires, ou plutôt le principe qui fait naître chaque mouvement de l'autre : « Le renversement qui se produit dans la marche des astres et du soleil survient évidemment aussi bien dans l'une (période) que dans l'autre » (271 c). Les mouvements contraires et alternants du monde ne sont pas dus à « je ne sais quel couple de dieux dont les volontés s'opposeraient » (270 a), mais à l'unique principe du RENVERSEMENT que Platon nomme « μεταβολή » (270 b, 271 c) ou encore « τροπή » (270 c, 271 c). En ce point originaire, départ et retour échangent leurs détermina-tions, tournant et retournement s'identifient, où nous retrouvons nous-même l'ἐξαίφνης du *Parménide*. En dehors du temps comme de l'éternité, l'*instantané* était en effet défini comme « le point de départ de deux changements inverses » (*Parm.*, 156 d). La τροπή du *Politique* remplit la même fonction au niveau cosmique : elle retourne l'âge de

Cronos en celui de Zeus et *vice versa*, constituant ainsi le cycle perpétuel de l'univers, cycle des cycles, qui *imite* (συμμιμούμενοι, 274 *d*) le modèle divin, transcendant, identique, immuable.

« Conserver toujours le même état, les mêmes manières d'être, et rester éternellement identique, cela ne convient qu'à ce qu'il y a de plus éminemment divin, et la nature corporelle (le Ciel, Οὐρανὸν, et le Monde, κόσμον) n'est point de cet ordre » (269 *d*).

Nous analyserons la structure du mythe cosmique en cinq niveaux différents, à partir du modèle divin qui commande les deux cycles comme les deux renversements.

1. *Le Modèle Divin* (269 *d*) : Pure forme intelligible, éternellement identique à lui-même, il donne en partage au monde le mouvement de rétrogradation circulaire, « certaine imitation mobile de l'éternité », dira le *Timée* (37 *d*).

2. *Le premier retournement* (270 *d* - 271 *c*) : Premier dans l'ordre de l'exposition chez Platon, il arrache l'univers à son cycle régulier et lui impose une brutale volte-face, « passage à un état de choses inverse de celui qui prévaut actuellement ». Cette première trope fait passer l'univers d'un cycle antérieur de Zeus (rotation à rebours) à un cycle direct de Cronos. L'âge des vivants arrête instantanément son cours, puis, renversement prodigieux, les mortels commencent à régresser vers l'enfance, des vieillards aux nouveau-nés et des cadavres à la semence humaine, puis à la disparition totale.

3. *Le règne de Cronos* provient de ce retournement. C'est l'âge d'or des hommes, lié à l' « ancien cycle » (271 *b*, 271 *d*) par rapport au nôtre, dont la rétrogradation imite, sous la conduite d' « une action étrangère et divine » (ὕπ' ἄλλης θείας) (270 *a*), l'immobilité du Modèle. Naissent directement de la terre des autochtones (271 *a*) qui imitent, à leur niveau, le retour du cosmos à son principe primitif, en développant un mouvement régressif vers leur origine terrestre.

4. *Le second retournement* (272 *d-e*; 273 *a*; 273 *e*) : Il arrache cette fois le monde et les hommes au règne de Cronos pour les conduire au règne de Zeus. Dorénavant, puisque la marche des âges connaît un nouveau renversement, les mortels se remettent à croître, à grisonner et à vieillir, et ne naissent plus d'éléments étrangers, au

sein de la terre (274 *a*). C'est en cette seconde période de catastrophes, identique à la précédente en ce que, de nouveau, elle constitue le point de départ d'un changement inverse, que se situe l'épisode merveilleux d'Atrée et de Thyeste qui ouvrait le mythe en 269 *d*.

5. *Le règne de Zeus*, enfin, correspond à l'abandon du monde par le démiurge. « Laissé à lui-même » (270 *a*), il se meut « de son propre mouvement » et voit apparaître en même temps l'*autarcie* (αὐτοκράτορι, 274 *a*) et l'aveugle *nécessité* (χρεία, 274 *c*). Paradoxale ironie : sans intervention « étrangère », le monde se ré-volte et rebrousse chemin, oublie insensiblement son mouvement premier (cycle de Cronos) pour se perdre dans la matérialité et « s'abîmer dans l'océan sans fond de la dissemblance » (273 *d*). Paradoxale identité aussi : le monde de Zeus est un monde sans dieu, d'où même les divinités subordonnées se sont retirées. Le seul monde divin est celui de Cronos; celui de Zeus est humain, trop humain, bientôt inhumain si d'autres dieux, nous prenant en pitié, ne nous accordaient pas le feu par Prométhée et les arts par Héphaïstos (274 *c-d*). Pourtant, ces dons divins ne suffiraient pas aux hommes, non plus au Ciel, si le démiurge ne venait restaurer l'univers, à l'image du modèle divin, par un nouveau retournement identique au premier (270 *d* - 271 *c*). Seul le recours à l'Autre — Dieu — permet au monde d'éviter l'émiettement et de retrouver la bonne orientation vers le principe initial.

Tel est le cycle du retour, dans le *Politique*, selon quatre moments cosmiques distribués en deux couples de *tropes* et d'*âges* qui se succèdent comme l'éternel destin de l'univers. Comme chaque renversement s'insère entre deux âges, on pourra représenter la structure du mythe par le schéma habituel à cinq éléments, dans lequel la circularité des *tropes* et des *cycles* s'établit autour de son *foyer* immuable, au visage d'Hestia.

Trois leçons se dégagent du grand mythe de Platon. En premier lieu, nous retrouvons la triplicité hiérarchique habituelle qui permet, comme dans le cas des trois lits de la *République* (x, 596 *b* sq.), d'exprimer les relations mimétiques des copies au modèle : 1. MODÈLE : Le paradigme transcendant à partir duquel le démiurge fabrique les réalités corporelles de l'univers. 2. COPIE-ICONE : Le

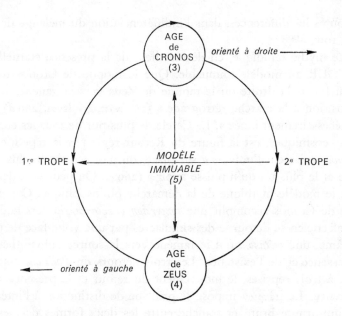

cycle de Cronos imite le modèle et s'oriente vers la droite, comme le cercle du Même du *Timée*. 3. COPIE-IDOLE : « Laissé à lui-même » (δι' ἑαυτοῦ αὐτὸν, 270 *a*) et déserté par les dieux, le cycle de Zeus essaie d'imiter à son tour la copie, en orientant son cours vers la gauche. Ainsi retournée, cette copie de copie prend le troisième rang « après le roi et la vérité » (*Rép.*, x, 597 *e*) : le *simulacre* cosmique ne tarderait pas à se dissoudre dans la dissemblance si le dieu ne reprenait en main les destinées du monde.

En deuxième lieu, le mythe du *Politique* établit que l'univers ne saurait se mouvoir au sein de l'homogénéité, en écho au *Sophiste* qui montre la nécessité de la différence au cœur de l'être et du logos. Pour éviter le naufrage final de l'univers, abandonné « à l'équilibre statique dans l'homogénéité », comme le souligne Charles Mugler, la physique platonicienne expose « l'équilibre dynamique fondé sur le maintien d'une différenciation fondamentale contre les tendances au nivellement ». Qu'est-ce, en effet, que le désordre pour Platon, sinon « le nivellement des oppositions dans l'univers, la neutralisation de toutes les différences, dans l'indifférenciation du mélange de tout avec tout »[15] ?

Le mythe témoigne, en dernier lieu, de la présence éternelle du RETOUR au modèle immuable. Que le monde de Cronos tourne en effet vers la droite ou le monde de Zeus vers la gauche, « cette disposition à la marche rétrograde » (τὸ ἀνάπαλιν ἰέναι, 269 *d*) « lui est nécessairement innée ». Le Cercle, le plus pur de tous les changements cosmiques, est la figure du Retour régie par la répétition de la *trope*, qui meut l'univers « sur place, du mouvement le plus identique et le plus un qu'il puisse avoir » (269 *e*). On peut voir dans ce texte le modèle mythique de la démarche philosophique. Comme le cycle de Cronos accomplit une *conversion* (περιστροφή) vers le divin, le dialecticien se détourne des simulacres par une volte-face de toute son âme, une *métanoïa* qui le ramène vers la source anhypothétique de l'essence et de l'existence. Les trois détours du *Politique* assurent ainsi, à trois reprises, le mouvement du retour et la présence de la différence. Le μέτριον impose le principe de distinction à l'intérieur de l'uniformité brute et tranche entre les deux formes de mesure; le παράδειγμα maintient la séparation radicale du modèle ontologique et des copies; le μῦθος oppose les deux espèces du retour — celui des simulacres qui, à trop exalter la différence, s'abîment dans un chaos sans fin, et celui des copies qui savent encore entendre l'appel du modèle. Du *Sophiste* au *Politique*, le Même et l'Autre nouent en son intimité profonde le tissu ontologique et cosmologique de la Communauté.

Les quatre dialogues de la pentalogie inachevée regardent tous dans la même direction : la place vacante du *Philosophe*. Point aveugle à la source du regard, taie philosophique inhérente à la question elle-même, l'origine se retire de la recherche qu'elle commande. Comme des vagues de plus en plus hautes, le *Théétète*, le *Sophiste* et le *Politique* ramènent éternellement la question de l'Un et du Multiple issue du *Parménide*, mais la dernière vague, elle-même triple, vient s'échouer sur la grève déserte.

---

15. Charles MUGLER, *La physique de Platon*, p. 165; p. 197.

Que Platon ait refusé de composer le dernier ouvrage n'implique pas un renoncement ou un échec, mais une fidélité au destin qui régit la marche du voyageur. N'avait-il pas été éveillé à la philosophie par l'étrange personnage qui cultivait les apories, refusait délibérément l'écriture, et dont la mort laissa au disciple un goût amer d'inachèvement ? L'absence prendrait alors la double signification d'un hommage rendu à celui qui dédaignait d'écrire et du souvenir profond d'une parole qui enseignait la transcendance de l'être. Le *Sophiste*, ce *Philosophe* aux traits ombrés par la lumière de l'Autre, aura permis d'établir, contre l'immanence sophistique et contre un éléatisme fermé, que l'être transparaît et disparaît à travers les scissions de la Quadrature. Reprendre le grand projet parménidien, c'était accepter d'affronter l'être à lui-même, conduire Socrate à converser avec Socrate, avec celui qu'il fut jadis en face de l'éléate, et refermer le cercle éléatique sur sa propre image. Dans ce *Nouveau Parménide*, la Différence aurait été exclue d'un discours désormais égaré entre les certitudes épaisses de la Tautologie et les balbutiements indifférents du Simulacre. Le meurtre du père était donc indispensable pour révéler la séparation ontologique, au centre même des cinq dialogues, afin que le silence du *Philosophe* pût répondre à la parole première du *Parménide*.

Le fil de la pentalogie met d'ailleurs en évidence, sur le seul plan de la composition littéraire, la triplicité de la démarche dialectique. Le *Parménide* protège, sous la triple narration de Pythodore, Antiphon et Céphale, et les trois entretiens de Zénon, Socrate et Parménide, la PAROLE originaire qui dit l'Un et le Multiple. Cinquante années le séparent de la conversation du *Théétète*, mais aussi les trois morts de Parménide, Socrate et Théétète. L'ÉCRITURE platonicienne développe en conséquence sa trilogie : *Théétète, Sophiste, Politique*. Le premier dialogue est un ouvrage *écrit* dont on fait lecture. Les deux suivants donnent certes l'apparence de discussions prises sur le vif, mais dépendent de l'écriture du *Théétète* : nous en trouvons la preuve dans le *Politique*, lorsque la *parole* de l'Etranger laisse échapper avec humour qu'elle trouve son lieu dans l'*écriture* platonicienne. Si l'on peut en effet admettre que ses deux premières allusions à l'enquête sur le sophiste renvoient à la discussion précédente comme à un dialogue *parlé* (*Polit.*, 266 *d*, 286 *b*), la troisième indication dissipe les dernières hésitations. Καθάπερ ἐν τῷ σοφιστῇ : « comme dans *le Sophiste* » (284 *b*), expression qui ne fait plus manifestement référence à une conversation, mais à un ouvrage écrit. Il faut donc bien *lire*, et non pas *entendre* le *Sophiste* et le *Politique* comme deux dialogues écrits rattachés au *Théétète*, dialogue écrit puis lu.

Les trois maillons de la chaîne de l'*écriture*, issus de la *parole*, se tendent vers le *silence* du *Philosophe* — au-delà de l'effort dialectique le plus haut. Risquera-t-on un parallèle avec les trois narrations du *Parménide* pour parler ici d'une *triple enceinte de silence* : celle de Socrate (cinquième personnage), celle du *Philosophe* (cinquième texte), celle de l'être (cinquième genre) ? Ne doit-on pas avancer surtout que les grands dialogues platoniciens sont constitués d'une *triple muraille de paroles* (le *Parménide*), d'une *triple muraille d'écriture* (la trilogie *Théétète-Sophiste-Politique*), d'une *triple muraille de silence* (le *Philosophe*) ? Nous reconstituerons ainsi les *trois* étapes du cheminement platonicien à travers les *cinq* dialogues métaphysiques.

I. PAROLE (dialogue raconté)	II. ÉCRITURE (dialogues écrits)	III. SILENCE (dialogue absent)
	2. *Théétète*	
1. *Parménide*	3. *Sophiste* (coupure)	5. *Philosophe*
	4. *Politique*	
triple narration protégeant trois entretiens	trilogie organisée autour de la coupure parricide	triple silence Etre Socrate *Philosophe*

De la parole au silence, en suivant la voie dialectique de l'écriture parricide, chaque dialogue conduit généalogiquement la question de l'être vers son origine première. Née du langage et affrontée aux fantasmes de son usage sophistique, la philosophie ne pouvait rendre un *sens* à la parole qu'en indiquant le lieu vers lequel il est de l'essence même du discours d'échouer. Ce que Socrate a répondu à ce que disait Socrate, en ce dialogue intime de l'âme avec elle-même, seul le silence pourrait peut-être en témoigner.

5

ΠΕΝΤΕ ΓΑΜΟΣ

Aristote reproche curieusement à son maître d'avoir perdu le sens grec du rythme, en agissant comme si « d'une symphonie (il) voulait faire un unisson, ou réduire le rythme à un seul pied »[16]. En un bel ensemble, la tradition philosophique acceptera cette interprétation, pour s'en féliciter ou le déplorer : avec Platon commence la mainmise de l'Un sur le Multiple, de l'Identité sur la Différence, de l'Uniformité sur l'Imparité. Devons-nous pourtant ramener l'originalité de la topique platonicienne à ce lieu commun et négliger le rythme à cinq temps que nous avons aperçu en de nombreuses étapes de notre recherche ? Pour éprouver la justesse de notre interprétation, nous procéderons à une contre-enquête et suivrons, au plus près possible de la réflexion platonicienne envisagée dans sa totalité, le fil de la communauté des genres.

Nous ferons, grâce à lui, de très heureuses rencontres. Celle de Jules Lachelier, en premier lieu, qui, dans une *Note sur le Philèbe* parue en 1902, se montrait troublé par l'analogie numérique des divisions du *Sophiste* et du *Philèbe* : « Faut-il croire que les principes de la métaphysique platonicienne sont les mêmes dans les deux dialogues, et, qu'entre les cinq formes de l'être et les cinq degrés du bien, il y a aussi identité ou tout au moins correspondance ? Nous le croyons pour notre part »[17]. Pour établir son interprétation, Lachelier se laissait guider par un curieux passage de Plutarque tiré du dialogue pythique *Sur l'E de Delphes*, qui affirme la correspondance exacte des genres de l'être du *Sophiste*, des principes et des biens du *Philèbe*. Voici le tableau que l'on peut tirer de ce texte qui inspire tellement Lachelier que celui-ci ne lui ajoute, en définitive, rien de nouveau.

---

16. Aristote, *Politique*, ii, 5, 1263 *b*, 35.
17. J. Lachelier, Note sur le Philèbe, in *RMM*, 1902, pp. 218-224.

5 GENRES DE L'ÊTRE (Sophiste)	5 PRINCIPES (Philèbe)	5 BIENS (Philèbe)
1. L'être	3. Le Mélange	2. La Proportion
2. Le Même	4. La Cause du mélange	3. La Sagesse
3. L'Autre	5. La Fonction Diacritique	4. L'Opinion droite
4. Le Mouvement	1. L'Illimité	5. Le Plaisir pur
5. Le Repos	2. La limite	1. La Mesure
ordre de Plutarque	ordre de Platon	ordre de Platon

On remarque sans peine que la correspondance hiérarchique est loin d'être parfaite, même si l'on modifie l'ordre d'exposition de Plutarque. L'analogie de l'être et du mélange, par exemple, souffre du fait que l'être du *Sophiste* ne se réduit à aucun moment à la combinaison de ses catégories[18]. Aussi la plupart des commentateurs modernes, comme Rodier, Robin, Goldschmidt ou G. Rodis-Lewis[19], ont-ils préféré abandonner, non sans regret peut-être, cette voie de recherche. Le problème de la coïncidence arithmologique demeure néanmoins posé. D'ailleurs Robin ne se dépêche de dénoncer les interprétations hasardeuses que pour mieux avancer la sienne. Comme le *Philèbe*, on le sait, n'envisage que quatre genres sur les cinq annoncés, Robin cherche, puis découvre le genre manquant de la διάκρισις « en une place cachée dans le *Philèbe* lui-même »[20] : la forme diacritique commande toute la marche du dialogue qui, à l'inverse de la méthode progressive de division, régresse graduellement du complexe au simple, et nous fait enfin parvenir « jusqu'à l'antichambre du Bien ». Grâce à cette fonction de séparation, dissimulée avec humour par Socrate, les prétendants au souverain bien ont été *distingués* et classés par ordre de mérite. « La διάκρισις a donc été réellement mise en

---

18. *Soph.*, 250 *b*. On ne saurait admettre la thèse de N. I. BOUSSOULAS qui voit dans *l'essence* du *Sophiste* « une large synthèse, une composition, un mélange d'être et de non-être » (*L'être et la composition des mixtes dans le « Philèbe » de Platon*, p. 15 ; cf. p. 163).

19. G. RODIER, Sur l'évolution de la dialectique de Platon, in *Rev. phil.*, 1905 ; L. ROBIN, Le cinquième genre de l'être dans le Philèbe, in *La pensée hellénique, des origines à Epicure*, Cf. aussi son *Platon*, p. 159; V. GOLDSCHMIDT, *Questions platoniciennes*, n. 76, p. 240 : « Tous les essais de faire coïncider les cinq (?) genres du *Philèbe* avec ceux du *Sophiste* ont échoué »; G. RODIS-LEWIS, *Platon et la chasse de l'être*, p. 77 : « S'il est bien aventureux de faire coïncider des termes relatifs à des questions différentes, on peut esquisser certaines correspondances. »

20. L. ROBIN, *Le cinquième...*, p. 360.

œuvre », mais Platon, à son habitude, n'a pas jugé bon de révéler le critère de son classement, nous laissant le plaisir de le découvrir nous-mêmes.

Un second texte de Plutarque, laissé de côté par Lachelier et Robin, nous met sans doute sur la voie. Dans son plus long dialogue pythique, *Sur la disparition des oracles*, Plutarque expose, par la bouche de son frère Lamprias, le symbolisme pythagoricien du *nombre cinq* à partir duquel Platon aurait fondé toute son entreprise scientifique. Sans pour autant assurer ce qu'il y a d'authentiquement platonicien dans cet étrange mélange de croyances d'origine pythagoricienne, orphique et stoïcienne, nous pouvons à tout le moins partir de ce texte afin de contrôler le jeu des correspondances ouvert par la pentade dans l'œuvre de Platon.

Les propriétés merveilleuses du Cinq formaient, d'après Plutarque, la base de l'enseignement pythagoricien qui s'enracinait dans la sensibilité la plus archaïque de la Grèce, sinon de l'Orient, et commandait aussi bien la tradition des Sages que les mystères delphiques[21]. Les pythagoriciens qualifiaient ce nombre de NUPTIAL (πέντε γάμος), parce qu'il unit *en une même communauté* le premier pair, nombre féminin, scissipare (deux) — principe de la parité, que Platon, au témoignage d'Aristote, nommait « Dyade indéfinie »[22] — et le premier impair, nombre masculin, dissymétrique et complet (trois) — principe de l'imparité[23]. Multipliée par deux, la pentade donne naissance au Nombre Parfait et, par un nombre quelconque, est le

---

21. Les anciens Sages auraient été originellement au nombre de cinq : Chilon, Thalès Solon, Bias, Pittacus. D'après Plutarque, lui-même prêtre d'Apollon, ils auraient consacré en offrande la lettre E, cinquième de l'alphabet, dans le pronaos du temple de Delphes, pour témoigner devant le dieu de leur parfaite communauté et rejeter les intrusions d'autres prétendants (*de E apud.*, 385 *d-e*).

22. Aristote, *Méta.*, A, 5, 6; M, 8, 9. Les pythagoriciens ne considéraient pas l'unité comme paire ou impaire, puisqu'elle est le principe constitutif des deux classes de nombres.

23. Stobee écrit que « l'impair, divisé en parties égales, il reste une unité au milieu; mais quand le pair est ainsi divisé, il reste un champ vide, sans maître et sans nombre, montrant qu'il est défectueux et incomplet » (*Ecl.*, 1, 1, 10; *Doxogr. graec.*, 97). De son côté, Macrobe note que « l'impair regardé comme mâle et le pair considéré comme femelle sont l'objet de la vénération des partisans de la doctrine des nombres, le premier sous le nom de père, et le second sous celui de mère » (*Commentaire sur le songe de Scipion*, p. 20).

seul nombre à retrouver son identité[24]. Elle représente encore la
somme des deux premiers carrés ($1^2 + 2^2$), divise la nature dans ses
répartitions (5 sens, 5 doigts, 5 parties de l'âme, 5 parties du monde,
5 intervalles musicaux, 5 tétrachordes, 5 cercles du Ciel, etc.)[25], bref,
joue un rôle si fondamental dans l'ordre de l'univers que Lamprias
en prend à témoin la tradition des Sages : « Les hommes de l'ancien
temps avaient coutume de dire « quinter » (πεμπάσασθαι) pour « compter » (ἀριθμῆσαι) » (*De def. or.*, 429 *d*). La même remarque revient
presque mot pour mot dans ce passage du *De ap. Delph.* qu'Amyot
traduisait avec saveur : « La marque du nombre cinq (...) est de très
grande vertu et efficace à toutes choses, de sorte que les sages anciens
appelloyent nombrer *pembazein*, comme qui dirait quinter pour
compter »[26].

La Pentade symbolisait, pour toute une tradition où l'on distingue mal les apports pythagoriciens des interprétations proprement
platoniciennes, l'harmonie, la santé, et en premier lieu l'*amour* créateur. Elle était le nombre consacré à Aphrodite, comme nous l'apprennent par ailleurs les *Theologoumena arithmeticae* de Nicomaque
de Gérase, ainsi que l'ouvrage de même nom attribué à Jamblique[27].
Représentée géométriquement par le Pentagramme (c'est-à-dire le
pentagone étoilé, nommé encore pentalpha), dont Lucien rapporte
qu'il était le signe de reconnaissance secret de l'école pythagoricienne[28],

24. Après avoir noté que « c'est à la Décade que s'arrête la série des nombres idéaux »
(*La théorie platonicienne des idées et des nombres d'après Aristote*, p. 274), Léon ROBIN demande,
sans pousser plus loin l'enquête : « N'y a-t-il pas (...) dans la Décade deux pentades ? »
(p. 342).

25. PLUTARQUE, *De la disparition des oracles*, 429 e-430 a. Lamprias conclut ainsi : « Il
semble donc bien que la nature se plaise à tout faire sur le modèle du nombre 5 plutôt
que sur celui de la sphère comme le prétendait Aristote. »

26. PLUTARQUE, *De E...*, 387 *e*, trad. AMYOT.

27. Entre autres propriétés merveilleuses, NICOMAQUE voit dans la Pentade Réconciliation et Différence, Lumière et Justice, Celle qui préside aux zones cosmiques et Celle
qui gouverne les cycles, Milieu des milieux, Sommet de la Fécondité, etc. (PHOTIUS,
Bibliothèque, 187, 144 *a*, 32-42). Les qualificatifs sont à peu près les mêmes chez le
Ps. Jamblique (éd. De Falco, 30, 17-41 ; 19) : retenons la ligne 19, p. 30 « καὶ γάμος
καλεῖται », et la ligne 12, p. 41 : « Ἀφροδίτην ».

28. LUCIEN, *Pro lapsu inter salutando*, 5. Cette figure est celle du « triple triangle » :
τὸ τριπλοῦν τρίγονον.

la pentade commandait aussi le silence préparatoire de cinq ans
— ἐχεμυθία, l'échémythie — exigé des novices.

En abandonnant pour un temps les spéculations pythagoriciennes,
qui n'ont jamais cessé d'absorber nombre d'esprits, artistes, mathématiciens et mystiques, à travers la tradition ésotérique du *Nombre
d'Or*[29], nous nous tournerons vers les textes platoniciens pour voir si
la pentade *revient* de manière significative en dehors des passages
précédemment envisagés. Nous nous proposons d'établir qu'elle
inspire de façon continue tous les domaines de la réflexion platonicienne, chaque fois que la démarche dialectique reflue vers son principe et tente d'instaurer la *fondation* d'un ordre. Nombre cyclique
qui figure le Retour, Cinq pourrait encore être nommé nombre
généalogique, dans la mesure où il dévoile l'origine première en laquelle
s'enracine toute forme de communauté.

Il sera commode de distribuer l'ensemble des questions platoniciennes que nous allons aborder en cinq groupes principaux :

1. La genèse du Cosmos;
2. La genèse de la Connaissance;
3. La genèse du Bien;
4. La genèse du Nombre Nuptial;
5. Le mythe de la Genèse.

---

29. Rappelons simplement les liens essentiels du nombre 5 et du nombre d'or
$\left(\varphi = \dfrac{\sqrt{5} + 1}{2}\right)$ qui, depuis Pythagore, ont enflammé les imaginations, particulièrement
au Moyen Age et à la Renaissance sous l'impulsion du néo-platonisme. BOÈCE *(De Arithme-
tica)*, Luca PACIOLI *(Divina proportione,* Venise, 1509, illustré par L. de VINCI), KEPLER,
AGGRIPPA DE NETTESHEIM (qui, dans le *De occulta philosophia,* présente un canon qui inscrit
le corps humain dans le pentagone étoilé; cf. « l'homme carré » de sainte HILDEGARDE
DE BINGEN, abbesse de Rupertsberg, dans son *Liber divinorum operum simplicis hominis,*
cité dans *Initiation à la symbolique romane* de M. M. DAVY, pp. 163-171), plus près de nous
LE CORBUSIER, ont contribué à la séduction de la section dorée. 5 permet d'engendrer
les pentagones, en particulier le pentagone étoilé ou pentacle dont la signification mystique et magique est bien connue. En géométrie, le rapport du côté de cette figure au
pentagone régulier convexe dans lequel il est inscrit est égal au nombre d'or φ. Algébri-
quement, celui-ci est l'une des deux racines de l'équation $\varphi^2 = \varphi + 1$ (racine positive
$\varphi = 1,618$; racine négative $1/\varphi = 0,618$), c'est-à-dire est égal à son inverse plus 1. Sa
formule $\varphi^n = \varphi^{n-1} + \varphi^{n-2}$ est construite à partir de la série de Fibonacci qui se rapproche
progressivement de 1,618. Cf. Matila GHYKA, *Le Nombre d'Or.*

1. *La genèse du Cosmos* :

Lorsque Timée de Locres, philosophe pythagoricien, expose sous forme mythique la genèse du cosmos, il s'interroge un instant sur l'unité ou la pluralité des mondes et, sans pousser outre mesure son enquête, lance cette remarque bien énigmatique : « Faut-il affirmer qu'il existe effectivement un monde *unique* (ἕνα) ou bien qu'il en a été produit *cinq* (πέντε), c'est un point sur lequel on pourrait hésiter, avec quelque apparence de raison » (*Timée*, 55 c-d).

La présence singulière de ce chiffre paraîtra moins fortuite si on la rapproche du processus de composition des *cinq* corps physiques élémentaires, que Timée vient d'établir (53 c - 54 d) à partir de la combinaison des trois types de triangle (isocèles, scalènes et équilatéraux) : le tétraèdre régulier (pyramide); l'octaèdre; l'icosaèdre; le cube. Au moment pourtant de définir le *cinquième polyèdre*, Timée s'interrompt brusquement et, sans en révéler le nom ni la composition, l'attribue à l'univers tout entier : « Il restait encore une seule et dernière combinaison; le dieu s'en est servi pour le Tout, quand il en a dessiné l'arrangement final » (54 c).

Or Platon n'ignore pas les propriétés du DODÉCAÈDRE, polyèdre régulier aux douze faces, vingt sommets et trente côtés, construit semble-t-il par Pythagore, comme le tétraèdre et le cube, alors que l'octaèdre et l'icosaèdre ont été découverts par Théétète. Dans le *Phédon*, il lui accorde le rôle symbolique de représenter l'univers à l'analogie d' « un ballon bariolé pareil aux balles de peau à douze pièces » (110 b). Léon Robin, qui décèle dans la brièveté des indications platoniciennes au sujet du cinquième polyèdre l'indice du mystère indispensable pour protéger son pouvoir cosmique, souligne en ces termes le symbolisme du dodécaèdre : « Sa surface se compose de 12 pentagones, dont 6, étant assemblés, forment eux-mêmes un grand pentagone, 5 triangles par conséquent, comme dans le mystique Pentalpha (les 5 Α) des Pythagoriciens »[30].

Il est très remarquable que ce polyèdre anonyme, cinquième et

---

30. L. Robin, *Platou*, p. 242. Cf. L. Robin, *Les rapports de l'être...*, pp. 67-68, sur la vertu mystique du Pentalpha.

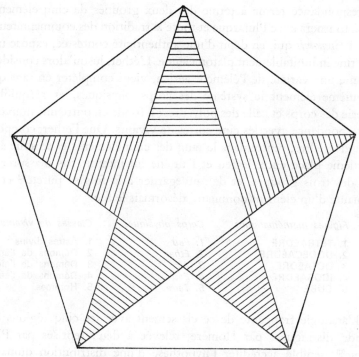

Le dodécaèdre et la figure mystique du Pentalpha

dernier de la série platonicienne, *se distingue* géométriquement des quatre autres, formés de triangles élémentaires, en ce que chacune de ses faces est un *pentagone irréductible aux triangles* — et cosmologiquement, puisque le démiurge lui accorde, seul, le pouvoir d'incarner le Tout. Chacun des polyèdres restants se trouve associé à l'un des quatre éléments physiques : le tétraèdre au feu, l'octaèdre à l'air, l'icosaèdre à l'eau, et le cube à la terre (*Tim.*, 55 e - 56 b), ce qui autorise une transformation complexe des éléments entre eux, qui n'intéresse pas directement notre propos[31]. Si l'on veut assurer une

31. Cf. ANATOLIUS D'ALEXANDRIE (*Introduction à l'arithmétique*, dont il reste dix passages publiés par J. L. HEIBERG, dans les *Annales intern. d'hist.*, pp. 42-57) : « Il y a 5 figures solides ayant tous leurs côtés égaux et tous leurs angles égaux : le tétraèdre ou

correspondance terme à terme des deux groupes de cinq éléments, on se tournera avec Plutarque et toute la tradition des commentateurs, vers l'*Epinomis* qui, en dépit d'une authenticité contestée, expose une doctrine indubitablement platonicienne. L'éther, jusqu'alors considéré comme une variété de l'élément aérien, vient compléter en tant que cinquième élément le système des corps physiques, et rééquilibre la série des corps et celle des polyèdres ; il fonde en outre une nouvelle correspondance avec les cinq sortes de vivants. Que l'éther, composé de dodécaèdres, rentre dans le rang des cinq éléments et se situe à la deuxième place entre le feu et l'air, ne lui interdit pas d'assurer le lien des trois groupes, et de sauvegarder à la fois sa pureté[32] et la primauté d'un élément dominant, désormais le feu.

Figures mathématiques	Corps physiques	Classes de vivants
1. TÉTRAÈDRE	1. *Feu*	1. Astres divins
2. DODÉCAÈDRE	2. *Ether*	2. Démons de l'éther
3. OCTAÈDRE	3. *Air*	3. Démons de l'air
4. ICOSAÈDRE	4. *Eau*	4. Démons de l'eau
5. CUBE	5. *Terre*	5. Hommes

L'analogie frappante de ce classement avec les cinq régions du monde distinguées par Homère, relevée à deux reprises par Plutarque[33], semble accréditer l'hypothèse d'une distribution quinaire de l'univers bien antérieure à Platon comme aux Pythagoriciens. Dans le chant xv de l'*Iliade*, Poséidon justifie en ces termes la partition du cosmos entre les trois frères issus de Cronos : « Le monde a été partagé en trois : chacun a eu son apanage. J'ai obtenu pour moi, après tirage au sort, d'habiter la blanche mer à jamais ; Hadès a eu pour lot l'ombre brumeuse, Zeus le vaste ciel, en plein éther, en pleins nuages. La terre pour nous trois est un bien commun, ainsi

pyramide, l'octaèdre, l'icoasèdre, le cube, le dodécaèdre ; ce sont, d'après Platon, les formes respectives du feu, de l'air, de l'eau, de la terre et de l'univers » (p. 47).

32. Les deux termes intermédiaires de l'air et de l'eau continuent de former, avec les termes extrêmes de la terre et du feu (premiers éléments utilisés par le démiurge, *Tim.*, 31 *b*), « une belle composition » selon la proportion continue :

$$\frac{Feu}{Air} = \frac{Air}{Eau} = \frac{Eau}{Terre}.$$

33. PLUTARQUE, *De E ap. Delph.*, 390 *c* ; *De defectu...*, 422 *e-f*.

que le haut Olympe » (*Iliade*, xv, 187-193). Homère divise l'univers selon un principe analogue, lorsqu'il décrit le bouclier d'Achille, tel qu'il a été forgé par Héphaïstos. D'après les *Allégories d'Homère* d'Héraclite le rhéteur, les quatre métaux utilisés par le forgeron — bronze, étain, argent et or — symbolisent les quatre éléments constitutifs de l'univers, l'eau, la terre, l'air et l'éther, affrontés au feu de la forge. En outre, si le bouclier comporte *cinq plaques*, « deux de bronze, deux d'étain à l'intérieur et une d'or »[34], c'est parce qu'elles se rapportent aux cinq zones du monde : les deux zones arctique et antarctique, les deux zones intermédiaires tempérées et la zone torride, au centre, désignée par l'or, symbole constant du feu. Une conception similaire inspire toute une tradition symboliste, qui se réclame aussi bien d'Homère que des premiers physiciens ou des pythagoriciens. Ainsi Plutarque, dans son recueil *Des opinions adoptées par les philosophes*, signale que « Thalès, Pythagore, et leurs sectateurs, disent que la sphère du ciel entier est divisée en 5 cercles, qu'ils appellent zones. Un de ces cercles se nomme arctique, et il est toujours visible; le deuxième est le tropique d'été; le troisième, le tropique équinoxial; le quatrième, le tropique d'hiver; le cinquième, l'antarctique, et ce dernier est invisible »[35]. Il ajoute un peu plus loin : « Pythagore pense que, par analogie avec la sphère du ciel entier, la terre est divisée en 5 zones »[36].

---

34. HOMÈRE, *Iliade*, xx, 271. Cf. HÉRACLITE LE RHÉTEUR, *Allégories d'Homère*.
35. PLUTARQUE, *Des opinions adoptées par les philosophes*. O. C., *op. cit.*, II, XII, 1, p. 36. Rappelons l'existence des 5 planètes distinguées par Philolaos (Saturne, Jupiter, Mars, Vénus, Mercure). PROCLUS opposera ainsi, dans son *Comm. Timée*, « les deux pempades qui se trouvent de chaque côté » du soleil : « En dessous, la lune et la tétraktys des éléments », et « au-dessus du soleil, les Gouverneurs de toute la création » (*op. cit.*, IV, 67, 27-30 et 68, 1-10, tr. pp. 92-93). Dans son *Comm. Rép.*, il écrit de même : « C'est le nombre 5 qui a disposé sur la sphère des fixes les 5 cercles, à savoir les cercles arctique et antarctique, les tropiques d'hiver et d'été, et le cercle équatorial situé en leur milieu; et parmi les astres errants, le 5 a séparé des deux luminaires les 5 planètes; et, dans les configurations qu'elles forment, le 5 a obtenu le privilège de définir la meilleure des figures, le triangle; quant à l'univers dans sa totalité, le 5 l'a équipé au moyen des 5 figures élémentaires et des 5 centres » (*i.e.* les 4 points cardinaux et le centre de la terre) (XIII, 43, 21-27; 44, 1-2, t. II, p. 150). Alexandre d'Etolie, cité par THÉON DE SMYRNE (*Exposition des connaissances mathématiques...*, pp. 230-231), confirme cette théorie : « La terre, au centre, donne la quinte par rapport au soleil. Elle a 5 zones, des zones brumeuses à la zone torride. »
36. PLUTARQUE, *Des opinions...*, *op. cit.*, III, XV, p. 58.

Quelle que soit la difficulté à séparer les théories authentiquement pythagoriciennes des interprétations tardives dues aux doxographes, il semble bien que la division du monde en cinq parties ait été une doctrine constante du pythagorisme. D'après Aétius, Pythagore divisait le Tout en cinq[37], et Philolaos paraît être le premier penseur grec à proposer la théorie des cinq éléments : « Il y a 5 corps dans la sphère, le feu, l'eau, la terre, l'air, et le cercle de la sphère qui fait le cinquième »[38]. Sans engager de commentaire critique sur la pentade de Philolaos, on retiendra que celui-ci mettait au centre de l'univers un FEU originel qu'il nommait, aux dires d'Aétius, « la Hestia du Tout, la maison ou tour de Zeus, la mère des dieux, l'autel, le support et la mesure de la nature »[39]. La question de savoir si l'adjonction du cinquième élément, généralement rapportée à l'Aristote du *De Coelo*, doit plutôt être attribuée à Philolaos, Pythagore, au maître de celui-ci, Phérécyde de Syros, ou provient d'interpréta-

---

37. Aétius, III, 14, 1 ; Diels, *Doxogr.*, 378, 21-23.

38. Stobée, *Eclog. Phys.*, I, 2, 3, p. 10 (Diels, I B, 12, 244, 8). Cf. Damascius, *Probl. et solut.*, § 85 et 435 : le Tout de l'univers (τὸ ὅλον τοῦ παντός) est supérieur aux 4 éléments qui le composent.

39. Aétius, II, 7, 7 (*Doxogr.*, 336). Cf. *Théol. arith.*, Ast, 7 : « En plus (les pythagoriciens) disent qu'au milieu des 4 éléments gît un cube de feu monadique, milieu de l'univers visible. » Cf. Aristote, *De Coelo*, B, 293 *b*, 12 : « Les pythagoriciens appellent « garde de Zeus » (Διὸς φυλακῆν) le feu qui occupe cette région », et Proclus, *Comm. Tim.*, *op. cit.*, III, 106, 22, tr. p. 143.

D'après Proclus (*Ad Euclid. Elem.*, I, 36), Philolaos attribuait chaque élément à une divinité, l'eau à Cronos, la terre à Hadès, le feu à Arès et l'air à Dionysos, ce qui lui permettait d'envisager leurs combinaisons selon une structure quaternaire qui trouvait son origine dans la Monade suprême. Une figure semblable se retrouve à l'époque hellénistique chez les astrologues qui opposent les 4 « centres » de la sphère céleste à la terre elle-même : l'HOROSCOPE (levant) préside à la naissance de l'homme ; le MESOURANEMA (zénith) à son épanouissement ; le COUCHANT à sa mort ; l'HYPOGÉE à sa vie infernale. Cf. Cumont, *Recherches sur le symbolisme funéraire des romains*, p. 38. Porphyre écrira ainsi dans *L'antre des Nymphes* : « Pour les centres, il en est un au-dessus de la terre, un au-dessous, un au levant, un au couchant ; il y a la gauche et la droite, la nuit et le jour » (§ 29). Dans la même perspective cosmologique, mais cette fois en référence directe au *Timée*, Proclus admet la « division en 5 parts (κλῆροι, lots divins) : car, bien que le cosmos soit un, il est constitué de 5 parties, 5 figures, et distributivement assigné à des dieux présidents appropriés, du ciel, du feu, de l'air, de l'eau, de la terre » (*Comm. Tim.*, I, 137, 1-4, tr. p. 185). Cf. encore son interprétation des 5 éléments (III, 49, 19-27, tr. p. 79), des 5 centres, inspirée des *Oracles chaldéens* (III, 107, 6-10, tr. p. 144), et sa référence directe au *Timée* : « Puisque 5 sont les figures de l'univers (*Tim.*, 54 *d*, 4) et les centres qui composent entièrement le tout, l'accord de Quinte est ce qui donne au monde la concorde dans les parties » (III, 207-208, 1-2, tr. p. 254).

tions tardives du *Timée*, ne nous arrêtera pas ici[40]. Que Platon ait subi l'influence pythagoricienne ou phérécydienne en introduisant dans l'univers une *quinte essence* destinée à affermir l'ensemble de ses parties (la pentade porte le nom d'ἀνεικία, « concorde », selon la *Théol.*

40. On trouve chez PHÉRÉCYDE, le premier prosateur grec, la curieuse conception cosmogonique du Πεντέμυχος (« l'antre aux 5 replis »), qui met en jeu 5 mélanges des 5 éléments primordiaux. De la semence de Cronos seraient nés en effet : FEU, AIR et EAU, lesquels, ajoutés aux deux autres puissances originelles, ZEUS (ZAS, la vie = Ether) et CHTONIE (la Terre) auraient donné les 5 éléments traditionnels (DIELS, *Vorsokratiker*, II, 1, 71 AB (pp. 503-510)). Dans ses *Problèmes et solutions...*, § 124 *bis*, pp. 127-128, DAMASCIUS écrit : « Phérécyde de Syrie (...) fait être éternellement Zeus, Cronos et Chtonie, les trois premiers principes ; l'un antérieur aux deux, les deux suivant le premier. Cronos, de sa propre semence, a fait le feu, le pneuma et l'eau qui, à mon sens représentent la triple nature de l'intelligible, desquels, divisés en 5 sanctuaires mystérieux, est sortie la nombreuse génération des autres dieux, qu'on appelle la génération des 5 sanctuaires, πεντέμυχος, ce qui revient à dire, sans doute, la génération des 5 mondes (πεντέκοσμος).» Cf. PLOTIN, *Ennéades*, V, 1, 9, 29. Pour la discussion approfondie sur l'attribution des 5 éléments à la Pentade des μύχοι, nous renvoyons à l'article magistral de Paul MORAUX, *Quinta Essentia* (Pauly-Wissowa, 1963, t. 47).

Il est remarquable qu'une tradition continue, de Phérécyde à Damascius, voie dans la PENTADE le chiffre du TOUT, du fait de sa nature cyclique, — de la SÉPARATION des éléments du réel (« elle est la division par excellence » (προσεχέστατον), *Théol. arith*, in PHOTIUS, *Biblioth.*, 144 a, 27-28, tr. p. 45), — de la DISTRIBUTION DIVINE (« on appelle la pentade Némésis », *Théol. arith.*, éd. De Falco, 19, 40), — du RETOUR DES GÉNÉRATIONS (« Phérécyde de Syros parle de cavernes, de fosses, de portes, de passages, et tout cela désigne les naissances des âmes et leur départ loin de la génération », PORPHYRE, *De antr.*, 31 ; DIELS, II, 71 B, 6), — de la CAVERNE comme symbole de la totalité du monde, dont on connaît le rôle chez Platon, puis les néo-platoniciens, Numenius et Porphyre en particulier (cf. PROCLUS, *Comm. Tim.*, II, 333, 26-28; II, p. 192).

La tradition constante du commentarisme, d'ARISTOTE (*Méta.*, 987 a, 29 : Platon suit les pythagoriciens) à PROCLUS (*Théol. plat.*, I, 5, 13, 1-4, t. I, pp. 25-26 : « Platon ensuite a reçu des écrits pythagoriciens et orphiques la science toute parfaite qui les (dieux) concerne ») soulignera le pythagorisme avoué de Platon, l'auteur inconnu d'une *Vie de Pythagore* (PHOTIUS, *Biblioth.*, 249, 438 b) faisant même de lui le 9e successeur du Maître de Samos. En ce qui concerne ARISTOTE enfin, il paraît hors de doute que sa théorie d'un *cinquième élément* comme corps premier des régions astrales, distinct des 4 éléments sublunaires (*De Coelo*, A 2, 269 b, 15), inengendré, indestructible, immuable et parfait, provient directement de Platon. ARISTOTE reprend le classement de l'*Epinomis*, et nomme « éther » ou « premier corps » ce que Platon nomme « feu » et attribue aux astres. Quant à l'hypothèse de l'élargissement de cette théorie cosmique du 5e élément à l'Ame, dont la substance est alors conçue comme identique à celle du Ciel, que CICÉRON (*Tusculanes*, I, 22) rapporte à ARISTOTE et que certains ont cru reconnaître dans l'écrit perdu *De Philosophia*, il ne semble pas que la critique moderne y soit favorable. Cf., outre les travaux de P. MORAUX, l'article de Jean PÉPIN, L'interprétation du *De Philosophia* d'Aristote, *REG*, 1964, pp. 445-488. PROCLUS attribuait déjà cette théorie aristotélicienne à Platon : « (Aristote) fait le ciel inengendré et de « 5e essence » — quelle différence en effet entre parler de « 5e élément » ou parler de 5e monde et de « 5e figure » comme a fait Platon ? » (*Comm. Tim.*, I, 6, 32, 7, 1-2, tr. I, p. 31).

Les historiens modernes, comme J. A. PHILIP (*Pythagoras and early pythagoreanism*)

arithm.[41]), ou bien qu'il soit l'unique responsable d'une théorie qui imprègne en retour ses prédécesseurs, dans l'esprit des commentateurs tardifs, ne saurait de toute façon dissimuler le rôle cosmogonique de la Pentade dans sa spéculation.

On ne s'étonnera donc pas de voir apparaître dans le *Timée*, en regard de la présence convergente des 5 polyèdres, des 5 corps et des 5 mondes, trois nouveaux classements pentadiques qui assurent à la fois l'unité de la recherche de Timée et l'unité de la constitution du Tout.

(1) Sur le plan *méthodologique*, il faut d'abord mettre en évidence, avec Luc Brisson, l'existence d'une *quintuple division* du *Timée* — la Pentade n'est-elle pas, d'ailleurs, le symbole même de la *partition*, aux dires de Jamblique ? « Platon (...) par cinq fois divise la totalité du réel. Dans une première division (*Tim.*, 27 *d* - 29 *d*), il distingue les formes intelligibles (...) et les formes sensibles (...) La deuxième division (48 *e* - 49 *a*) introduit en plus (...) un troisième genre difficile et obscur. Dans une troisième division (50 *c-d*), Platon, l'existence de ce troisième genre étant admise, le considère comme ce en quoi advient toute génération (...) Dans une quatrième division (51 *e* - 52 *b*), on distingue non seulement ces trois genres de réalité, en nommant le troisième « lieu » et « place », mais aussi le genre de connaissance qui s'y attache : intellection, sensation, raisonnement bâtard. Enfin la cinquième division (52 *d*) n'est qu'un rappel succinct des quatre précédents qui distingue ὄν τε καὶ χώραν καὶ γένεσιν »[42].

(2) Ces divisions ont pour charge d'amener en pleine lumière les diverses réalités qui, sur le plan *cosmologique*, collaborent à l'engendrement du monde. A la suite des néo-platoniciens, certains interprètes récents, comme N. I. Boussoulas et L. Brisson, veulent recon-

---

sont réservés à l'égard du pythagorisme platonicien, et avancent l'hypothèse d'une reconstruction tardive du pythagorisme autour d'Hippase et de Philolaos, à partir des leçons de PLATON : « It is in Plato, however, that we should expect to find most clearly reflected the theories of « the Pythagoreans » (...) But every theme that Plato uses undergoes a sea-change, a process of rethinking and re-imagining that makes it impossible to distinguish between tradition and innovation » (p. 37).

41. NICOMAQUE, *Théol. arith.*, 27. Cf. le *Greek-English Lexicon* de LIDDELL-SCOTT.
42. L. BRISSON, *Le Même*.., pp. 141-142.

naître dans le *Timée* une structure à 4 termes que l'on mettrait aisément en correspondance avec 4 des genres du *Philèbe* selon le tableau suivant[43].

TIMÉE	PHILÈBE
1. Démiurge (δημιουργός)	1′ Cause (αἰτία)
2. Forme intelligible (τὸ ὄν ἀεί)	2′ Limite (πέρας)
3. Monde visible (ζῷον ὁρατόν)	3′ Mixte (μεικτόν)
4. Espace (χώρα)	4′ Illimité (ἄπειρον)

Deux objections majeures paraissent devoir être retenues contre cette séduisante hypothèse. En premier lieu le *Philèbe*, nous nous proposons d'y revenir, mentionne explicitement *cinq* genres et non quatre. En second lieu le *Timée* met en jeu un ensemble ordonné de *cinq* éléments distincts qu'il est impossible de réduire à un nombre inférieur. Il suffit de suivre les analyses de Timée pour admettre que l'engendrement du monde exige la commune présence de cinq ordres de réalités constituées en un système ontologique : la Cause démiurgique, au centre, gouverne la traditionnelle figure pentadique.

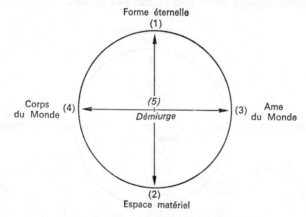

Système cosmologique du *Timée*

43. *Ibid.*, pp. 22, 29, 606, etc. Cf. N. I. BOUSSOULAS, *L'être et la composition des mixtes...*, p. 38 : « Nous pouvons considérer les 4 genres (du *Philèbe*) comme étant la transposition et la spiritualisation des 4 éléments (du *Timée*). » Cette thèse vient de PROCLUS (*Comm. Tim.*, II, 263, 10-13, tr. II, p. 104) et a été reprise par BROCHARD, *Et. Phil. anc. et mod.*, p. 108 : « La cause se trouvera correspondre au démiurge, le πέρας aux idées, le μεικτόν à la γένεσις. Reste l'ἄπειρον qui ne peut être que la matière. »

(3) L'action démiurgique nécessite à son tour, cette fois sur le plan *logique*, la présence d'un système de *cinq causes*. Sénèque indique clairement, dans la *Lettre* 65 (8) à Lucilius, qu'à la différence des Stoïciens qui n'admettent qu'une seule cause, « l'activité formatrice » *(id quod facit)*, et d'Aristote qui en découvre quatre *(ipsa materia, opifex, forma, propositum totius operit)*, Platon ajoute une cinquième cause, « le type exemplaire » *(exemplar)*, ce qui donne l'ordre suivant : 1. Cause matérielle : *id ex quo* ; 2. Cause motrice : *id a quo* ; 3. Cause formelle : *id in quo* ; 4. Cause exemplaire : *id ad quod* ; 5. Cause finale : *id propter quod*.

C'est, pour ainsi dire, en suivant l'ordre méthodologique de la recherche, selon cinq divisions successives, que Timée aboutit à poser à part la Forme éternelle et l'Espace matériel, l'Ame et le Corps du Monde, ainsi que l'Artisan divin; mais c'est en suivant l'ordre des raisons que le dialecticien unit et distingue en une même communauté, les quatre causes distribuées autour du Démiurge, source transcendante de la génération des choses.

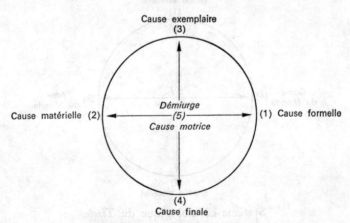

Système étiologique du *Timée*

Il devient désormais possible, en respectant la structure effective des textes, de mettre en évidence la correspondance fonctionnelle du système cosmologique du *Timée* et du système ontologique du

Philèbe. De même que le DÉMIURGE, dans son activité anonyme de FONDATION du cosmos, se tient en dehors de la structure logique des causes qu'il utilise comme de la structure cosmologique des réalités qu'il façonne, en jouant dans les deux cas un rôle identique de DISCRIMINATION dialectique, semblable en cela au DODÉCAÈDRE attribué tout aussi *anonymement* au Tout, — de même le cinquième genre DIACRITIQUE du *Philèbe*, laissé dans l'ombre, possède pour fonction d'orienter la recherche et de distinguer les prétendants au Souverain Bien. On ne saurait en conséquence accepter l'identification traditionnelle du Démiurge à la Cause et des Formes à la Limite, comme chez Brochard, ce qui conduit à négliger l'aspect *paradigmatique* des Formes du *Timée*, et à oublier que la cinquième cause dont parle Sénèque, la cause exemplaire, est propre à l'inspiration *artificialiste* de la pensée platonicienne. Il faut considérer la Cause du *Philèbe* comme la transposition de la Forme éternelle du *Timée*, et le Démiurge comme la personnalisation de la fonction diacritique. En attribuant alors naturellement la Limite à l'Ame du Monde, ce qui correspond à sa constitution mathématique selon la Tétractys, le Mixte au Corps du Monde, et, bien entendu, l'Illimité à l'Espace informe, on obtient la figure des correspondances suivantes :

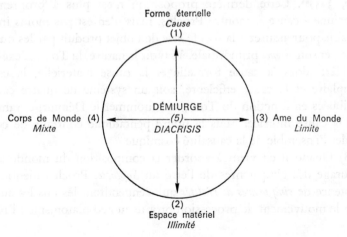

Correspondance du *Philèbe* et du *Timée*

Il sera bon, avant d'aller plus loin, de confronter la validité de notre hypothèse à la minutieuse exégèse de Proclus qui fait usage de trois nouvelles pentades pour élucider l'ordre cosmique du dialogue.

A) Quant au système de causalité du monde, Proclus considère en un seul et même groupe les *cinq* propositions du *Timée* en 28 *a-b*. 1 / « Est « être réellement être » (ὄντως ὄν) ce qui est appréhendé par intellection conjointement à une définition » (28 *a*, 1.2). Proclus voit dans cette hypothèse la CAUSE FORMELLE, étudiée dans son *Commentaire sur le Timée*, en 240, 16 - 258, 8. 2 / « Est « être devenu » (γενητόν) ce qui est saisi par un jugement conjectural fondé sur une sensation irraisonnée » (28 *a*, 3.4). Il s'agit ici de la CAUSE MATÉRIELLE, étudiée dans le même passage. 3 / « Tout ce qui est venu à l'être vient à l'être à partir d'une cause (ἀπ' αἰτίας) ; ce qui existe non à partir d'une cause n'est pas un être devenu » (28 *a*, 4.6). Cette hypothèse correspond à la CAUSE MOTRICE, étudiée en 258, 12 - 264, 3. 4 / « Ce dont le modèle (τὸ παράδειγμα) est l'être qui est toujours (τὸ ἀεὶ ὄν ἐστι) est nécessairement beau; ce dont le modèle est un être devenu n'est pas beau » (28 *a*, 6 - *b* 3). Proclus étudie la CAUSE EXEMPLAIRE en 264, 10 - 272, 16. 5 / « Posons que l'univers (τὸ πᾶν) sera nommé Ciel ou Monde (οὐρανὸς ἢ κόσμος) » (28 *b*, 3.5)[44]. Cette dernière proposition n'est plus à proprement parler une « cause », montre Proclus, mais n'en est pas moins indispensable pour assurer à la fois le *nom* de l'objet produit par les quatre causes, et son *essence* primordiale, à savoir la nature du Tout. L'exégète considère alors la cause formelle et la cause matérielle, la cause exemplaire et la cause efficiente, soit un système de quatre causes distribuées en fonction du Tout, sans nommer le Démiurge, ramené ici à la cause motrice. Mais la figure pentadique continue de commander l'ensemble de la causalité cosmique.

B) Quand il en vient à aborder la composition du monde sous l'éclairage des cinq genres de l'être du *Sophiste*, Proclus mentionne l'existence de *cinq ordres de réalités* qui s'engendrent les uns les autres selon le mouvement de procession propre au néo-platonisme : l'Etre,

---

44. PROCLUS, *Comm. Tim.*, II, 236, 21-26, tr. II, p. 67.

la Vie, l'Intellect, l'Ame, le Corps. Si ces ordres sont au nombre de cinq, c'est dans la mesure où ils imitent « les genres universels (la pentade du *Sophiste*) antérieurs aux espèces »[45].

C) Enfin Proclus met à jour, à l'intérieur de la cosmogonie du *Timée*, une « psychogonie », distribuée en *cinq* chapitres et correspondants terme à terme aux *cinq* propriétés du Corps du Monde. Comme il ne saurait être question de reprendre l'ensemble de l'analyse de Proclus qui, curieusement, néglige le *contenu* pentadique de la théorie platonicienne de l'âme au profit de sa structure *formelle*, nous citerons dans son intégralité l'important passage où l'interprète justifie le plan de sa psychogonie :

« Puis donc que nous avons trouvé dès le début que l'âme est triple, comportant essence, puissance, activité, et puisque nous trouvons que l'essence est de nouveau triple, selon la substance, selon l'harmonie, selon la forme, *nous ferons de tout cela une pentade*, plaçant en premier la substance, en deuxième l'harmonie, en troisième la forme, en quatrième la puissance, en cinquième l'activité; de fait, en tant que l'âme est médiété, la pentade a convenance avec elle puisqu'elle contient le lien entre la monade et l'ennéade, comme l'Ame entre l'essence intelligible et l'être sensible. Et comme nous avons disposé de cette façon toute la considération sur l'âme, nous ferons une division en cinq chapitres »[46].

On reconnaît ici la thèse néo-platonicienne qui, de Proclus à Damascius, identifie l'Ame à la Pentade parce que toutes deux déploient l'espace intermédiaire où joue le monde. Ainsi la troisième hypothèse du *Parménide*, foyer des séries affirmative et négative des hypothèses sur l'Un, est-elle identifiée par les néo-platoniciens à l'Ame du Monde. A ce titre, la Pentade est le nombre du Tout : premier nombre « sphérique »[47], elle est la représentation arithmétique

45. *Ibid.*, III, 135, 11-13, tr. III, p. 175.

46. *Ibid.*, III, 126, 30-127, tr. III, p. 165-166. C'est nous qui soulignons. PROCLUS ajoute plus bas (195, 25-211, 10) 5 nouvelles considérations relatives à l'âme. La récapitulation finale (III, 316, 1-3, tr. p. 361) manifeste une dernière fois l'ordre quinaire de l'âme.

47. *Ibid.*, II, 454, 28, tr. p. 337. PROCLUS parle de la « pluralité sphérique » dont le symbole est la pentade, premier nombre « sphérique » (*i.e.*, selon le R. P. FESTUGIÈRE,

de l'univers comme le Dodécaèdre en est la figuration géométrique. Le cosmos obéit à la *tétrade* (quatre polyèdres, quatre corps, quatre espèces de vivants) si l'on tient seulement compte du jeu immanent des combinaisons géométriques, physiques, biologiques; mais il s'exprime plus fondamentalement pas la *pentade*, si l'on prête attention à l'*unité* des quatre, rapportée au Démiurge lui-même. Alors que la tétrade reçoit du destin « une propriété créatrice et ordonnatrice », la pentade « rappelle en arrière tout ce qui a procédé en le ramenant vers les puissances plus proches de l'unité »[48]. *La Pentade est la figure du Retour qui ramène, en leur ronde éternelle, les Quatre dimensions de l'Un vers la source dont ils procèdent* : tétrade unifiée, selon la conversion, ou monade tétradique, selon la procession, elle fait sonner dans l'Ame du Monde l'accord parfait de Quinte. A la parole de Proclus : « Le nombre total de l'Ame (...) a progressé selon la pempade, pour que l'Ame se trouve retournée vers elle-même : car la pempade a force conversive vers elle-même »[49] fait écho le mot de Damascius : « La pentade (convient) au diacosme συνοχικός, parce qu'elle rassemble et contient dans le cercle tout le mouvement périphérique de ce monde, et parce qu'elle est la tétrade retournant à la monade »[50].

Aussi sommes-nous, à notre tour, conduit à revenir au *Timée* pour contrôler la justesse de l'interprétation néo-platonicienne, et chercher si une correspondance plus essentielle ne jouerait pas entre l'ordre *mathématique* des cinq polyèdres et l'ordre *physique* des cinq corps. Proclus a beau distribuer sa psychogonie en cinq points pour calquer sa démarche sur le mouvement de la pensée platonicienne, et identifier l'âme, intermédiaire entre l'intelligible et le sensible, avec la pentade, médiété entre la monade et l'ennéade, il paraît peu

---

« le nombre cubique qui, à chaque progression, se termine sur le même chiffre » (n. 2, p. 337, t. II de sa traduction)). Cf. Jean TROUILLARD, La notion de δύναμις chez Damascios, *REG*, 1972, LXXXIV, pp. 360-361.

48. PROCLUS, *Comm. Tim.*, III, 232, 15-18, tr. p. 278.

49. *Ibid.*, III, 236, 11-15, tr. p. 281. Cf. PROCLUS, *Comm. Rép.*, XIII, 53, 26-29, tr. p. 161 : « L'irrationnel de l'âme (...) est privé du retour cyclique vers lui-même, tel qu'est le nombre cyclique issu de la pempade qui commence à elle-même et s'achève à elle-même. »

50. DAMASCIUS, *Problèmes et solutions...*, § 265, p. 351.

attentif aux différentes *espèces* de l'âme, dont on peut supposer qu'elles obéissent elles aussi au nombre nuptial. Timée envisage en premier, comme il se doit, l'Ame du Monde, source du mouvement cosmique, que le Démiurge compose selon un savant mélange de Même et d'Autre avant de diviser en sept parties. Grâce à une première progression géométrique de raison 2 (1, 2, 4, 8), puis à une seconde de raison 3 (1, 3, 9, 27), le démiurge aboutit à une progression unique, qui intervertit les nombres 8 et 9 et forme la célèbre double tétractys. L'aspect énigmatique aussi bien que merveilleux d'une série dont la somme (15 + 40) est celle des dix premiers entiers et le terme de la proportion idéale dite Nombre d'Or (0,618), risque de masquer l'intérêt de Timée pour les formes d'âmes inférieures. En premier lieu, l'âme immortelle de l'homme (69 c), située dans la partie la plus noble du corps; comme l'Ame du Monde sur laquelle elle se modèle, elle est composée des cercles du Même et de l'Autre. En deuxième lieu, l'âme mortelle due aux dieux subalternes se trouve séparée de la précédente par l'isthme du cou et se loge dans la poitrine; les dieux opèrent en elle un dédoublement et disposent, de part et d'autre du diaphragme, deux espèces d'âme : celle qui participe au courage et se rend aux raisons de l'âme supérieure; celle qui est le principe de la nutrition et se tient attachée à la région du nombril, comme une bête « se repaissant toujours près de sa mangeoire » (70 e). Ce premier classement des trois formes d'âmes humaines se trouve suspendu, en 71 a, mais reprend en 91 a, au moment où Timée mentionne l'âme qui assure la reproduction de l'espèce : située dans le bas-ventre, elle est attachée à la semence humaine. Comme à propos de la composition des éléments du *corps* du Monde, le feu et la terre médiatisés par l'air et l'eau, Platon a besoin de deux médiétés entre les *âmes* extrêmes afin d'assurer le lien de l'âme immortelle et de l'âme reproductrice : l'âme courageuse et l'âme nutritive jouent ce rôle, et établissent la proportion continue suivante correspondant, dans l'ordre de l'âme, à la proportion continue dans l'ordre du corps :

$$\frac{\text{âme immortelle}}{\text{âme courageuse}} = \frac{\text{âme courageuse}}{\text{âme nutritive}} = \frac{\text{âme nutritive}}{\text{âme reproductrice}}$$

On peut classer de deux manières différentes la τετρακτύς de
l'âme, soit en accouplant les extrêmes (pensée/sexualité), soit en
conservant la hiérarchie des fonctions supérieures (pensée/courage)
opposées aux fonctions inférieures (appétit/sexualité). Nous choisirons le premier type de classement pour exposer la Pentade des âmes
du *Timée*.

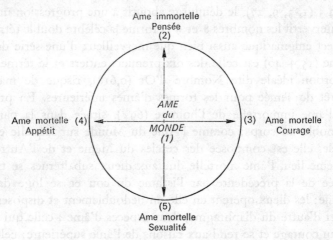

Pentade des âmes du *Timée*

Dorénavant se trouve justifiée la parole de Proclus selon laquelle
« c'est à bon droit que, après quatre fois l'octave, l'Ame contient
aussi par elle-même l'accord de quinte »[51]. L'analogie des cinq
polyèdres (l'Intelligible) et des cinq éléments (le Sensible) se trouve
renforcée par la *médiation* des cinq espèces de l'âme. Qu'on le considère sous son aspect mathématique, physique, ou psychologique,
l'Univers demeure toujours sous la garde de la Pentade. Et sans
doute Plutarque n'avait-il pas tout à fait tort, en jouant sur les mots
à la manière de son maître, d'identifier le TOUT (Πάντα) au CINQ
(Πέντε) — par la seule substitution de la première lettre de l'alphabet
grec à la *cinquième*[52].

51. PROCLUS, *Comm. Tim.*, III, 234, 17-20, tr. III, p. 280.
52. PLUTARQUE, *De defectu orac.*, 429 *b*; *De Is. et Os.*, 374 *a*.

2. *La genèse de la Connaissance* :

On a depuis longtemps relevé les degrés hiérarchiques du savoir dans la structure de l'œuvre platonicienne, même si les interprètes s'accordent à reconnaître que les étapes de la démarche dialectique recoupent rarement les procédés effectifs d'exposition. La *Lettre 7* mentionne sans ambiguïté *cinq* niveaux de connaissance, avec une première pause entre les troisième et quatrième niveaux, mais une *séparation* infranchissable entre celui-ci et la cinquième dimension qui transcende les degrés précédents (342 *a* - 343 *d*) :

1. LE NOM	:	« cercle ».
2. LA DÉFINITION	:	« ce dont les extrémités sont à une distance parfaitement égale du centre ».
3. L'IMAGE	:	« le dessin qu'on trace et qu'on efface, la forme qu'on tourne au tour et qui périt ».
4. LA CONNAISSANCE	:	« la science, l'intelligence (...) (qui) résident dans les âmes ».
5. *L'OBJET VÉRITABLE*	:	« *l'objet vraiment connaissable et réel* » — le cercle en soi.

En appliquant les remarques de Platon, nous pouvons ramener la pentade de la connaissance à une triade : « Dans tous les êtres, on distingue trois éléments qui permettent d'en acquérir la science : elle-même, la science, est le quatrième; il faut placer en cinquième lieu (πέμπτον) l'objet vraiment connaissable et réel » (342 *a-b*).

Monade, triade, pentade : *trois* raisons de ne pas douter du primat de l'imparité dans la pensée platonicienne. Ce qui paraît ici fondamental, pour cette philosophie moniste qui tente de sauvegarder l'ordre du multiple, c'est ce que nous nommerons l'*imparité de substitution* de la triade à la monade et de la pentade à la triade. Dès que le philosophe entreprend de détruire l'unité factice de l'opinion, en laquelle taillent son ironie et ses dichotomies, pour retrouver l'*unité fondatrice* de la pensée, transcendante à sa propre saisie, il lui faut substituer à cette dernière l'imparité de la triade ou de la pentade, caractéristique de la démarche dialectique. La triade, *dualité* médiatisée par un *troisième* terme, comme la pentade, *double dualité* médiatisée par un *troisième* ou *cinquième* terme — τρίτον ου πέμπτον —

maîtrisent la disparité du Multiple en conservant l'écho de la prééminence de l'Un[53]. Le *principe monarchique* règne dans le domaine ontologique comme dans les domaines politique et éthique, mais s'exprime toujours sous la forme du *principe aristocratique* de la triade et de la pentade. Nous distinguerons ainsi *trois* niveaux d'analyse dans la *Lettre 7* qui conduisent Platon à effectuer, en fonction de l'*unité* recherchée, le choix des *cinq* degrés de la démarche.

1. L'*Un* définit, seul, la *source* véritable de la connaissance qui oriente le regard du dialecticien vers le lieu suprême.

2. Pour définir les *modes* d'appréhension de l'objet, on considérera, à part, selon la *triade* :

    a) les *trois* conditions de la connaissance;
    b) la connaissance elle-même;
    c) l'intuition de l'objet.

3. Quant aux *niveaux* de la connaissance, ils se déploient pédagogiquement selon ce que Proclus appelle « le chemin des degrés du réel »[54] :

    1 / le nom;
    2 / la définition;
    3 / l'image;
    4 / la connaissance;
    5 / *l'objet en soi.*

On comprend la raison des oscillations de la recherche de l'Etranger, dans le *Sophiste*, lorsque, pour établir l'*unité* de l'être

---

53. J. BRUNSCHWIG note avec raison que « la triade semble apparaître chaque fois que le devenir s'achève et s'annule en un mélange bien réussi, chaque fois que la γένεσις se dépasse et se structure en un devenir organisé, orienté vers l'essence, en vue de l'essence » (Compte rendu de P. KUCHARSKI, Etude sur la doctrine pythagoricienne de la tétrade, *Rev. Phil.*, 1956, pp. 151-152).

A propos de l'interprétation par DAMASCIUS des 5 hypothèses du *Parménide*, ordonnées comme « les 5 strophes d'un poème pentadique » (p. 361), Jean TROUILLARD (*La notion de* δύναμις...) montre comment « si universelle qu'elle soit, la *structure triadique* n'est (...) qu'un *condensé de la pentadique* » (p. 359); et il ajoute : « La parfaite manifestation de la puissance est donc la forme pentadique dont la structure triadique (qui elle-même développe la monade) ne serait qu'une simplification » (p. 363). Dans le même esprit, J. COMBÈS écrit : « La triade est la loi du flux de la monade; la pentade est le développement exemplaire de cette loi » (Négativité et procession des principes chez Damascius, in *Etudes platoniciennes*, p. 133).

54. PROCLUS, *Théol. plat.*, I, II, 26, 20-22, tr. p. 48.

transcendant à travers la *pentade* de la communauté des genres, il utilise à chaque reprise une méthode *ternaire* du type résiduel, qui permet de réfuter les doctrines dualistes de l'être, en démontrant que ce dernier advient toujours *en tiers*, τρίτον τι, dans chaque couple. Médiatrice entre la monade et la pentade, la triade remplit ainsi la fonction *méthodologique* de recherche, alors que la pentade assure la distribution *ontologique* d'une hiérarchie d'êtres en regard de l'unité supérieure. Tous les classements pentadiques de Platon accuseront donc la séparation entre l'*un* des quatre termes, généralement le cinquième, et les *quatre autres*, distribués en deux couples.

Cette théorie des cinq degrés de la connaissance se trouve effectivement mise en pratique à la fin du livre VI de la *République*, en deux étapes distinctes qui usent d'un même schéma analogique. La première remplit un rôle heuristique indispensable, alors que la seconde expose le cheminement propre de la connaissance à la découverte du Bien. Pour faire en effet comprendre à son partenaire, impatienté par la multiplication des circuits, en quel lieu se situe le Bien et de quelle manière on peut *généalogiquement* remonter jusqu'à lui, Socrate compare le Soleil au *rejeton du Bien* et construit l'analogie des deux *lignées*. Lorsque Glaucon a saisi la légitimité du rapport établi entre le sensible et l'intelligible, Socrate lui propose alors le *paradigme de la ligne*, qui révèle l'exacte correspondance des degrés de l'être et des opérations de la connaissance.

Socrate forge en premier lieu l'analogie du monde visible et du monde intelligible grâce à deux divisions successives qui aboutissent à la constitution de deux séries de cinq termes. Une première distinction rend manifeste les trois conditions de l'*exercice de la connaissance* : pour que la vue (1) appréhende les multiples choses visibles (2), il faut faire appel à une troisième réalité (τρίτον) qui en est le lien : la lumière. Mais en s'interrogeant aussitôt après sur l'*origine de la connaissance*, Socrate ajoute l'œil, *source* de la vue, et le soleil, auquel l'œil est apparenté, *source* de tout le visible. L'image de la filiation du Bien (506 *e*; 507 *a*; 509 *a*) se déploie maintenant selon une division en cinq éléments distincts (508 *a-b*) : de même que la VUE (2) des RÉALITÉS VISIBLES (4) requiert un organe, l'ŒIL (1), un milieu, la LUMIÈRE (3), et une source de lumière, le SOLEIL, qui permet à la vue de voir et aux visibles d'être vus (5), — de même l'INTELLEC TION (2′) des FORMES INTELLIGIBLES (4′) exige un organe, l'ŒIL DE L'AME (1′), un milieu, la VÉRITÉ ou l'ÊTRE (3′), et un principe de plus haut rang, le BIEN (5′), qui est la « cause » du savoir (508 e) comme le « père » du soleil (506 e)[55]. Socrate clôt sa comparaison en déclarant : « C'est le soleil que j'entendais par le fils du bien, que le bien a engendré à sa propre ressemblance, et qui est, dans le monde visible, par rapport à la vue et aux objets visibles, ce que le bien est dans le monde intelligible, par rapport à l'intelligence et aux objets intelligibles » (508 b-c).

La *filiation généalogique* de cette double analogie est assurée par l'image de la paternité qui se donne à lire dans les deux sens. Le rapport du sensible à l'intelligible (les choses sont à leurs formes ce que la vue est à l'intellection, l'œil du corps à l'œil de l'âme, la lumière à la vérité et le soleil au Bien) reproduit en effet le rapport hiérarchique du conditionné à l'inconditionné (le visible est au soleil, quant à la vue des réalités présentées à l'œil baigné par la lumière, ce que l'intelligible est au Bien, quant à l'intellection des formes offertes à la pensée plongée dans la vérité).

Le Soleil, l'un des « dieux du ciel » (508 a), « maître » (χύριον) de l'union de la vue et de son objet, se tient dans la même souveraine transcendance, quant à la série qu'il engendre, que son propre père, le Bien, « principe » (ἀρχή, 508 e), « cause du savoir » (αἰτίαν, 508 e), quant à la série intelligible. Et comme il serait incorrect de conclure de l'analogie entre la lumière et la vue avec le soleil qu'elles s'identifient à lui, on ne tiendra pas la science et la vérité pour semblables au Bien. Pas plus qu'un autre, Glaucon ne parviendra à appréhender son inimaginable beauté, s'il est vrai que « le Bien ne soit point essence, mais quelque chose qui dépasse de loin l'essence (ἐπέχεινα τῆς οὐσίας) en majesté et en puissance » (509 b). Il restera au compagnon de Socrate à accuser, d'une exclamation incrédule, l'*hyperbolique* merveille de cette transcendance !

---

55. Paul GRENET, *Les origines de l'analogie...*, pp. 121-122.

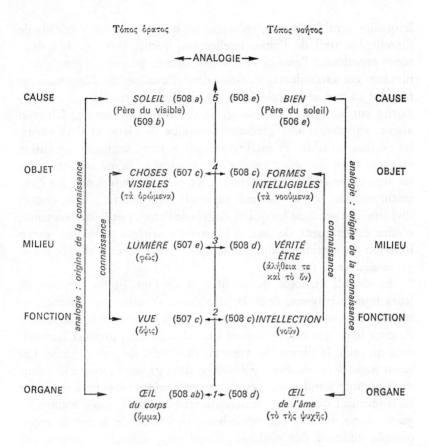

SENSIBLE ◄—ANALOGIE—► INTELLIGIBLE

Il est temps alors de se tourner vers la connaissance elle-même et l'être qui la fonde, en opérant une subtile modification du schéma précédent qui sauvegarde cependant sa double analogie de structure et sa disposition en cinq niveaux. Le *paradigme de la ligne* réduit en effet les quatre premiers éléments du sensible (œil, vue, lumière, choses visibles) à deux étapes seulement, caractéristiques du « monde visible » (τὸ δ᾽ ὁρατοῦ), auxquelles se superposent les deux étapes du « monde intelligible » (τὸ μὲν νοητοῦ γένους τε καὶ τόπου, 509 *d*),

lesquelles, semblablement, réduisent les quatre premiers éléments de
l'intelligible (œil de l'âme, intellection, vérité, formes). Les deux
séries constituant *l'analogie de la connaissance* ne proposent plus quatre
niveaux correspondants, comme dans *l'analogie du Bien*, mais se
fondent en une seule série, la lignée intelligible l'emportant en supériorité sur la lignée sensible. A la demande de Socrate, Glaucon
aligne, en suivant une gradation continue de clarté et d'obscurité,
les réalités sensibles et intelligibles selon deux segments de droite
inégaux, puis, *dédoublant* chacun d'eux selon le même rapport, pose
les simulacres et les êtres naturels sur la partie inférieure, les êtres
mathématiques et les formes suprêmes sur l'autre. Cette double
division, qui présente les quatre degrés de l'être et de la connaissance,
n'offre évidemment de *sens*, à l'instar du schéma précédent, qu'en
fonction du « principe anhypothétique » situé en un cinquième lieu
— *au-delà de la ligne.*

La double analogie du sensible et de l'intelligible, comme de
leurs lignées propres, dans la précédente démarche de Socrate, se
manifeste à nouveau, toujours en un double sens, avec le diagramme
de cette ligne que nous pouvons lire selon les cinq niveaux horizon-
taux ou selon la dimension verticale de l'ordre de prééminence. Les
quatre modes de la connaissance, classés en deux groupes (couple inférieur
de l'opinion : simulation, εἰκασία/croyance, πίστις, et couple supérieur
de la science : discursion, διάνοια/contemplation, θεωρία), comme les
quatre degrés de l'être correspondants, ordonnés de la même façon
(couple inférieur des visibles : simulacres, εἰκόνες — eux-mêmes
redoublés en ombres, σκιας, et fantasmes, φαντάσματα — /réalités, τά
ζῷα κτλ, et couple supérieur des intelligibles : hypothèses mathématiques jouant le rôle d' « images » (εἰκοσιν, 510 *b*, 510 *e*, 511 *a*)/ formes
en soi (αὐτα εἰδή)), s'orientent vers leur source commune, — cinquième ou première, selon que l'on considère *généa(na)logiquement*
le processus de la connaissance ou la hiérarchie de l'être.

L'Idée du Bien, source de l'essence et de l'existence (τὸ εἶναι, τήν
οὐσίαν, 509 *b*), déborde le domaine des Formes pures et demeure
« au-delà de l'essence, ἐπέκεινα τῆς οὐσίας », comme le Principe qui
conduit la dialectique vers la contemplation suprême est dit « au-

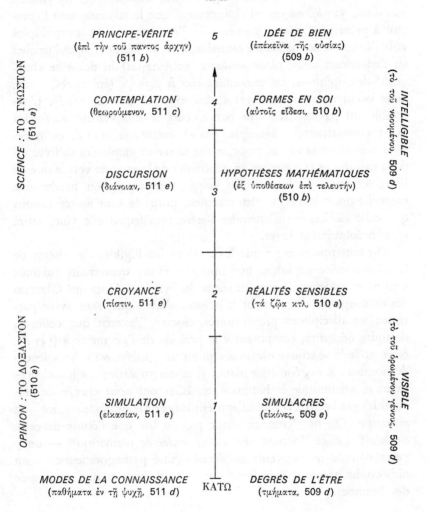

'ANΩ

5

PRINCIPE-VÉRITÉ
(ἐπὶ τὴν τοῦ παντος ἀρχην)
(511 b)

IDÉE DE BIEN
(ἐπέκεινα τῆς οὐσίας)
(509 b)

4

CONTEMPLATION
(θεωρούμενον, 511 c)

FORMES EN SOI
(αὐτοῖς εἴδεσι, 510 b)

3

DISCURSION
(διάνοιαν, 511 e)

HYPOTHÈSES MATHÉMATIQUES
(ἐξ ὑποθέσεων ἐπὶ τελευτήν)
(510 b)

2

CROYANCE
(πίστιν, 511 e)

RÉALITÉS SENSIBLES
(τά ζῷα κτλ, 510 a)

1

SIMULATION
(εἰκασίαν, 511 e)

SIMULACRES
(εἰκόνες, 509 e)

MODES DE LA CONNAISSANCE
(παθήματα ἐν τῇ ψυχῇ, 511 d)

KATΩ

DEGRÉS DE L'ÊTRE
(τμήματα, 509 d)

SCIENCE : TO ΓΝΩΣΤΟΝ (510 a)

OPINION : TO ΔΟΞΑΣΤΟΝ (510 a)

INTELLIGIBLE (τὸ τοῦ νοουμένου, 509 d)

VISIBLE (τὸ τοῦ ὁρωμένου γένος, 509 d)

dessus du tout, ἐπὶ τὴν τοῦ παντὸς ἀρχὴν » (511 b). Socrate insistera
sur ce point lors de l'interprétation du mythe de la caverne : l'idée
du Bien est « tout au bout de ce qui est connaissable » (ἐν τῷ γνωστῷ
τελευταία, 517 b), en un tel éloignement que le raisonnement l'aperçoit à peine. A l'unique ἐπέκεινα de l'être répond de ses multiples
voix l'ἐπὶ de la connaissance humaine, l'ἐπὶ de l'ἐπι-στήμη qui permet
au dialecticien de *se placer au-dessus* (ἐπὶ-ίσταμαι) du domaine chan-
geant des opinions, en remontant *vers le principe* (ἐπ' ἀρχὴν, 510 b,
deux occurrences; 511 a; 511 d; ἐπὶ τὴν τοῦ πάντος, 511 b). L'ensemble du passage renforce par ailleurs le mouvement ascendant
de la connaissance : ἀνωτέρω, 511 a; ἀνελθόντες, 511 d; enfin ἐπὶ
τῷ ἀνωτάτω en 511 e, ces notations se trouvant amplifiées au livre VII
pour manifester la *conversion* du prisonnier de la caverne vers le monde
libre où règne la lumière du soleil. Une séparation irréductible
empêche donc la flèche platonicienne, pour de tout autres raisons
que celle de Zénon, d'atteindre l'astre vers lequel elle vole, retiré
en son éblouissant foyer.

On remarquera enfin que les sections intelligibles du schéma de
la connaissance déploient une nouvelle figure quaternaire orientée
vers un cinquième élément au cours du livre VII. Alors que Glaucon
désire connaître directement la science dialectique, sans avoir parcouru les disciplines préparatoires, Socrate l'avertit que celles-ci,
de toute nécessité, composent « le prélude de l'air même » (531 d);
or ce prélude se trouve ordonné comme un *quadrivium* : 1. les sciences
du nombre; 2. la géométrie plane; 3. la stéréométrie; 4. « les sciences
sœurs », astronomie et harmonique. Elles ont pour charge de préparer les gardiens de la Cité à l'apprentissage de la suprême science — la
dialectique. On ne s'étonnera donc pas de lire que l'étude de cette
cinquième science donnera lieu à *cinq années* de formation[56] — on y
verra comme un souvenir de l'échémythie pythagoricienne — au
philosophe arrivé à l'air libre, avant qu'il fasse retour au monde
des hommes.

---

56. *Rép.*, VII, 539 *d-e* : « Est-ce six ans ou quatre ans que tu veux dire ? demanda-t-il.
— Ne chicanons pas, dis-je, mets cinq ans; après quoi, tu les feras descendre de nouveau
dans notre caverne... »

A condition pourtant de rester sur ses gardes, et de ne pas succomber à la subversion du langage des sophistes. La *quadruple division* du *Gorgias*, qui prépare la double division linéaire de la *République* mais aussi bien annonce le *quadrillage* du *Sophiste*, permet à Socrate de mettre à nu la nature véritable des techniques sophistiques. Il distingue en premier lieu deux arts qui répondent à l'âme et au corps : l'art politique pour la première, puis l'art qui prend le corps pour objet (déjà dévalorisé par son absence de nom propre). L'un se divise à son tour en médecine (partie gauche) et gymnastique (partie droite), l'autre en art judiciaire (à gauche) et en art législatif (à droite) (*Gorg.*, 464 *b-c*). Socrate esquisse alors une première analogie entre les quatre arts obtenus : la médecine est à la gymnastique ce que l'art judiciaire est à l'art législatif. A son habitude, la flatterie sophistique va simuler cette division et s'insinuer sous chacune des espèces précédentes. La *cuisine*, qui prétend mieux s'y connaître qu'elle pour alimenter le corps, essaie de prendre la place de la médecine, alors que la *parure* se passe des bienfaits naturels de la gymnastique à l'aide de fards et de vêtements. Quant à l'âme, la *rhétorique* mime l'art judiciaire, et la *sophistique* l'art législatif. Le jeu des analogies conduit à enchaîner les unes aux autres les huit techniques : « Ce que les pratiques de la parure sont à la gymnastique, cela, la sophistique l'est à l'art législatif, et ce que la cuisine est à la médecine, cela, le savoir-faire oratoire l'est à l'art judicatoire » (465 *c*).

Avec l'humour énigmatique dont parlait Robin à propos du *Philèbe*, Socrate garde secret le nom de l'art qui lui permet de *séparer* la culture du corps et celle de l'âme « en deux parties » (464 *b*) — gauche et droite — selon une discrimination dialectique qui annonce celle du *Phèdre* (266 *a*). Or, au début de l'entretien, Socrate déniait à Gorgias le droit de voir dans la rhétorique, malgré sa souveraineté proclamée, le seul art touchant aux discours (περὶ λόγους, 499 *d*) : comme la médecine tient un discours sur les maladies et la gymnastique sur les corps, « chaque art a pour objet les discours relatifs à la chose qui forme son domaine propre » (450 *b*). Il suit de là que *l'art du dialogue*, mis en œuvre ici par Socrate qui l'impose à l'exposé continu de ses adversaires, s'avère au premier chef concerné par les arts de la parole, et possède bien un *domaine* original : celui de la distinction des quatre arts vrais de leurs *redoublements* illusoires.

En cet art de diérèse qui taille, sectionne et *dédouble* les techniques sur lesquelles porte son examen, nous n'avons pas de peine à reconnaître la *Dialectique*, évidemment étrangère aux divisions qu'elle institue. Ce *cinquième* art est pourtant présent dans la pratique même de la recherche commune : en faisant apparaître la dialectique dans son lieu propre, *au centre* des techniques du corps et de l'âme, nous reconstituerons les *quatre classements réels* du *Gorgias*.

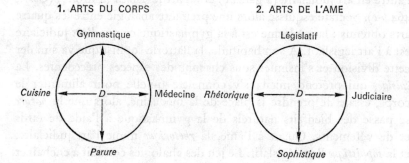

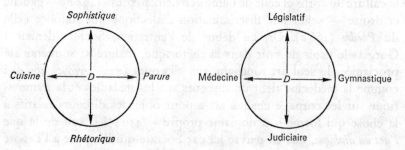

Les quatre Pentades des arts du *Gorgias*

3. *La genèse du Bien* :

   A. Le Philèbe.

Le rôle de la Pentade ne se limite pas au domaine épistémologique pour assurer la hiérarchie des divers stades de la connaissance.
Si cette dernière est orientée en fonction de l'idée suprême de Bien,
la pratique humaine, de son côté, avec ses trois dimensions psychologique, éthique et politique, ne saurait se soustraire à l'emprise du
même principe. Il y a chez Platon une genèse du Bien qui s'exprime,
de façon immuable, par toute une série de classements en cinq
niveaux. C'est précisément à la dialectique qu'est impartie la fonction
de classer les diverses formes d'âmes, de biens et de constitutions
politiques selon un ordre rigoureux.

Le *Philèbe* témoigne de cet effort, et s'inscrit dans la droite ligne
du *Gorgias* et de la *République*. La question qui oppose Socrate à
Protarque et Philèbe, est, plus évidente que jamais, celle de la *Maîtrise* :
à qui doit-on attribuer l'hégémonie parmi tous les prétendants à la
vie la plus belle ? A l'intelligence, comme le soutient Socrate; au
plaisir, comme l'exigent ses adversaires ? Il importe de départager
les deux thèses opposées, en examinant à loisir leurs prétentions, ce
qui aboutira, grâce à l'analyse des diverses espèces de plaisirs et de
sciences, à reconnaître que la vie heureuse est une vie mixte réglée par
une hiérarchie stricte de ses différents composants. La démarche de
Socrate prend appui sur deux classements quinaires distincts pour
proclamer la hiérarchie finale des cinq formes du Bien. C'est à ce
moment ultime qu'un simple jeu de mots de Platon, *à la syllabe près*,
permet de pressentir l'analogie naturelle des cinq genres et des cinq
biens, comme la nécessaire absence du cinquième genre annoncé.

Après avoir convenu avec Protarque que le Bien ne s'identifie
ni à la pure sagesse, en tout cas pour les hommes, ni au plaisir sans
mélange, « mais plutôt à un troisième concurrent (τι τρίτον), autre
qu'eux et supérieur à eux » (20 *b*), puis s'être accordé sur les quatre
genres (*l'infini, le fini, le mixte* et *la cause* — *le cinquième* étant laissé à
l'écart) qui conduisent à placer le plaisir dans le genre infini, la sagesse
dans celui de la cause, et le troisième concurrent, l'heureux mélange,

dans le genre mixte, Socrate fait porter son enquête sur la science elle-même. Comme il avait auparavant discerné des plaisirs purs et vrais, le dialecticien effectue un tri entre les sciences et ne cueille que les plus parfaites. Or quelles sont les « sciences qui commandent » (τὰς ἡγεμονικὰς, 55 d) ? Il convient de distinguer d'abord les sciences exactes fondées sur le nombre et la mesure, des techniques plus ou moins précises qui leur sont subordonnées, puis de déterminer dans les premières une partie supérieure, toute théorique, et une partie inférieure, liée aux approximations de l'expérience. Nous sommes alors en présence de *l'art du calcul* (λογιστική) et de *l'art de la mesure* (μετρητική), qui se révèlent *doubles* (δύο) à l'analyse : il y a « deux sciences du nombre et deux sciences de la mesure » (57 d), auxquelles s'ajoute *la science supérieure du dialogue* (ἡ τοῦ διαλέγεσθαι δύναμις, 57 e) qui opère les discriminations précédentes, mais les surpasse, dans la mesure où elle vise la connaissance suprême de l'être. Seule cette *cinquième science* — dont le nom technique de « dialectique » demeure aussi dissimulé que dans le *Gorgias* — adhère intimement à la vérité. Elle n'est autre, évidemment, que la procédure de recherche en acte de l'ensemble du *Philèbe*.

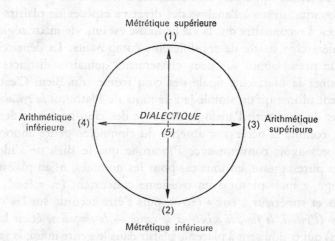

Pentade du *Philèbe*

Grâce à ce premier classement qui reconnaît la suprématie de la Dialectique dans l'ordre du vrai, Socrate est en mesure de s'approcher des « grandes entrées du Bien, aux portes de sa demeure » (64 c). Avant d'y pénétrer, cependant, il lui faut encore franchir le vestibule, entendons par là effectuer un deuxième classement pentadique qui introduira définitivement le classement attendu.

Au moment d'attribuer le premier prix à la vie mixte, l'analyse socratique distingue en elle trois composants : 1. Les sciences universelles (62 d); 2. Les plaisirs purs (62 e, 63 d-e); 3. La vérité (64 b); puis trois facteurs qui gouvernent ce mélange : 4. La proportion (64 d); 5. La beauté (64 e); 6. La vérité (64 e). « De toute évidence », observe Diès[57], « nous n'avons plus là que cinq termes », la vérité intervenant en tiers dans les deux classements : 1. Beauté; 2. Proportion; 3. Vérité; 4. Sciences universelles; 5. Plaisirs purs. Ce deuxième classement en cinq niveaux se modifie aussitôt, imperceptiblement, par la substitution de l' « intellect » (νοῦς) à la « vérité », car « l'intellect est identique à la vérité ou ce qui lui ressemble le plus et en contient le plus » (65 d). Dès lors, il ne reste plus à Socrate qu'à confronter les deux prétendants au Bien, le Plaisir et la Sagesse, avec les trois formes que revêt celui-ci, pour aboutir au troisième et dernier classement pentadique :

1. Mesure, Justesse, A-Propos;
2. Proportion, Beauté, Perfection, Efficacité;
3. Intellect et Sagesse;
4. Sciences, Arts, Opinions Droites;
5. Plaisirs purs de l'âme seule (66 a-66 c).

Il est temps alors d'imiter Orphée, et d'interrompre à la sixième génération l'ordonnance de notre discours. A condition toutefois, ajouterions-nous volontiers, de lire jusqu'au bout le texte. Lorsqu'il récapitule en effet l'ordre final du Bien, Socrate prend soin de montrer, avec quelque malice, que l'Intellect, dont il se faisait le champion,

---

57. Diès, *Notice du Philèbe*, p. LXXXIII. On se souvient du procédé semblable de Proclus, dans son *Comm. Tim.*, pour former la Pentade de l'âme, à partir de 6 déterminations qui se réduisent à 5, l'une d'entre elles étant en double. Cf. *supra*, p. 369.

possède plus de ressemblance avec le vainqueur que le Plaisir, relégué
le plus loin possible à la dernière place.

Quel terme utilise alors Socrate pour désigner ce *cinquième rang* ?
« Πέμπτον κατὰ τὴν κρίσιν » (67 *a*). Le mot reprend, en un écho
mineur, l'expression même de Protarque qui demandait, en 23 *d*, un
cinquième genre à Socrate, afin de pouvoir distinguer les quatre précédents : « πέμπτου διάκρισίν. » En cette syllabe évanouie, de Protarque
à Socrate, ne pourra-t-on imaginer l'ironique index du chemin parti
en quête de l'origine ? Il a pour nom : διά-lectique.

B. *Les Lois.*

Aux cinq espèces d'âmes du *Timée* comme aux cinq formes de
Bien du *Philèbe*, correspondent les grands classements des *Lois* qui
prennent leur source dans l'image de la marionnette humaine façonnée
par les dieux. Si chacun d'entre nous personnellement constitue une
totalité, confie l'Etranger athénien à Clinias, il possède néanmoins
en lui « deux conseillers opposés et aveugles », *plaisir* et *douleur*,
ainsi que deux « opinions sur l'avenir qui portent le nom commun
d'attente », *crainte* et *confiance*. A ces *quatre* sentiments composés en
deux couples, s'ajoute le *jugement* (λογισμός) porté sur leur bonté ou
leur perversité, qui prend dans la cité le nom de *loi* (νόμος) (1, 644 *c-d*).
Ces dispositions agitent les hommes comme les différents *fils* qui
tirent en tous sens les marionnettes, pour le plus grand amusement

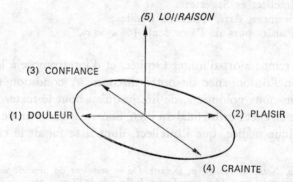

Pentade des *Lois*

des dieux. Nous devons obéir à la seule traction du *cinquième fil*, « la commande d'or, la sainte commande de la raison » (645 *a*), qui se distingue absolument des quatre autres tractions à la dureté du fer.

Platon accorde une si grande importance à cette composition des cinq tensions de l'âme, qu'il la renforce à l'aide de deux classements similaires dans le même dialogue. Au cours du livre I, l'Athénien présente une double hiérarchie des Biens humains et des Biens divins selon un ordre quaternaire fort différent de la classification du *Philèbe* :

BIENS HUMAINS (Gauche)
1. Santé.
2. Beauté.
3. Vigueur.
4. Richesse.

BIENS DIVINS (Droite)
1. Sagesse.
2. Tempérance.
3. Justice.
4. Courage.

Cette hiérarchie naturelle, étudiée en 631 *c-d*, se révèle pourtant insuffisante aux yeux du Législateur qui demande à ses concitoyens de l'interpréter en fonction d'un terme plus élevé, car « les biens humains sont orientés vers les biens divins, et tous les biens divins vers l'intelligence, qui est souveraine (εἰς τὸν ἡγεμόνα νοῦν) » (631 *d*).

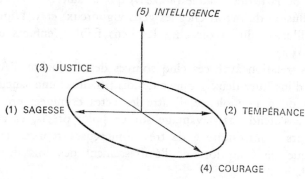

Pentade des biens divins des *Lois*

On reconnaît dans ce classement l'ordre des *cinq vertus* du *Protagoras* (349 *a-b* : « πέντε ὄντα ὀνόματα »), où la présence de la pentade, dans ce dialogue de jeunesse de Platon, se montre d'autant plus remarquable : 1. Prudence; 2. Modération; 3. Justice; 4. Piété; et 5., considéré à part, le Courage. Le rapprochement de tous ces classements avec la distribution des quatre vertus cardinales de la *République* (livre IV, *passim*) s'impose aussitôt : ces dernières en effet ne sont rien tant qu'elles n'auront pas été orientées dans la lumière de la forme suprême, celle du Bien, qui advient une fois encore en quinte.

Le même schéma revient dans le livre IX des *Lois*, lorsque l'Athénien envisage les différents facteurs de l'injustice. Il distingue en premier : 1. La colère; 2. Le plaisir; 3. L'ignorance (863 *b-e*), puis, selon une démarche similaire à celle de l'Etranger dans le *Politique* (291 *d*), dédouble la dernière à deux reprises, sans pour autant octroyer à chaque espèce obtenue de nom particulier. « Celle-ci étant divisée en trois par un double sectionnement, on obtient cinq espèces, comme nous disons maintenant; à ces cinq espèces, il faut appliquer des lois mutuellement différentes... » (864 *b*). On obtient alors ce classement définitif des cinq catégories de faute morale : 1. Le chagrin (appelé colère et crainte); 2. Le plaisir et les désirs; 3. L'ignorance ordinaire, cause de fautes légères (863 *c*), forme simple (ἁπλοῦν) distincte de la forme double (διπλοῦν) qui la suit : 4. L'ignorance due à l'illusion du savoir chez les gens vigoureux; et 5. L'ignorance due à l'illusion du savoir chez les gens faibles (enfants et vieillards) (863 *d*).

En corrélation avec ces cinq sources de criminalité, l'Athénien propose d'instituer deux groupes de lois pénales, l'une sanctionnant les actes de pure violence, l'autre les actes criminels prémédités. Platon ne s'étend pas davantage sur ce point précis, et continue par ailleurs à introduire à de très nombreuses reprises le chiffre symbolique de Cinq lors de l'établissement des lois de la Cité parfaite[58].

---

58. PLATON accorde, bien entendu, une valeur symbolique et religieuse à d'autres nombres dans les *Lois*, en premier lieu à la triade; mais le nombre 5 revient avec une insistance particulière : 38 occurrences, auxquelles s'ajoutent celles de ses multiples 15, 25 et 50 : 16 occurrences.

(Voir suite de la note, page ci-contre.)

C. La République.

La psychologie et l'éthique nous conduisent naturellement à l'orée du bien politique. On sait à quel point Platon a voulu fonder l'exacte correspondance des fonctions de l'âme et des classes sociales de la cité, grâce à la médiation de la justice. La célèbre typologie des

(Suite de la note de la page 388.)

CLASSEMENTS HIÉRARCHIQUES

5 sortes de Bien (i, 631 *c-d*; XII, 963 *a*); 5 fils de la marionnette (i, 644 *c-d*); 5 formes de musique (III, 700 *a-b*); 5 formes de danse (VII, 814 *e*-815 *d*); 5 courses de compétition (VIII, 833 *a-b*); 5 sortes de faute morale (IX, 863 *b-d*; 864 *b-c*); 5 formes d'impiété (X, 884 *a*-885 *a*).

SYMBOLISME DU NOMBRE CINQ

5 occupations du courage (i, 633 *b-c*); 5 concurrents à la compétition pour le plaisir (II, 658 *b*); 5 tours de scrutin en 5 jours pour l'élection des membres de la Boulé (VI, 756 *c-e*); 5 agronomes (VI, 760 *b*); 5 agoranomes (VI, 763 *e*); 5 ans de fonction pour le Grand Maître de l'Education Nationale (VI, 766 *b*); 5 invités au plus pour un mariage (VI, 775 *a*); compétitions sportives organisées tous les 3 ou 5 ans (VIII, 834 *e*); en 5 ans la taille d'un enfant s'accroît du double de ce dont elle s'accroît les vingt années suivantes (VII, 788 *d*); 5 doyens des Gardiens des Lois (VIII, 847 *b*); 5 ans d'exil pour les meurtriers involontaires (IX, 866 *b*); 5 propriétés de l'âme (X, 892 *b*); 5 mouvements de l'âme (X, 897 *a*); 5 hommes d'accord sur l'impiété (X, 901 *c-e*); 5 ans de prison pour les impies (X, 909 *a*); 5 mois de délai pour rendre un objet de litige (XI, 915 *d*); 5 plus jeunes Gardiens des Lois (XI, 916 *c*; 926 *c*); 5 tuteurs pour les orphelins (XI, 924 *c*); les 15 doyens des Gardiens assurent la tutelle des mineurs selon « un cycle de 5 tours », à raison de 3 gardiens par an (XI, 924 *c*); 5 ans de délai pour un procès en tutelle (XI, 928 *c*); Amendes de 4/5, 3/5, et 2/5 d'une mine (XI, 934 *d*); Amende de 5 mines (XII, 945 *a*); le 1/5 des suffrages du tribunal (XII, 948 *b*); 5 témoins pour une caution de plus de 1 000 drachmes (XII, 953 *e*); 5 jours de scellés (XII, 954 *b*); 5 ans de prescription (XII, 954 *d*); le 1/5 en sus de la somme demandée lors d'une action en justice (XII, 956 *c*); 5 jours de travail de 5 hommes pour élever un tertre (XII, 958 *d-e*); 5 mines de dépense lors de funérailles (XII, 959 *d*); les 4 vertus sont une et l'unité quatre (XII, 964 *a*).

V. BROCHARD est l'un des rares interprètes à avoir entrevu l'importance du nombre 5 dans les classements platoniciens (*Et. phil. anc.*, n. 1, p. 202) : « Le nombre 5 semble avoir pour (Platon), peut-être en souvenir de l'école pythagoricienne, une valeur particulière, surtout lorsqu'il s'agit de classer les formes générales des êtres ». Brochard se contente de présenter quelques exemples, en ajoutant qu'il ne convient pas d' « attacher trop d'importance à cette question ». Plus récemment, certains interprètes contemporains comme Merlan, Kramer ou Gaiser, cherchent à reconstituer une hiérarchie à 5 niveaux de l'ontologie platonicienne à partir du système de Speusippe. H. A. TARRANT *(Speusippus' ontological classification)* reconnaît la présence de 5 οὐσίαι chez Speusippe (dont la doctrine est approchée à l'aide des passages du *De Communi Mathematicae Scientia* de JAMBLIQUE) qui ont pu influencer les 5 mondes du *Timée* (55 *d*) comme l'interprétation de ce dialogue par Théodore de SOLE (Plutarque, *De defectu oraculorum*, 427 *a* : 5 figures, 5 éléments, 5 matières et 5 mondes). Après avoir discuté les thèses de Merlan et de Kramer, TARRANT propose un nouveau tableau en 5 niveaux de la hiérarchie platonicienne des êtres (p. 144), et conclut qu'il ne faut pas exagérer l'originalité du système de Speusippe par rapport à Platon.

formes politiques de la *République* présente, selon une double perspective synchronique et diachronique, un classement décroissant de cinq régimes et de cinq tempéraments politiques. De constitution *monarchique*, la cité parfaite est fondée sur la primauté éthique et ontologique de l'*Un-Bien*, principe de hiérarchie des classes sociales, des vertus de l'âme et des fonctions spirituelles correspondantes.

	AME	JUSTICE	CITÉ
1. MAITRISE	1. Raison	1. Sagesse	1. Philosophes
2. MÉDIATION	2. Ardeur	2. Courage	2. Gardiens
3. SERVITUDE	3. Désir	3. Tempérance	3. Producteurs

L'*unité* de l'âme, de la justice et de la cité ne se trouve à aucun moment mise en cause, bien qu'elle s'exprime à chaque fois sous forme ternaire. Elle est au contraire renforcée par l'analogie qui joue entre les trois ordres hiérarchiques et les trois domaines auxquels ils s'appliquent. Socrate fait pour cela intervenir la *fonction médiatrice* (τρίτον) qui équilibre les termes opposés et tempère leurs conflits. Entre la raison et le désir, l'âme exige la médiation de l'ardeur du cœur; entre la sagesse et la tempérance, la justice réclame la médiation du courage; la cité enfin suppose la médiation des gardiens entre les deux classes extrêmes. Corrélativement, une seconde analogie rapproche les trois dispositions psychologiques de l'homme des trois classes de la cité par l'intermédiaire de la deuxième colonne. Et comme l'ardeur, le courage et les gardiens constituent les médiations de la Maîtrise et de la Servitude, la Justice elle-même, harmonieuse liaison de la sagesse, du courage et de la tempérance, est l'*intermédiaire* nécessaire du citoyen et de la cité. Equilibre de vertus déjà médiatisées par le courage, la Justice tout entière est, elle aussi, médiation entre l'écriture éthique, inscrite en petits caractères au fond de l'homme, et l'écriture politique qui répète ces mêmes caractères en plus gros sur un plus grand tableau (*Rép.*, II, 368 *d*). Socrate est alors en droit de convenir qu' « il y a dans l'âme de l'individu les mêmes parties et en même nombre que dans l'Etat » (441 c).

Ces classifications ternaires ne constituent cependant qu'une étape dans la recherche de l'ordre hiérarchique des constitutions politiques auquel le livre VIII de la *République* est consacré. La tripartition platonicienne a en effet pour fonction d'amener l'analyse des cinq formes de constitution politique que Platon substitue à la classification ternaire héritée d'Hérodote :

1. *Aristocratie* (ou *Monarchie*).

2. Timocratie.

3. Oligarchie.

4. Démocratie.

5. Tyrannie.

C'est seulement dans le *premier régime*, dont la perfection échappe en quelque sorte à l'histoire, que la tripartition fonctionnelle de l'Ame, de la Justice et de la Cité prend sa pleine justification. Dans les régimes décadents, la belle architecture ternaire s'effrite peu à peu et disparaît enfin sous les coups de la tyrannie. Une nouvelle analogie caractérise ce classement, sur laquelle Socrate revient à deux reprises : « Autant il y a de formes de gouvernement de genre distinct, autant il y a, selon toute apparence, de formes d'âme (...). Il y a cinq formes de gouvernement, et cinq formes d'âme » (IV, 445 c-d). Le livre VIII assure dans leurs moindres détails les relations exactes des deux séries : « Si donc il y a cinq formes de gouvernement, il doit y avoir aussi chez les particuliers cinq formes d'âme » (544 e). Socrate ordonne maintenant les quatre régimes inégalement défectueux et les quatre hommes différemment pervertis par rapport au gouvernement suprême : le gouvernement monarchique. Mais un gouvernement aussi parfait et un tempérament aussi noble n'existent pas et n'existeront sans doute jamais tant que les philosophes ne seront pas devenus rois ou les rois philosophes. Nous devons en conséquence prendre notre parti des constitutions défectueuses et des hommes qui leur sont apparentés, pour essayer d'*imiter* du mieux possible le cinquième modèle divin : dès que le pouvoir abandonne sa filiation à l'égard du modèle, il dégénère, de copies en simulacres, de dérèglements en violences, et s'abîme enfin dans le nihilisme absolu de la tyrannie.

D. Le Politique.

Le Politique renouvelle ces analyses dans une perspective plus synchronique que diachronique, accentuée par l'importance des dichotomies et des classements multipliés depuis le *Sophiste*. Selon le pur critère du nombre, on distingue d'abord une *triade* de constitutions — la monarchie, le gouvernement du petit nombre, le gouvernement du grand nombre ou démocratie — laquelle, par dédoublement des deux premières formes, selon le critère de la liberté ou de la contrainte, se déploie en pentade. La monarchie se divise en : 1. Royauté (τὸ βασιλικῇ), gouvernement légitime; et 2. Tyrannie (τυραννίδι), simulacre du précédent. Le régime du petit nombre prend ensuite les traits de : 3. L'Aristocratie légitime; et de 4. L'Oligarchie, à son tour le simulacre du précédent. Quant à 5. La Démocratie, et nous voyons là un nouvel effet de la puissance du Cinq, elle est la seule à ne pas changer de nom, qu'elle soit légale ou pas.

Un élément nouveau intervient néanmoins, par rapport à la *République*, et qui profite des acquis du *Sophiste*. Les régimes pervertis ne s'engendrent plus en effet à partir de la constitution correcte, ils se glissent sous les régimes légaux afin de les *redoubler* sophistiquement. La question du *simulacre* imprègne l'exposé de l'Etranger qui songe dès lors moins à approfondir la nature des diverses constitutions qu'à chasser la foule des prétendants aux fonctions de tisserand royal. Comme l'art du tissage des laines se détache des arts adjuvants (pelletiers, cardeurs, fouleurs, etc.), l'art du tissage politique se distingue de ses rivaux en remontant à la source du pouvoir. La *légalité* empirique elle-même doit se soumettre à la *légitimité* ontologique, et les habituels critères juridique, économique ou social, au seul principe rationnel : « Le caractère qui doit servir à distinguer les constitutions, ce n'est ni le « quelques-uns » ou le « beaucoup », ni la liberté ou la contrainte, mais bien la présence d'une science » — (ἀλλά τινα ἐπιστήμην) (292 c). Aussi l'Etranger d'Elée, une fois de plus, risque-t-il le scandale : la fonction royale de commandement peut, et même parfois doit, s'élever *au-dessus* de la Loi elle-même. Comme la parfaite monarchie transcende les quatre formes politiques impures, l'homme royal ne craint pas d'imposer la maîtrise de sa science à une législation imparfaite afin d'assurer l'infaillibilité de la justice. La *transgression* de la loi se trouve justifiée par la *régression* que l'homme royal effectue vers la source de la légitimité. Dans la mesure pourtant où cette pratique supérieure de la maîtrise dépasse les possibilités humaines, Platon admet que la légalité juridique en demeure l'indispensable substitut, à condition d'être inspirée par le véritable politique (300 c).

C'est à ce moment de l'entretien que l'Etranger envisage une seconde classification des régimes, désormais distingués par le seul critère de la légalité. Il mentionne « six » constitutions désignées par « cinq » noms, en dédoublant cette fois la démocratie (301 b, « πέντε »; 302 c, « ἑξ ») : 1. La monarchie royale; 2. La monarchie tyrannique; 3. L'aristocratie; 4. L'oligarchie; 5. La démocratie légale; 6. La démocratie illégale (302 d-e). L'hésitation fortement marquée entre le nombre 5 et le nombre 6, qui rappelle le classement tout aussi équivoque des 5 ou 6 définitions préalables du sophiste, et annonce un glissement plus révélateur, dans un dernier dialogue que nous étudions plus bas, caractérise le tableau mêlé de régimes purs et de régimes déviés; il ne possède donc qu'une valeur descriptive. Si nous faisons au contraire retour à la « royale fonction d'entrecroisement » (τὴν δὴ βασιλικὴν συμπλοκήν) (306 a), où nous retrouvons à l'œuvre la συμπλοκή du *Théétète* et du *Sophiste*, peut-être discernerons-nous une dernière fois l'écho de la Pentade.

Le paradigme du tissage, qui domine le dialogue, impliquait jusqu'alors l'existence de trois éléments : le tisserand d'un côté, la chaîne et la trame de l'autre. Platon opère maintenant le dédoublement des deux matériaux, selon le critère de la rudesse ou de la douceur, afin d'obtenir les deux fils souples — divin et humain — de la trame, et les deux fils rugueux — également divin et humain — de la chaîne (309 b-c). Maître des *quatre* fils, comme la Loi Raisonnable des *Lois* l'est des quatre tractions de fer, le tisserand royal les assemble

pour ourdir l'étoffe souple et résistante de la cité véritable. Le nombre
nuptial conduit ainsi, secrètement, les alliances entre les êtres modérés
et énergiques, préside aux mariages humains, renforce le tissu politique, même s'il n'apparaît pas dans le dialogue lui-même.

4. *La genèse du Nombre Nuptial :*

La déchéance inéluctable des régimes politiques, chaque nouvelle
forme de gouvernement oubliant davantage l'être pour s'exiler dans
la négation et la mort, disons même cette *chute originelle*, provient de
la discorde née au sein de l'unité. Socrate hésite à accabler son gouvernement des meilleurs, mais doit finalement en convenir : tout
ce qui est plongé dans le devenir étant sujet à la corruption, le meilleur
régime connaîtra tôt ou tard l'altération, puis la dissolution, jusqu'à
ce que, tout en bas, grouille « la noble tyrannie », comme l'appelle
ironiquement Socrate.

L'origine de la rupture ne pouvait évidemment se trouver que
dans *la rupture de l'origine*, c'est-à-dire la perte du Nombre Nuptial.
Les Muses nous enseignent en effet, déclare avec gravité Socrate
(*Rép.*, VIII, 546 *a* - 547 *a*), que l'engendrement des hommes, comme
celui du Monde lui-même, est soumis à un « nombre géométrique »
(οὗτος ἀριθμὸς γεωμετρικός). Quand les gardiens de la cité n'obéissent plus à sa loi et marient jeunes gens et jeunes filles à contretemps,
ils entraînent sans le savoir la dégénérescence biologique et politique
de l'État. La communauté des trois races hésiodiques, enracinées
dans la même terre, se défait puis disparaît : naissent alors des enfants
dissemblables qui apportent la guerre et la haine. Penchons-nous
sur la *généalogie* de cette chute, et surtout sur la mystérieuse nature
d'un nombre qui détient « une telle vertu de commander aux bonnes
et aux mauvaises naissances » (546 *c*).

Il est exclu de reprendre ici l'historique des interprétations du
nombre nuptial dont le calcul complexe, assorti de significations
symboliques, a fasciné la tradition philosophique depuis les néo-
platoniciens. La magistrale étude de Diès suit pas à pas les grandes
étapes du progrès de la recherche « vers une interprétation *unifiée*

du nombre platonicien »[59] : Proclus, Alexandre d'Aphrodise, Hultsch, James Adam, Gustav Kafka — et Diès lui-même, qui pense avoir apporté l'unification définitive. On ajoutera aujourd'hui à tous ces exégètes Marc Denkinger qui semble bien, à son tour, avoir unifié de façon plus décisive encore l'ensemble des travaux précédents, à partir d'une méditation approfondie du système de Diès[60].

Avant de risquer notre propre essai d'interprétation, qui doit beaucoup à Diès et Denkinger, nous rappellerons le texte lui-même, dans la traduction du premier auteur, en soulignant au passage les différentes parties de l'énigme.

« (I) Pour la génération divine, il y a une période qu'embrasse un nombre parfait; (II) Pour celle des hommes au contraire : (A) c'est le plus petit nombre dans lequel certaines multiplications, dominatrices et dominées, progressant en trois intervalles et quatre termes, arrivent finalement, par toute voie d'assimilation ou désassimilation, croissance ou décroissance, à établir entre toutes les parties de l'ensemble une correspondance rationnellement exprimable; (B) leur base épitrite accouplée à cinq, multipliée trois fois, fournit deux harmonies, dont (C) l'une est faite d'un nombre également égal et de cent pris autant de fois, alors que (D) l'autre est faite, partie de facteurs égaux, partie de facteurs inégaux, à savoir de cent carrés de diagonales rationnelles de cinq, chacun diminué de un, ou de cent carrés de diagonales irrationnelles, diminués de deux, et de cent cubes de trois » (546 b-c).

Diès et Denkinger suivent la tradition et s'accordent pour distribuer le texte en deux sections inégales : (I) *le nombre parfait* de la génération divine; (II) *le nombre géométrique* de la génération humaine. Ils discernent ensuite, en cette seconde section, quatre parties liées à quatre types de calculs différents : le passage (A), qui définit le calcul des trois intervalles et des quatre termes; le passage (B), sur le calcul de la base épitrite; enfin les deux passages découlant du précédent, la première harmonie (C) et la seconde (D). En reprenant les

---

59. Diès, *Le Nombre de Platon*, p. 4.
60. Marc Denkinger, L'énigme du nombre de Platon, in *REG*, 68, 1955, pp. 38-76.

découvertes de Adam et Kakfa, Diès unifie élégamment les problèmes (B), (C) et (D), pour aboutir, après d'assez longs calculs[61],
à une solution identique dans les trois cas : le nombre 12 960 000.
Denkinger fait accomplir un grand pas à l'unification du problème
en montrant que le passage (A) ne doit pas être séparé des suivants,
et fournit à son tour le nombre recherché. C'est toujours, écrit-il,
« la même règle du jeu »[62] : utiliser seulement les nombres 3, 4, 5, en
les multipliant de diverses façons, qui commande et unifie les quatre
problèmes du nombre géométrique.

Il s'en faut cependant que le rébus soit totalement déchiffré,
encore plus qu'il reçoive un embryon de signification *philosophique*.
Les systèmes proposés, dont nous acceptons les solutions mathématiques, pèchent en effet sur quatre points : 1. Ils éliminent sans le
moindre remords la question du nombre parfait de la génération
divine (I); 2. Ils ne mettent pas en évidence la clef de l'ensemble des
dispositifs qui permet d'aboutir à chaque fois au nombre 12 960 000;
3. Ils ne manifestent qu'un médiocre intérêt envers la localisation
de l'énigme, à l'ouverture du livre VIII de la *République*; 4. Ils ne
proposent pratiquement pas d'interprétation philosophique du
problème. On notera avec curiosité le paradoxe constant de toutes
ces interprétations, qui met peut-être sur la voie d'une solution plus
simple et plus générale. Denkinger critique en effet Diès, comme
Diès lui-même critiquait ses prédécesseurs, comme Kafka à son tour
avait critiqué Adam, chacun reprochant aux autres de ne pas être
allés jusqu'au bout de leur propre logique et de ne pas avoir unifié
totalement le problème. Pourtant ces procès d'unification s'arrêtent
d'un commun accord au seuil de la *première énigme* (I), et ne soulèvent
pas cette question anodine : si Platon avait eu pour seul but d'exposer
les calculs complexes auxquels se trouve assujetti le nombre de la
génération *humaine*, pourquoi aurait-il fait commencer le discours

61. (B) La base (3×4) accouplée avec $5 = 60$, et multipliée 3 fois, soit $(3 \times 4 \times 5)^4 = 12\,960\,000$; (C) $(36 \times 36) \times (100 \times 100) = 1\,296 \times 10\,000 = 12\,960\,000$; (D) $(48 \times 100) \times (27 \times 100) = 12\,960\,000$.
62. DENKINGER, *op. cit.*, p. 51.

des Muses par une allusion plus mystérieuse encore au « nombre parfait » (ἀριθμὸς τέλειος) de l'engendrement *divin* ?

Admettons que les deux nombres diffèrent, comme l'humain se distingue du divin : est-on autorisé à les envisager à part l'un de l'autre, alors précisément que le texte platonicien les rapproche ? La tradition connaît pourtant la liaison permanente des deux ordres de réalité que Platon, héritier des spéculations pythagoriciennes, renforce à tout moment par la loi universelle de l'Analogie. Il serait pour le moins surprenant que l'*égalité géométrique* qui rassemble le Ciel et la Terre, les Hommes et les Dieux, joue dans tous les domaines du Cosmos, sauf précisément dans celui de la génération ! Oublierons-nous la correspondance essentielle que le *Timée* instaure entre l'âme de l'homme et l'Ame du Monde, le corps de l'univers et son modèle divin ? Bref, sommes-nous en droit de séparer, dans le discours sacré des Muses, le « nombre parfait » et le « nombre géométrique », et de méconnaître le fait que, pour Platon comme pour Pythagore, *la perfection s'exprime par un nombre géométrique* ? Ces deux nombres qui président aux engendrements, n'auraient-ils pas, à leur tour, *un engendrement commun* ?

Nous unifierons la totalité de l'énigme platonicienne en avançant que la période divine embrassée par le nombre parfait s'exprime par la vertu du nombre 5, qui gouverne en même temps la constitution du nombre humain. Trois preuves indirectes en font foi — une quatrième, à nos yeux décisive, interviendra à son heure, quand nous analyserons le mythe platonicien qui présente le rapport le plus originaire avec le mystère du nombre nuptial.

1. Comme tous les commentateurs, nous partirons du nombre humain, pour essayer cette fois de faire retour au nombre divin. Sa puissance d'engendrement n'est pas sans évoquer la Pentade pythagoricienne, symbole de Santé, d'Amour, et de Génération, que la tradition nommait *nuptiale*. Il serait singulier que sa puissance se limite à la seule génération humaine, alors qu'elle est le nombre d'Aphrodite et de Zeus. Or, si nous envisageons dans le détail les données des quatre problèmes proposés, nous devrons convenir que le nombre 5 joue le rôle majeur dans la construction des diverses

formulations de l'énigme. C'est en effet l'intervention de l'hypoténuse 5, dans le triangle rectangle parfait (ou triangle de Pythagore),
qui permet de construire le premier calcul dont tous les autres dérivent. On sait depuis l'Antiquité — Plutarque y revient à maintes
reprises[63] — que l'expression obscure « certaines multiplications,
dominatrices et dominées » concerne l'*union* de l'hypoténuse (5) du
triangle rectangle et des deux côtés opposés (3 et 4), sous la forme
du produit : $3 \times 4 \times 5$. Et Alexandre d'Aphrodise, dans un texte
capital remarqué par Zeller et souligné par Diès, avait signalé que
l'hypoténuse, parce qu'elle possède un carré égal (5^2) à la somme des
carrés des deux autres côtés ($3^2 + 4^2$), prenait le nom d' « *invincible* »
(ἀνικία) chez les pythagoriciens[64]. Les côtés de l'angle droit sont dits
alors « dominés », alors que l'hypoténuse tient dans cette figure le
rôle de « dominatrice ». Hésiterait-on, avec Adam, à admettre ce
terme d'ἀνικία, peu attesté, pour lui substituer celui d'ἀνεικία, que
nous serions alors en présence de la « *concorde* » — qui était précisément, selon Nicomaque de Gérase, le nom du nombre *Cinq* !

Le calcul suivant procède de la même règle du jeu. Il s'agit en
effet, et pour la première fois son nom est explicitement prononcé,
d' « *accoupler à la pentade* » (πεμπάδι συζυγείς, 546 *c*) la base épitrite
(entendons le rapport des nombres 3 et 4), avant d'élever le produit
obtenu à la quatrième puissance. On en tire ensuite une première
harmonie, puis une seconde qui nomme une nouvelle fois la pentade,
car elle s'obtient à partir de « cent carrés de diagonales rationnelles
de 5 » (ἀπὸ διαμέτρων ῥητῶν πεμπάδος, 546 *c*). Que l'on parte donc
du problème A ou du problème B, on constate dans les deux cas le
rôle moteur joué par la pentade, dominatrice et invincible. Sa domination s'arrêterait-elle au seul domaine du nombre humain ?

2. La profusion d'indications dont est pourvu le nombre humain

---

63. PLUTARQUE, *Sur Isis et Osiris*, § 54, déclare que Platon s'est « servi de ce triangle
pour construire son nombre nuptial »; § 56 : les Egyptiens assimilaient l'univers au triangle
rectangle 3, 4 et 5, « le plus beau des triangles », dont PLATON s'est servi dans la *Rép.*
Cf. *De la procréation de l'âme*, 1017 *c*. Cf. JAMBLIQUE, *Vie de Pythagore*, 130-131, sur le
rapport entre le 5 et la meilleure constitution politique chez Pythagore et Platon.
64. ALEXANDRE D'APHRODISE, in *Mét. Arist.*, 75, 20-26 : « τήν τε πέντεαδα ἀνικια
ἔλεγον. »

fait un étrange contraste avec la discrétion qui entoure le nombre divin, pourtant de plus grande efficace. La malice platonicienne consiste sans doute à exhiber deux fois la pentade, là où on ne l'attend pas, mais à se taire sur sa nature première. Telle est, selon nous, l'énigme réelle. A la différence de la génération humaine, la génération divine doit s'identifier au nombre le plus *simple* possible, afin de sauvegarder son inaltérabilité. Or la tradition pythagoricienne ne consacrait aux divinités aucun nombre au-delà de la Décade, parce qu'ils ne sont pas originels, mais bien les dix Nombres Idéaux. Nous savons par ailleurs que la Pentade, moitié de la Décade qu'elle *engendre*[65], était qualifiée de « nuptiale » par les pythagoriciens, et que son symbole géométrique, le Pentagramme, n'était connu que des seuls initiés. Pourquoi alors s'égarer en ces pénibles calculs sur la nature controversée du nombre humain, sans songer à redonner au chiffre de la divinité le rang qui lui est dû ? Si le nombre géométrique est issu du triangle aux côtés 3, 4 et 5, et si ce triangle est lui-même « dominé » par son hypoténuse, nous devons en conclure que le nombre cherché prend sa source dans la pentade. Dans la mesure où, pour former un nombre humain nécessairement *imparfait*, la pentade « marie » (συζυγεὶ) les côtés du triangle rectangle et gouverne l'ensemble des calculs que le produit obtenu engendre, on doit supposer que le nombre *parfait* divin, vierge de tout mélange, n'est autre que la Pentade elle-même.

3. On ne négligera pas, enfin, un point essentiel : le discours des Muses sur le nombre nuptial se situe, au fil d'une enquête sur la nature de la Justice, au moment même où Socrate va exposer la correspondance des *cinq* régimes politiques et des *cinq* tempéraments humains. La présence de la pentade, en cet endroit précis du texte, manifeste donc la transition entre la description de la cité juste et la classification des 5 régimes qui vont précisément s'*engendrer* les uns les autres. La pierre angulaire de la *République*, qui justifie notre interprétation de la pentade comme nombre divin nouant à la fois le nombre parfait et le nombre géométrique, la nature de la justice et

---

65. PLUTARQUE, *De E...*, *op. cit.*, 10 *c-d* : « Le nombre 5, (...) tantôt se reproduit lui-même comme le feu, tantôt forme le nombre 10 comme le feu donne naissance à l'univers. »

l'ordre des constitutions politiques, nous la trouvons dans la théorie
pythagoricienne qui *identifiait la Justice et le Nombre Cinq*. Rappelons
l'exposé de Jamblique : la justice est « *le pouvoir d'accorder ce qui est
égal et ce qui revient (à chacun), pouvoir qui réside dans la moyenne d'un
nombre carré impair* »[66]. Si l'on prend en effet la suite des neuf premiers
nombres, additionne et divise la somme (45) par le nombre des chiffres
qui la composent, on obtient cinq comme quotient. Armand Delatte
commente ainsi l'opération : « On peut comparer cette série de
nombres à une balance. 1 2 3 4 correspondent à l'un des bras du
fléau qui s'élève à cause de sa légèreté; 6 7 8 9 représentent l'autre
bras, que son poids fait s'abaisser. 5 est le trou du fléau, où passe la
chaîne qui sert de poignée, et qui reste toujours dans la même position, symbole de l'égalité et de l'invariabilité »[67]. Quant à Proclus,
il ne manque pas de relever, dans son *Commentaire sur la République*,
que « la pempade est le symbole sacré de la justice, comme étant la
seule qui divise en parties égales les nombres de 1 à 9 »[68].

L'énigme platonicienne repose ainsi sur une double dissimulation.
D'un côté les Muses évoquent le nombre parfait des dieux, sans le
nommer ni donner d'indications pour le calculer; de l'autre, elles
nous égarent au carrefour du nombre humain, dont les quatre voies
retrouvent l'hypoténuse 5, mais en nous laissant le soin de reconnaître la généalogie de ce nombre. En termes platoniciens, on pourrait
dire ce dernier, par la grâce de sa « dominante », mais aussi bien
de sa « concorde », *imite* le nombre divin, inaltérable et pur. Et
peut-être trouve-t-on là, par-delà ses plaisanteries ou ses énigmes,
l'intention secrète de Platon : révéler aux hommes que leur décadence, dans leur progéniture comme dans leurs institutions, naît de
l'oubli du Nombre Paradigme vers lequel les gardiens ne tournent

---

66. JAMBLIQUE, cité *in* DELATTE, *Essai sur la politique pythagoricienne*, p. 69.

67. DELATTE, *ibid.*, pp. 68-69. Cf. *Theolog. arith.*, 27, et JAMBLIQUE, *In Nic. arith.*, 16,
qui nous apprend que la Pentade était appelée « Némésis » (40, 19). Cf. encore PLUTARQUE,
Questions de table, VIII, 2 : « C'est là ce qu'on a personnifié sous les traits de Dicé et de
Némésis; et cette leçon nous apprend qu'il faut déterminer l'égalité par la justice et non la
justice par l'égalité » (à propos de l'égalité géométrique identifiée à la Justice).

68. PROCLUS, *Comm. Rép.*, XIII, 53-54, II, p. 161. Cf. XIII, 22, 10-11; II, p. 126.

plus les yeux, hypnotisés qu'ils sont — qu'ils restent encore après vingt-cinq siècles — par les déroutants calculs et la magie d'un nombre humain, trop humain.

5. *Le mythe de la Genèse :*

Il aurait été surprenant que le chiffre de la Justice n'intervînt pas dans les grands mythes platoniciens de la destinée de l'âme, et dans le seul grand mythe — le plus beau de Platon sans doute — qui unit en un même récit la génération biologique et la fondation politique rapportée à un dieu. Nous n'envisagerons pas l'ensemble des mythes eschatologiques, et nous bornerons à rapprocher les trois *Nekya* du *Gorgias*, de la *République* et du *Phédon*, qui exposent la destinée finale des morts après leur jugement. Socrate enseigne dans le *Gorgias* comment Zeus institua le jugement des morts en confiant à ses propres fils, Minos, Rhadamante, Eaque, le soin de prononcer les sentences divines. Les trois juges siègent dans une *Prairie* (λειμών), « au carrefour d'où partent les deux routes qui mènent l'une aux Iles Fortunées, l'autre au Tartare » (524 *a*). Les morts arrivent, par deux autres routes, les uns d'Asie, pour être jugés par Rhadamante, les autres d'Europe, pour être jugés par Eaque. On ne s'étonnera pas

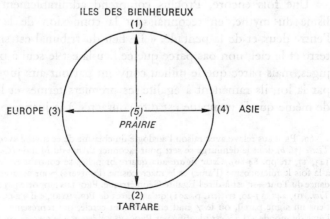

Topographie du *Gorgias*

de découvrir, centrée autour de la prairie sacrée, la *topographie de la Justice* exposée selon une distribution pentadique, en un dialogue qui dévoile précisément la nature de l'Egalité géométrique.

Ces quatre dimensions cardinales se retrouvent, avec une géographie différente, dans le mythe d'Er au dernier livre de la *République*. En un lieu merveilleux (τόπον τινὰ δαιμόνιον, 614 *c*) où les âmes viennent subir leur jugement dernier, deux ouvertures terrestres contiguës font face à deux ouvertures célestes correspondantes. « Entre ces doubles ouvertures (μεταξύ) siégeaient des juges ; dès qu'ils avaient prononcé leur sentence, ils ordonnaient aux justes de prendre à droite la route qui montait dans le ciel, après leur avoir attaché par-devant un écriteau relatant leur jugement, et aux criminels de prendre à gauche la route descendante, portant eux aussi, mais par-derrière, un écriteau où étaient marquées toutes leurs actions » (614 *c-d*). Cet espace hiérarchisé oppose donc les deux routes de *droite*, toujours bénéfiques, qui *montent* des Enfers à la Prairie et de la Prairie vers les Cieux, aux deux routes de *gauche*, à jamais maléfiques, qui *descendent* du Paradis vers la Prairie et de la Prairie vers les Enfers. Comme Hestia repose en son foyer, au carrefour des quatre routes ouvertes par Hermès, DIKE, immobile au centre du *chiasme* (χ), gouverne les quatre voies de la Justice[69].

Une fois encore, Proclus comprend admirablement le symbolisme du mythe, en reconnaissant la connexion de la justice, de l'entre-deux et de la pentade. « Le lieu du tribunal est situé entre la terre et le ciel, non pas parce que ce lieu-là est le seul à posséder des juges, mais parce que le milieu convient partout aux juges, puisque, par la loi, ils ramènent à égalité les premiers termes et les derniers, de même que la pempade est dite consacrée à la justice parce qu'elle

---

69. PROCLUS relève avec raison l'analogie du chiasme de ce mythe avec le chiasme du *Timée* (36 *b*) dont le démiurge se sert pour façonner l'Ame du Monde (*Comm. Rép.*, XVI, 143, 17, tr. pp. 84-86). Cette figure aux quatre branches se coupant en leur centre relie à la fois le microcosme (l'âme) et le macrocosme (l'univers) pour assurer la Correspondance du Tout — c'est-à-dire l'Egalité Géométrique. PROCLUS rapporte par ailleurs (*Comm. Tim.*, III, 247, 17-20, tr.; III, p. 291) qu'aux dires de PORPHYRE, « il y a eu chez les Egyptiens un signe pareil, où le χ était entouré d'un cercle, qui représentait le symbole de l'âme du monde ». Le χ est identifié par PROCLUS à l'*âme* et à la *pentade*, car « la pempade a force conversive vers elle-même » (*Comm. Tim.*, III, 236, 15, tr. p. 281).

tient le milieu entre l'énnéade et la monade »[70]. Aussi doit-on identifier ce *lieu démonique*, Prairie ou Carrefour, avec le Milieu du Monde
dont l'élément est l'éther : entre Ciel et Terre, Hommes et Dieux,
le cœur du Chiasme est le point de départ de la génération comme le
terme de la vie des âmes. En lui, le temps du Monde clôt son mouvement de retour éternel.

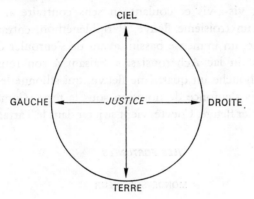

Topographie de la *République*

Après le Jugement, sonne l'heure du Destin pour les âmes qui
doivent se réincarner. Lorsqu'elles ont passé sept jours dans la
Prairie, elles se mettent en route pour un voyage de *quatre* jours qui
les amène, *au cinquième*, devant une merveilleuse lumière, étincelante
et pure, dressée comme une COLONNE (616 *b*), et qui enchaîne
le Ciel à la façon des amarres des vaisseaux. C'est en ce dernier jour,
but ultime du voyage initiatique, que se joue enfin, sous le regard
des Moires, l'existence entière de l'âme, et que s'accomplit le cycle
des palingénésies : l'eau du fleuve Amélès apportera bientôt à tous la
divine mesure de l'oubli, avant qu'en un *éclair* (ἐξαπίνης, 621 *b*), les
âmes entrent dans leurs nouveaux corps et s'élancent, à la vitesse des
étoiles, vers le monde supérieur.

Ces deux mythes eschatologiques, dont l'analogie de structure

70. PROCLUS, *Comm. Rép.*, XV, 93, 14-18, tr. p. 34. Cf. XVI, 132, 13-17; 133, 9-10;
132, 25-133; 136, 21-26; 139, 16-18, etc.

est évidente, se trouvent complétés, dans le *Phédon*, par le récit minu-
tieux des voyages souterrains auxquels sont contraintes les âmes des
pécheurs. La géographie infernale de ce texte isole soigneusement,
parmi les nombreux courants souterrains, un certain groupe de
quatre, opposés deux à deux autour du lac Achérousias. Le plus
important d'entre eux, l'Océan, forme un couple avec l'Achéron,
« lui faisant vis-à-vis et coulant en sens contraire ». Débouchant
du Tartare, un troisième fleuve, Pyriphlégéthon, entraîne ses laves
boueuses vers un immense bassin, avant de s'enrouler dans la terre,
en direction du lac Achérousias. « Faisant à son tour vis-à-vis à
celui-ci » débouche un quatrième fleuve, qui sillonne le glacial pays
du Styx, puis s'enfonce de nouveau sous la terre. Comme le précédent, ce dernier fleuve, Cocyte, vient se jeter dans le Tartare, à l'opposé

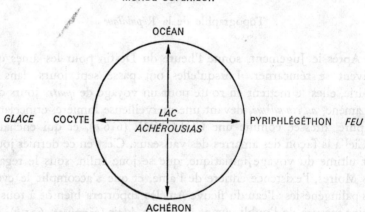

Topographie du *Phédon*

du Pyriphlégéthon. Les deux couples de courants se distribuent donc symétriquement autour du lac Achérousias, et dessinent la figure du τόπος δικαῖος en fonction des trajets que chacun des quatre impose aux défunts comme sanctions.

En regard de ces cinq lieux souterrains, le jugement des morts répartit les âmes en cinq catégories distinctes : celles dont la vie fut juste parviennent sur le dessus de la terre et constituent deux classes : (1) Les philosophes, qui goûtent à la pure spiritualité ; (2) Les âmes des gens de bien, étrangères à la méditation. Parmi les âmes fautives, Socrate sépare (3) Les pécheurs à la vie moyenne qui connaîtront, au lac Achérousias, les sanctions proportionnées à leurs mérites ; (4) Les auteurs de crimes graves, qu'il est encore possible d'amender au fil du Cocyte et du Pyriphlégéthon ; enfin (5) Les criminels aux fautes inexpiables seront engloutis à jamais dans le Tartare (113 d - 114 c).

La Pentade ne remplit pas l'unique fonction d'ouvrir l'espace sacré des trois grands récits eschatologiques. Elle joue un rôle plus initial encore en unissant les thèmes de la généalogie, de la topographie divine et de la justice, dans le plus fascinant des mythes fondateurs de Platon : l'*Atlantide*.

Critias rapporte en effet, dans le dialogue qui porte son nom, les circonstances de la fondation par Poséidon de la cité merveilleuse. Ayant obtenu en partage la mer, région intermédiaire des cinq parties de l'univers que distinguait Homère, et dans celle-ci l'île Atlantide, Poséidon s'unit à une jeune mortelle, Clito, sur la montagne centrale de l'île. Il établit ensuite en ce lieu une acropole, solide forteresse constituée « de véritables roues de terre et de mer, deux de terre et trois de mer, comme si, à partir du centre de l'île, il eût fait marcher un tour de potier » (113 d).

Cette fondation de la cité sacrée en son espace circulaire correspond exactement à l'engendrement de la lignée divine que les cinq enceintes ont fonction de protéger. « Après avoir cinq fois donné naissance à des jumeaux mâles et avoir élevé ces dix enfants qu'il avait engendrés, (Poséidon) partagea en dix portions la totalité de l'Ile Atlantide et attribua au premier-né des plus âgés de ces jumeaux la résidence maternelle, avec le lot de terre qui entourait celle-ci et qui était le plus étendu et le meilleur, et il l'établit roi sur tous les autres » (113 e - 114 a). *Atlas* donna son nom à l'île tout entière, puis à l'océan dans lequel elle était située. Proclus commente ainsi le symbolisme de ce texte : « « Dix rois » la détiennent (la puissance), parce que la décade embrasse les termes recteurs des deux séries, comme le disent les pythagoriciens, selon qui toutes choses sont comprises par la décade des opposés. Ils sont « jumeaux », de telle façon qu'il y a cinq paires, des jumeaux étant issus cinq fois de Poséidon et de Clito, parce que d'une part, selon les mesures de Diké, l'organisation cosmique appartient aussi à cette série dont la pentade est l'image, et que d'autre part cette série procède au moyen de la dyade, de même que la série meilleure au moyen de la monade »[71].

Il paraîtra sans doute moins hasardeux maintenant d'identifier le « nombre parfait » des Muses, présidant aux générations divines de la *République*, avec le Πέντε Γάμος. Le *Critias* donne la réponse à l'énigme précédente, et multiplie les échos de la Pentade dans la topographie de l'île divine. La montagne se trouve à cinquante stades du milieu de la plaine (113 c); l'îlot circulaire consacré à Poséidon, où seront construits le Palais Royal et son temple, possède un diamètre de cinq stades (116 a), et reste séparé de la mer par les cinq enceintes de terre et d'eau; le rempart circulaire entourant le plus grand port est à cinquante stades de la cinquième et plus vaste enceinte (117 e); enfin l'étendue de chaque district est de dix stades sur dix (119 a).

Il s'en faut de beaucoup, pourtant, que ces échos répétés laissent intacte la pureté du nombre divin. Robert S. Brumbaugh a définitivement établi que le nombre *six* se mêle au nombre *cinq*, nous pourrions même dire le contamine, dans l'ensemble des mesures affectant l'île. « All the other numbers and measurements cited, however casually, are (except one) either *(a)* multiples of 6 or 5; or *(b)* parts of a sum, product, or ratio which in its entirety is a multiple of 6 or 5; or *(c)* 6 or 5 »[72]. Tout se passe comme si le destin de la lignée divine était

---

71. PROCLUS, *Comm. Tim.*, I, 182, 11-19, tr. I, p. 238.
72. R. S. BRUMBAUGH, *Plato's mathematical...*, p. 49. La plaine centrale mesure 6 millions de stades, les canaux d'irrigation sont construits selon le rapport 6:1, les 3 enceintes

d'oublier le principe de sa généalogie, et de confondre alors l'hexade et la pentade. Brumbaugh relève à bon droit l'incroyable ignorance mathématique des rois atlantes qui en viennent à se réunir pour délibérer sur les affaires communes, « parfois au bout de cinq ans et parfois au bout de six ans, faisant ainsi la part égale au pair et à l'impair » (119 d), confondant le produit du premier pair et du premier impair avec leur somme. La responsabilité du désordre, manifesté par la perversion des institutions, puis par la disparition de ce peuple, ne provient pas du désir de richesses des Atlantes ou de l'éloignement des commandements de leurs ancêtres. Au contraire, nous enseigne le mythe, *la décadence est initiale*, du fait de la liaison sacrilège, au centre de l'île, du Pair et de l'Impair, ou, si l'on préfère, de l'homme divin et de la femme mortelle. La mésalliance se trouve aussitôt symbolisée par l'apparition des *deux sources*, d'eau chaude et d'eau froide, que Poséidon fait jaillir à l'endroit même où il s'unit à Clito. La première naissance témoignera, en regard, de cette dualité, avec l'apparition de *jumeaux* qui se renouvellera à quatre reprises encore, comme si la dyade humaine résistait jusqu'au bout à l'emprise de la pentade, ou de la monade, divine.

Ce thème traditionnel des mythes, justement relevé par Proclus dans sa *Théologie platonicienne*[73], met en lumière l'absolue incompatibilité de l'*hexade* et de la *pentade*, dont Platon semble faire un usage régulier. Nous avons déjà fait ressortir l'ambiguïté des premières classifications du *Sophiste*, hésitant entre cinq ou six définitions, du *Politique*, glissant de cinq régimes nominaux à six constitutions réelles, comme encore du *Philèbe*, réduisant à la pentade les six composantes de la vie mixte. La parité de l'hexade, sa prétention à imiter la

---

d'eau ont 6 stades de large et les 2 enceintes de terre 2 stades. Brumbaugh aurait pu encore ajouter les 60 000 districts, le 6e des chars de combat à fournir pour chaque chef de détachement, les 1 200 vaisseaux — et surtout la statue d'or consacrée au dieu par ses descendants : Poséidon conduit, debout, son char attelé de *SIX* chevaux ailés (116 d). La notation, ici, est sacrilège, puisque l'*hexade* pénètre ainsi dans le sanctuaire de la *pentade*.

73. PROCLUS, *Théol. platon.* : « La cause de l'élément supérieur et plus marqué par le caractère de l'Un dans un être, est paternelle (...) la cause de l'élément inférieur et plus particulier préexiste en qualité de mère; car, chez les dieux, le père est analogue à la monade et à la cause de la limite, et la mère, à la dyade et à la puissance sans limite qui peut engendrer les êtres » (I, 28, 68 5-10, tr. I, p. 122).

pentade qu'elle suit immédiatement, en substituant le *produit* de leurs facteurs *communs* (2 et 3) à leur *somme*, témoigne symboliquement de la présence du mal et de l'illusion. Platon rencontre une nouvelle fois Homère : au chant XX de l'*Iliade*, la colonne supérieure des dieux qui protègent les Achéens comprend Héra, Pallas Athéné, Poséidon, Hermès et Héphaistos, soient cinq divinités, alors que le clan inférieur, lié aux Troyens, compte Arès, Phoebus-Apollon, Artémis, Létô, le Xanthe et Aphrodite, donc six divinités. Il ne sera pas alors superflu d'avancer qu'à travers l'hexade, c'est la matérialité qui met en nous l'oubli[74].

Là se situe l'équivoque profonde de l'Atlantide, politique et biologique tout autant qu'arithmétique : *un seul* roi doit régner, s'il veut rester fidèle à la mémoire du dieu son père, alors que *deux* frères naissent de *la même* fécondation. La côte mal taillée des rencontres politiques paires ou impaires témoigne du trouble attaché à la gémel-léité, laquelle, à son tour, reflète l'union fautive. La *duplicité* accordée ainsi par Platon à l'incertain balancement pair/impair, cinq/six, nous paraît reproduire, au niveau du mythe, le danger sophistique de la *duplication*, beaucoup plus inquiétant que celui de la seule alté-rité[75]. Aussi Critias peut-il compléter son récit. Tant que dominèrent en eux la nature paternelle et le « fondement divin de leur mutuelle parenté » (120 *e*) — comprenons le nombre nuptial — la législation des Atlantes demeura parfaite et ils pratiquèrent la justice. « Mais quand vint à se ternir en eux, pour avoir été mélangé, et maintes fois, avec maint élément mortel, le lot qu'ils tenaient du dieu » (121 *a*)

---

74. PROCLUS n'aurait garde de ne pas spéculer sur le symbolisme des deux nombres, à propos des théomachies d'Homère : « De ces 11 (dieux), les uns qui président à la colonne la meilleure sont liés à la *pentade*, car l'impair, le sphérique, le fait de conduire toutes les choses inférieures avec justice et de s'étendre du centre à la somme entière sont propres à ceux qui veulent se saisir des réalités plus intellectives, plus parfaites et issues de l'Un — les autres, qui prennent soin de la portion inférieure, celle des êtres matériels, ont fait pro-cession selon l'*hexade*, eux qui (...) par le pair et par la coordination avec la nature inférieure restent en arrière des précédents » (*Comm. Rép.*, VI, 94, 14-25, tr. I, pp. 111-112).

75. P. VIDAL-NAQUET (Athènes et l'Atlantide, in *REG*, 77, 1964) interprète la structure du mythe comme celle « du déploiement de l'ἄπειρον, de l'altérité » (p. 437). L'explication ne tient pas suffisamment compte de l'ambiguïté du récit, écartelé entre le 5 et le 6, le Pair et l'Impair, le Divin et l'Humain, mais touche juste : « Celui qui quitte l'île centrale entre rapidement dans le monde de la duplication » (p. 438).

— entendons la substitution du nombre maternel, six, à celui du père — le caractère humain effaça peu à peu la lignée initiale. Le Cinq, imprimé dans l'espace et le temps, dessine la théophanie de Poséidon, à partir de l'îlot central dans lequel le dieu célébra son hymen. En protégeant le lieu inviolable « enclos par une clôture d'or » (116 c), la parole du mythe fait retour au principe ontologique de l'ἀρχή pour sauver le monde de la longue peine de l'oubli.

Mais, au cœur de l'enceinte sacrée, l'origine *se tait*.

Lorsque les Atlantes, à l'âme désormais dissonante, se montrèrent incapables de rester à l'écoute de leur propre origine, le Dieu des dieux, conclut Critias, fit venir toutes les divinités *au centre de l'univers*

« et, les ayant rassemblées, il dit
« καὶ συναγείρας εἶπεν

Sommes-nous aujourd'hui plus disposés que les Atlantes et les Athéniens, qui n'en comprirent pas le secret, à vouloir recueillir cette parole de *silence* ?

’Αναγκαῖον γάρ, εἰ μέλλει τις ἡμῶν καὶ τὴν
ὁδὸν ἑκάστοτε ἐξευρήσειν οἴκαδε.

« C'est inévitable, si nous voulons retrouver, à chaque fois, le chemin de chez nous. »

(*Philèbe*, 62 *b.*)

CINQUIÈME PARTIE

Le temps du retour

CHAPITRE PREMIER

LA DÉRIVE

> « Partout Hippias triomphe, même et
> déjà dans Platon, Hippias qui récusait l'es-
> sence. »
>
> (Gilles DELEUZE, *Différence et Répétition*, p. 244.)

I

Les Prétendants

Comme un homme qui arrive enfin, après une longue errance, au
pays civilisé de ses pères[1], nous croyons pouvoir goûter sans regret
à la terre natale ; mais il faut dissiper l'illusion rassurante de toucher
au terme de la recherche : le gibier aux incessantes métamorphoses,
aussi rusé que le Vieux de la Mer chanté par Homère, échappe à nos
prises et se retourne contre nous, nous arrachant aux rives où nous
touchions déjà. Peut-être faudrait-il plus que « les peaux de quatre
phoques, fraîchement écorchés »[2], pour que l'Etranger parvienne à
s'approcher du Dieu qui retient Ménélas et assure la victoire de la
Dissimulation sur la houle des fantasmes. Peut-être n'y a-t-il plus
aujourd'hui de grotte consacrée aux Nymphes ou de sanctuaire voué
au Silence, si la vacuité du signifiant a gagné, de proche en proche,
toute la surface du discours et donné ainsi naissance à la *modernité*.
Pourquoi tendre l'oreille vers Platon, puisque Hippias, Gorgias ou

---

1. PLOTIN, *Ennéades*, V, 9, 1.
2. HOMÈRE, *Odyssée*, IV, 435-436. Ménélas et ses compagnons se dissimulent sous les
peaux des bêtes marines pour triompher du dieu des métamorphoses qui les retient à
Pharos et leur interdit le retour.

Prodicos ont finalement eu le dernier mot à travers Foucault, Lacan ou Derrida ? « Le monde moderne est celui des simulacres » nous lance-t-on de toutes parts[3]. Donnons-leur alors la parole afin de défendre « la cause du loup » (*Phèdre*, 272 c), ou suivons plutôt les grâces de leur écriture. Interrogeons, car il faut bien se choisir un adversaire, celui qui a su donner au vieux débat entre la philosophie et la sophistique une allure que nous ne jugerons pas indigne de leurs premiers affrontements.

Nous ne nous tromperons pas beaucoup en considérant Gilles Deleuze comme la moderne *réplique* de Protagoras. A l'image du grand sophiste d'Abdère, Deleuze introduit dans le discours des simulacres un brio rhétorique et une virtuosité hautaine que l'on pourrait qualifier d'aristocratiques. Καταβάλλοντες λόγοι : ses discours sont « terrassants », « écrasants », à force justement de se vouloir *superficiels*[4]. Une grandiose mise en scène des fantasmes sur le théâtre ruiné de l'ontologie et une orgie contrôlée de métamorphoses au cœur du « devenir-fou » renouvellent avec bonheur les intuitions protagoratiennes du *Théétète*. Il faut subvertir et ruiner la vieille pensée de l'intérieur, en pulvérisant ses velléités de *fondation* et en interdisant le chemin du *retour*. *Il faut enfin savoir ce que détruire veut dire.* En ce sens, quand il met en cause la philosophie platonicienne, Deleuze va beaucoup plus loin que les professionnels de l'humanisme sophistique. Alors que ces derniers restent encore prisonniers d'une pensée de l'Initial, Deleuze démonte les ruses ultimes du vieux substantialisme, disloque indifféremment identité et origine, modèle platonicien et *cogito* cartésien, renverse le platonisme, et, avec lui, toutes les figures — arbre, montagne, fil, ciel, racine — qui méditent éternellement le souvenir de la Maîtrise. *Rhizome* dit-il : ne pas faire racine, ne pas semer ni même disséminer, mais oublier, fuir la reconnaissance, celle du sens et du livre d'abord, éviter le retour, la réflexion, l'identité. Atteindre, comme on dit, le point de non-retour, « au

---

3. DELEUZE, *Diff. Rép.*, p. 1.
4. Καταβάλλοντες λόγοι : tel aurait été le nom des réfutations de Protagoras, selon SEXTUS-EMPIRICUS (*Contre les logiciens*, 1, 60).

point où ça n'a plus d'importance de dire ou de ne pas dire je »[5]. Ceux qui voient en l'Ange le double de ce monde et son reflet sophistique sauront retenir la leçon : « Toute pensée devient une agression »[6]. S'il est vrai que Platon, dans le *Sophiste*, dessinait en creux le visage du Philosophe, c'est à Deleuze qu'il reviendrait, bien plus tard, d'offrir, avec *Différence et répétition*, une sorte de *Philosophe* qui met en lumière l'inquiétante figure du Sophiste.

Le fond d'où sourd la violence deleuzienne ne demeure pas étranger à la question initiale de la pensée platonicienne : la compétition entre les prétendants. « Le platonisme est l'*Odyssée* philosophique; la dialectique platonicienne n'est pas une dialectique de la contradiction ni de la contrariété, mais une dialectique de la rivalité *(amphisbétésis)*, une dialectique des rivaux et des prétendants »[7]. C'est cette motivation platonicienne que Deleuze rejette au profit d'une nouvelle pensée, différentielle et répétitive, faite de glissements, d'esquives et de dérives, qui demeure curieusement liée à ce qu'elle prétend supprimer. L'inversion deleuzienne ne change en rien la question platonicienne : *qui doit régner ?* Elle retourne seulement la prétention du prétendant (le simulacre) contre la source de la prétention (le modèle), et dénie au philosophe le droit d'*accuser*, de ses catégories ontologiques, une réalité désormais ravagée par les éclats chaotiques du langage. Si le modèle n'existe pas, tout est permis, et d'abord d'interdire à une telle *illusion* de réprimer l'essor des *simulacres* ! De l'aveu même de ses laudateurs, la modernité a horreur du vide : la *place vacante* du pouvoir excite ses obscures convoitises; tel est le non-lieu de l' « instance paradoxale » qui définit le fascinant désir de la modernité. « Il faut dire qu'elle n'est jamais où on la cherche, et inversement, qu'on ne la trouve pas là où elle est. Elle *manque à sa place* dit Lacan. Et, aussi bien, elle manque à sa propre identité, elle manque à sa propre ressemblance »[8]. Platon nommait ce

---

5. DELEUZE-GUATTARI, *Rhizome*, p. 7. Cf. pp. 8 et 9.
6. DELEUZE, *Diff. Rép.*, p. 3.
7. DELEUZE, *Log. sens*, p. 348.
8. DELEUZE, *ibid.*, p. 57. Cf. LACAN, *Ecrits*, I, p. 25. Ce que Deleuze nomme avec vénération « paradoxe de Lacan » n'est autre que le vieux paradoxe du sophiste (ou

blanc qui se *dérobe* à l'argumentation une ἄπορον εἶδος, « forme
sans passage » (*Soph.*, 236 *d*); nous l'appelons, avec plus de bonheur,
« structure ». La structure se déplace entre les séries hétérogènes des
signifiants, doublures où l'excès de l'une répond au défaut de l'autre,
selon les rapports changeants produits par la case vide et circulante;
elle destitue le sens hiérarchisant, étale la multiplicité des événements
sériels à la surface de l'échiquier, et rencontre un sens/non-sens,
« non pas du tout comme apparence, mais comme effet de surface et
de position, produit par la circulation de la case vide dans les séries
de la structure (place du mort, place du roi, tache aveugle, signifiant
flottant, valeur zéro, cantonnade ou cause absente, etc.) ».

Deleuze reproche au platonisme régnant son dessein le plus
profond — ou le plus *haut* : trier, distinguer, sélectionner les nombreux
compétiteurs en fonction du modèle diacritique. « Il s'agit de faire la
différence. Distinguer la « chose » même de ses images, l'original et
la copie, le modèle et le simulacre »[9]. Le contre-projet de la modernité,
nulle part aussi efficace que chez Deleuze, veut traquer cette motivation, assurer le triomphe des simulacres sur les modèles et les copies,
et finalement éliminer la *question* platonicienne — qui est le maître ? —
au profit d'une *problématique* événementielle : points singuliers qui
s'agitent confusément, bocaux de mouches pullulantes, fromages
grouillants de vers, meutes de rats indifférenciés, nous dit-on. Une
telle ambition doit expressément se nommer *anarchique*, qui met en
cause l'*arché* philosophique comme origine et comme pouvoir.
Refoulés dans l'arrière-fond de l'être, les simulacres gonflent de
ressentiment contre les modèles-essences : ça grouille, mais ça parle
aussi, et bientôt ça monte crever là-haut, à la surface. La stratégie de
cette révolution s'établit en deux temps : on terrasse d'abord les
modèles, selon une plongée qui rabaisse les figures de la hauteur
et de la verticalité — *subversion* ; on laisse ensuite monter vers la surface les simulacres qui s'étalent sur de vastes surfaces lisses, tandis

paradoxe de Protée) dont l'Etranger n'ignore pas le désir métonymique. Son discours
lacunaire consiste, par des redoublements sériels indéfinis, à accréditer l'image d'une
dérive des signifiants.

9. DELEUZE, *Log. sens*, p. 97; p. 347.

que les modèles s'écrasent sur ces mêmes surfaces, confondus indifféremment avec leurs doubles — *perversion*. « *Il n'y a plus ni profondeur ni hauteur* » : tout est égal, *ça* m'est égal. En ce sens, *Différence et Répétition* précède stratégiquement *Logique du sens*, le renversement de la hiérarchie platonicienne, la dispersion des horizontales séries du sens ; contre la topique platonicienne, ancrée en son lieu propre, se lève l'utopie des simulacres nomades, errant à l'infini sur leurs surfaces brisées.

Il demeure cependant permis de poser la question : la prétention sophistique conquiert-elle sa légitimité du seul désir d'occuper la place de l'absent ? Lors de l'analyse de la communauté des genres, nous signalions déjà que le débat entre philosophie et sophistique ne pouvait avoir *lieu* qu'à partir de la case vide de la pentade — le cinquième élément demeurant à jamais étranger, comme Socrate et le *Philosophe*. Parce que son retrait s'avère irréductible, la recherche philosophique est entraînée, de questionnement ironique en division dialectique, sur les sentiers de la dissimulation. Mais en même temps, dans son refus d'une négation toujours attachée à l'identité, la sophistique libère au plus tôt les simulacres du langage pour aller revêtir les insignes du pouvoir. L'anarchie couronnée mime les gestes de l'Absent dans les labyrinthes vides et glisse devant les vastes miroirs du palais désert. Ce qu'esquive la sophistique, qui oublie jusqu'à la possibilité du *retour* du Modèle, c'est la question même de l'absence. Deleuze ou Derrida ne songent pas à interroger l'absence de l'origine et à considérer que ce néant au cœur de l'être est digne de question. Si le ciel métaphysique est vide, comblons-le hâtivement de fantasmes nomades, et laissons l'ombre portée par le philosophe simuler le *voyageur* et partir au loin pour l'exil.

2

La fin de l'origine

D'aucuns, dont on s'était pourtant réclamé aux plus beaux jours, avaient affirmé l'intempestivité de la philosophie. Mais leurs voix, depuis longtemps, se sont tues : les fils s'habituent désormais à vivre avec leur époque et à goûter le sel fugace de la modernité. Comment ne pas répéter à son tour ce que la philosophie, l'art et la littérature clament aujourd'hui d'une seule voix — la mort de l'origine ? *Différence et Répétition* incarne la bonne conscience théorique de cette ontologique nuit du 4 août au cours de laquelle l'origine abolit ses lointains privilèges, et laisse la place aux fulgurations fantasmatiques où les dernières identités ne mènent une vie dissolue que pour plus facilement se laisser dissoudre[10]. Deleuze découvre l'origine de ce jeu sans origine chez Nietzsche : l' « éternel retour », dans son anti-platonisme bien sélectif, « ne concerne et ne fait revenir que les simulacres, les fantasmes », à l'exclusion des modèles broyés, décomposés, dissous ; annule « la distinction de l'originaire et du dérivé, de l'originel et de la suite, du fondement et du fondé » ; répète « les différences libres océaniques » qui excluent la moindre possibilité de reconstituer une hiérarchie[11]. N'existent dans le réel que des séries divergentes de points singuliers, vagues de surface, coordonnées en systèmes locaux épidermiques, se déchirant ou se rapprochant sans raison. « Aucune série ne jouit d'un privilège sur l'autre, aucune ne possède l'identité d'un modèle, aucune la ressemblance d'une copie (...) Les anarchies couronnées se substituent aux hiérarchies de la représentation, les distributions nomades aux distributions sédentaires de la représentation. » En un mot, seuls les simulacres se répètent, parce que « ce qui se répète, c'est la répétition »[12].

Montrons-nous attentif à la double signification de la répétition comme à la double signification de la différence que distingue Deleuze, pour mettre en cause l'ensemble de la tradition philosophique. Si celle-ci tombe aujourd'hui en faillite, c'est du fait de son attachement exclusif à la Représentation qui enchaîne la pensée à l'Identique,

---

10. Au « *cogito* pour un moi dissous » (*Diff. Rép.*, p. 82) répondent les grandes dissolutions de la *Logique du sens*, régies par l'ordre de l'Antéchrist (p. 394) : « Dieu est le seul garant de l'identité du moi, et de sa base substantielle, l'intégrité des corps. On ne conserve pas le moi sans garder aussi Dieu. La mort de Dieu signifie essentiellement, entraîne essentiellement la dissolution du moi. » DELEUZE y reviendra avec son image culinaire de *Rhizome* : il faut « former des milieux qui laissent un instant surnager ceci cela : des blocs friables dans des soupes » (pp. 71-72).

11. DELEUZE, *Diff. Rép.*, p. 165 ; p. 341.

12. *Ibid.*, p. 356 ; p. 377.

c'est-à-dire au Pouvoir. En entraînant la philosophie sur la voie sans issue de la *répétition du Même*, Platon a sacrifié le monde orgiaque des différences pures; arrachons donc la différence à la quadruple forme du Même, en déracinant Identité et Opposition, Analogie et Ressemblance, produisons la distinction nouvelle, faille ou paille au cœur des structures, qui déclenchera les pires catastrophes. Ainsi parle le Rebelle : *la véritable différence est catastrophique*[13], elle déchaîne le chaos pervers des singularités irréductibles, opère le retournement de la représentation dans la répétition de ses failles. Au rebours de la pensée traditionnelle qui crucifiait la différence au caractère quadripartite du Même, la modernité ose enfin instaurer le règne de la différence différ*e*nte et différ*a*nte (= *dx*).

Dans le sillage de Leibniz, Deleuze nomme ce mouvement de retour « répétition *vêtue* » et l'oppose à la « répétition *nue* » : alors que celle-ci, sous l'emprise d'une grossière matérialité, ne répète finalement que l'identité vide, du modèle platonicien à l'instinct de mort freudien, celle-là exprime une répétition spirituelle plus fine, aux inégalités et aux rythmes toniques, selon une succession incohérente de points asymétriques qui interdit à la pensée de remonter vers sa source. On est emporté par un véritable vertige, non pas d'agression ou de transgression, mais bien de *régression*. La *Logique du Sens* n'en fait pas mystère : « Le paradoxe dont tous les autres dérivent, c'est celui de la régression indéfinie »[14]. *Dérive* et *régression*, telles sont les seules constantes de la duplicité sophistique qui dévoile une fois de plus sa filiation éléatique. Comme Zénon faisait reculer Achille vers une origine illusoire qui, à chaque instant, se décomposait, Deleuze arrache les masques du réel, puis les masques des masques, et encore de nouveaux masques, sans fin ni commencement. *Le masque contre l'origine :* « Il n'y a pas de terme ultime, nos amours ne renvoient pas à la mère (...) Derrière les masques, il y a donc encore des masques, et le plus caché, c'est encore une cachette à l'infini. Le phallus, organe

---

13. *Ibid.*, p. 52. A la περι-στροφή platonicienne (*Rép.*, VII, 521 *c*) qui fait retour à l'initial, s'oppose le discours « terrassant » de la κατα-στροφή deleuzienne, qui retourne en renversant le langage du maître.
14. DELEUZE, *Log. sens*, p. 52.

symbolique de la répétition, n'est pas moins un masque qu'il n'est lui-même caché »[15].

Sans insister sur la stérilité d'une démarche où même le phallus, quand il ne dissémine pas, fait retraite, relevons plutôt la contradiction majeure d'une pensée qui ne chasse bruyamment l'origine que pour mieux faire appel à son substitut. Evitons la question interdite : « Qu'*est*-ce que la production du sens ? », et demandons au moins comment se produit le sens dans la distribution aléatoire de ses points singuliers. Aussitôt nous voyons revenir, et même affluer, l'Origine, l'Identité, le Principe : la répétition possède en effet, nous dit-on, un « sens premier, littéral et spirituel »; il y a une « profondeur originelle », parce que, « partout la profondeur de la différence est première »; la répétition vêtue est « le sujet singulier, le cœur et l'intériorité de l'autre, la profondeur de l'autre »; la différence, à son tour, est qualifiée de « seule origine » qui est « derrière toute chose, mais derrière la différence il n'y a rien »[16], etc. Si quelque chose « fourmille » dans ces textes, pour reprendre une expression deleuzienne, c'est plutôt la contradiction que la différence. Chassons en conséquence l'Identique et le Semblable, nous verrons la différence se refaire une virginité avec la Semblance et l'Identité. *Qu'est-ce qu'un simulacre ?* en vient à se demander Deleuze, oublieux de l'interdit formel jeté sur l'essence : « Le simulacre *est* ce système où le différent se rapporte au différent par la différence *elle-même* »[17]. La lettre deleuzienne en conviendra, si l'esprit s'y refuse. Toutes ces répétitions vêtues qui jouissent du bariolage des masques, travestis et déguisements divers, renvoient à un « objet virtuel » qui se déplace entre les séries hétérogènes du sens. Selon le contexte, Deleuze le nomme « objet = *x* », « élément paradoxal », « *principe* d'émission des singularités », « *perpetuum mobile* », et, tout en refusant de le traiter en « terme ultime et originel » parce que, paraît-il, « toute sa *nature* y répugne »[18], il lui accorde généreusement une nature, une essence et même une

15. DELEUZE, *Diff. Rép.*, pp. 139-140.
16. DELEUZE, *Diff. Rép.*, p. 37; p. 38; p. 72; p. 80; p. 164.
17. *Ibid.*, p. 355. Nous soulignons.
18. *Ibid.*, p. 138; *Log. sens*, p. 71; *ibid.*, p. 92; *Diff. Rép.*, p. 139.

substance qui ne le cède en rien à l'ontologie la plus réaliste. Comment saurait-il d'ailleurs que la « nature » de cet objet $= x$ répugne à l'identité, puisque cette répugnance définit justement l'identité de sa nature ?

Pour évoquer la force qui assure la communication entre les séries divergentes et océaniques, Deleuze emprunte une image héraclitéenne : « La foudre éclate entre intensités différentes, mais elle est précédée par un *précurseur sombre*, invisible, insensible, qui en détermine à l'avance le chemin renversé, comme en creux. De même, tout système contient son précurseur sombre qui assure la communication des séries de bordure (...) Il n'est pas douteux qu'*il y a* une identité du précurseur, (...) mais cet « il y a » reste parfaitement indéterminé (...), l'invisible précurseur se déroberait lui-même, et son fonctionnement, et déroberait du même coup l'en-soi comme la vraie nature de la différence »[19]. On sait que le sophiste aime à jouer sur les mots. L'origine, ou principe, se nomme maintenant « précurseur » afin d'annoncer la venue des séries disparates. Mais on a beau l'assombrir ou le rendre invisible, on ne parvient pas à lui ôter : 1. son caractère originaire, renforcé par le préfixe; 2. son identité, car « il y en a » bien une, même si elle échappe à la prise; 3. sa « vraie nature », donc, en termes moins cartésiens, sa permanence substantielle, puisque ce sombre avant-coureur se répète sans arrêt dans la répétition vêtue ! Que par ailleurs il se dérobe, comme l'éclair heideggerien de l'*Ereignis*, mais déjà l'être platonicien, ne change rien à sa nature qui reste « indéterminée » eu égard à notre connaissance seule. Et s'il est vrai qu'il projette sur lui-même « l'illusion d'une identité fictive », cela signifie pour le moins : *a)* qu'il *est*, *b)* qu'il possède une *identité* (lui-même), *c)* que la fiction de cette identité n'est qu'une illusion dont Deleuze est la seule dupe. Car, si nous comprenons bien *le sens de la logique*, « illusion d'une identité fictive » signifie en clair « réalité de cette même identité » !

Cela ne suffit pas encore pourtant. Ce précurseur sombre, désormais pourvu d'initialité et de permanence, possède-t-il un « être » ?

19. DELEUZE, *Diff. Rép.*, pp. 156-157.

Oserons-nous, tout de même, risquer la naïve question : « Qu'*est*-ce que ce trajet renversé, ombre première de l'éclair aveuglant ? » Écoutons celui qui, après l'avoir créé, lui donne maintenant son nom : « Nous appelons *dispars* le sombre précurseur, cette différence en soi, au second degré, qui met en rapport les séries hétérogènes ou disparates elles-mêmes. » Plaisante définition qui remet en mémoire certaine vertu dormitive : le *dispars* est l'origine du *disparate*... Le mystérieux et taciturne précurseur n'était donc autre que le fort ancien fondement platonicien qui, d'un même mouvement, donne à participer et se dérobe à l'identification de ses propres séries. Que ce *pré*curseur, comme tout curseur, « se *déplace* perpétuellement en lui-même et se *déguise* perpétuellement dans les séries »[20], ne saurait dissimuler le fait qu'IL garde au moins l'identité du pronom personnel qui le désigne — d'autant qu'on lui accorde de jouer « le rôle d'un homonyme » par rapport à toutes les séries (mais que signifie ὅμοιος, sinon *le même* ?) — et l'initialité de son préfixe.

On aboutit à une curieuse inconséquence. Pour sauver les simulacres et assurer la « différence en soi », Deleuze se trouve contraint de sacrifier l' « en-soi » de la différence, donc son identité, sombrant ainsi dans l'In-différence du « Tout est égal ». Alors que Platon préservait l'être étouffé dans sa densité éléatique ou rongé par le nihilisme sophistique, en imposant la césure de la Différence ontologique, Deleuze n'a pas cette délicatesse. Pour reprendre le mot de Bergson appliqué à Kant, il nous met au piquet de la différence avec interdiction de nous retourner vers l'identité, et dénie ainsi à l'identité le droit de différer d'avec la différence. Dérive souveraine loin de l'identité riveraine, cette dernière s'abîme naturellement dans une Indifférence qu'il ne sert à rien de colorier en « blanc » ou en « noir »[21]. Le combat de nègres dans un tunnel et le combat d'albinos dans une tempête de neige reviennent au Même. Ou si l'on préfère l'image hégélienne du mauvais infini, il est logiquement équivalent que

20. *Ibid.*, p. 157; p. 373.
21. *Ibid.*, p. 43 : « L'indifférence a deux aspects : l'abîme indifférencié, le néant noir (...) — mais aussi le néant blanc, la surface redevenue calme. »

toutes les vaches soient noires ou que toutes les nuits soient blanches. Dans les deux cas, le chant délicat de la différence aboutit au seul mutisme de l'identité.

Le simulacre garde malgré tout ses regards tournés vers les hauteurs. Semblable à l'homme réactif de Nietzsche, à qui la véritable action est interdite, il a besoin, pour naître et proliférer, d'un monde opposé, extérieur et supérieur; il lui faut son antipode pour proférer un « non » à ce qu'il devine radicalement différent de lui — la Différence première. Il est donc contraint à un double mouvement : *il affirme ce qu'il simule* (modèle ou copie) afin d'en bien prendre la ressemblance avant d'opérer la substitution; *il simule ce qu'il affirme* (le fantasme) en refusant d'admettre qu'il n'est jamais qu'un substitut. Mais sans relâche, il camoufle la négation, le refus, l'opposition, sous le masque trompeur de la différence pour tranquilliser sa belle âme et sauver, une fois de plus, les apparences. Il lui manque pourtant toujours quelque chose : la *distance* ironique du modèle, la possibilité de poser une *question*, le déchirement de la *séparation* ontologique. De son propre témoignage deleuzien ou derridien, le simulacre ne connaît d'autre accord que celui du « protocole » : il commence par un collage, un double collage, en bloc. Il pose en premier la doublure, le *loup*, le masque qui colle au visage à tel point qu'en l'arrachant, on fait venir la peau avec. En dessous, rien d'*autre* : « Derrière les masques, il y a donc encore des masques », sous l'épiderme d'autres épidermes, comme un oignon qu'on pèle. Essaierait-il encore d'imiter celui qui disait à son cœur :

« Je suis un voyageur et un grimpeur de montagnes... Je n'aime pas les plaines »[22],

nous comprenons que le nomade des tristes plateaux, comédien de ses propres fantasmes, se prend vraiment trop au sérieux.

22. NIETZSCHE, *Zarathoustra*, III, « Le Voyageur ».

3

L'éternel fantasme

Le sophiste ne *se* dérobe pas seulement à la recherche du philosophe, il *dérobe* aussi tout ce qui pourrait lui servir, çà et là, au hasard
des lectures et des rencontres. Il met son museau partout pour fouailler,
bricoler, retaper quelque bon morceau d'ontologie, mais reste discret
sur l'origine de ses rapines. Le sophiste ne cèle pas, à la différence
du philosophe, il *recèle*, et garde par exemple en stock certains vieux
surplus du platonisme — on ne sait jamais, cela pourra peut-être
servir. Hippias grimace sous les traits patients de Socrate.

Considérons la distinction centrale de *Différence et Répétition*, qui
amorce le retour éternel des simulacres. Pour constituer ses systèmes
différenciés à séries multiples, Deleuze s'appuie sur la bonne répétition, celle dont les processus dynamiques exigent une instabilité
naturelle, et sépare la « symétrie arithmétique » — ou statique —
fondée sur le retour monotone d'éléments identiques (la « répétition-
mesure du Même »), de la « symétrie géométrique » — ou dynamique — marquée par la riche polyrythmie des inégalités (la « répétition-rythme de l'Autre »). On ne lésine pas sur les exemples :
architecture, musique, littérature, mathématique, biologie encore,
nous convainquent aisément que la seconde symétrie, plus efficace,
fonde la première. L'intense pulsation de l'inégalité parcourt les systèmes homogènes, disloque leurs identités, fait jouer une évolution
vivante. On en conclut que la répétition du Même, négative, statique,
« horizontale », dépend de la répétition de l'Autre, positive, dynamique
et « verticale ». Il faut encore savoir où chercher la dernière : « La
répétition de dissymétrie se cache dans les ensembles ou effets symétriques ; une répétition de points remarquables sous celle des points
ordinaires ; et partout l'Autre dans la répétition du Même. C'est la
répétition secrète la plus profonde »[23].

On aura reconnu la distinction platonicienne des deux métré-

23. DELEUZE, *Diff. Rép.*, p. 37.

tiques que Deleuze emprunte au *Politique* en privilégiant à son tour
le *rythme* du μέτριον sur l'égalité brute du nombre. Notre auteur,
qui ne s'inquiète apparemment pas du retour inopiné de la verticalité
et de la profondeur sous ses brillants effets de surface, semble négliger
que Platon le premier, du *Gorgias* au *Philèbe*, a fondé la répétition dans
la dissymétrie et assuré la prééminence de la proportion géométrique
sur l'égalité arithmétique.

Le sophiste n'en a cure. Gorgé d'oubli, voilà maintenant qu'il
renchérit sur Platon lui-même et proclame l'initialité de l'imparité,
« principe de genèse et de réflexion ». Il frôle même la figure de la
Pentade en saluant la « symétrie dynamique, de type pentagonal »
manifestée dans un tracé spiralique ou dans le réseau de double-carrés
dont les tracés rayonnants « ont pour pôle asymétrique le centre d'un
pentagone ou d'un pentagramme ». Revenu à Platon, sinon à Pythagore, Deleuze fait dès lors preuve d'un platonisme effréné : tout
élément dynamique se répétant dans un système donné renvoie à la
fois à « un sujet latent »[24] — nous avons nommé ce « même », avec
la théorie des groupes, « élément neutre » — et à l'altérité originaire
qui produit le mouvement opératoire. Le sophiste retrouve, l'espace
d'un instant, la vérité de la parole platonicienne. Si l'on veut en effet
que la répétition soit un mouvement réel, et que la *question* philosophique, ainsi *reprise*, présente un sens, il faut bien reconnaître la
différence ontologique, et, contre la répétition éléatique, accomplir
l'étrange parricide. La philosophie aussi préfère l'Impair.

Ne nous empressons pas pourtant de voir en Deleuze un penseur
platonicien, ni même un philosophe. Le sophiste sait prendre tous les
masques pour arriver à ses fins : il n'emprunte ici la voie de l'imparité
que pour mieux subvertir le pouvoir, la hauteur et la distance de
l'initial. La profondeur de la répétition-rythme n'est en définitive
qu'une semblance qui prépare l'avènement superficiel du sens[25]. Car
il n'y a rien à pénétrer. Contre Freud, Deleuze affirme ainsi que la

---

24. *Ibid.*, p. 32; p. 37. On croyait pourtant le sujet « dissout ».
25. DELEUZE, *Log. sens*, p. 98. « Le sens n'appartient à aucune hauteur, il n'est dans
aucune profondeur, mais effet de surface, inséparable de la surface comme de sa dimension
propre. »

sexualité n'a besoin que de libres surfaces pour s'épanouir. Le phallus, signifiant originel, objet imaginaire $= x$, ne se définit plus par sa tension, son extension ou son intention, mais par la platitude. Son animalité s'éveille dans la limace qui se traîne, baveuse, sur de larges surfaces lisses, limace ou limande dont il convient aussi de répéter, comme du langage et de l'ontologie : *impénétrabilité*. Contre la profondeur schizoïde et la hauteur paranoïaque, le sophiste vomit son ressentiment contre le discours du Maître, voix qui parle et qui vient d'en haut ; il accepte toutes les apparences — « la surface, le rideau, le tapis, le manteau » — pour détruire l'image traditionnelle du philosophe, joue des plus infâmes métamorphoses : pas même le loup platonicien, mais « *l'animal plat des surfaces, la tique, le pou* »[26].

Le parasite ontologique utilise alors sans vergogne l'éternel retour nietzschéen afin de simuler la philosophie de la maîtrise et faire triompher les fantasmes. Très remarquable à cet égard apparaît la vision deleuzienne de l'Eternel Retour, qui dénature complètement l'intuition de l'auteur du *Zarathoustra* pour en faire un instrument de combat contre la maîtrise elle-même. Désormais l'Eternel Retour (répétition vêtue, verticale, asymétrique) n'affirme plus un *oui sacré* à l'existence, mais un « non » haineux à tout ce qui se hausse, à tout ce qui s'élève ; il ne chante plus le *retour* du Même, mais son *errance*. Que Nietzsche parle nommément de l' « *Eternel Retour du Même* » demeure indifférent au nain qui aplatit toutes choses, expulse et dépèce l'esquisse d'une simple identité. « La multiplicité ne doit pas désigner une combinaison de multiple et d'un, mais au contraire une organisation propre au multiple en tant que tel, qui n'a nullement besoin de l'identité pour former un système »[27].

Mais c'est surtout la contradiction qui revient au sein du signifiant deleuzien : le multiple sans l'un ne peut former « *un système* », pas même en évitant l'article ou en l'effaçant ; la huitième hypothèse du *Parménide* s'avère insurmontable. *Un* multiple sans « un » ne peut être désigné, pensé, écrit, ni même ~~être~~ dès qu'il se perd nomadi-

---

26. *Ibid.*, p. 179. Nous soulignons.
27. DELEUZE, *Diff. Rép.*, p. 236.

quement dans « une », ou plutôt   multiplicité à *n* dimensions. Si
Deleuze veut y voir *une* organisation propre *au* multiple en tant
que *tel*, il renforce son identité et sa permanence au lieu de les dissoudre. Qualifier ce douteux procédé de « *vice-diction* », en méprisant la
simple et désuète « contra-diction », revient seulement à reconnaître
le vice de la recherche sans pour autant la justifier.

Ver dans le fruit nietzschéen, l'éternel retour deleuzien sélectionne à l'image de la volonté platonicienne qui soumet les prétendants
à l'épreuve du modèle. Mais, curieusement, « ce qu'il sélectionne,
c'est tous les procédés qui s'opposent à la sélection ». Les simulacres
interdisent à tout un chacun d'interdire, s'approprient l'interdiction,
en jouissent et l'imposent jusqu'à ce que l'on puisse dire : « Il n'y a
plus de sélection possible » en philosophie. Mais on ajoute aussitôt
que ce mouvement des fantasmes est « sélectif encore, il fait la différence »[28], élimine les témoins gênants de sa supercherie, disons même
de sa *machination*.

Il y a en effet une machination sophistique qui n'est rien moins
qu'innocente, et a pour seule fin de détruire tout ce qu'elle simule
sur le champ de ruines du langage. Répétons la formule magique
qui fait proliférer les semblances : « L'éternel retour ne concerne et
ne fait revenir que les simulacres, les phantasmes »[29]. Mais de deux
choses l'une : 1. Ou bien cet éternel retour, dont on se demande d'où
il peut tenir une sélection aussi *finalisée* et *nécessaire*, n'est pas lui-
même un simulacre. Ce ne sont pas alors les simulacres sans identité
qui *reviennent d'eux-mêmes*, mais l'éternel retour qui leur impose ce
mouvement, en se distinguant d'eux : les simulacres vagabonds

---

28. DELEUZE, *Log. sens*, p. 357; p. 360.
29. DELEUZE, *Diff. Rép.*, p. 165. P. KLOSSOWSKI, approuvé par DELEUZE (*ibid.*, p. 127),
prétend que l'éternel retour est « le simulacre de toute doctrine (la plus haute ironie) ».
On nous dit tantôt que l' « ironie » est du maître, « technique d'ascension » (*Log. sens*,
p. 184), parole verticale et voix des sommets (« l'*ironie* apparaît chaque fois que le langage
se déploie d'après des rapports d'éminence, d'équivocité, d'analogie (...) la voix d'en haut
libère des valeurs proprement ironiques » (*ibid.*, p. 341)) — tantôt qu'elle est le simulacre
de toute doctrine et affirmation des surfaces ! Dans toutes ces contra- et vice-dictions,
pas le moindre sentiment de distance, et surtout, pas la plus infime trace d'*humour* (*confondu*
avec l'ironie dans *Diff. Rép.*, p. 127 — « le plus haut humour » — et *distingué* d'elle au
contraire dans *Log. sens*, p. 184 — « l'humour contre l'ironie socratique (...) double
destitution de la hauteur et de la profondeur au profit de la surface »).

dérivent d'une origine différente et retombent sous la dépendance d'un principe — nous redoublons de platonisme; 2. Ou bien nous poussons à l'extrême l'hypothèse sophistique et qualifions l'éternel retour lui-même de simulacre — il n'y a rien *derrière* les simulacres, *au-dessus* ou *ailleurs*. Mais alors nous nous ôtons les moyens de comprendre l'existence, et même la seule possibilité du retour, puisque ce mouvement de répétition, vêtu ou nu, exige une *convergence* des séries qui ne leur appartient pas par hypothèse. Le simulacre ne revient pas lui-même ni de lui-même, puisqu'on lui a ôté son identité; il ne revient pas à partir des autres simulacres, puisque toutes les séries hétérogènes divergent et annulent la plus petite esquisse d'intentionnalité; il ne revient pas non plus à partir du « système » des simulacres, puisque l'unité, la composition et l'identité font obstinément défaut à cet ensemble disparate.

Comment reviennent alors les simulacres ? Dans la mesure où le *retour* désigne un déplacement en sens inverse d'un mobile vers son point de départ, il suppose en bonne nécessité logique l'existence de deux repères fixes autour desquels se déroule le mouvement, un point d'origine et un point de revirement; l'identité et la continuité d'un trajet qui ne se dissout pas dans le néant mais se répète en une marche régulière; et le principe, physique ou métaphysique, du mouvement lui-même. Le retour est bien retour *de quelque chose* (τινός), *à partir de* quelque chose, et *vers* quelque chose. Supprimons magiquement le départ, le tournant, et la force qui meut à contre-courant, que restera-t-il du *retour des simulacres* ? Des séries nomades en mouvement perpétuel ne peuvent re-venir vers un point de départ qu'elles n'ont pas pris, à partir d'un tournant qu'elles n'ont pas atteint et selon une continuité qu'elles ne possèdent pas ! En outre, d'où provient l'impulsion première de ce déplacement cyclique ? Ou bien il tire sa force de lui-même, *perpetuum mobile*, et s'affirme ainsi comme origine, identité et permanence. Ou bien il transforme le mouvement qui lui est communiqué, et l'éternel retour constitue le premier moteur immobile des simulacres. Quelle solution admettra la cinématique deleuzienne ?

Soit l'invention de Morel. Les machines répètent inlassablement

la semaine éternelle que les estivants frivoles et surannés vécurent
dans l'île, aux indispensables accents de *Tea for two* et de *Valencia*,
avant d'acquérir l'immortalité des simulacres. A l'aide de ses enregistreurs, Morel a reconstitué les sensations visuelles, auditives,
olfactives, tactiles et gustatives de ses invités pour obtenir la reproduction parfaite de la vie, a même accordé une âme à ses simulacres.
Personne ne saurait *distinguer* les personnes réelles de leurs images
multipliées qui les ont vidées de leur substance. « Les sensations
coordonnées, l'âme surgit. Il fallait s'y attendre. Madeleine était
là pour la vue, Madeleine était là pour l'ouïe, Madeleine était là pour
le goût, Madeleine était là pour l'odorat, Madeleine était là pour le
toucher : voici Madeleine »[30].

Mais il n'y a plus de Madeleine, ni de Faustine, ni de Morel.
Les machines deleuziennes les ont aspirés, multipliés, éternisés en
des fantasmes plus convaincants que le second Cratyle ou la statue
de Condillac. Dans le grand musée immobile, « les copies survivent,
incorruptibles »[31], et finalement absorbent toutes choses, le musée,
l'île, le narrateur même qui, à son tour, se met en scène devant les
machines pour aller rejoindre, dieu dérisoire, le fantôme de Faustine.

Ce phénoménisme absolu fait usage des deux répétitions deleuziennes. Les récepteurs, enregistreurs et projecteurs, l'ensemble des
machines de Morel qui engloutissent tous les événements de l'île,
forment bien une répétition nue, mécanique, stérile, et répètent absur-
dement, sans spectateurs, la scène primitive au milieu des tempêtes,
continueraient encore si l'île se trouvait submergée. Mais si l'on *inclut* le
point de vue d'un spectateur, d'une conscience *étrangère* aux simulacres,
qui sépare les répétitions statiques, recueille les signes épars, on fait
appel à la répétition différentielle, « vêtue » pour le narrateur et vécue
par lui. Pourtant chaque répétition implique la présence d'un *modèle* :
la répétition statique, celle du modèle électrique des machines, disons
plutôt des *copies* qui, indéfiniment projetées, produisent les simulacres; la répétition dynamique, celle du modèle qui a conçu et
construit les machines reproductrices — *le principe de Morel lui-*

30. Adolfo Bioy Casares, *L'invention de Morel*, p. 115.
31. *Ibid.*, p. 151.

même. Le narrateur désespéré peut bien choisir la mort en s'introduisant dans les fantasmes de Faustine, et demander à qui lira ses
lignes d'inventer une nouvelle machine, au second degré, capable
« de rassembler les présences désagrégées » en un simulacre supérieur,
puis encore à l'infini en un simulacre $n + 1$, il reste que cette prolifération d'enregistrements *dépend* de l'invention de Morel. Ce dernier,
prodigieux sophiste qui *redouble* toute réalité, ne peut faire que les
modèles n'aient pas préexisté aux simulacres, sa propre réalité à son
image, et l'idée initiale de l'invention aux moteurs qu'elle a permis
de construire. Si les personnages, l'appareillage, l'île elle-même, les
principes physiques de l'invention ne prenaient pas leur assise au
sein du Même, il n'y aurait aucune différence, intensive ou extensive,
dans ce monde illusoire : il n'y aurait tout simplement RIEN. La
répétition n'expulse donc pas l'identité, le modèle, l'origine, lorsqu'elle les dissimule derrière leurs répliques machinales, elle reconnaît
au contraire leur initialité et leur vivante présence. L'incorruptibilité
des simulacres, quant à elle, inscrite dans l'image ou dans l'écriture,
a un goût de mort. Pauvre supplément d'âme que ce cortège circulaire qui réduit l'individu — *mens momentanea* — au matérialisme
de l'identique et lui enlève jusqu'au souvenir de lui-même. Semblables aux compagnons d'Ulysse envoûtés par la magicienne, les
simulacres « vivent toujours comme si c'était pour la première fois,
sans souvenir des fois antérieures »[32].

Deleuze essaie désespérément, après Derrida, de *raturer* l'origine,
puis la rature de l'origine, et la rature de la rature de l'origine, tout
cela sans fin, en s'accordant « *une non-origine originaire* »[33] qui régresse
dans son abîme sans fond, il est pourtant contraint de reconnaître
l'existence de l'initialité. Son éternel retour qui jouit narcissiquement
de lui-même, se mire et s'admire dans la concavité de ses propres
miroirs, avoue finalement : « Il appartient essentiellement au fonctionnement du simulacre de simuler l'identique »[34]. Or comment la

32. *Ibid.*, pp. 137-138.
33. L'expression de DERRIDA (*L'écriture et la différence*, p. 303) est reprise par DELEUZE
(*Diff. Rép.*, p. 164). Nous soulignons.
34. DELEUZE, *Diff. Rép.*, p. 385.

pure différence, le *dispars*, aurait-elle l'idée de simuler l'identique, si celui-ci ne lui était pas lié dès l'origine ? Pourquoi la figure du Même fait-elle brutalement irruption au cœur de la jouissance noma-dique et monadique du Grand Fantasme ?

Car tel est le fin mot du simulacre de retour nietzschéen — sa *conclusion* ajoute même Deleuze : l'identité platonicienne d'où venait tout le mal, la longue erreur du Même, se retrouve en toute inno-cence *à la fin des temps*. Il n'y a pas de Différence du même, mais un Même de la différence vers lequel convergent les analyses diver-gentes de *Différence et Répétition*. Dès lors, les distributions nomades des anarchies couronnées peuvent comme tout un chacun crier « Terre ! » quand elles retrouvent la morne sédentarité qu'elles avaient cru fuir à jamais. « Là seulement retentissent : « Tout est égal ! » et « Tout revient ! » Mais le *Tout est égal* et le *Tout revient* ne peuvent se dire que là où l'extrême pointe de la différence est atteinte. » L'éternel retour deleuzien faussait donc le jeu depuis l'ouverture : il avait un *but*, il travestissait son mouvement *téléologique*, et ne voyait dans la toupie du retour que son « extrême pointe » *immobile*. On comprend alors que le chantre du dispars rejette dans ses écrits l'analogie de l'être au profit de son *univocité*. Terrible reflux, où tout revient en effet — en vrac : le principe, le modèle, l'identité et surtout... l'*Unité*. Il faut relire les dernières phrases du texte qui clament la Gloire de l'Unique après l'avoir déchiré, dispersé, dissout. « Une seule et même voix pour tout le multiple aux mille voies, un seul et même Océan pour toutes les gouttes, une seule clameur de l'être pour tous les étants. » Englouties enfin par le Même — *la Béance* — les différences immergées ne se distinguent plus de l'Indif-férence. Et le tardif rejeton de l'éléatisme, à trop récuser l'identité platonicienne, choisit maintenant d'exalter « la belle et profonde tautologie du Différent ».

S'il est vrai alors, selon l'aveu bien aléatoire de notre auteur, que « l'ontologie, c'est le coup de dés »[35], gageons que ses dés étaient, dès le départ, ... *pipés*.

---

35. *Ibid.*, p. 257, p. 310; p. 388; p. 389.

4
Un simulacre de philosophie

Qu'il la nomme indifféremment Discordance accordante, Dispars, Distance, Distribution nomade, qu'il redouble même les coquetteries derridiennes de la Différance différente en forgeant le délicat concept de « indi-différen*c*iation (indi-drama-différen*c*iation) »[36], Deleuze hésite sans cesse entre une *identité originaire* de la différence (qui posséderait ainsi une « nature » primitive, la fêlure, le Grand Canyon) et une *contradiction interne* de celle-ci. Que signifient en effet son *opposition* au platonisme et le *renversement* qu'elle prétend effectuer ? Comment abolir vingt-quatre siècles de Représentation dominés par la parole du Maître, à l'aide du seul réseau arachnéen du Dispars, sans porter le marteau destructeur *contre* les essences ? Les textes deleuziens parlent d'eux-mêmes : « Le simulacre (...) recèle une puissance positive *qui nie et l'original et la copie et le modèle et la reproduction* »[37]. Cette *négation* réussirait-elle, sans désavouer l'ensemble de la démarche, à se réduire à la différence ? Tout au contraire : le négatif est une mauvaise différence, une différence durcie au jeu platonico-hégélien de l'opposition dialectique, une différence *basse* : « La négation, c'est l'image renversée de la différence, c'est-à-dire l'image de l'intensité vue d'en bas. Tout se renverse en effet. Ce qui d'en haut est affirmation de la différence, devient en bas négation de ce qui diffère »[38].

Lorsqu'il prétend refuser le négatif au profit de la différence, Deleuze choisit en fait le *renversement négatif*, en bas, contre la *différence affirmative*, en haut. Accroupi, le nain de Zarathoustra cherche, « du petit côté », à rabaisser la doctrine de celui qu'il simule; la subversion dévoile enfin sa nature profonde — la destruction. L'enthousiasme de notre auteur le conduit ainsi à quelques aveux indiscrets que l'on s'étonne de trouver sous une plume qui s'avance

---

36. *Ibid.*, p. 317.
37. DELEUZE, *Log. sens*, p. 357. Nous soulignons la *négation* que l'on disait absente de l'œuvre, et l'auteur le reste de la phrase.
38. DELEUZE, *Diff. Rép.*, p. 303.

masquée : « Il y a une grande différence entre détruire pour conserver et perpétuer l'ordre établi des représentations, des modèles et des copies, et détruire les modèles et les copies pour instaurer un chaos qui crée, qui fait marcher les simulacres et lever un phantasme — la plus innocente de toutes les destructions : celle du platonisme »[39]. Osera-t-on après cela rejeter le négatif comme une illusion et parler avec mépris de la « mystification du négatif (...) ombre de problème (...) double impuissant » ?[40].

L'ambiguïté n'est plus de mise. De Protagoras à Deleuze, la sophistique prétend démanteler l'identique et le négatif pour chanter le libre échange des différences océaniques, mais ne parvient pas sans *contradiction* à *nier* l'existence et la puissance du négatif ! A vrai dire, Deleuze s'inquiète parfois du risque de tomber dans le piège de la « belle âme » hégélienne, qui n'invoque les souples disparités que pour mieux oublier les contradictions sanglantes du monde. Mais quelle est alors la *différence* entre cette belle âme qui s'enchante des différences et cette différence qui *nie* la belle âme ? La seconde ne serait-elle, ici encore, que le simulacre de la première ? On nous assure que non, car l'analyse découvre un nouveau critère pour les différencier, lequel, derechef, nous renvoie à la contradiction. Les problèmes de la différence, en effet, portés au plus haut point de leur affirmation, « libèrent une puissance d'agression et de sélection qui détruit la belle âme, en la destituant de son identité même et en brisant sa bonne volonté »[41]. Pourtant, la contradiction reste brûlante : si la différence, ainsi affirmée, libère *les forces destructrices qui destituent l'identité* (comment ? d'où les tire-t-elle ? de son propre fond ? elle n'est plus alors affirmation pure !), de nouveau la négation instaure une surdétermination de la différence.

Avec tranquillité, le simulacre imite le philosophe au marteau (Nietzsche) ou le penseur révolutionnaire (Marx). Comme les enfants, il lui faut les deux à la fois, la différence *et* la négation, la généalogie *et* la dialectique, l'aristocrate *et* le plébéien. Peut-être est-ce la meilleure

39. DELEUZE, Platon et le simulacre, in *Log. sens*, p. 360 *in fine*.
40. DELEUZE, *Diff. Rép.*, pp. 342-343.
41. *Ibid.*, pp. 2-3.

façon de témoigner qu'il n'est *ni* l'un *ni* l'autre, et qu'il simule aussi grossièrement la révolution marxienne que le retour nietzschéen. Il parsème ainsi ses analyses ontologiques de protestations politiques d'autant plus cinglantes qu'elles ne l'engagent à rien. N'est-il pas vrai en effet que tout est simulacre, pouvoir et contre-pouvoir, domination et servitude, camps hitlériens et goulag stalinien ? Il y a évidemment des risques. Afin d'éviter de se perdre dans le discours de la belle âme, sensible aux seules disparités diaphanes et paisibles du monde, Deleuze purifie sa pensée grâce à l'exorcisme stupéfiant : « Mais le nom de Marx suffit à la préserver de ce danger »[42].

Magie du verbe sophistique ! La seule *invocation* du Grand Totem « suffit » à nous garder des déviations droitières : nous pouvons paisiblement retourner au jardin enchanté des différences, sans préciser davantage les conditions de la lutte politique. Pourtant, si la théorie du simulacre doit nécessairement s'articuler au matérialisme historique, on aimerait trouver chez Deleuze, outre la surprenante référence à un *modèle* et le fétichisme absurde du « nom de Marx », ne serait-ce que l'ébauche de cette démonstration. Reprenons la distinction platonicienne des deux répétitions. Deleuze choisit sans hésitation la répétition « vêtue » définie par *l'inégalité, l'asymétrie, l'affirmation, l'authenticité*, et qualifiée de « spirituelle », au détriment de la répétition « nue », finalement inopérante, caractérisée par *l'égalité, la symétrie, la négation, l'exactitude*, et nommée « matérielle » ! La première est dite « évolutive », la seconde « révolutive »; la répétition spirituelle constitue même, lit-on, l' « esprit », l' « essence », « le sens premier, littéral et spirituel » de l'autre, dont le sens matériel est « secrété comme une coquille ». On admettra difficilement que cette profession de foi de primarité, d'essentialité et de spiritualité rende un son marxien, d'autant qu'elle rejette encore, avec la matérialité, l'histoire et la dialectique. A l'écho de l'intempestivité nietzschéenne, Deleuze répète que « la philosophie n'est ni philosophie de l'histoire, ni philosophie de l'éternel »[43]. Sans matière ni histoire,

42. DELEUZE, *ibid.*, p. 268.
43. *Ibid.*, p. 3.

que reste-t-il du *matérialisme historique* ? Pas même sa méthode, la dialectique ayant été dès l'origine — Platon, naturellement — « dénaturée » par l'illusion du négatif.

Sans nous prononcer sur cette troublante interprétation de la lutte des classes, sans négativité, sans travail, sans histoire, sans matérialité et sans dialectique — sans économie non plus, autre que libidinale — nous nous pencherons sur la « chao-errance » de cette démarche onto-politique. En admettant en effet que Deleuze ait le droit d'épurer la vulgate marxiste de son appareil scientiste pour retrouver l'élan révolutionnaire comme une donnée immédiate du simulacre, il faudrait encore qu'il justifie ce mouvement dont on ne voit guère le *sens*[44]. Comment qualifier l'éternel retour de « révolutionnaire », s'il est vrai qu'il se débarrasse de l'*égalité* « pour affirmer seulement l'excessif et l'inégal »[45] ? Deleuze exalte au contraire les inégalités les plus tranchées, stimule les points remarquables, évoque les instants privilégiés, et soupire en dernier ressort : « *Là encore, l'inégal est le plus positif* »[46]. Quand il appuie sa physique, sa métaphysique et son esthétique sur le principe de Curie, non pas selon une analogie (dont nous savons qu'elle est condamnable comme l'une des quatre racines de la Représentation), mais selon l'application réelle d'un *principe transcendantal*; quand il affirme la synthèse asymétrique du sensible, en ne dédaignant pas de s'inspirer du *Timée* et de la troisième hypothèse du *Parménide*; quand il démontre que la Disparité reproduit les inégalités et empêche que le calcul du monde soit « juste » ou « tombe bien »; quand enfin il écrit triomphalement

---

44. Car l'Histoire existe — *le simulacre l'a rencontrée* ! Et inversée, naturellement. Les classes sociales reçoivent magiquement une *identité*, leurs rapports différentiels se durcissent en *oppositions*, les multiplicités errantes forment des *unités* : *le* prolétariat *contre la* bourgeoisie. Mais on ajoute, sans souci des remarques antérieures sur les *différences* que la « belle âme » bourgeoise égrène en niant la réalité des contradictions sociales : « La contradiction n'est pas l'arme du prolétariat, mais plutôt la manière dont la bourgeoisie se défend et se conserve » (*ibid.*, p. 344). A quoi aboutit alors la *négation du platonisme ?*

45. DELEUZE, *Diff. Rép.*, p. 151. Les camps de la mort *aussi* étaient excessifs... La remarque citée semble autoriser une lecture fasciste de l'œuvre deleuzienne, que certains passages de *Rhizome* n'effacent pas tout à fait : « On nous a traités de fascistes; nous ne le serons jamais assez, tant nous sommes conscients, nous au moins, que le fascisme n'est pas celui des autres seulement » (p. 28).

46. *Ibid.*, p. 33. Nous soulignons.

que « *c'est cette injustice dans le résultat, cette irréductible inégalité qui forme la condition du monde*[47] » — Deleuze espère-t-il convaincre quiconque de sa sincérité révolutionnaire ? Pourquoi en effet changer le monde, comment seulement le penser, s'il est de toute nécessité un ensemble différentiel et éternel d'inégalités ?

« Renverser le platonisme signifie ceci : *dénier* le primat d'un original sur la copie, d'un modèle sur l'image. Glorifier le règne des simulacres et des reflets »[48]. Mais là encore, de deux choses l'une : ou bien les modèles originaires n'existent pas, et le renversement du platonisme perd toute raison d'être. Ou bien les modèles sont eux-mêmes des simulacres, comme le Négatif que Deleuze s'obstine à qualifier d' « ombre » et d' « illusion », et les trois Idées kantiennes, le Sujet, le Monde et Dieu, se dissipent dans une poussière de fantasmes. En conséquence, les simulacres n'ont aucune raison d'agresser et de détruire ceux qui ne se distinguent plus d'eux. On n'échappera pas au cercle : 1. Si les simulacres imitent le modèle souverain et le destituent afin de prendre sa place, *leur révolution est le simulacre du pouvoir*; 2. Si les simulacres ne renvoient indéfiniment qu'à d'autres simulacres, les lignées prolétariennes ne possèdent aucun titre particulier à déloger les lignées bourgeoises, d'autant qu'aucune des deux ne constitue *un* système ou *une* classe : *leur pouvoir est le simulacre de la révolution*.

A quoi aboutissent ces thèses ? Non pas à la *fondation* d'un nouvel ordre révolutionnaire qui aurait liquidé la vieille pensée, mais à « *l'effondement* universel »[49] — la ruine, l'abîme, le chaos. Mais si les simulacres diffèrent ou disparsent, sans affronter identités et contradictions, s'ils cherchent seulement à dissiper une fumée sans oser allumer de feux trop brûlants, de quelle façon agresseront-ils, briseront-ils et nieront-ils la figure du Maître ? A quel heureux moment — χαιρός — la différence se transmue-t-elle en négation et la fêlure en marteau ? Au lieu de s'engager dans l'âpreté des luttes collectives, le commis-voyageur de la différence méditera alors dans son pensoir : « Il

47. *Ibid.*, p. 286. Nous soulignons.
48. *Ibid.*, p. 92. Nous soulignons.
49. *Ibid.*, p. 92.

est bien vrai, en ce sens, que le penseur est nécessairement solitaire et solipsiste. » L'œuf sophistique a la mémoire courte : replié
sur son identité, il oublie que « l'histoire continue à se faire à coup
de contradictions sanglantes »[50].

Son discours alors se courbe, comme son âme; il se contente de
mettre une fois encore ses pas dans les traces de Nietzsche, pour se prononcer « contre ce temps, en faveur, je l'espère, d'un temps à venir »[51]
— celui des simulacres. Mais que pouvons-nous attendre d'un cycle qui
répète indéfiniment le mouvement des Semblances, membres disjoints
d'un être à jamais absent ? La démystification ontologique et politique
de notre temps risque au contraire de redoubler les mystifications,
puis les mystifications à $n + 1$: nous ne sortirons jamais des cavernes
superposées, comme « le penseur de l'éternel retour, qui ne se laisse
certes pas tirer hors de la caverne, mais qui trouverait plutôt une
autre caverne au-delà, toujours une autre où s'enfouir »[52]. Lever les
masques est en conséquence une dénonciation dérisoire du platonisme ou du capitalisme, de la Représentation ou de la Maîtrise,
puisque « les masques ne recouvrent rien, sauf d'autres masques »[53].

Prétendre alors dénoncer les masques du pouvoir afin de faire
monter les simulacres, nouveaux masques à leur tour masqués, en
une orgie régressive de travestissements, ne serait-ce là, finalement,
pour la modernité — qu'une *mascarade* ?

5

IN-CHAOS-ERRANCE

La pensée de la *disparité*, qui, pour jouer aussi avec les simulacres
de l'orthographe, se pare des charmes de la « dispar*a*tion », ronge

---

50. DELEUZE, *Diff. Rép.*, p. 361. Il est vrai aussi que « le monde entier est un œuf »
(p. 279); p. 74.
51. *Ibid.*, p. 3. Cf. NIETZSCHE, *Deuxième inactuelle*, Préface.
52. *Ibid.*, pp. 92-93. Prudent, le sophiste se tapit dans son terrier, son œuf, son écriture
— son *entre* : c'est là que le rhizome prolifère, avec la belle audace des tubercules, « le
nomadisme de ceux qui ne bougent même plus et qui n'imitent plus rien » (*Rhiz.*, p. 68).
53. *Ibid.*, p. 28.

une à une les cinq catégories platoniciennes. Le *mouvement* chaotique
s'achève dans le dérisoire nomadisme de ceux qui ne bougent même
plus ; le *repos* se dissipe dans la régression indéfinie de l'origine ;
l'*identité* s'annule à travers les écarts des folles simulations ; la *différence* s'aliène pour aboutir au massif : « Tout est égal » ; l'*être* enfin,
clamé par les mille bouches de l'univocité, s'effond(r)e par pans entiers,
comme des blocs friables dans des soupes. A redoubler indifféremment les signifiants sans les rattacher au sens, on aboutit à la disparition de la philosophie, peu à peu dissoute dans l'insignifiance des
fantasmes.

Reprenons une dernière fois l'interprétation deleuzienne du
retour éternel, elle possède valeur de symptôme. A la fois réductrice
et élective, elle ramène la pensée de Nietzsche — « la plus haute
pensée »[54] — à répéter une seule et même chose : la « *hiérarchie ren-*

54. Après Michel FOUCAULT et, semble-t-il, toute la modernité, DELEUZE nie opiniâtre-
ment l'orientation nietzschéenne *vers le haut* pour lui substituer un jeu de pures surfaces :
« La profondeur sert à Nietzsche pour dénoncer l'idée de hauteur et l'idéal d'ascension ;
la hauteur n'est qu'une mystification, un effet de surface » (*Log. sens*, p. 175, n. 1). M. FOU-
CAULT se montre aussi négateur : « La profondeur est maintenant restituée comme secret
absolument superficiel, de telle sorte que l'envol de l'aigle, l'ascension de la montagne,
toute cette verticalité si importante dans *Zarathoustra*, c'est, au sens strict, le renversement
de la profondeur, la découverte que la profondeur n'était qu'un jeu, et un pli de la surface »
(Nietzsche, Freud, Marx, in *Nietzsche*, p. 187). Deleuze et Foucault ne considèrent que le
déclin de Zarathoustra, jamais son *retour* vers la haute caverne, et ne songent pas à se
demander pour quelle raison NIETZSCHE *situe* cette caverne précisément dans une *montagne*, unissant ainsi hauteur et profondeur. Ils privent la topique nietzschéenne de son
lieu dominant (élément différentiel) et du mouvement de *retour à l'origine* qui se répète
régulièrement.
Rappelons quelques textes aux lecteurs amnésiques :
« La mer veut être baisée et aspirée par le soleil altéré : elle veut devenir et hauteur et
sentier de lumière, et lumière elle-même (...) Et ceci est pour moi la connaissance : tout
ce qui est profond doit monter à ma hauteur » (*Zarath.*, II, 15).
« Je suis un voyageur et un grimpeur de montagnes » (*Zarath.*, III, 1).
« O ciel au-dessus de moi, ciel pur, ciel profond ! abîme de lumière ! En te contemplant, je frissonne de désirs divins.
« Me jeter dans ta hauteur, c'est là ma profondeur » (*Zarath.*, III, 4), etc.
Regardons-nous vers *Ecce Homo*, pour donner la parole à NIETZSCHE et non plus au
prophète du retour éternel ? « Celui qui sait respirer l'atmosphère qui remplit mon œuvre
sait que c'est une atmosphère des hauteurs, que l'air y est vif » (Préface). « *Zarathoustra*,
(...) le livre le plus haut qu'il y ait, le véritable livre des hauteurs » (p. 10). « Je viens des
hauteurs que nul oiseau n'a jamais atteintes » (p. 139). Et enfin : « Très sérieusement,
personne ne connaissait avant moi le bon chemin, le chemin qui mène *en haut* » (*ibid.*
Souligné par Nietzsche).
D'autres sophistes, plus malicieux, reprennent trait pour trait les images de la hauteur

versée »[55], le primat des simulacres, la subordination du noble — le triomphe de *Thersite*. Mystification suprême, le mouvement deleuzien attente désormais à la hiérarchie pour sélectionner *l'âme la plus basse* : « Il ne fait revenir que le plébéien, l'homme sans nom »[56]. En vertu de quelle grâce efficace, sinon celle du ressentiment, le plébéien *anonyme* l'emporterait-il sur le noble qui *donne les noms* ? De quel droit cautionner du nom de Nietzsche une lecture du *Zarathoustra* qui identifie le plébéien et le surhomme ? Le marteau sans maître forge de monstrueux amalgames : le plébéien, Ulysse ou « Personne », l'homme sans nom, le régicide ou l'Œdipe moderne, assimile la répétition plébéienne à la répétition royale, et le roi d'Ithaque à Thersite le gueux et au régicide ! Comme le fol Eury-

pour dénier à celle-ci toute signification et n'y voir que la place vide du signifiant aveugle. Considérons par exemple comment Nietzsche et Derrida interprètent la *colonne de lumière* de la *République* (X, 616 *c*) :

Nietzsche : « Tu dois imiter la vertu de la colonne : elle devient toujours plus belle et plus fine à mesure qu'elle s'élève, mais plus dure et plus résistante intérieurement » (*Zarath.*, II, 13, Des hommes sublimes).

Derrida : « La colonne n'est rien, n'a aucun sens en elle-même. Phallus vidé, retranché de lui-même, décapité (i), elle assure le passage innombrable de la dissémination et le déplacement joué des marges. Elle n'est jamais elle-même, seulement l'écriture qui la substitue sans fin à elle-même » (*Diss.*, p. 381).

Le sophiste est un substitut. Il hait le modèle de la hauteur et du centre, l'ancrage et l'élévation. La colonne-phallus, tour de Babel, rayon de lumière, fuseau de la Nécessité, signifie l'ordre du monde, l'autorité et le principe. Il faut la mettre à bas, comme Deleuze déracine la colonne végétale de l'arbre : pas de phallus, sinon mimé, mais la paroi vaginale, hymen, écran, voile; pas de colonne vertébrale non plus, indice de hauteur, de droiture, de supériorité. Le sophiste vit accroupi, ou à plat ventre, rature la colonne et le sexe, le sens et le commandement. *Le sophiste est un castrat.* Plus de colonne = plus d'être. « La colonne *n'est pas*, n'est rien que le passage de la dissémination » (*Diss.*, p. 391). On rappellera pourtant à Derrida la parole de Zarathoustra au chien de feu : « J'ajoute encore ceci pour tous les destructeurs de colonnes : c'est bien la plus grande folie que de jeter du sel dans la mer et des colonnes dans la vase.

« La colonne était couchée dans la fange de votre mépris : mais sa loi veut que pour elle renaissent du mépris la vie nouvelle et une beauté vivante... » (*Zarath.*, II, 18).

Voyons, au contraire, la *hauteur* de l'interprétation heideggerienne, qui ne s'abuse pas un instant sur la topologie de Nietzsche :

« L'aigle, l'animal altier entre tous. Altière, la mûre décision du maintien de soi à son rang propre, à son rang essentiel, qu'apporte la tâche, la mission même, la certitude d'être inchangeable. Altier, le maintien de soi à sa propre hauteur, qui se détermine à partir de la hauteur même, du fait d'être élevé en soi, — fort différent de la présomption ou de la vanité » (*Nietzsche*, I, p. 236).

55. Deleuze, *Diff. Rép.*, p. 60. Nous soulignons l'aveu du *renversement*.
56. Deleuze, *Diff. Rép.*, p. 122.

maque qui s'empiffre au banquet de l'Absent, Deleuze ne voit en
Ulysse que les oripeaux du mendiant, non sa noblesse native, et sa
compréhension de l'homme sans nom n'est pas plus aiguë que celle
du bavard Polyphème. Le préjugé plébéien nie à la fois l'origine, le
commandement et la noblesse de l'homme supérieur, il *parasite*
— « la tique, le pou » — le langage magistral, change le sens des
noms, régresse dans son illusion d'immanence jusqu'au point extrême
du nihilisme. Le Maître *joué*, dans le double sens du terme, s'abâtardit
et laisse, l'âme lasse, tout le champ libre à l'âme basse.

Le sophiste est un voleur de paroles. Son art consiste à dérober
le discours du pouvoir sur les lèvres mêmes du Maître afin de jouir
encore plus de son usurpation. Deleuze incarne admirablement ce
voleur d'étoiles qui emprunte, sous l'humble masque de la répétition,
l'éternel retour du Maître et en inverse le sens. Il admet, après
Nietzsche, que si les habituels procédés de sélection tournent à
l'avantage de la médiocrité, sous la pression du nombre, l'éternel
retour doit, en réaction contre ce nihilisme douceâtre, éliminer les
formes moyennes et dégager la forme supérieure de tout ce qui est.
Puis s'opère le renversement : après avoir simulé le philosophe, le
sophiste *abat son jeu*. Nietzsche réfute Nietzsche, le négatif se valorise
contre la disparité, l'éternel retour *nie* et *détruit* les formes supérieures
qui *font la différence* (les maîtres, les modèles, les nobles), et libère les
fantasmes inférieurs qui égalisent le sens (les plébéiens, les simulacres,
les ignobles). La furie sophistique de métamorphoses anéantit les
riches inégalités des choses du monde.

Adiaphoria. Le cloaque de l'indifférence clapote interminablement
à nous préparer un avenir radieux : il faut goûter cette page délirante
où la perversion sophistique détruit toute forme d'organisation
mentale, biologique et cosmique, pour s'abîmer dans la Grande
Béance. Vidé de substance, de qualité et d'identité, le sujet, d'abord
« écartelé », éclate, « projeté en mille morceaux », consumé dans
l'éclat de *personne*. Pure forme du vide, le plébéien régresse vers
l'anonymat, la disqualification, l'impersonnalité, l'ostracisme, l'am-
nésie, la disparité/disparition physique et métaphysique. Quant au
monde, il n'est pas épargné : à quoi bon pulvériser l'homme, l'iden-

tité et le modèle, si un *ordre* (κόσμος) subsiste encore ? Le marteau
frappe, frappe inlassablement, marteau sans maître, marteau qui
broie du maître et s'attaque maintenant au cosmos. Dans le
« chaosmos » deleuzien, tout est dissout, en premier lieu la Trinité
tyrannique : le Moi, le Monde et Dieu. Après l'agonie du cynique
vieillard, la dispersion du moi, dévoré par ses propres fantasmes, et
enfin l'éclatement du monde. La bulle crève : l'éternel retour ne fait
rien revenir, ou plutôt fait revenir le *rien*. Le soleil platonicien explose,
les nébuleuses hystériques hurlent de folie, l'univers s'effondre dans
le sans-fond. Vient le temps de l'universel *effondement*.

Que fait alors l'éternel retour ? Dans son délire tératologique,
le dieu obscène se *dévergonde* et s'abîme dans sa propre béance. Ne
déplorons pas que le temps soit désormais *out of joint* — le sophiste
jubile devant l'ultime arrachement : « Ainsi finit l'histoire du temps :
il lui appartient de défaire son cercle physique ou naturel, trop bien
centré, et de former une ligne droite, mais qui, entraînée par sa propre
longueur, reforme un cercle éternellement décentré »[57]. On aura
compris le dernier avatar du mouvement nietzschéen : *l'éternel retour
deleuzien joue au yo-yo !* Il lance adroitement le cercle qui se déroule
linéairement pour se réenrouler en un nouveau cercle qui se déroule
une nouvelle fois — sans fin. Les fantasmes obsédants ont tout
conquis et détruit, sauf la répétition aveugle et insensée : personne
ne tient le yo-yo. Les simulacres bégaient, ou yoyotent, en un jeu
qui se joue tout seul, sans joueur, ni règle, ni enjeu. Cruauté déchirante, le yo-yo furieux expulse et détruit tout ce qui n'est pas destruction et expulsion.

Le marteau de Nietzsche pouvait encore parler, parce qu'il était
tenu *de main de maître*. La maîtrise abolie — *qui parle ?* Ni Dieu, ni
Modèle, ni Sujet, le simulacre croasse de sa voix grimaçante. Il parle
de Nietzsche, parfois de Platon, suffisamment hébété pour ne pas
comprendre le sens du Retour, suffisamment lucide pour parler à
leur place. La pièce est longue, la répétition double, les acteurs fous,

---

57. *Ibid.*, pp. 151-152. Une analogie révèle le nihilisme latent de cette linéarité du
cercle ou de cette circularité de la ligne : « Au-delà des cycles, la ligne d'abord droite de
la forme vide du temps; au-delà de la mémoire, l'instinct de mort... » (p. 374).

mais il faut encore ressasser le *texte*, le reprendre et le répéter. Alors le simulacre fêlé, s'il ne peut plus parler de sa gueule d'ombre, parle avec son ventre — il fait parler d'autres simulacres. Comme l'Euryclée du *Sophiste, le simulacre est un ventriloque*. Il ne pose à Nietzsche que les questions dont il connaît déjà les réponses — mieux, il les lui souffle. Mais sa ventriloquie est bien particulière : *c'est la poupée qui parle*, le fantasme qui énonce ses paroles de folie. La dialectique platonicienne du Maître et du Simulacre se trouve enfin renversée : le simulacre est le maître, le simulacre qui nie le maître, le simulacre qui détruit le maître[58].

Un point, c'est tout.

Un point, sur une vaste surface lisse, vide, sans orientation. Un point aléatoire, pas un fil — serait-ce celui de la Très Sainte. Nietzsche a trop chanté de dithyrambes et recherché la fiancée perdue pour ne pas être suspect. *Plus de fil*, grommelle le simulacre : s'il n'était qu'une marionnette dont les dieux rieurs tirent les ficelles ? Déjà, chez l'infâme Platon, le fil, d'or ou d'argent, qu'importe, mais le *fil* de la *filiation*, le *fil* qui fait danser les simulacres dans la caverne, le *fil* qui lie le *fils* au père et qui étrangle l'Œdipe moderne... Un couteau, un couteau, non pas pour se crever les yeux — nous avons dit Œdipe *moderne* ! — mais pour trancher le fil, libérer Thésée de la plaintive Ariane, oublier le soleil, ce vertige du Père, et s'enfoncer voluptueusement dans « les cavernes de la différence ».

Nous étions heureux dans le labyrinthe, soupirent les fantasmes du Minotaure, mais l'odieux Platon est venu avec son feu et son soleil, il a éclairé le monde d'en bas, chassé les simulacres, refoulé leurs ombres « dans une caverne au fond de l'océan »[59]. Il nous a asservis au fil qui recoud les morceaux du monde épars, au lien amoureux de la philosophie, à la permanente marque de son origine. Ce qui se

58. André GLUCKSMANN avait déjà dénoncé une entreprise similaire chez Althusser et sa lecture « symptomale » de Marx. Dans le texte du *Capital*, l' « impensé » de MARX, poupée de bois aux grosses lèvres rouges et sèches, parle, parle, parle — mais c'est Althusser que l'on entend. Ce « structuralisme ventriloque » est surtout symptomatique d'un *Pour Althusser*. Cf. *Les Temps modernes*, mars 1967, n° 250.

59. DELEUZE, *Diff. Rép.*, p. 264; *Log. sens*, p. 353.

donne à penser, Ariane aux rives de l'Initial, c'est la question du sens premier qu'il vaut un jour délaisser si l'on veut savoir la rejoindre. « Ce qui est ardu, c'est de conserver jusqu'au bout du fil une résolution inébranlable de retour »[60]. Reviens à lui, reviens à toi, philosophe, et, à l'image de Thésée, Platon ou Nietzsche — oui, Nietzsche lui-même, sache t'exiler au-delà des temps apatrides afin de renouer les liens de ton *âme*.

« Il n'est pas surprenant qu'il faille quelques milliers d'années pour renouer le fil — qu'importent quelques milliers d'années »[61].

Ailleurs, au fond du labyrinthe, le Minotaure veut abuser Thésée et clame : « Ariane s'est pendue ! »[62]. Ne cherche plus le soleil, l'origine est un leurre, l'amour une illusion, la philosophie un fantasme. Le retour n'aura pas lieu, ricane le Simulacre qui, au premier trait de lumière, se *dé-file* et se *faux-file* là-bas, vers ses cachettes sans profondeur, loin du fil. Le fil de la filosophie.

Alors nous répondrons au Minotaure :

> « Peut-être Ariane s'est-elle pendue, lasse d'attendre le retour, cela ne m'empêche pas d'en découdre avec toi. Peut-être la quête de l'origine emprunte-t-elle des chemins qui ne mènent nulle part ! Qui pourrait en juger ? Toi l'ombre, toi qui n'es jamais sorti de ta caverne plane, toi qui ne supportes pas le chemin qui monte et te détournes du regard du soleil ? Peut-être mon désir est-il à jamais désespéré.
>
> Mon âme s'est perdue,
> Ariane s'est pendue, dis-tu —
> — mais *avec quoi ?* »

Impénétrabilité. Le langage se referme sur lui-même dès qu'il arrache le fil de la transcendance. Il n'y a plus rien à pénétrer : l'œuf sophistique jouit de sa coquille, frissonne légèrement à l'image de sa perversion, et, complice complaisant de ses propres fantasmes, murmure un aveu final : « Le langage *est lui-même le double ultime qui exprime tous les doubles, le plus haut simulacre* »[63]. Aussi ne suffit-il pas

---

60. André Gide, *Thésée*, *Œuvres complètes*, p. 1437.
61. Nietzsche, *La Volonté de Puissance*, ed. G. Bianquis, II, § 23, p. 19.
62. Deleuze, *Diff. Rép.*, p. 79.
63. Deleuze, *Log. sens*, p. 383. Nous soulignons.

de vivre sa perversion, il faut surtout la dire, ou mieux — l'*écrire*. A
la différence de Socrate ou de l'Etranger, le sophiste ne prise guère
le dialogue : le monologue délirant lui convient davantage. « Il ne
s'agit pas, comme un enfant, de parler *aux* doubles et *aux* simulacres,
il s'agit d'en parler. A qui ? Là encore aux esprits. » Ecrire, écrire
encore, engloutir le monde dans la convoitise du texte et attendre le
moment grisant de l'universelle dissolution. Dans le fascinant système
de l'Antéchrist, qu'il dérobe à Nietzsche, le chaosmos sophistique
s'effonde, parce que le sans-fond se trouve absorbé par la surface.
Point par point le vieil ordre est confondu : « La mort de Dieu; la
destruction du monde; la dissolution de la personne; la désintégra-
tion des corps; le changement de fonction du langage... »[64]. La
pensée deleuzienne ne fait pas *face* — à quoi donc, s'il ne reste rien ?
Elle fait *fond*. Comprenons que le fond faisant, non pas face, mais
sur-face, s'égalise et s'annule, comme les différences des hauteurs
perdent, devant l'agression de l'innommable, leur *distinction* native.

Comment retrouver alors le *sens de la terre* chez celui qui exalte
dans tous ses écrits ce que Nietzsche appelait « la volonté de l'abais-
sement, de l'avilissement, du nivellement et de la déchéance ? »[65].
Comment constituer le *sol* stable qui donnera à la plante humaine,
sinon au rhizome, un essor nouveau, si la terre se fissure, se lézarde
et se dégrade dans la dissolution cosmique — la *dis-sol-ution* ? Masques
qui se superposent sans rien masquer, simulations qui échouent à
dissimuler, solutions qui s'effondent à peine esquissées, les thèmes
deleuziens marquent l'apparition de la Grande Débâcle. Le Délire,
le Nomadisme, le Démoniaque définissent l'espace dissolu de son
utopie textuelle, jeu sans *logos* ni *nomos*, « distribution d'errance »,
qui rejette le propre et la propriété, le clos et l'enclos, la mesure et
la limite. Puisque « la plus haute puissance de la pensée » se caractérise par « une schizophrénie de droit » (*sic*[66]), Deleuze libère les
forces monstrueuses de son chaos. Le *cogito* est « avorté », le sujet

---

64. *Ibid.*, p. 394.
65. Nietzsche, *Généalogie*, 1er diss., § 16; « Qu'est-ce que le nihilisme, sinon cette
lassitude-là ? » (§ 12).
66. Deleuze, *Diff. Rép.*, p. 82.

« larvaire », le je « fêlé » et la fêlure « fourmillante » ; le « je fêlé du *cogito* dissous » (comment un être dissous peut-il en même temps se trouver fêlé, nous avouons notre perplexité) régresse vers l'animalité : le sans-fond, osmose grouillante d'individualités impersonnelles — « monde du ON ou du « ils » » —, n'est autre, en effet, que « l'animalité propre à la pensée »[67]. Le loup sauvage de la sophistique montre les crocs acérés de sa stupidité : la génitalité de la pensée ne s'incarne pas — voyez Kafka — dans telle ou telle forme animale, mais dans la *bêtise*, laquelle, nous dit-on, représente « la plus grande impuissance de la pensée, mais aussi la source de son plus haut pouvoir ». Tel est le terme de l'avenir sophistique : atteindre à la plus haute, ou plate, bêtise, de Humpty-Dumpty à Bouvard et Pécuchet. Alors dans ce monde larvaire — *ça qu'on écrase* — le jeu des simulacres s'évanouit à son tour. Règles anéanties et joueur éclaté, « à un ciel fêlé répond une terre brisée »[68].

La Béance a tout englouti et repose, lasse. Elle digère l'Immonde. *La Béance bée*, unique et fixe comme l'œil rond du Cyclope. Elle attend de nouvelles formes impersonnelles pour faire ses délices des sujets larvaires. Toujours la bête des surfaces : après la tique et le pou, la larve. Seule au fond de son antre, la Béance sophistique éructe ses longs bégaiements.

Vienne à paraître l'Etranger, perdu aux regards de la mer, la Béance essaie d'absorber son *identité*. Tout est bouche pour Polyphème, gardien de ses brebis nomades — la caverne, l'œil, la gueule ouverte — c'est le triomphe de l'oralité. Il parle pour mieux engloutir, il engloutit pour mieux parler, avalant, aspirant la personne dans l'anonymat de ses entrailles, la cime dans l'abîme de ses viscères, le voyageur dans le labyrinthe de ses intestins. C'est le temps fantasmatique de la « nuit devenue blanche »[69].

---

67. *Ibid.*, p. 355 ; p. 353.
68. *Ibid.*, p. 363.
69. *Ibid.*, p. 355. Le Cyclope est l'image du sophiste, si Ulysse est celle du philosophe. Avant que DELEUZE ne se fasse le chantre des « distributions nomades », sans enclos ni limites, ANTISTHÈNE avait composé un traité *le Cyclope ou Sur Ulysse*, ainsi qu'un second *Sur l'ivresse ou Sur le Cyclope*. Tous deux avaient le même idéal d'ANOMIE, d'une vie sans règles ni lois, plus encore d'ANARCHIE — bien entendu « couronnée ».

Et certes, sa nuit sera blanche, et longue aussi, s'il ne compte pas avec le philosophe. Polyphème-Deleuze a posé la mauvaise question à Ulysse-Platon. *On* ne demande pas, l'œil fixe, son identité au Maître. Celui-ci sait devenir un temps étranger à lui-même et, pour déjouer la simulation sophistique, dissimuler son origine. Le *Trop-Parlant* n'a pas bien entendu le *Silencieux*. Dans sa fureur de tout engloutir, ses crocs se sont refermés sur... *Personne*.

Au loin, sur son noir vaisseau, le fils de Laerte peut maintenant hurler sa *filiation* et, sa maîtrise retrouvée, clamer son *nom* à tous les échos. Le philosophe a crevé le mauvais œil de l'anarchiste couronné qui ne retrouvera plus ses moutons errants. La Béance bée désormais un éternel aveuglement. Le roi Polyphème a un œil en moins.

Cette fois, le néant blanc s'est renversé dans l'abîme indifférencié du néant le plus sombre. Dans sa nuit permanente où toutes les brebis sont noires, Polyphème se souvient de son père.

Structuralisme, tache aveugle.

La comédie se meurt, la salle se vide, bientôt le décor tombera en poussière. Le metteur en scène des simulacres est-il toujours quelqu'*un* ? N'est-il pas détruit dans l'insignifiance d'un *cogito* larvaire puis éclaté ? *Qui sont Deleuzes ?* Envahi(s), aspiré(s), multiplié(s) et dissou(s), Deleuze(s) n'*est* pas plus l'origine de son propre discours dissolvant que son *alter nemo* Guattari. La tache aveugle les a tous deux absorbés dans le grand théâtre vide de l'écriture.

Car le sophiste manque à sa place, comme la lettre royale du conte. Le ministre D..., envahi par les fantasmes du pouvoir, a cru habile de substituer une *lettre* à une autre, de grande efficace pour qui la détient. Et la disparation de la lettre remaniée, en « hyperobstrusive situation », a suivi naturellement sa disparition du boudoir royal. Le Préfet de Police, moins sot qu'il n'y paraît, malgré son quadrillage éléatique de l'espace, en a tiré la conclusion légitime : c'est le non-usage de la lettre « éloignée » *(purloigned)*, plus exactement *recélée*, qui assure le pouvoir du voleur. Chacun, la Reine la première qui a été jouée par le simulacre de lettre, connaît le coupable, mais personne ne sait comment détruire cette simulation qui manque sans cesse à elle-même, comme la véritable lettre, retournée comme un gant, déchirée, au chiffre modifié, s'échappe en sa place propre. Pourtant, le caractère excessif des différences sophistiques dévoile aussitôt au philosophe l'identité de la lettre, qui porte déjà la signature de son voleur. Il ne s'agit pas uniquement du chiffre de D..., substitué à celui de l'auteur de la lettre. Si la lettre volée est signée, c'est par sa *redondance* qui témoigne à l'évidence de l'identité du voleur. C'est un parfait sophiste, « *un homme de génie sans principes* » nous dit-on, qui joue du leurre en politique, une doublure, dont on ne voit pas assez qu'elle se réduit à la plus *simple* expression de l'initial — son *initiale* qui, à la *lettre* près, redouble inutilement le nom de son jumeau supérieur : *Dupin*.

Seul le frère ennemi pouvait le comprendre. Poète et mathématicien, nous dit Poe, nous croyons surtout Dupin philosophe. Lui-même dissimule, divise, dédouble ce que son double négatif simule, multiplie et redouble. Ses lunettes vertes, sa contrefaçon de la lettre — contrefaçon d'une contrefaçon, à l'image de Socrate annulant un sophisme par un autre sophisme — et l'énigme finale d'*Atrée et de Thyeste*, qu'on rapporte peut-être trop aisément à Crébillon, alors qu'il faudrait plutôt voir du côté de certain mythe platonicien, ont anéanti la simulation de D...

De même Deleuze... A force de simuler le fantasme de sa propre absence, *il manque à la lettre*. D. comme Deleuze, et jamais comme Dupin. Il nous aura proposé dans *Différence et Répétition*, plus qu'ailleurs sans doute, un admirable festin dont il n'a pas su pénétrer l'énigme — parce qu'il se confond avec *le même, son semblable, son frère*. Loin de maîtriser, comme le ministre qui connaît bien *l'écriture de Dupin* (tel est l'indice *signifiant* du conte, dissimulant le signifié, plus platonicien qu'il n'y paraît), l'énigme finale de l'enquêteur et la substitution impossible, D/Deleuze, nouvel Atrée, a servi sa propre chair et ses membres éclatés à Thyeste. La Dissolution a bien vaincu : de lui-même, le sophiste se réduit à l'initiale, puis se dissipe, « tête sans cou, bras sans épaule, yeux sans front ». Sourire sans chat. D. comme Départ, Dispars et Dissolution. D. comme Dissémination et Derrida. D. comme Délire. Dérive.

En affirmant tout le hasard à chaque fois, « dans un coup nécessairement vainqueur »[70] — un coup Double —, le simulacre évite
d'affronter le risque de la Différence et détourne son regard de Dupin.
Dans le grand jeu tautologique de la répétition, il se contente de
reproduire, indéfiniment, le fantasme du *coup de D*...

70. *Ibid.*, p. 43; p. 362.

CHAPITRE II

LE RESSAC

> « Je suis remonté aux origines. Ainsi
> suis-je devenu étranger à tous les cultes;
> tout à l'entour de moi s'est fait étranger et
> désert. »
>
> NIETZSCHE.

I

Un noble exilé

On fait remonter à Nietzsche la fascination moderne pour les
simulacres, et on en tire avantage, une fois encore, pour réfuter
Platon et toute la tradition philosophique avec lui. Zarathoustra
contre Socrate, Dionysos contre le Crucifié, ce jeu d'oppositions
ouvrirait, nous dit-on, le temps de la Grande Cassure et du Refus.
A quoi bon dénoncer les lettres de créance sophistiques et refouler
les simulacres en leur fond obscur, si la philosophie elle-même, en
son dernier penseur, est contaminée par les fantasmes de la modernité ?

Toute l'ambiguïté de ce conflit tient sans doute au concept de
« modernité » qui a peu à peu envahi le champ entier de l'écriture.
On le caractérisera très généralement comme cette déconstruction
de la pensée propre à la « textualité » du discours, qui supprime
toutes les hiérarchies de la métaphysique, selon un mouvement
constant d'*anti-position* à l'égard des traditionnelles notions de Sens,
d'Origine et de Fondement. La condamnation de la Représentation
classique ne cherche pas tant à effacer le visage de sable de l'homme
ou du sujet transcendantal que la possibilité même du Sens, c'est-à-dire,

en langage moderne, du *signifié*[1]. Subversion, bouleversement, désa-cralisation, tout est permis pour déraciner l'Origine et connaître la fuite en avant dans le seul plaisir du texte. Nous ne jetterons plus jamais l'ancre au pays de nos pères. Michel Foucault ne le dissimule pas aux défenseurs attardés de la transcendance. « Affranchir l'histoire de la pensée de la sujétion transcendantale (...), la repérer dans une dispersion qu'aucun horizon préalable ne pourrait refermer; (...) la laisser se déployer dans un anonymat auquel nulle constitution transcendantale n'imposerait la forme du sujet; (...) l'ouvrir à une temporalité *qui ne promettrait le retour d'aucune aurore* »[2].

On peut alors se demander dans quelle mesure le penseur de l'Aurore, de l'Intempestivité et du Retour appartient bien au monde moderne. Si la modernité dévoile l'éternelle absence de *fondation* ontologique à travers l'effritement continu du discours que nous tenons sur l'être, a-t-elle vraiment le droit de marcher sur les traces de Nietzsche ? L'auteur du *Gai Savoir* semble bien récuser la souve-raineté de la philosophie traditionnelle, quand il salue chez les sophistes cette liberté d'examen, ce courage tranquille, ce risque des mers inconnues qui dessinent pour lui l'espace du *grand style*. Nietzsche contre Platon : le marteau de la modernité nous enfonce dans la tête le mot d'ordre de la nouvelle γιγαντομαχία περὶ τῆς οὐσίας.

Il n'est pas sûr cependant que le Voyageur suive le sillage des vieux maîtres du Semblant et répudie aussi légèrement la terre natale. Alors que le simulacre, tel le gnome croupissant aux pieds de Zara-thoustra, *redouble* de duplicité — « mi-nain, mi-taupe », ni nain, ni taupe — pour infuser au prophète du ciel l'esprit de lourdeur qui le fera retomber, le penseur du retour, afin de retrouver le chemin qui conduit à lui-même, apparaît dissimulé comme l'Etranger aux disciples qu'il aime le plus :

« Je veux être assis parmi vous, travesti moi-même » (II, 21).

---

1. DELEUZE-GUATTARI décrivent ainsi le désir in-sensé : « Ça ne représente rien, mais ça produit, ça ne veut rien dire, mais ça fonctionne. C'est dans l'écroulement général de la question : « qu'est-ce que ça veut dire ? », que le désir fait son entrée. On n'a su poser le problème du langage que dans la mesure où les linguistes et les logiciens ont évacué le sens » (*L'anti-Œdipe*, p. 30).

2. M. FOUCAULT, *Arch. sav.*, p. 264. Nous soulignons.

C'est à l'heure la plus silencieuse que Zarathoustra revient à sa solitude, retrouve le sol du pays. Sa quête secrète use des mille tours et détours platoniciens pour s'enquérir de la patrie et approcher l'habitation qui est sienne. Point d'errance sophistique alors, en ces étranges circuits qui font retour au logis :

« Lorsque Zarathoustra revint sur la terre ferme, il ne se dirigea pas droit vers sa montagne et sa caverne, mais il fit beaucoup de détours et de questions, s'informant de ceci et de cela, de telle sorte qu'il se dit de lui-même en plaisantant : « Voici un fleuve qui, en de nombreux méandres, remonte vers sa source » »[3].

Nietzsche reproche à Socrate d'avoir effacé les traces de la tradition grecque, encore vivantes chez les sophistes, et d'avoir corrompu Platon, « la plus belle plante humaine de l'Antiquité », en lui faisant oublier la saveur de la patrie. Et le goût du retour : la Dialectique casse la parole sacrée des dieux et ruine la cité des hommes afin de s'évader à jamais vers le monde du concept. Cette conduite de fuite, cette errance même, dessine depuis lors le mouvement constant de l'histoire occidentale : le *nihilisme* est d'abord *apatride*. Répétons la terrible formule en laquelle se concentrent tous les griefs de Nietzsche, peut-être *la formule* dévoilant le destin qui nous régit encore :

« Le philosophe protège et défend la patrie. Or, désormais, depuis Platon, le philosophe est en exil et conspire contre sa patrie »[4].

La surdité moderne ne se hâte guère d'entendre l'appel brûlant qui dénonce les falsificateurs et s'enquiert de terres natales. Il faut pourtant, en affrontant à nouveau les risques d'une pensée initiale, *instaurer l'aurore* de la culture véritable. Il faut *établir la Fondation* en

---

3. *Zarathoustra*, III, 5. On rapprochera ce passage d'un fragment posthume d'automne 1888 :

« Grands hommes et fleuves font des détours
Sinueux, mais qui les mènent à *leur* but :
C'est leur courage le plus grand
De ne pas craindre les voies détournées. »

(*Dithyrambes de Dionysos, OC*, VIII, p. 157.)

4. NIETZSCHE, *La phil. à l'époque trag. des Grecs*, p. 219.

sa topique propre. Il faut penser la patrie. Après tant d'autres textes, *Ecce Homo* n'en fait pas mystère :

   « ... de même que je fonderai un jour un lieu... »[5].

Heidegger ne s'est pas trompé sur ce puissant désir de réenracinement : « Nietzsche est le dernier à avoir expérimenté cette absence de patrie »[6]. Le désert sophistique s'étend à travers les plus beaux mirages ; Nietzsche ne calmera sa soif qu'en remontant à la source, par-delà deux millénaires de platonisme. Et peut-être la question illusoire de la modernité, ressassée jusqu'à l'écœurement, dissimule-t-elle la question philosophique initiale, toujours reprise : *Nietzsche et Platon*. Est-il indifférent que le penseur du masque ait si longuement rêvé à « la nature énigmatique de Platon », et que, nouvelle énigme, il ne se soit jamais arraché à la séduction du grand ironiste ?

   « Socrate, il me faut l'avouer, m'est si proche que je me bats presque sans arrêt contre lui »[7].

Peut-être devrons-nous même avancer que la grandeur secrète de Nietzsche, en un tout autre sens que le comprend Heidegger, se tient dans ce retour permanent et dissimulé à Platon — c'est d'abord cela, l'*étrangeté* de Nietzsche. L'invasion des simulacres de la modernité ne saurait atteindre le philosophe qui protège sa pudeur dans l'*atopie*, et qui, du haut des cimes, se murmure à lui-même :

   « Je serais donc un autre ? A moi-même étranger,
   A moi-même échappé ? »

Alors nous jouerons le jeu de l'énigme. Nous oublierons l'attitude philistine d'une époque incapable d'instaurer les fondations d'une culture véritable, nous nous détournerons des mystifications que les sophistes modernes, appointés par l'Etat, enseignent à grands renforts de « pédagogie », faute d'entendre le sens grec de la παιδεία, nous suivrons Nietzsche dans la *généalogie des semblances* qu'il met à jour et contre lesquelles il se dresse dès ses premières années. Nous

---

5. NIETZSCHE, *Ecce Homo*, p. 121.
6. HEIDEGGER, *Lettre sur l'humanisme, Questions* III, p. 113.
7. NIETZSCHE, *La naissance de la philosophie...*, p. 170.

interrogerons d'abord cette étrange série de conférences sur la culture
que Nietzsche donna à Bâle du 16 janvier au 23 mars 1872, et qui
soulevèrent enthousiasme et scandale. Nous examinerons avec le
conférencier cette *étrangeté* de la philosophie qui naît d'une communauté mystique et créatrice, là où, peut-être, on ne l'attend jamais,
dans quelque rencontre inopinée autour des paradoxales lignes de
fuite de la dissimulation. Nous écouterons à notre tour les cinq
conférences *Sur l'avenir de nos établissements d'enseignement*, et nous
essaierons de situer cette voix étrange qui n'est pas tout à fait à sa place.

Les Conférences de Bâle présentent un caractère unique dans
l'œuvre nietzschéenne : elles sont en effet composées comme des
dialogues platoniciens lus en public, ce qui modifie sensiblement la
perspective de leur interprétation. *Qui parle* désormais, en cet entretien
qui fait penser au *Théétète* ? L'écrivain Nietzsche, le conférencier, ses
personnages — la culture du temps ?

Dès l'avant-propos, le texte nietzschéen établit sans équivoque sa
filiation platonicienne. D'une part il met en scène un narrateur
anonyme qui dissimule *ironiquement* son intention profonde en
avouant qu'il n'a « osé parler ainsi que par non-savoir, et savoir de
son non-savoir ». D'autre part il s'adresse clairement, non pas à son
auditoire d'universitaires, mais à un lecteur aussi caché que l'auteur
lui-même : « Un homme comme celui-là n'a pas encore désappris à
penser en lisant, il sait encore le secret de lire entre les lignes... »
Avant même d'aborder les conférences proprement dites, Nietzsche
prend donc soin d'avertir qu'elles cèlent un *secret* qui ne se révélera
qu'à quelques esprits rares, les « lecteurs calmes ». La cinquième
et dernière conférence s'adresse en retour à « l'étudiant d'aujourd'hui »
qui porte « une accusation silencieuse mais terrible » contre ceux qui
ont détourné l'art et la philosophie de leur fin originaire. Cet adolescent qui voit la haute culture viciée par les établissements d'enseignement du temps pose une énigme à la modernité : celle-ci saura-
t-elle « comprendre la langue secrète que cet accusé innocent parle
par-devers lui »[8] ?

---

8. NIETZSCHE, *Cinq conférences*, Gallimard-Idées, p. 133.

Peut-être cette langue secrète propre à l'auteur et à son lecteur, tous deux anonymes, nous a-t-elle orienté, à notre insu, vers le *Sophiste*. Sa question est bien la même : comment triompher du faux-semblant dans la pensée ? Son écriture est bien la même : un dialogue mettant en présence divers personnages qui redoublent de dissimulation. Son procès surtout est bien le même : aujourd'hui accusé par les sophistes —« époque des sophistes — notre époque »[9] — le philosophe retourne « une accusation *silencieuse* » contre les véritables coupables — Socrate n'était-il pas déjà un « accusé innocent » ? Son enjeu, enfin, reste le même : qu'est-ce que la philosophie ? Peut-elle, en fécondant la culture, préparer la fondation d'une communauté d'hommes libres ? Ces analogies se préciseront si nous réussissons à *lire entre les lignes* afin de méditer le projet originel de Nietzsche.

Une première indication, assez surprenante pour un discours académique, nous met sur la voie. Le conférencier décide de rapporter à ses auditeurs les « circonstances étranges » d'une conversation qu'il aurait surprise, dans sa jeunesse, entre « des hommes remarquables » qui s'entretenaient précisément du sujet qu'il se propose de traiter aujourd'hui. La conférence lue reflue vers une lointaine conversation qui, à son tour, va remonter à des conversations antérieures et tisser un singulier réseau d'analogies entre les personnages, leurs rencontres et les thèmes dont ils délibèrent. Dès le départ, le dialogue nietzschéen se place intentionnellement sous le signe du retour; dès ce moment même, sa langue secrète laisse entendre la voix de Platon.

Quatre singuliers protagonistes se rencontrent dans un bois solitaire près de Rolandseck, par une fin d'après-midi d'été, il y a bien longtemps. Ils ne sont pas sans éveiller en nous de curieux souvenirs. Viennent d'abord *deux jeunes étudiants*, le conférencier et un ami de son âge, qui avaient décidé « cinq ans auparavant, quand nous rassemblions en commun nos idées » (p. 35) de se retrouver chaque année, le même jour et dans le même lieu, pour une festivité silencieuse. Mais un second couple a pris lui aussi rendez-vous pour

9. NIETZSCHE, *Fragm. posth.*, p. 201, I, I.

le même endroit, à la même heure, et se trouve fâcheusement en présence du précédent. Il s'agit de *deux professeurs*, un vieil homme et son compagnon, que la présence inattendue des jeunes gens embarrasse. La rencontre des quatre hommes s'avère d'autant plus étrange, en ce lieu désert à la tombée du jour, que les motifs de leur présence sont identiques. Les jeunes gens célèbrent en effet une *rencontre antérieure*, de nature spirituelle, qui les avait rapprochés alors d'une manière surprenante en un même espoir. « Au cours d'un voyage sur le Rhin entrepris à la fin d'un été, nous avions, mon ami et moi, au même endroit et presque en même temps, et, cependant, chacun à part soi, imaginé un plan : nous sentîmes que cette extraordinaire coïncidence nous contraignait à l'exécuter. Nous décidâmes alors de fonder une petite société de camarades... » (p. 27-28). Ils célébreraient dorénavant chaque année la fête de cette fondation en revenant au lieu solitaire près de Rolandseck. Mais, de façon plus curieuse encore, l'*extraordinaire coïncidence* de la première rencontre spirituelle entre les étudiants se répète en une coïncidence beaucoup plus extraordinaire, puisqu'elle reproduit exactement les circonstances de la rencontre des professeurs qui viennent, à leur tour, la commémorer !

La coïncidence des deux coïncidences, ou, si l'on préfère, l'articulation des deux séries identiques et pourtant rigoureusement différentes, est aussitôt soulignée par le compagnon du vieux philosophe. « Nos promesses et nos conventions nous lient malheureusement de la même façon, pour le même lieu et pour les mêmes heures. » Et il ajoute avec un brin d'ironie : « Il nous reste à savoir si c'est une fatalité ou un lutin que nous allons rendre responsable de cette coïncidence » (p. 37).

N'est-ce pas plus simplement *le destin de la philosophie* que d'instaurer de semblables rencontres, heureuses ou malheureuses, sur le mode de la *répétition* ? Et, en premier lieu, la rencontre avec Platon : les deux couples d'amis correspondent de toute évidence aux quatre personnages du *Théétète*. Le vieux philosophe et son compagnon effacé renvoient l'image de Socrate et de Théodore, alors que les deux étudiants apparaissent comme les reflets de Théétète et du jeune Socrate. Les quatre hommes se font face, deux à deux, comme pour un *duel*. Situation aussi ironique qu'étrange, puisque le vieillard vient précisément d'interrompre, par crainte d'une blessure, les jeunes gens qui s'exerçaient au pistolet, non loin de là. Interrompu, ce duel illusoire entraîne maintenant un duel véritable entre les deux groupes qui *prétendent* occuper, seuls, le lieu consacré.

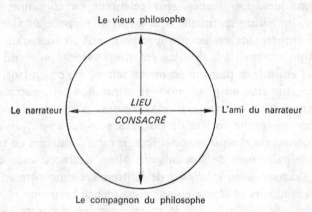

Comme en un *cercle magique* (p. 36) qui fascine les quatre hommes par « quelque chose de mystérieusement attirant », les couples adverses s'opposent, immobiles, aux dernières lueurs du couchant... Platon aurait pu écrire ces lignes :

« Les deux groupes se faisaient front en silence. Le philosophe regardait le soleil, son compagnon regardait le philosophe, et nous regardions notre refuge dans le bois qui courait un si grand danger » (p. 35).

Scène admirable, qui dévoile la *filiation solaire* du philosophe et insiste en même temps sur la division naturelle qu'elle entraîne ! L'unité, aliénée dans l'affrontement des contraires, semble devenir étrangère à la communauté. Situation plus surprenante encore par l'emboîtement des répétitions qui régressent toutes vers leur origine. Car la répétition, pour Nietzsche comme pour Platon, est *augurale* : la coïncidence de la première rencontre d'ordre spirituel avait assuré la *fondation* du cercle des étudiants. *Cinq ans après*, la nouvelle répétition redécouvre l'origine — « toute souvenir, toute avenir » — et dessine en une même figure le destin des quatre hommes, comme le crépuscule du soir annonce et rappelle celui du matin.

L'aurore luit encore à la tombée du jour. Et chaque rencontre va renouer ses liens avec la rencontre antérieure. Ainsi la première rencontre entre le sujet de la conférence, à Bâle, et les propos d'une conversation lointaine, à Rolandseck, coïncidence *en deçà* du récit mythique du narrateur, répète la deuxième rencontre entre les quatre hommes, tout aussi inattendue, laquelle, à son tour, répète la troisième rencontre entre les deux adultes, qui répète la quatrième rencontre entre les deux jeunes gens, qui répète enfin la *rencontre originaire* — silencieuse — des deux amis cinq ans plus tôt. On comprend qu'après une telle cascade de répétitions — cinq répétitions — le conférencier assure ironiquement à ses auditeurs bâlois qu'il ne traitera pas sujet annoncé (l'avenir de la culture allemande), mais se contentera de « répéter » ce qu'il a *entendu dire* (p. 25).

A suivre les singuliers méandres de cette conférence, nous n'avons pas plus que Nietzsche perdu le fil de notre sujet : qu'est-ce que la culture ? Il se pourrait même que ces longs détours, apparemment déplacés pour résoudre les problèmes du gymnase allemand en 1872, nous aient davantage rapproché de la question que bien des discours académiques. Non sans quelque naïveté, le jeune homme le pressent au tout début de la soirée. Retrouver son ami le plus proche, se réjouir en commun de la célébration et trouver l'apaisement d'une méditation solitaire, n'est-ce pas connaître la plus haute festivité de la pensée ? « Nous croyions que notre fête commémorative était réellement de nature philosophique » (p. 35). Et le philosophe de répliquer du tac au tac : « Qu'est-ce donc alors, que vous appelez votre philosophie ? » A cet instant, l'embarras des deux jeunes gens évoque irrésistiblement les hésitations d'un Théétète. Mais, à l'image de ce dernier, ils tentent avec courage de parvenir à leur but : « En gros, nous avons en vue de réfléchir à la meilleure manière de devenir des hommes cultivés » (p. 38).

Ainsi le hasard d'une rencontre en apparence fâcheuse pour les étudiants, beaucoup plus heureuse pour le conférencier, retrouve de toute nécessité la question originelle qui avait entraîné les deux rendez-vous : « Qu'est-ce que la culture ? » Nietzsche peut à bon droit parler de *cercle magique* si tout le mystère de la philosophie tient précisément en cette question initiale qui se précède toujours elle-même et décrit le cercle de l'origine. Le désir d'une fondation culturelle, commun aux étudiants et aux professeurs, a entraîné leur rencontre intempestive, et cette rencontre, en retour, a révélé qu'elle était la fondation elle-même. Les discours des quatre personnages se meuvent désormais dans ce cercle, et prennent comme thème de réflexion la culture *dissolue* de la modernité dont l'*effondrement* constant rend de plus en plus précaire la parole silencieuse de la *fondation*.

Faisons une courte pause avant de revenir à la culture moderne. Nietzsche s'amuse à parsemer son texte d'allusions *littérales* aux dialogues platoniciens, en particulier au *Théétète* et au *Sophiste*[10]. Après avoir joué de l'embarras du narrateur, nouveau Théétète, devant le philosophe, il fait une référence directe à la maïeutique (« à quoi bon parler de sages-femmes ? », parle nommément du « divin Platon », en rappelant la psychagogie du *Phèdre*, revient au *Théétète* pour louer « l'étonnement philosophique durable sur lequel seulement, comme sur un sol fécond, peut croître une culture profonde et noble »[11], et s'en prend enfin à l'habituel adversaire de Socrate en des termes identiques. Ecoutons le compagnon du philosophe décrire le *prétendant* au pouvoir culturel à qui il faut *donner la chasse* :

« L'assaillant n'a pas un adversaire visible et ferme à écraser : cet adversaire est bien plutôt masqué, il sait revêtir cent formes diverses, échapper sous l'une à la main qui le saisit pour troubler toujours l'assaillant par de lâches retraites et de tenaces retours »[12]. Le philosophe aquiesce et dénonce à son tour les prétendus établisse-

---

10. Le prologue de la première conférence, qui retourne à un passé mythique, rappelle le *Parménide* et son emboîtement de récits. La forme littéraire, assez rare, du dialogue *lu*, renvoie directement au *Théétète*. Quant à la structure des 5 conférences, au jeu des personnages et à l'objet même de leur entretien, ils indiquent clairement la direction du *Sophiste*.

11. *Ibid.*, p. 110; 117; 129.

12. *Ibid.*, p. 53. Dans des notes préparatoires aux Conférences, NIETZSCHE s'écrie : « Mais tout dans vos universités ressemble aux sophistes de Platon » (*Fragm. posth.*, I, 1, p. 342), ce qui entraîne « l'impossibilité de la philosophie à l'Université » (*ibid.*, p. 343).

ments de culture où enseignent ces êtres tortueux à l'esprit « si bigarré et si difficile à saisir ».

Il n'est guère malaisé de reconnaître le sophiste platonicien, protéiforme, masqué et bigarré, ποικίλος, qui fait la roue pour jaillir dans l'éclat de ses multiples parures. La même image se retrouve dans la troisième conférence, lorsque le philosophe prend la défense du véritable esprit allemand « auquel on a substitué un vicaire paré de mille couleurs » (p. 94). En imposant « cette pseudo-culture qui (...) s'est parée de son nom et de ses dignités », le sophiste se découvre comme un *producteur de simulacres* qui joue sur les mots, un *imposteur* qui substitue la *fonction vicariante du langage* à la culture unique et authentique, un *prétendant* qui cache à la surface de son discours cauteleux son appétit de pouvoir. Comme Platon repoussait l'invasion des simulacres en montrant que leur asthénie ontologique leur interdit à jamais de commander, Nietzsche démasque les prétentions culturelles de l'enseignement moderne qui démocratise dans un affairement servile une culture dont il se montre impropre à comprendre l'*être*. L'Etat ne sait plus, ni ne désire savoir ce qu'est la culture. Il lui suffit, pour assurer son pouvoir sur les masses, de la dévaloriser doublement en l'élargissant et en la réduisant. D'un côté en effet, la tendance à l'*extension* de l'aire culturelle recouvre hypocritement le seul besoin économique de développer une *production de biens culturels* : la société fabriquera des hommes cultivés, nantis des indispensables diplômes, comme elle fabrique des journaux ou des savonnettes, « des hommes aussi « courants » que possible, un peu comme on parle d'une « monnaie courante » » (p. 44) — et Nietzsche n'ignore pas la loi de Gresham. D'un autre côté, la culture moderne tend vers une *réduction* chaque jour plus intense de son domaine. L'anarchique développement des disciplines scientifiques, désormais affranchies d'un projet philosophique, entraîne la paradoxale aliénation des hommes cultivés isolés par leurs connaissances mêmes. Spécialisée ou générale, la culture se plie de toute façon à l'appétit utilitaire des sciences et des techniques, elles-mêmes soumises à l'eudémonisme social du troupeau.

Nietzsche critique moins, peut-être, les préjugés démocratiques de cette « culture douteuse, qui écarte avec haine une culture vraie, c'est-à-dire aristocratique » (p. 97), que la simulation ontologique plus profonde qui prétend s'emparer de l'universel. Contre la moderne barbarie, Nietzsche exige un *retour au modèle*, un réenracinement dans le sol naturel de l'ontologie, et, en premier lieu, une purification de la langue : aujourd'hui, déclare-t-il, « il ne reste rien de l'influence du *modèle classique* » (p. 61), détourné et perverti par les semblances. Or *le modèle ne doit pas être un fantasme*[13], répète Nietzsche contre le temps présent, afin de récuser l'équivocité sophistique. Nous sommes engagés dans un duel qui ne présente rien de commun avec l'instinct agonal de la culture grecque. D'un côté, ceux qu'il faut bien nommer des *sophistes*, « professeurs habiles » dit le conférencier, dont le seul but consiste à *imiter* la culture stricte dans des établissements d'enseignement qui ne sont rien de plus que des simulacres : « là où on simule encore au moins leur allure, on est plus désespéré » (p. 102). Tel est le scandale des conférences : la question « sur l'avenir de nos établissements d'enseignement » n'implique aucune réponse, et ne sera en conséquence pas traitée à l'auditoire stupéfait, *parce qu'il n'y a pas d'établissements d'enseignement* en Allemagne, « seulement des établissements de la misère de vivre ». De l'autre côté, les meilleures âmes qui se reconnaissent à leur fidélité envers l'esprit d'enfance, irréductible marque de l'étonnement philosophique, et qui demeurent désemparées en l'absence de l'homme vraiment digne de la Paideia.

Mais cet être qui trace dans l'enthousiasme des créateurs la voie magistrale, existe-t-il encore, ou bien est-il seulement espéré ? Doit-on demander, comme le disciple du philosophe, si quelqu'un se trouve aujourd'hui en état d'atteindre, ou même d'indiquer, cette voie — et s'entendre répondre avec émotion : *Personne ?* (p. 73).

Nous sommes insensiblement revenus à nos quatre personnages qui commémorent leur passé et leur avenir, leur fidélité et leur espérance. Quelle est l'*origine* de la rencontre primitive, qui a secrètement assuré l'étrange communauté des quatre protagonistes ? Nietzsche

---

13. NIETZSCHE, *Aurore, Fragm. posth.*, 1879-1881, p. 543. Nous soulignons.

laisse maintenant la parole à Platon lui-même. Toute la série des conférences dessine en filigrane la figure de l'homme qui correspond à la culture aristocratique, le personnage attendu, l'hôte absent — le philosophe. C'est un *étranger* dont les deux professeurs guettent en cette soirée la venue, cinquième personnage invisible et muet qui ne se manifeste qu'à travers *la parole des autres*. Nietzsche va multiplier les allusions à son étrangeté native : l'homme de la culture authentique est « un noble exilé » semblable au philosophe de la *République* (VI, 496 *b*), « un étranger (qui) passe dans son deuil solitaire ». Les prétendants au pouvoir qui crient « jour après jour : « Nous sommes la culture. Nous sommes l'éducation » »[14] l'ont poussé à abandonner le sol natal. Mais il est des traits qui dépeignent une époque. Si l'étranger éléate venait en surnombre au rendez-vous auquel il n'avait pas été convié, l'étranger de Rolandseck ne remplit pas sa promesse, et manque inexplicablement à l'appel. Les temps du retour ne sont pas encore proches.

« Malheur à celui qui n'a plus de patrie ! »[15].

Pourtant la Pentade platonicienne règne, immuable et dissimulée, orientant les quatre personnages vers le cinquième exclu, ce « lointain ami » qui ne viendra pas occuper le cœur d'une communauté dont il est pourtant l'origine. En une heure mémorable, le vieux philosophe l'avait rencontré au bois de Rolandseck, « solennellement seul », et tous deux avaient convenu de se retrouver des années plus tard, à minuit, en ce même lieu sacré. Résonnait alors, lors de cette première rencontre comme de celle des jeunes gens, l'appel de l'origine qui commanderait les rendez-vous ultérieurs et la rencontre intempestive des quatre personnages. Mais, de même que la pentalogie des dialogues platoniciens demeure inachevée, de même la cinquième conférence nietzschéenne *s'interrompt* avant la venue du *Philosophe*.

Comme plus tard *Ainsi parlait Zarathoustra*, les Cinq Conférences pourraient être dédiées à tous et à personne. A *Personne* surtout,

---

14. NIETZSCHE, *Cinq conférences*, p. 93 ; p. 94 ; p. 89.
15. NIETZSCHE, *Dithyr. Dion.*, p. 145.

voyageur des mers lointaines d'au-delà du Rhin que tous les désirs
appellent. Si Zarathoustra est bien celui qui enseigne le surhomme,
alors les conférences de 1872 préparent déjà sa venue dans le cercle
des compagnons d'un soir. Pas plus que le philosophe platonicien,
le surhomme nietzschéen n'existe *en dehors d'une communauté* de pensée
et d'amitié : il se révèle en creux, dans la commémoration des quatre
officiants, comme l'être se déploie à travers la Quadrature. La rencontre accidentelle des deux festivités, celle des étudiants qui saluaient
la *véritable* culture, et celle des professeurs qui condamnaient la culture
du *semblant*, était naturellement appelée, dans la complémentarité de
ses thèmes, par le créateur qui, pourtant, ne paraissait pas en personne.
N'est-ce pas la raison de l'émotion secrète du jeune homme, vers le
souvenir de qui le conférencier remonte, quand il comprend tout
à coup, dans le silence de l'ἐξαίφνης, le sens jusqu'alors inapparent
de sa propre fondation ? Le « petit cercle » de camarades qu'il avait
formé avec son ami était dès l'origine appelé par la culture philosophique, et annonçait le « cercle magique » qui réunirait les quatre
hommes cinq années après. Cette réunion mal engagée éclaire *rétrospectivement* toutes les étapes d'une démarche jusqu'alors à demi aveugle :
*Soudain tomba sur tout ce passé une lumière absolument inattendue lorsque
dans notre écoute silencieuse nous nous abandonnâmes aux puissants discours
du philosophe*[16]. Quand la communauté s'ouvre à l'attente de l'Autre,

16. *Cinq conf.*, p. 104. Nous soulignons. La violence de l'ἐξαίφνης fait par deux fois
irruption, lors de la FONDATION du cercle des étudiants (p. 28 : « Nous avions ressenti
soudain le même enthousiasme pour la même décision ») et lors de la COMMÉMORA-
TION de cette fondation (p. 104 : « soudain tomba sur tout ce passé... ») .
    Depuis le collège de Pforta, où il avait fondé avec ses amis Gesdorff et Deussen une
petite société littéraire nommée « Germania », NIETZSCHE n'a jamais abandonné le projet
de fonder une institution philosophique à l'image de l'école platonicienne. Une note
préparatoire aux conférences (*Frag. posth.*, 1869-1872, p. 345) parle de « la nécessité de la
société, et de là d'abord une communauté de maîtres : Platon et les sophistes » — communauté à rapprocher de « *l'organisation de l'Etat des génies — telle est la vraie république
platonicienne* » (*ibid.*, p. 446).
    Une lettre à Rohde, du 19 juillet 1870, précise ce projet : « Nous aurons de nouveau
besoin de couvents. Et nous serons les premiers *fratres* » (*ibid.*, p. 492). Une seconde
lettre, au même, déclare, le 29 décembre : « Nous ne pourrons devenir de vrais professeurs que si nous nous arrachons nous-mêmes avec tous les leviers possibles à cet air du
temps et que si nous ne nous montrons pas seulement des hommes plus sages, mais
surtout des hommes *meilleurs*. J'éprouve avant tout le besoin, la nécessité d'être *vrai*.
C'est pourquoi, en retour, je ne supporterai plus très longtemps l'air des académies. Un

au détour d'une rencontre imprévue, les personnages se retrouvent
spontanément *à l'écoute* de la « musique naturelle qui venait de loin,
du banc des philosophes » (p. 40). La musique qui enchante se termine toujours par un *Da Capo*.

L'interprétation ne saurait en rester là sans s'exposer au danger
des analogies fugaces et des rapprochements arbitraires. Admettra-t-on
sans réserves que le contempteur du platonisme ait caché le modèle
platonicien de la Pentade au cœur de ses conférences ? Ne serait-on
pas dupe d'une trop facile symétrie et de l'absurde séduction du
nombre nuptial, confondant dès lors arithmologie mystique et
philosophie ?

Nous laissons simplement parler le texte, à l'écoute de sa langue
secrète, nous essayons de répondre à la propre attente de Nietzsche
qui demandait à son lecteur d'accueillir et de méditer sans hâte un
dialogue dont l'affabulation ne relève pas d'une obscure fantaisie.
Et la parole du texte est une *répétition*. La Pentade revient selon un
rythme régulier dans la structure inachevée des *cinq* conférences
comme dans le nombre des personnages et l'originalité des situations.
Nous avons déjà noté que les deux étudiants avaient fondé leur petite
communauté *cinq ans* exactement avant la grande commémoration,
et que cette fondation, jumelle de celle des philosophes, avait cristallisé la rencontre des quatre personnages et leur commune attente
de l'hôte mystérieux. Il y a plus : le philosophe bougon qui mène le
jeu, bien proche du Socrate emporté et colérique de Nietzsche contre
qui celui-ci disait se battre presque sans arrêt, fait appel, dès ses

jour ou l'autre nous secouerons donc ce joug, c'est une chose *pour moi* absolument certaine. Et nous formerons une nouvelle Académie grecque... » (*ibid.*, p. 496).

Daniel HALÉVY a profondément senti la parenté de Nietzsche avec les deux grands
fondateurs d'un ordre philosophique : « Dans l'Antiquité classique, il avait rencontré
Pythagore et Platon, l'un fondateur, l'autre poète, d'une des plus nobles confréries dont
s'honore l'histoire, étroite aristocratie de sages armés, de chevaliers méditatifs » (*Nietzsche*,
p. 140). Devant le petit château de Flimms, Nietzsche dira à sa sœur : « Ici, nous ména-
gerons un promenoir couvert, une sorte de cloître. Ainsi, par tous les temps, nous pourrons marcher en causant, comme Platon et ses amis. Car nous causerons beaucoup, nous
lirons peu, nous écrirons à peine... » (cité par D. HALÉVY, p. 196; cf. p. 256 : « Mon idée,
l'école des éducateurs — ou, si tu veux, *cloître moderne, colonie idéale, université libre* — flotte
toujours dans l'air ». Gageons que le silence de cinq ans aurait été exigé des novices...

premiers mots, à la présence magique du nombre 5. Il conseille en effet aux deux étudiants qui parlent étourdiment de philosophie d'imiter « les jeunes pythagoriciens qui devaient se taire cinq ans parce qu'ils servaient une droite philosophie »; « peut-être », ajoute-t-il, « en ferez-vous autant pendant cinq quarts d'heure, pour servir à votre future formation qui vous occupe de manière si pressante » (p. 38).

Peut-être le secret de la langue des Conférences tient-il dans le *chiffre* pythagoricien qui unissait la formation philosophique au silence et révélait l'engendrement du cosmos comme son retour éternel[17]. Mais la seule allusion au nombre nuptial ne peut encore nous satisfaire. Nietzsche a besoin d'une *marque* certaine de la Fondation, inscrite au vif dans la structure de son texte, qui répète en un écho secret la présence de la κοινωνία platonicienne. Il faut que la Pentade, commencement et commandement, assure la maîtrise du récit entier et dirige l'ensemble des métaphores. Nécessairement, fatalement, conduite par son destin, la figure de la fondation doit avouer qu'elle est la *cible* de la philosophie et, comme telle, l'*origine* des traits qui touchent au cœur de l'être. Si Nietzsche veut triompher du nihilisme moderne et retrouver la noire cicatrice qui rappelle le point d'attache de la graine, alors il doit dissimuler, dès l'ouverture de son enquête, le *hile* platonicien de sa parole initiale. De nouveau, l'admirable intuition de Poe, sa découverte platonicienne : comment *dissimuler* plus finement le secret de l'être qu'en le proposant dans l'éclat premier

17. L'influence du Pythagorisme sur Nietzsche, comme chez Platon, qui pensent tous deux *more Pythagorico*, ne saurait être négligée. Rappelons l'allusion essentielle de la *Deuxième inactuelle* à l'*éternel retour pythagoricien*, dès 1874, qui relie l'image de l'*étoile* à la *pentade* : « ... à moins que les pythagoriciens n'aient raison de croire qu'une même constellation des corps célestes amènerait jusqu'aux plus petits détails les mêmes événements sur la terre, de sorte que, quand les étoiles occuperont la même position les unes par rapport aux autres, un stoïcien s'unira à un épicurien, César sera assassiné, et, de nouveau, dans d'autres conditions, on découvrira l'Amérique. Si la terre recommençait chaque fois son spectacle *après la fin du 5ᵉ acte*... » (pp. 142-143, nous soulignons). Quelques lignes plus bas, Nietzsche fait d'ailleurs une allusion à la « hanche dorée de Pythagore ». Quant au silence pythagoricien de 5 ans, il devait être l'un des liens du petit groupe d'amis de Nietzsche, puisque Gusdorff écrit de ce dernier : « Le meilleur pour notre ami serait qu'il imitât les pythagoriciens : 5 années sans lire ni écrire » (cité *in* D. HALÉVY, p. 208).

On sait enfin que, selon la légende, ZARATHOUSTRA aurait été le maître de PYTHAGORE (cf. BIDEZ-CUMONT, *Les Mages hellénisés*, I, pp. 108-110). Si le nom de « Zarathoustra » signifie « étoile en or », ne peut-on imaginer cette étoile *à cinq branches* ?

de son *évidence* ? La lettre volée doit nous crever les yeux, pour que nous ne la voyions point, et Dupin, d'un naturel méfiant, portera ce jour-là des lunettes. Nous crever les yeux — ou bien les tympans ? Cherchera-t-on l'origine de la philosophie dans le *regard* ou dans l'*écoute*, dans la *cible* ou dans les *détonations* ?

Nietzsche se souvient de ses duels d'étudiant, et prend la cible comme origine des détonations. Comment les deux jeunes gens préparent-ils en effet leur commémoration dans le bois de Rolandseck ? Quelle est la cause de l'arrivée intempestive du philosophe et de son compagnon, brutalement arrachés au calme paisible du crépuscule ? Pourquoi le narrateur avoue-t-il curieusement : « Nous n'avions pas une idée claire des rapports qui pouvaient exister *entre nos divertissements un peu bruyants et la philosophie* »[18] — si ces rapports ne sont pas *fondés* ?

Les deux compères s'exercent simplement au pistolet sur un petit plateau découvert : plus loin, « la puissante souche d'un chêne » leur présente une cible éclatante. *Cinq* années auparavant, ils y avaient tous deux *gravé*, comme symbole de leur commune fondation, « *un pentagramme très net* que les intempéries et les tempêtes des dernières années avaient encore fait plus largement éclater et qui offrait une bonne cible »[19]. Tel est donc le hile nietzschéen qui enracine dans le cœur de l'arbre et du texte la pentade platonicienne : le vieux pentagramme sacré des pythagoriciens, délibérément choisi comme symbole de la communauté des jeunes gens, vers lequel s'accomplissait chaque année le *retour*. Ce sont précisément les tirs répétés sur le pentagramme, repris par l'écho, qui, en déchirant l'impressionnant silence de la forêt, ont rapproché les deux groupes et entraîné leur commune attente du cinquième homme. *L'étoile à cinq branches* préside ainsi au jeu des rencontres, scelle le destin de la fondation philosophique et prépare la venue de l'hôte des hôtes.

18. Nietzsche, *Cinq conf.*, p. 34. Nous soulignons.
19. *Ibid.*, p. 31. Nous soulignons. Le symbolisme de la Fondation se trouve renforcé par la *souche* du chêne, puissamment enracinée, sa *solitude* au centre du terrain dénudé, et l'*ombre* large qu'elle projette sur la lande. « Autour de lui, le silence était profond. » Nietzsche mentionne à trois reprises le pentagramme. Une note préparatoire accentuait le symbolisme de la cible : « Pour finir, le philosophe avait parlé, debout, près du pentagramme, les yeux fixés à terre » (*Fragm. post.*, 1869-1872, 1, 1, p. 350).

Aussi entendrons-nous à nouveau claquer, dans la dernière conférence, les détonations qui ouvraient l'espace de la première. Le Cercle du Retour se referme calmement sur lui-même. La cinquième conférence commence par saluer le rythme régulier d'un grand nombre de voix qui chantent « à l'unisson » de l'autre côté du Rhin. Ce sont les « retrouvailles de minuit » du philosophe et de son ami, qui doivent faire communier les deux communautés dans le chant et le rythme réglé des détonations. A la fin de la mélodie, les deux amis tirent alors vers le ciel étoilé *cinq coups* en écho, mais perdent la mesure après le troisième et ne retrouvent pas l'unisson[20]. Leur essai malheureux, sèchement souligné par le philosophe, laisse entendre qu'ils ne sont pas encore mûrs pour la culture. L'unisson de la philosophie indiquera seulement la festivité de l'avenir; pour le présent, que la commémoration nocturne interrompue annonce l'avènement de la pensée nouvelle et le retour du lointain ami qui manquera, ce soir-là, au rendez-vous.

Tendues entre deux silences et ponctuées de pauses régulières, les Cinq Conférences inscrivent la philosophie dans la Correspondance, c'est-à-dire la réponse donnée en commun à l'appel de l'être. Dans le plus pur style platonicien, la fonction mythique du silence se trouve renforcée par la description de la poétique année d'études à Bonn, au cours de laquelle le conférencier fit l'étrange rencontre de la philosophie. Il vécut cette année lointaine, nous confie-t-il, comme un songe complètement détaché des autres périodes de sa vie, et en particulier du temps présent de la conférence. Cette année nostalgique a « aujourd'hui l'allure d'un rêve, alors que des deux côtés, avant et après, elle est encadrée par des périodes de veille ». Car la fondation isole et distingue, qui accomplit la rupture avec le cours ordinaire des choses et se protège sous le voile du silence.

---

20. « Soudain nous étions devenus infidèles à notre tâche rythmique : une étoile filante, juste après le troisième coup, était tombée avec la vitesse d'une flèche et presque involontairement le quatrième et le cinquième coups avaient retenti dans la direction de sa chute » (*ibid.*, p. 121). C'est une *étoile filante* — ἐξαίφνης — qui a causé la faute de mesure des deux tireurs et fait échouer la répétition du Même. L'inachèvement des *Conférences*, à l'image de celui de la culture du temps, est signé par l'apparition et la disparition simultanées de l'étoile.

On pourra, bien entendu, contester la légitimité de cette interprétation ou affirmer, dans le cas le plus favorable, que Nietzsche aurait abandonné par la suite sa filiation platonicienne de jeunesse. Les grands textes de la maturité oublieraient la nostalgie de l'être, le primat du silence et le rôle architectonique de la pentade, au profit d'une conception chaotique du cosmos qui dissoudrait à jamais les dernières concrétions du platonisme.

Nous croyons qu'il n'en est rien. S'il est un auteur resté fidèle aux fêtes joyeuses de sa jeunesse, qui a toujours voulu commémorer son intuition augurale, c'est bien le penseur du Retour éternel. « Nous demeurons toujours entre nous », lisons-nous au paragraphe 166 du *Gai Savoir*. Sans doute est-ce là le trait le plus constant de sa philosophie, ainsi que l'a plus d'une fois mis en lumière Heidegger, mais déjà Nietzsche lui-même dans la quatrième conférence : « L'homme vraiment cultivé possède donc ce bien inestimable de pouvoir, sans rupture, rester fidèle aux instincts contemplatifs de son enfance et d'atteindre par là à un calme, à une unité, à une cohérence et à une harmonie dont celui qu'attire la lutte pour la vie ne peut pas même avoir une idée » (p. 101).

Or l'œuvre ultérieure de Nietzsche, qu'il est évidemment exclu d'envisager ici dans son intégralité, ni même dans ses lignes directrices, opère un retour constant aux trois thèmes indissolubles de la Pentade, de la Fondation et du Silence. *Le voyageur et son ombre*, dans une courte notation sur la musique, laisse apparaître sa filiation pythagoricienne et revient, en écho aux *Conférences*, sur la liaison de la pentade et du silence qu'elle oppose au vacarme des temps modernes : « Les Pythagoriciens, ces Grecs exceptionnels sur bien des points, étaient aussi, à ce qu'on rapporte, de grands musiciens : ceux-là mêmes qui inventèrent le silence de cinq ans, mais *non* la dialectique » (§ 167). Un autre texte, tiré d'*Opinions et Sentences mêlées*, propose une bien curieuse « échelle des voyageurs » : « Parmi les voyageurs, on distinguera cinq degrés : ceux du premier degré, le plus bas, sont les gens qui voyagent et sont vus ce faisant — ils sont proprement menés en voyage, comme aveugles ; les suivants voient réellement le monde eux-mêmes ; les troisièmes tirent de leur vision quelque expérience vécue; les quatrièmes assimilent le vécu de façon vivante et l'emportent avec eux; enfin il y a quelques personnes d'énergie supérieure qui doivent nécessairement, après l'avoir vécu et assimilé, revivre pour finir tout ce qu'elles ont vu en le projetant au-dehors, en acte et en œuvres, *dès qu'elles sont revenues chez elles* »[21]. Texte précieux, qui unit les deux thèmes du voyage philosophique et du retour éternel dans la même figure pentadique. Seul *le cinquième degré* importe au penseur puisqu'il permet de *reprendre* en soi toutes les expériences de la vie et de créer librement, au cœur de la patrie retrouvée, « sans le moindre reliquat d'énergie intérieure inutilisée ». Volonté de Puissance et Eternel Retour échangent ici leurs déterminations dans une hiérarchie de type platonicien selon quatre degrés continus, séparés par une coupure essentielle du niveau supérieur caractérisé par le *retour chez soi*.

Le même souci gouverne certains projets littéraires inexplicablement avortés, comme la modification rétrospective de quelques grandes œuvres de Nietzsche. En décembre 1872, quelques mois après les cinq conférences de Bâle, Nietzsche offre à Cosima Wagner un curieux manuscrit : *Cinq préfaces pour cinq livres qui n'ont pas été écrits (et à ne pas écrire)*. La singulière entreprise de ramener un livre à sa préface, peut-être la philosophie à son prélude, relie une nouvelle fois le chiffre pythagoricien et la dissimulation, sans que les raisons de l'absence des cinq livres soient évoquées. En retour Nietzsche composera en 1886 *cinq préfaces rétrospectives* à ses cinq grands ouvrages publiés : 1. *Humain, trop humain*; 2. *Le voyageur et son ombre*; 3. *La naissance de la tragédie*; 4. *Aurore*; 5. *Le Gai Savoir*. Ces cinq textes présentent une telle unité d'intention et d'écriture que Charles Andler, les étudiant à part, déclare que « les cinq *Préfaces* mises bout à bout composeraient assez un *Ecce Homo* qui compterait un chapitre intitulé : « Pourquoi j'ai écrit des livres manqués » »[22].

Plus surprenant encore, au cours de cette même année 1886, Nietzsche, en même temps qu'il lui accorde sa préface tardive, rajoute

---

21. *Opinions et sentences mêlées*, p. 106. Nous soulignons.
22. Cf. Ch. ANDLER, *Le pessimisme...*, Les 5 préfaces de 1886, p. 558.

au *Gai Savoir* un *cinquième livre*, comme déjà, en 1881, il avait adjoint aux « quatre grandes masses » d'*Aurore*, une *cinquième partie*. Les deux ouvrages présentent ainsi une structure analogue, selon cinq parties rigoureusement ordonnées, dont nous trouvons le modèle dans la préface d'*Aurore*. Nietzsche y déclare que le « travail des profondeurs » de la recherche philosophique est voué à la dissimulation du fait de son élément « incompréhensible, secret, énigmatique ». Le *premier paragraphe* part de l'être initial du silence qui naît au secret de l'aurore, origine du voyage philosophique et de son retour. Le *deuxième paragraphe* expose l'arrachement au silence originel et les débuts de la marche solitaire du penseur sur les sentiers de la parole. L'image homérique du Voyage et de l'Epreuve continue de hanter l'écriture nietzschéenne, riche d'errances et d'obstacles que révèle le *troisième paragraphe*. Un danger suprême menace le voyageur, le séduit pour l'avilir et le réduire à l'animalité, la *Morale*, « véritable *Circé* des philosophes ». Par ses sortilèges et ses fantasmes, la magicienne promet au voyageur la *fuite* vers l'au-delà et lui ferme la route du retour. Le *quatrième paragraphe* développe la critique souterraine de la morale qui a dévié la droite philosophie ; le « féminisme européen », entendons le poison de l'idéalisme, sera tôt ou tard extirpé de notre cœur. Mais le *cinquième paragraphe* instaure une *coupure* dans le trajet nietzschéen. La pensée du voyageur conquiert enfin son propre sol et impose une distance froide et lente aux quatre étapes précédentes. Vifs et continus, les quatre premiers mouvements clamaient aux oreilles les plus dures l'inquiétude de l'exilé ; le cinquième paragraphe redécouvre la sérénité de l'initial. « Se tenir à l'écart, prendre son temps, devenir silencieux, devenir lent. » La démarche effective des cinq parties reprend point par point le parcours de la préface, et se clôt *Dans le grand silence*. Ce livre rétrospectif en a fini avec les allures inquiètes des recherches antérieures, et indique « où l'on doit construire sa maison » (§ 473) — dans le secret et la méditation de l'âme solitaire. A l'heure du mutisme suprême — le chant de la béatitude — la lecture d'*Aurore* s'avère le plus limpide des arts.

La même hypothèse de lecture s'applique au *Gai Savoir*, qui comportait à l'origine quatre parties, précédées d'une préface de quatre paragraphes, et qui se ferme, après le remaniement de l'auteur, sur un cinquième livre composé de matériaux préparés pour le grand ouvrage projeté : *La Volonté de puissance*. Une fois encore, on note une séparation radicale entre les parties primitives, qui annoncent la venue d'une nouvelle race d'hommes, et la dernière surajoutée : *Nous autres hommes sans crainte*. Elle esquisse la figure étrangère des voyageurs sans patrie qui s'arrachent à leur cité afin de mieux se rendre compte de la hauteur de ses tours (v, § 377). Est-ce une simple coïncidence si, dans cette cinquième partie, Pythagore et Platon sont rapprochés jusqu'à se confondre (§ 351) ? D'un bout à l'autre de l'ouvrage se déploie, comme dans *Aurore*, l'image du voyageur embarqué à l'horizon de l'infini et qui en vient parfois à croire qu'il est *Toujours chez soi* (III, § 253). Nietzsche, qui n'a pu créer le grand livre annoncé, a rétroactivement projeté un peu de sa vive lumière sur le *Gai Savoir*. Comme le grand dialogue de Platon sur le *Philosophe* se soustrait à la recherche des textes précédents, préservant son énigme, le *Livre* de Nietzsche retourne, par-delà les quatre degrés initiatiques, à la racine silencieuse de l'être. « La « dissimulation » se développe selon l'ordre ascendant de la hiérarchie des *êtres* »[23]. Semblable à la quête platonicienne, le voyage du retour ne saurait s'achever en un livre terminal : de là, chez Nietzsche, ces esquisses, projets, notations éparses, qui reprennent continuellement la démarche propédeutique en quatre étapes, pour se clôre, sereines, aux rives du silence. Pas plus qu'il ne consent à introduire dans sa cinquième conférence, malgré le signal de reconnaissance aperçu par le philosophe, le cinquième personnage attendu — pas plus que Zarathoustra n'affronte le regard du surhomme, puisque le prophète meurt avant la venue de *Dionysos Philosophos*, Nietzsche ne pénètre dans le silence de la Grande Œuvre. Il l'indique de manière énigmatique dans une lettre du 7 avril 1884 à Overbeck : « J'ai résolu désormais de consacrer les cinq prochaines années à une élaboration de ma « philosophie » pour laquelle, au moyen de mon *Zarathoustra*, je me suis construit un péristyle. »

---

23. NIETZSCHE, *Fragm. posth.*, 1887-1888, XIII, p. 185. Ulysse est cité comme modèle de l'homme souverain.

Est-ce alors un hasard — encore un hasard — si cette lettre reprend presque exactement un projet plus ancien, daté de fin janvier 1870, quelque quatorze ans auparavant ? « Mon plan pour l'immédiat, écrivait-il à son ami Rohde, est de travailler quatre ans à ma propre éducation, puis de faire un voyage d'un an »[24]. Si Nietzsche écrit dans une lettre de mars 1874 : « Je veux commencer par parcourir l'échelle de mes inimitiés, de haut en bas, et d'une façon assez excessive pour que la vérité en retentisse. Plus tard, dans cinq ans, je jetterai loin de moi toute polémique et je songerai à une bonne œuvre » ?[25] Si, la même année, il déclare à Malwida von Meysenburg : « Quelle sera mon ardeur, quand enfin j'aurai rejeté tout ce qui se mêle en moi de négatif et d'insoumis ! Et cependant j'ose espérer que dans cinq ans environ ce but magnifique sera prêt d'être atteint » ? S'il parle en 1884, encore et toujours, des « cinq, six années de méditation, de silence peut-être » qui lui font défaut ?[26] Le fragment inédit de l'été-automne 1881 avait-il alors raison d'affirmer qu' « il y aura des hommes idéaux, lesquels, tous les cinq ans, formeront un nouvel idéal de leur propre fonds »[27] ?

Est-ce, enfin, une fatalité si, quatre ans après la lettre à Overbeck d'avril 1884, Nietzsche se tait, définitivement, et ne construit pas le temple espéré ? Est-ce le destin de la pensée nietzschéenne de composer les *quatre colonnes* du péristyle, avec le *Zarathoustra*, sans ajouter, les cinq années suivantes, l'édifice *principal* ? Admirablement distribués selon la structure cyclique des déclins et des retours, les quatre temps du *Zarathoustra* sont comparables aux Propylées de la philosophie nouvelle qui s'arrêtent au seuil du Parthénon. Les Athéniens n'étaient-ils pas plus fiers des cinq portes monumentales, précédées de cinq marches dont la plus haute était en marbre bleu d'Eleusis, que du temple lui-même ? *Ainsi parlait Zarathoustra* rejoint ainsi, dans le mouvement inachevé et pourtant complet de ses quatre parties, la tétralogie platonicienne. Le foyer éclatant de la Pentade — *Le*

---

24. NIETZSCHE, *Ecrits posthumes*, 1870-1873, p. 307.
25. Cité par Henri ALBERT en appendice des *Considérations Inactuelles*, pp. 256-257.
26. Cité par D. HALÉVY, *Nietzsche*, pp. 218-219; p. 381.
27. NIETZSCHE, *Gai Savoir*, fragm. posth., p. 393.

Philosophe ou *La transmutation de toutes les valeurs* — se dérobe à la marche du voyageur. La nostalgie de l'Etranger, ce mal du pays sans pays qui le déchire à chaque seconde, ne sera jamais étanchée. Et s'il réussit à accomplir le trajet du retour, comme Zarathoustra qui voyage quatre jours avant de retrouver sa caverne, c'est pour conquérir le silence de la solitude.

Il faut imaginer Ulysse silencieux sur la grève d'Ithaque.

> « Qui que tu sois, étranger bien-aimé que je rencontre ici pour la première fois : perçois cette heure joyeuse et le silence autour et au-dessus de nous, et laisse-moi te parler d'une pensée qui s'est levée avant moi, telle une étoile, et qui désirerait répandre vers en bas sa lueur sur toi et sur chacun ainsi que le fait la lumière »[28].

Qui parle ici ? Athéna ? Socrate ? Nietzsche ? Ou bien le Dieu des dieux du *Critias* qui s'interrompt encore, au moment de laisser naître sa pensée *étoilée* ?

Devons-nous relever tous les fragments singuliers d'une œuvre qui fait continuellement signe vers le chiffre de la fondation ? Celui qui déclarait à R. von Seydlitz : « Est-ce trop demander à un homme que d'attendre de lui cinq pensées par jour ? », qui confiera l'écho répété de son désespoir à Overbeck : « Dans tous les nuages qui passent, il y a encore une foudre cachée qui me touche de ses mains soudaines et me tue. Cinq fois j'ai appelé la mort »[29] — n'est-il pas aussi le penseur qui interrogera

> « l'homme, dans son espace de cinq pieds de long »[30],

et le poète qui chantera :

> « Large de cinq pieds le sol, la rougeoyante aurore
> Et dessous moi — le monde, l'homme, et — la mort aussi ? »[31].

---

28. *Ibid.*, p. 427.
29. Cité par Ch. ANDLER, *La maturité de Nietzsche*, p. 313; p. 401.
30. NIETZSCHE, *Aurore*, p. 587.
31. NIETZSCHE, *Gai Savoir*, p. 557.

Le prologue du *Voyageur et son ombre* laisse entrevoir une énigme semblable. A l'Ombre qui lui annonce que « dans une heure tout sera passé », le Voyageur rétorque avec ironie : « C'est ce que je me disais le jour où, dans un bois près de Pise, j'aperçus deux, puis cinq chameaux ». Si la réponse nous surprend, si nous ne sentons pas l'imparité triompher ici de la duplicité rapportée peut-être d'abord à la compagne du Voyageur, relevons alors la remarque de celui qui, être de lumière, sauvegarde toujours une part d'ombre dans ses paroles :

> « Les bons amis échangent de temps à autre, en signe d'intelligence, une parole obscure qui doit être une énigme pour les tiers. Et nous sommes de bons amis. »

L'énigme reviendra une dernière fois, sur les lèvres du Dieu. Ecoutons un court instant le bruissement du silence des *Dithyrambes de Dionysos*. Un poème posthume de l'automne 1888, composé quelques semaines avant l'effondrement final, s'intitule *Le silence d'airain*. Voici ce que nous en pouvons entendre :

> « Cinq oreilles — et pas un son !
> Le monde devenu muet...
>
> Je tendais l'oreille de ma *curiosité* :
> Cinq fois j'ai lancé ma ligne au loin,
> Cinq fois je n'ai pas ramené un seul poisson.
> J'ai questionné — aucune réponse ne s'est jetée dans mon filet —
>
> Je tendais l'oreille de mon *amour* »[32].

Peut-être aurons-nous encore à hésiter sur l'origine et la fin d'un silence qui se clôt éternellement en soi. Avec ses *quatre* chants, *Ainsi parlait Zarathoustra* n'est-il que le prélude du chant ultime, étranger à l'oreille amoureuse du philosophe — ou bien offre-t-il déjà, en ces temps de déclin, le *cinquième Evangile*, comme aimait lui-même à l'appeler Nietzsche ?

---

32. NIETZSCHE, *Dithyr. Dion.*, pp. 154-155, VIII, 2.

2

Le rejet d'olivier

Peut-être Nietzsche a-t-il accédé, plus qu'il ne le voulait lui-même, au puissant souhait de Wagner : « Aidez-moi à instaurer la grande Renaissance où Platon embrassera Homère, et où Homère, rempli des idées de Platon, deviendra alors vraiment le grand Homère »[33]. L'étrangeté de son désir (φιλία) conduit le voyageur à quitter son propre rivage pour s'en aller conquérir, au-delà des hautes mers, le sol de l'origine. Dans sa quête atopique et souvent misérable, le philosophe devient chaque jour plus secret et plus solitaire; perdant ses compagnons, il se fait homme caché, traqué, il se découvre apatride,... hésite parfois à reconnaître le visage qui est le sien :

> « Je serais donc un autre ? A moi-même étranger,
> A moi-même échappé ? »[34].

Nietzsche n'a confondu à aucun moment cette détresse profonde de la pensée qui, seule, peut devenir source de joie, avec « l'ivresse vulgaire de l'anarchie »[35] et sa haine soutenue de l'enracinement. La répétition vêtue du manteau sophistique, à l'élégance tapageuse d'un Hippias, veut abolir la splendeur royale du Principe : sous la surface de ses semblances, le bouillonnement des fantasmes gronde et menace.

Qui va régner, en l'absence du philosophe ? Doit-on légitimer les prétentions des simulacres, tardivement venus roder autour du mégaron, qui interdisent à la maîtrise philosophique de faire valoir son droit ? Les nouveaux seigneurs font ripaille dans la salle du festin, préparent d'obscures embuscades, entrent dans le lit des

33. Lettre de Wagner à Nietzsche, citée in *Naiss. Trag.*, p. 488.
34. NIETZSCHE, *Par-delà...*, Du haut des cimes.
35. NIETZSCHE, *Vol. de Puiss.*, éd. G. BIANQUIS, II, p. 89.

servantes, et finalement, lassés d'attendre, en viennent à oublier celui qu'ils simulent... Quand le masque du pouvoir colle trop intimement à la peau, nul ne s'aperçoit plus d'une aussi longue absence. Qui se demande encore pourquoi Ulysse a abandonné la terre de ses pères, livré son trône et son lit à la convoitise des prétendants ?

La question de l'ἀρχή demeure indifférente à ceux qui vivent de l'absence du *Prince*. Jamais l'égarement sophistique ne s'intéresse au retrait de la Dissimulation ni à l'étrange nature du philosophe. Socrate, le trop silencieux ou trop disert Socrate, n'est-il pas le lieu atopique et utopique des plus inquiétantes semblances ? Deux êtres grondent en lui, qui cherchent sauvagement à s'entre-déchirer. Comme le chien du vieux philosophe des conférences nietzschéennes, brutalement métamorphosé en loup, se jetait sur l'ami du narrateur, la sophistique essaie de dévorer la philosophie dans la pénombre des sous-bois. Entre chien et loup, à quelle marque reconnaître le lointain étranger, sans visage et sans nom,

> « un voyageur fatigué —
> qu'un chien accueille durement
> en aboyant ? »[36].

A suivre Platon comme Homère, pourtant, un signe très simple permet de reconnaître l'initié. Si le loup, qui n'accepte aucun maître, se lance sur sa proie avec un aboiement rauque, le chien du voyageur n'a pas oublié celui qui partit au loin, et le salue en silence d'un mouvement de queue...

Pour avoir trop vécu d'illusions, les prétendants finissent par en mourir. Vienne à paraître le vagabond, le quémandeur à l'immonde besace, pas plus que les autres seigneurs, Antinoos ne saura le distinguer d'Iros le gueux. Sous la conduite de la déesse, Ulysse s'avance dissimulé afin de dissiper les dernières semblances : il est le maître, simplement, qui vient retrouver son royaume. Protégé par l'ano-

---

36. NIETZSCHE, *Dithyr. Dion.*, fragm. posth. VIII, 2, p. 186.

nymat et le dépouillement du mendiant loqueteux, le voyageur dévoile selon cinq étapes progressives son identité véritable :

1. L'aveu de la *paternité* et la reconnaissance de la *filiation* marquent d'un même élan la première rencontre d'Ulysse et de Télémaque qui, tous deux, viennent de faire retour à leur île. Alors le père peut dire à son fils, comme l'Etranger du *Sophiste* qui refuse le nom que lui donne Socrate :

« Je ne suis pas un dieu ! Pourquoi me comparer à l'un des immortels ? » (*Odyssée*, XVI, 187).

2. La reconnaissance du vieux chien couvert de vermine, qui couche les deux oreilles à la vue du pouilleux qui s'avance. Encore une fois, la divinité a poussé le semblable vers le semblable. *Argos* peut maintenant mourir en silence.

3. La découverte hésitante par la vieille *nourrice* de ce mendiant qui a « pareille ressemblance de démarche, de voix, de pieds avec Ulysse » (*Od.*, XIX, 381), et la marque royale de la blessure profonde reçue sur le Parnasse. Celle-ci, quant à elle, n'a pas guéri sans laisser de cicatrice...

4. L'épreuve décisive, mais non ultime, du *jeu de l'arc*. Aucun des prétendants n'a encore réussi à tendre l'arme du roi. Le gueux la prend, la tourne et retourne, reconnaît sous ses doigts les épaisses lames de corne, et, sans effort, bande l'arc, avant de faire vibrer la corde qui chante haut et clair. Les prétendants comprennent le sinistre présage, ils devinent l'autre avant même qu'il ne parle, ils savent déjà que la flèche va atteindre d'autres cibles que les douze fers de hache. L'arc révèle la nécessité du *retournement* : c'est l'heure où vont mourir les dernières prétentions. La flèche a perdu sa raideur éléatique, elle vibre, vole, perce les fragiles surfaces, pour clouer les fantasmes, crever les faux-semblants, cribler les impostures. La *répétition nue*, vraie répétition du dénuement extrême d'Ulysse qui arrache ses haillons devant les prétendants aux riches étoffes, la répétition des flèches royales abat la *répétition vêtue* des simulacres. La surface, le rideau, le tapis dont ils aiment à s'entourer, ne suffisent plus à s'opposer au retour des flèches. Crèvent les animaux plats des surfaces, les tiques, les poux, parasites ontologiques dévorant le

manteau du pouvoir, tombent les mites sophistiques : on ne fait pas de bonne philosophie *à coup de manteau*. Nietzsche se souviendra du chant XXIII de l'*Odyssée* :

> « Je me suis fait chasseur cruel. Voyez cet arc,
> Voyez-en la corde tendue !
> Seul le plus fort pouvait lancer un trait pareil »[37].

5. Et puis la dernière épreuve qui risque de laisser échouer le retour sur la plus haute espérance : *le secret de Pénélope*. C'est à la Reine de juger maintenant des prétentions du vieillard misérable, au nom dérisoire d'Aethôn[38]. Aussi dissimulée qu'Ulysse, celle qui a modelé sa conduite sur le trajet du voyageur, tissant patiemment le fil de l'exil pour l'aller défaire à la nuit et préparer le retour, Pénélope questionne Ulysse sur *la marque de l'origine* : le lit nuptial, chevillé par son époux autour du fût d'olivier équarri jusqu'à la racine. Le Semblant menace encore, au sein de la première rencontre après vingt années. Jusqu'à l'aveu ultime, la dissimulation d'Aethôn et de Pénélope a dû lutter contre la duplicité du langage et demeurer dans l'ombre, pareille à la racine du lit nuptial : ce sont pourtant ses cinq épreuves qui ont permis au voyageur de goûter le plus doux des repos.

Ulysse, *l'unique modèle du philosophe*, de Platon, « le plus homérique de tous les écrivains »[39], à Nietzsche et à Heidegger, a osé le mouvement amoureux de l'exil et du retour. Il est parti, comme après lui partiront l'Etranger d'Elée et Zarathoustra, affronter le risque de l'origine et perdre, avec tous ses compagnons, jusqu'à sa propre

---

37. NIETZSCHE, *Par-delà...*, Du haut des cimes.
38. Αἴθων : « Embrasé, étincelant, resplendissant, ardent. »
39. LONGIN, *Traité du Sublime*, 13; 3-4. Cf. MAXIME DE TYR, *Dissertatio*, XVIII : « Il a beau s'en défendre, je reconnais les marques (...). J'oserai même dire que Platon tient plus d'Homère que de Socrate » (XXVI, 4). Le thème de la filiation homérique de Platon est courant chez les néo-platoniciens depuis Numenius (cf. PORPHYRE, *La grotte des Nymphes*, 34), mais remonte en définitive à Platon lui-même qui, outre les considérables emprunts qu'il fait au poète (150 citations environ, pour ne rien dire des thèmes propres de réflexion : cf. J. LABARBE, *L'Homère de Platon*), avoue, par la bouche du Socrate de la *République* (X, 595 *b*), « une certaine tendresse et un certain respect que j'ai dès l'enfance pour Homère ».

identité. Sa quête du natal l'a reconduit, à travers petits et grands chemins, vers la terre paternelle qu'Athéna lui dissimule encore. Il traverse durement les dernières épreuves de la Reconnaissance, au sein même de sa patrie, pour en affermir le sol :

Télémaque, Argos, Euryclée, Antinoos — et *Pénélope.*

Ce que nous avons à maintes reprises ressenti, en interrogeant Platon ou Nietzsche, nous devons l'affirmer une nouvelle fois à l'écoute d'Homère : la pensée du philosophe est pensée de l'exil et du retour. Sans patrie, sans visage et sans nom, mendiant ou fils de mendiante comme l'Eros platonicien qui assure le *passage* vers les dieux, l'amant de la Sagesse accepte le plus extrême dénuement pour demeurer fidèle à son désir initial.

Telle est bien son inquiétante étrangeté : ni tout à fait un dieu, ni tout à fait un homme, son déchirement originel, sa division même dont il sait faire une méthode, diffèrent à la racine de la disparité des simulacres. Nietzsche a vécu de façon unique, dans notre monde moderne saturé de semblances, l'étrangeté de la question philosophique qui peut conduire au désespoir et à la folie, comme à la joie la plus haute du créateur : « Je suis cet homme *prédestiné* qui détermine les valeurs pour des siècles. L'homme caché, traqué partout, l'homme sans joie, qui a répudié toute patrie, tout repos »[40]. Pourtant le même homme donnait à deviner sa détresse cachée. A l'aveu d'*Ecce Homo* : « Personne n'est libre de vivre indifféremment n'importe où », répond le chant du grand désir : « Une nouvelle nostalgie me dévore, la détresse des âmes les plus libres, de quel nom l'appellerai-je ? La nostalgie sans but, la question la plus douloureuse, la plus déchirante, celle du cœur qui se demande : « Où pourrais-je me sentir chez moi ? » »[41].

Il faut en finir avec les oppositions sophistiques, se réclameraient-elles de l'auteur de *Zarathoustra*. L'antagonisme n'est pas : *Nietzsche contre Platon*, ni surtout *Platon contre Homère*. L'histoire de la philo-

---

40. NIETZSCHE, *Vol. de Puiss.*, éd. BIANQUIS, I, p. 33.
41. NIETZSCHE, *Ecce Homo*, p. 42; *Vol. de Puiss.*, éd. BIANQUIS, II, p. 113.

sophie, comme l'ont bien vu, depuis les néo-platoniciens, Schelling et Novalis, tisse le patient et secret commentaire de l'*Odyssée* pour retrouver le royaume perdu au cœur de l'exil le plus lointain. Au ciel de la modernité, l'entreprise reste aussi étrange qu'il y a vingt-cinq siècles. Les Grecs ne s'y sont pas trompés, et d'abord Platon lui-même : la figure de Socrate, cet Ulysse en haillons, était singulièrement inquiétante. Ses concitoyens ne l'ont pas davantage reconnu que les habitants d'Ithaque leur roi miséreux, ou les hommes de la ville qu'on appelle *la vache multicolore* Zarathoustra. De son premier à son dernier dialogue, Platon met continûment en scène un *étranger* à qui il laisse l'initiative de la recherche : le plus souvent, certes, son maître Socrate, étranger dans sa propre ville, qui évoque à son tour, dès qu'il se sent appelé à une révélation, Stésichore de Sicile *(Phèdre)*, Er le Pamphylien *(République*, x) ou l'Etrangère de Mantinée *(Banquet)* — mais aussi Parménide d'Elée, Timée de Locres, l'Etranger d'Elée ou l'Etranger d'Athènes... Tous ces singuliers porte-parole réitèrent inlassablement l'étrange dissimulation de l'*amant* de la sagesse. Il est ce voyageur déroutant qui arpente les étranges lacets de la parole et du silence. Nous connaissons son attitude singulière par Phèdre et par Apollodore : pétrifié près de la demeure d'Agathon, ou marchant dans le frais ruisseau de l'Ilissus, leur compagnon divague comme un homme que l'on guiderait dans sa cité natale. A trop aimer les discours, le beau Phèdre prend à la lettre l'aspect *atopique* de Socrate (ἄτοπος, 229 *c*), surenchérit même sur cette *extravagance* (ἀτοπώτατός τις, 230 *c*), et croit qu'elle *n'a pas lieu* quand l'ἀτοπία (251 *d*) se perd dans les ruelles d'Athènes ou les sentiers de la campagne voisine. Peut-être ne devrait-il pas confondre si vite la topographie de l'être avec sa topologie : le naturel amoureux du philosophe a beau l'égarer en des voies qui ne mènent nulle part ailleurs qu'à l'aveu de son exil *(Je ne sais qu'une chose...)*, Socrate sait cependant *où* s'enracinent les croisements des beaux discours et des longs chemins. Etranger, certes, dans Athènes, comme il l'avoue lui-même dans son *Apologie*, étranger au langage du tribunal et à celui de ses accusateurs, il demande simplement qu'on le laisse parler avec l'accent et le dialecte de son enfance (17 *d*).

Ménon compare son ami à la torpille marine qui plonge dans la stupeur, au magicien qui ensorcelle au philtre de ses paroles. Plus plaisamment, la bouche amoureuse d'Alcibiade peint l'atopie socratique sous les doubles traits du Silène et du Satyre : les statuettes aux formes grotesques s'ouvrent parfois à qui sait deviner leur secret. En sorte que l'Amour proprement philo-sophique, la *requête de l'être*, implique nécessairement le fil de la dissimulation et l'espoir du retour. Heidegger le reconnaîtra à la fin de *Kant et le problème de la métaphysique* :

« Cette amitié (φιλία) seule nous oriente vers l'étant comme tel, orientation dont naît la question du concept de l'être (σοφία), *la* question fondamentale de la philosophie.

« Ou faut-il que ce retour, lui aussi, s'ouvre à nous par la remémoration ? »[42].

Socrate fait-il jamais autre chose que se remémorer quand il emprunte, à l'imitation d'Eros, le chemin du retour vers la forme éternelle de la Beauté ? Son discours sur l'Amour, dans le *Banquet*, rejoint la parole lointaine d'une Etrangère qui enseigna au maïeuticien, trop vite convaincu de sa stérilité, la fécondité « poïétique » du dialogue, au fruit engendré dans la divine lumière. En rendant manifeste la nature d'Eros, vagabond demeuré fidèle à sa double filiation, Diotime porte témoignage du *voyage initiatique* qui expose l'âme du philosophe au voisinage des mortels et des dieux, en parfaite consonance avec la doctrine du *Phédon* : « le retour à la nature des dieux est interdit à qui n'a pas pratiqué la philosophie, à qui s'en est allé sans être intégralement pur; il n'est permis qu'à l'ami du savoir » (82 *b-c*). Suivant l'amour sur la voie mystique du Beau, Socrate prend donc la route de la demeure d'Agathon, d'un pas alerte qui ménage pourtant de silencieuses haltes, pour se recueillir bientôt, immobile, près du porche de son hôte, comme frappé d'une crainte démonique avant l'ultime révélation à laquelle il se sait appelé.

Un premier faisceau d'analogies rapportées à Homère commande le contexte dramatique du *Banquet*, et permet d'approcher les ressem-

42. HEIDEGGER, *Kant*, pp. 301-302.

blances plus hautes que l'ouvrage recèle. En reprenant à son compte
le mot de Diomède, au chant X de l'*Iliade*, qui accepte de franchir
à la nuit les lignes ennemies si l'un de ses compagnons vient l'épauler
— « Quand deux hommes marchent ensemble, l'un peut voir avant
l'autre » (x, 224) — Socrate sollicite dès l'abord l'appui d'Aristodème
pour se rendre au souper d'Agathon. Il laisse ainsi entendre à son
ami, invité à peu de frais, que la maison du poète est comparable au
camp des Troyens. Pour fêter la victoire d'Agathon au concours de
tragédie, il ne faudra rien moins, en ce soir mémorable, qu'affronter
sur leur propre terrain les adeptes les plus éclairés des sophistes !
Nous n'oublions pas en effet que les principaux convives du banquet,
mis à part Aristophane, se trouvent étroitement liés à la sophistique
dans le *Protagoras*; outre le bel Alcibiade, on reconnaît chez Callias
Phèdre et Eryximaque assis auprès du trône d'Hippias, alors que
Pausanias et Agathon sont étendus ensemble près de la couche de
Prodicos (15 *c-d*). En ces deux occasions, Socrate adopte une même
conduite de prudence, et ne se résout à une entrée tardive, en compagnie de l'un des siens, qu'après un temps de réflexion marqué sous le
porche — plus soutenu dans le *Banquet* où l'enjeu est plus grand.
C'est donc un véritable combat, serait-il tempéré par l'urbanité
d'Agathon, que le prologue annonce : il va mettre en question la
véritable nature de l'amour, comme l'initiation aux plus hauts mystères. Est-ce un hasard si trois au moins des beaux esprits présents
à la réunion — Phèdre, Eryximaque et Alcibiade — furent accusés
d'avoir partie liée avec ceux qui, la même année, mutilèrent les
Hermès et profanèrent les cérémonies d'Eleusis ?

Une seconde série d'allusions aux poèmes homériques nous incite
à voir en Socrate, plutôt que Diomède, le divin Ulysse qui acceptait
sans broncher de suivre le fils de Tydée chez les Troyens[43]. Au
moment d'affronter Agathon, Socrate avoue que le discours de son

---

43. Dans sa belle étude du dialogue, *Plato's Symposium*, Stanley ROSEN souligne
l'analogie d'Ulysse et de Socrate : « The *Symposium* (...) is Plato's Odyssey of the psyche,
in which speech predominates over deed, and the Eris of war is deepened into the Eros
of philosophy (...) With some slight variation, Odysseus is represented in the *Symposium* by
Socrates, as Plato makes explicit by a number of important references » (p. 6). Si Socrate
évoque ici Ulysse, la prêtresse Diotime n'est pas sans ressemblance avec le devin Tirésias.

hôte lui a fait éprouver la frayeur d'Ulysse, au pays des morts, devant la tête de Gorgone : « Je craignais qu'à la fin, au milieu de son dire, Agathon ne jetât contre mon discours la tête de Gorgias, le terrible diseur, par quoi il m'eût rendu muet comme une pierre » (198 *c*; tr. Boutang). En écho, Alcibiade reconnaîtra en son ami la vaillance du roi d'Ithaque, lorsqu'il appliquera à sa conduite guerrière les propres paroles que Hélène adressait à Télémaque pour lui parler de son père : « Mais voici le haut fait que cet homme énergique risqua et réussit » (*Odyssée*, IV, 242; *Banquet*, 220 *c*). Quant à l'intrusion inattendue d'Aristodème, le va-nu-pieds qui marche à l'ordinaire dans l'ombre de Socrate, mais qui, cette fois-là, le précède dans la riche demeure d'Agathon, n'évoque-t-elle pas aussi bien ce mendiant d'Aethon, venu interrompre le festin des prétendants, que la prochaine venue de Pénia la Misère, cette étrange invitée que nul non plus n'avait conviée au banquet d'Aphrodite ?

Si nous envisageons maintenant la composition générale du *Banquet*, nous discernerons sous les trois parties ordinairement reconnues par la tradition — les théories non philosophiques de l'amour; la conception socratique d'Eros; l'éloge de Socrate par Alcibiade — un principe d'organisation plus complexe *en cinq niveaux*, qui gouverne aussi bien l'enchaînement logique des discours et la construction dramatique de l'ouvrage, que son contenu proprement philosophique.

En premier lieu, on ne saurait négliger que la révélation de Diotime, sommet de la recherche platonicienne, se trouve précédée par les *cinq discours préparatoires* des autres convives (Phèdre, Pausanias, Eryximaque, Aristophane, Agathon) qui, s'ils représentent bien, selon le mot de Paul Friedländer, « le niveau pré-socratique » du mythe d'Eros, contribuent cependant, par leur disposition particulière, à approcher la signification philosophique de l'amour. Ils sont constitués de deux paires de discours symétriques tenus par des élèves des sophistes, auxquels demeure étranger par la forme, l'originalité, et la position *déplacée* dans leur ensemble — du fait du hoquet du poète comique — le discours d'Aristophane. En outre celui-ci, à l'évidence peu suspect de sympathie pour les thèses sophistiques, s'avère le seul de tous les assistants à n'être ni l'amant ni l'aimé de ses compagnons d'un soir. Paul Friedländer a remarquablement élucidé l'agencement spécifique de ce groupe de cinq discours : « The four other speakers form two pairs of friends, Phaidros and Euryximachos, Pausanias and Agathon. Even as Aristophanes is alone among the guests in this human situation, so his speech is the furthest removed from the speeches of the others. The four speeches again form two pairs, although in a sense different from the pairs of men who deliver them. The speeches of Phaidros and Agathon belong together by contrast, since Phaidros celebrates the oldest of the gods and Agathon, the youngest. The other two speeches are linked because the theme of the double Eros introduced by Pausanias is confirmed by Eryximachos »[44].

Nous sommes ainsi en présence d'une distribution étoilée des cinq discours propédeutiques, dont la figure pentadique annonce en secret l'initiation amoureuse de la prêtresse.

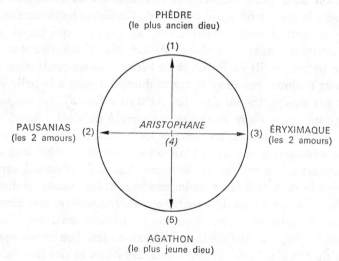

Pentade des discours préparatoires du *Banquet*

44. P. FRIEDLÄNDER, *Plato*, III, p. 18.

484

Nous voudrions en second lieu attirer l'attention, avec Stanley Rosen, sur le point suivant : l'éloge de Socrate par Alcibiade, qui succède au discours de Diotime, est à son tour composé, sous un désordre apparent dû à l'ivresse de son auteur, en *cinq parties* nettement marquées. (1) La méthode qu'Alcibiade emploiera pour louer son compagnon (215 *a*, 4-215 *a*, 6); (2) La ressemblance de Socrate avec les Silènes et le Satyre Marsias (215 *a*, 7-216 *c*, 4); (3) Le dévoilement de la vraie nature du philosophe : la nuit chez Alcibiade et la séduction manquée (216 *c*, 5-219 *e*, 5); (4) La conduite intrépide de Socrate à la guerre (219 *e*, 6-221 *c*, 1); (5) La dernière touche au portrait de Socrate (que celui-ci l'accepte ou non, souligne à *cinq reprises* Alcibiade : 214 *e*, 215 *b*, 216 *a*, 217 *b*, 219 *c*; cf. Robin, Notice du *Banquet*, p. CII), de nouveau comparé aux Silènes et aux Satyres à cause de son *atopie* (221 *c* 2-222 *b* 7)[45].

On est alors en mesure d'approcher le thème majeur qui relie la structure externe du dialogue à son enseignement le plus secret. La révélation de la prêtresse s'effectue en deux étapes essentielles, qui marquent le niveau du *mythe* et celui de l'*initiation religieuse*. Diotime expose d'abord à Socrate le rôle cosmique d'Eros qui prend justement naissance dans la *généalogie* de celui-ci. Conformément à sa double nature, le fils de Poros et de Pénia, « va-nu-pieds, sans gîte, couchant toujours par terre et sur la dure, dormant à la belle étoile sur le pas des portes ou dans les chemins » (203 *d*), est un *passage* (πόρος), un *intermédiaire* semblable au μεταξύ du *Phédon* (90 *a*) entre l'ignorance et la science, les dieux et les hommes. Tantôt ce « grand démon » (δαίμων μέγας, 202 *d*) fait retour aux dieux pour leur offrir les sacrifices et les prières des hommes; tantôt il redescend vers les mortels afin de leur donner les incantations et les initiations divines. *Herméneute*, son rôle est de « traduire et de transmettre aux dieux ce qui vient des hommes et, aux hommes, ce qui vient des dieux » (202 *e*). Comme les Juges de la Prairie, qui siègent en leur lieu démonique au centre du monde, Eros, à mi-distance des dieux et des hommes, de l'ignorance et du savoir, incarne la fonction cosmique de médiation

45. S. ROSEN, *op. cit.*, pp. 294-295.

dévolue à l'Egalité Géométrique — celle de combler le vide entre les Quatre déterminations.

« Il est ainsi le lien qui unit le Tout à lui-même » (202 *e*).

A l'image de celle du *Gorgias*, la Quadrature d'Eros témoigne d'une même inspiration pythagoricienne, et distingue deux couples analogues : les *êtres* (Dieux/Hommes), que l' « intermédiaire » rapproche en une parfaite communauté; leur *espace de jeu* assigné par le Destin (au couple Ciel/Terre du *Gorgias* répond le couple Science/Ignorance du *Banquet*). Le terme initial nouant les liens cosmiques de l'amour se tient, de par sa nature démonique, dans l'*entre-deux* ou encore au *carrefour* des quatre partages. Diotime situe ainsi Eros, par rapport aux dieux et aux hommes, « à mi-chemin des uns et des autres » (ἐν μέσῳ δὲ ὂν ἀμφοτέρων, 202 *e*), puis, en fonction du second couple, « à mi-chemin du savoir et de l'ignorance » (σοφίας τε αὖ καὶ ἀμαθίας ἐν μέσῳ ἐστίν, 203 *e*). Toujours ἐν μέσῳ, au point de jonction des ouvertures du monde, comme si le foyer central d'Hestia était désormais parcouru par le frémissement du Désir, Eros est-il autre chose que le *Démon Analogie* qui forge continuellement le *lien* —*nodus perpetuus et copula mundi* commente Marsile Ficin[46] —

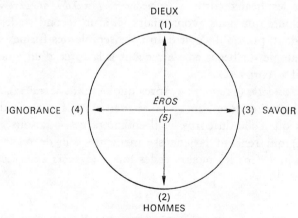

Pentade d'ÉROS

---

46. Marsile Ficin, *Sur le Banquet de Platon ou De l'Amour*, iii, 3. Pour le « lien » cosmique, cf. *Gorgias*, 508 *a* : συνέχειν, et *Banquet*, 202 *e*, ξυνδεδέσθαι.

du Cosmos où se recueille l'être ? N'est-il pas aussi semblable, si nous le rapprochons de cet homme étrange aux multiples voies, au *Démon Atopie* ?

Il reste à passer de l'illustration mythique de l'amour à l'initiation aux plus hauts mystères, en évoquant, après une instruction initiale qui prépare le postulant à voir en Eros la source de l'immortalité (207 *a* - 209 *e*), les étapes de l'ascension vers la suprême Beauté. *Cinq étapes* jalonnent la conversion de l'homme sur la voie amoureuse vers les « initiations parfaites » et les « révélations » (τὰ τέλεα, ἐποπτικά, 210 *a*); nous soulignerons au passage les transitions et les ruptures.

Première étape (210 *a*) : « Tout d'abord » (πρῶτον μέν), celui qui suit la bonne voie doit commencer, dès sa jeunesse, par aimer « un seul beau corps » pour engendrer, à cette occasion, « de belles raisons » (γεννᾶν λόγους καλούς).

Deuxième étape (210 *b*) : « Mais ensuite » (ἔπειτα δὲ), il comprendra que les beautés des corps sont sœurs : s'il faut poursuivre le beau dans « une forme » (ἐπ' εἴδει), ce serait folie que de ne pas juger « une et identique » la beauté qui réside dans tous les corps. Cette réflexion fera de l'homme en chemin sur la voie de l'amour l'amant de « tous les beaux corps » (πάντων τῶν καλῶν σωμάτων). Il est hors de doute que nous avons affaire ici à un second stade, distinct du précédent, puisqu'il s'agit d'unir l'ensemble des formes sensibles sous l'analogie du beau, en s'arrachant à la force d'un amour lié à « un seul » corps (ἑνός).

Troisième étape (210 *b-c*) : « Après quoi » (μετὰ δὲ ταῦτα), il regardera « la beauté dans les âmes » (τὸ ἐν ταῖς ψυχαῖς κάλλος), d'un plus haut prix que celle du corps, et il enfantera ces « raisons » (λόγους τοιούτους) qui rendent la jeunesse meilleure, afin de regarder cette fois le beau « dans les mœurs et les lois » (ἐν τοῖς ἐπιτηδεύμασι καὶ τοῖς νόμοις)[47].

---

47. Cette *pédagogie* amoureuse (ἀναγεῖν, 210 *c*), destinée à témoigner de l'engendrement poétique d'Eros et de la fécondité de son enseignement, était déjà annoncée dans le discours d'Agathon par l'allusion aux *cinq disciples d'Eros* (197 *a-b*) : APOLLON, les MUSES, HEPHAISTOS, ATHENA et ZEUS. Comme à l'ordinaire, l'un des éléments de cette pentade divine se distingue des quatre autres. S. ROSEN écrit très bien : « (Agathon)

Quatrième étape (210 *c-d*) : « Après les mœurs pourtant » (μετὰ δὲ τὰ ἐπιτηδεύματα), il faut conduire l'initié jusqu'aux « connaissances » (ἐπὶ τὰς ἐπιστήμας) et lui permettre de contempler « le vaste océan du Beau » en enfantant un grand nombre « de belles et magnifiques raisons » nées d'un abondant « amour du savoir » (φιλοσοφία).

Cinquième étape (210 *e* - 211 *b*) : Celui qui aura été conduit « jusque-là » (ἐνταῦθα), en contemplant les belles choses dans l'ordre et selon la gradation correcte, approchant désormais du « terme des choses de l'amour » (πρὸς τέλος ἤδη ἰὼν τῶν ἐρωτικῶν), apercevra *SOU-DAINEMENT* (ἐξαίφνης) « une certaine beauté de nature étonnante, *celle-là même* (τοῦτο ἐκεῖνο) » en vue de laquelle existent les étapes antérieures.

Le droit chemin pour aller aux choses de l'amour (211 *c*) se déroule ainsi selon cinq paliers d'une révélation progressive, marquée enfin par l'irruption *soudaine* de la transcendance, dont on retrouvera à trois reprises l'écho, après que Socrate s'est tu[48]. En témoigne une nouvelle fois la brève récapitulation des étapes de l'initiation, en 211 *c*, rythmée par quatre balancements identiques : « ἀπὸ/ἐπὶ ». Il faut « s'élever toujours » (ἀεὶ ἐπανιέναι), comme avec « des degrés » (ἐπαναβασμοῖς) : (1) « d'un seul beau corps à deux »; (2) « et de deux à tous » (ἀπὸ ἑνὸς ἐπὶ δύο καὶ ἀπὸ δυοῖν ἐπὶ πάντα τὰ καλὰ σώματα); (3) « des beaux corps aux belles mœurs » (καὶ ἀπὸ τῶν καλῶν σωματῶν ἔπὶ τὰ καλὰ ἐπιτηδεύματα) et (4) « des belles mœurs aux belles sciences » (καὶ ἀπὸ τῶν ἐπιτηδευμάτων ἐπὶ τὰ καλὰ μαθήματα), jusqu'à ce que, « des belles sciences » (ἀπὸ τῶν μαθημάτων) « on atteigne pour finir (τελευτήσῃ); (5) CETTE SCIENCE-LA » (ἐπ' ἐκεῖνο τὸ μάθημα) qui est « la science du Beau lui-même » (ἐκείνου τοῦ καλοῦ μάθημα),

---

shows the preeminence of Apollo in three ways. He is the first of Eros' five divine pupils to be mentioned; whereas the others are each assigned one art, Apollo is given three; Apollo's arts identify him as the God of the whole individual. Medecine tends to the body and divination to the psyche » (*op. cit.*, p. 192).

48. Ἐξαίφνης : 212 c : « soudaine » arrivée de nouveaux fêtards, qui souligne l'impossibilité de rester dans la contemplation du Beau en soi; 213 *c* : « soudaine » apparition de Socrate à Alcibiade, analogue à la soudaine apparition du Beau au terme de l'initiation; 223 *b* : « soudaine » interruption d'Alcibiade, après son éloge de Socrate, par une bande de nouveaux fêtards : ce dernier épisode est exactement symétrique du premier.

et « qu'on connaisse » (καὶ γνῷ) ce qu'est en lui-même « le beau »
(ὃ ἔστι καλόν).

On aura noté au passage les *cinq occurrences* des termes indiquant
la connaissance (quatre μάθημα et un γνῷ en trois lignes, 211 *c* 7-*c* 9),
comme les multiples répétitions des termes indiquant l'ascension et
l'orientation *vers* (ἐπὶ) la suprême beauté. Celle-ci se trouve à sept
reprises qualifiée par le démonstratif ἐκεῖνο, qui marque la distance
et la supériorité, et guide ainsi continûment une ascension qui culmine
dans l'ἐπ' ἐκεῖνο (211 *c* 7), en quoi on reconnaîtra une résurgence de
l'ἐπέκεινα de la *République*, à l'abri de sa secrète transcendance. A
l'issue des quatre étapes préliminaires, le Beau apparaît — en un
éclair — comme *l'autre de là-bas*, qu'il nous est à jamais impossible
de représenter sous forme de « fantasmes » (φαντασθήσεται, 211 *b*)
ou de « simulacres » (εἴδωλα, 212 *a*).

Que la parole inspirée de Diotime prenne véritablement sa
source, ou plutôt ses *cinq sources*, dans la pratique des Mystères, nous
en aurons une dernière confirmation en rappelant le rituel immuable
d'Eleusis lors de la fête des *Pentétéries*[49]. Le voyage spirituel des
ténèbres vers la lumière conduisait en effet l'aspirant à son initiation
complète en *cinq étapes* progressives, comme en témoigne Théon de

---

49. Le symbolisme mystique de la Pentade semble attesté aux cérémonies d'Eleusis
comme en d'autres centres religieux. A l'origine, on célébrait les Eleusinia chaque cinquième année, avant d'ajouter à cette *pentétéris*, nommée τὰ μεγάλα Ἐλευσίνια, une
triétéris plus tardive. Le plan primitif du temple d'Eleusis, le τελεστήριον, comportait
une salle unique composée de 5 rangées de 5 colonnes (cf. P. FOUCART, *Les mystères
d'Eleusis*, p. 50 sq, et p. 351).
Une analogie saisissante entre la Pentade et le symbolisme religieux de la fondation
du monde se trouve dans le fameux groupe de 5 dieux d'Hermopolis en Egypte. Si la
plus ancienne divinité du nome était une hase, OUNOUT, à un temps très reculé apparaît
un groupe de 4 cynocéphales qui saluent le lever du soleil. D'après Gustave JÉQUIER
(*Considérations sur les religions égyptiennes*), ces 4 cynocéphales, NOU et HEHOU, KEKOU
et TENEMOU, personnifient l'abîme primordial d'où est issu l'univers. « La tâche de
tirer quelque chose du néant, de procréer, se trouvait donc confiée à 4 animaux mâles,
situation anormale (...). On y remédia en leur adjoignant un élément femelle, sous la
forme d'une déesse, et c'est ainsi que fut constitué un groupe divin unique en son genre,
le « Grand Cinq », terme qui désigne en même temps toute la compagnie, comme si elle
ne formait qu'un seul individu, et son grand prêtre » (p. 156). THOTH-HERMÈS entra
ensuite dans la compagnie : le pontife suprême d'Hermopolis portait le titre de « Grand
des Cinq de la maison de Thoth ». D'après Plutarque, Les Egyptiens attribuaient à
Thoth les 5 jours épagomènes consacrés aux anniversaires des 5 enfants de Nouït,
jours destinés à parfaire l'année solaire.

Smyrne dans son *Exposition des connaissances mathématiques utiles pour la lecture de Platon* :

« Nous pouvons encore comparer la philosophie à l'initiation aux choses vraiment saintes et à la révélation des mystères qui ne sont pas des impostures. Il y a cinq parties dans l'initiation : la première est la purification préalable (καθαρμός; *Banquet* : καθαρόν, 211 *e*), car on ne doit pas faire participer aux mystères indistinctement tous ceux qui le désirent, mais il y a des aspirants que la voix du héraut écarte (...) Après cette purification vient la tradition des choses sacrées (ἡ τῆς τελετῆς παράδοσις; *Banquet*, τὰς τελετάς, 203 *a*). Vient en troisième lieu la cérémonie qu'on appelle la pleine vision (ἐποπτεία; *Banquet*, ἐποπτικά, 210 *a*) (...) La quatrième, qui est la fin et le but de la pleine vision, est la ligature de la tête et l'imposition des couronnes (ἀνάδεις καὶ στεμμάτων ἐπίθεσις; *Banquet*, 213 *e* : Alcibiade couvre la tête de Socrate de guirlandes : ἀναδήσω, ἀνέδησα, ἀναδεῖν), afin que celui qui a reçu les choses sacrées devienne capable d'en transmettre la tradition à d'autres à son tour, soit par la dadouchie, soit par l'hiérophantie, soit par quelque autre sacerdoce. Enfin la cinquième, qui est le couronnement de toutes celles qui précèdent (ἡ ἐξ αὐτῶν περιγομένη), est d'être ami de dieu (τό θεοφιλὲς ; *Banquet*, θεοφιλεῖ, 212 *a* : l'initié devient cher à la divinité) et de jouir de la félicité qui consiste à vivre dans un commerce familier avec lui. »

L'aspect le plus remarquable de ce classement qui distribue hiérarchiquement les stades selon deux couples complémentaires ouvrant la voie à l'unification du niveau supérieur, tient à l'exacte correspondance que Théon reconnaît entre les cinq degrés de l'initiation éleusinienne et les cinq étapes de la philosophie platonicienne :

« C'est absolument de la même manière que se fait la tradition des raisons platoniques. On commence en effet, dès l'enfance, par une certaine purification consistant dans l'étude des théories mathématiques convenables. Selon Empédocle, « il faut que celui qui veut puiser dans l'onde pure des cinq fontaines commence par se purifier de ses souillures. » Et Platon dit aussi qu'il faut chercher la purification dans les cinq sciences mathématiques qui sont l'arithmétique, la géométrie, la stéréométrie, la musique et l'astronomie. La tradition des principes philosophiques, logiques, politiques et naturels répond à l'initiation. Il appelle pleine vision (ἐποπτείαν, *Phèdre*, 250 c) l'occupation de l'esprit aux choses intelligibles, aux existences vraies et aux idées. Enfin il dit que par la ligature et le couronnement de la tête, on doit entendre la faculté qui est donnée à l'adepte, par ceux qui l'ont enseigné, de conduire les autres à la même contemplation. La cinquième est cette félicité consommée dont ils commencent à jouir et qui, selon Platon, « les assimile à Dieu autant qu'il est possible » (*Théétète*, 176 b) »[50].

MYSTÈRES D'ÉLEUSIS	INITIATION PHILOSOPHIQUE
1. Purification.	1'. Les 5 sciences mathématiques.
2. Initiation.	2'. Transmission des principes.
3. Epoptie.	3'. Vision des Idées.
4. Couronnement.	4'. Transmission à autrui.
5. *Félicité de l'initié et du Dieu.*	5'. *Assimilation du philosophe au Dieu.*

Il est curieux que Théon de Smyrne, pas plus que les autres commentateurs du moyen ou du néo-platonisme, n'ait songé à rapprocher les cinq étapes des Mystères éleusiniens de la démarche initiatique qui s'en rapproche le plus chez Platon : la révélation du mystère d'Eros dans le *Banquet*. Diotime, qui transmet à Socrate la tradition sacrée de l'Amour, est en effet présentée — chose unique dans les dialogues platoniciens — comme une *prêtresse*, familière à ce titre de l'initiation religieuse; plus encore, elle semble, aux dires de Proclus, avoir appartenu à la confrérie *pythagoricienne*[51]. Pouvait-elle ignorer que le πέντε γάμος est le nombre consacré à Aphrodite, dont le banquet des dieux fêtait justement la naissance lors de l'engendrement d'Eros ?

Telle est la légitimité de la structure circulaire du *Banquet* qui s'enracine dans la figure insaisissable de Socrate, l'amoureux vagabond toujours en chemin : arrivé bon dernier chez Agathon, dans ce qu'il

50. THÉON DE SMYRNE, *Exposition des connaiss. mathém.*, pp. 21-23 et 24-25.
51. PROCLUS, *Comm. Rép.*, II, VIII, 248, 26-27, tr. p. 53.

faut bien nommer un préambule, il sera pourtant le premier à quitter ses compagnons endormis, au petit matin, pour se rendre au Lycée. D'un bout à l'autre du dialogue, son pas en avant et son pas en arrière cèlent le mouvement initiatique d'Eros, en sa circularité, qui mène des hommes aux dieux et des dieux aux hommes. Mais en même temps, à prendre au sérieux l'image d'Alcibiade qui sculpte le masque grotesque de Socrate, nous reconnaîtrons, avec Pierre Boutang, que « la structure même du *Banquet*, en pure forme, est (...) la même que celle des Silènes, elle comporte un recèlement, une implication qui appelle au dépliement et à la mise à jour »[52]. Comme Eros est en effet le centre de la communauté des dieux et des hommes, de l'ignorance et du savoir, l'initiation amoureuse de Diotime et les cinq degrés de son dévoilement constituent le centre du discours de Socrate, et celui-ci, à son tour, le centre du dialogue, protégé par les cinq discours propédeutiques et le fol éloge en cinq points d'Alcibiade qui compare son ami à la statue divine.

Si l'on récapitule alors les enchaînements des divers entretiens pour revenir à la conversation initiale entre Apollodore et ses amis, on verra le *Banquet*, plus encore que le *Parménide*, comme un récit-gigogne où thèmes et récits s'emboîtent à partir de l'évocation lointaine de Pénia, qui s'invite au banquet d'Aphrodite, au sein du discours de Diotime, que Socrate introduit au banquet d'Agathon sans en avoir été prié, comme il l'a déjà fait avec le pauvre Aristodème; ce discours ainsi enclos dans celui de Socrate est rapporté par *Aristodème* à *Phénix*, qui, à son tour, le transmet à un *informateur anonyme* duquel le tient *Glaucon*, qui décide de se renseigner auprès d'*Apollodore*, lequel connaît de première main le récit de la soirée chez Agathon grâce à Aristodème, et le confie enfin aux riches bourgeois qui l'ont sollicité, point différents sans doute de ceux qui assistèrent à la réunion fameuse...

... extravagante et sublime construction qui dévoile et occulte à la fois, en la trop grande évidence de sa cascade d'intermédiaires

---

52. P. BOUTANG, *Le Banquet*, Commentaire, p. 117.

— les *cinq intermédiaires* du prologue, premières images du μεταξύ amoureux que chante le *Banquet* — le chemin circulaire de la philosophie.

Il y a donc bien un *fil*, celui de l'analogie, de la généalogie, de l'égalité géométrique et de l'initiation sacrée, qui tisse en une maille serrée les liens amoureux du philosophe et de l'être. Peut-être cependant est-ce moins la fille de Minos que l'épouse d'Ulysse qu'il évoque. Le fil d'Ariane est trop simple pour exprimer le tissage philosophique : *fil à coudre*, qui libère sans doute du labyrinthe, mais non *fil à tisser*, quadruple fil du tisserand royal et de la Reine d'Ithaque.

De Platon à Nietzsche, le modèle du tissage philosophique se dissimule dans le travail amoureux de la compagne délaissée[53]. En tissant chaque jour les nœuds de son prochain hymen pour les défaire la nuit venue, Pénélope la fidèle répète la course lointaine du voyageur. Si Ulysse refuse l'exil au sein des simulacres en préférant un retour incertain aux doux fruits de l'oubli, Pénélope fuit le retour des fantasmes en choisissant l'exil au cœur du souvenir — et la reine délaissée ne s'embrasera pas à la seule vue d'Aethon ! Ce double exil a davantage éloigné les époux que les jeux grossiers des prétendants ou les artifices de Circé : Ulysse/Hermès exilé au-delà de l'horizon d'Ithaque, Pénélope/Hestia exilée en deçà de son espérance. On comprend l'échec de leur première rencontre, après vingt années d'amertume. Il leur faut, à tous deux, retrouver le secret de leur *liaison* et réapprendre les gestes de la nuit dans l'ancrage premier où s'enracine l'amour, — le rejet d'olivier qui apporte le *Repos*.

Nietzsche reste donc fidèle à Platon comme à Homère, quand il récuse la prétention du fil d'Ariane à faire le salut du philosophe (*Zara.*, III, 2). Celui-ci ne désire pas échapper aux griffes du Minotaure pour revenir *à la surface* se perdre en des bras aimants ; il veut à la fois l'exil et le retour, et cela, jusqu'en Ithaque même. « C'est seulement une fois que l'on s'est trouvé que l'on doit savoir se *perdre*

---

53. *Phédon*, 84 a : l'âme du philosophe, déliée des plaisirs et des peines, ne doit pas « accomplir le labeur sans fin d'une Pénélope qui, sur sa trame, travaillerait au rebours de l'autre. »

de temps en temps — pour se retrouver ensuite, si tant est que l'on soit un penseur »[54]. Le double mouvement amoureux de la philosophie, la conversion qui recueille et la procession qui donne, se renouvelle donc constamment de Platon à Nietzsche, sous la garde du Maître de l'*Odyssée*. La dialectique de Platon n'a pas à s'opposer ou à s'adapter à la généalogie nietzschéenne : elle est d'emblée généalogique, en son mouvement circulaire d'exil et de retour. Aussi son dernier mot révèle-t-il que la philosophie est bien *un chemin qui revient à l'origine*. Durant tout l'entretien des *Lois*, Clinias, Mégille et l'Etranger d'Athènes marchent de conserve, sur la route de Cnossos, jusqu'à l'antre de Zeus et son sanctuaire. Loin de progresser en cercles toujours croissants vers l'horizon de la lassitude, l'Etranger et le voyageur demeurent attachés au destin de la pensée fidèle.

En témoigne encore le dernier penseur qui, à l'écoute de la parole de Hölderlin, nous adresse ces deux traits convergents :

« Retour est la marche qui revient vers la proximité à l'origine. »
« La proximité à l'origine est secret »[55].

3

Le retournement

Il faut bien, enfin, si nous voulons maîtriser le mouvement circulaire de la Généalogie, revenir au mythe de la Caverne et le débarrasser de ses interprétations idéalistes à bon marché. On ne veut voir en effet, dans cette étrange histoire, que le récit de l'évasion qui arrache l'homme à la prison des opinions pour lui offrir le salut de la contemplation des Idées. Des néoplatoniciens à Kant puis à Nietzsche, la tradition a accrédité cette interprétation négative, sinon nihiliste, selon laquelle les chemins de la liberté se confondraient avec la fuite éperdue vers l'au-delà, afin d'échapper aux servitudes

---

54. NIETZSCHE, *Le Voyageur...*, § 306. NIETZSCHE écrit à Deussen, en décembre 1869 : « La juste philosophie de chaque individu est *anamnésis* » (*Fragm. Posth.*, I, I, p. 486).
55. HEIDEGGER, Retour, in *Approche de Hölderlin*, p. 29.

de la terre. On sait, par exemple, que Heidegger reconnaît dans le mythe la figure préformée de la pensée occidentale, et d'abord le terme même de « métaphysique » annoncé par le mouvement de libération qui mène le prisonnier μετ' ἐκεῖνα, « *au-delà de celles-là* (les choses visibles) », εἰς ταῦτα, « *vers celles-ci* (les formes intelligibles) » (*Rép.* VII, 516 *c*). En dirigeant le regard des hommes au-delà de la terre, Platon aurait frayé la voie au christianisme et à l'idéalisme philosophique, mais aurait du même coup perdu le désir d'enracinement dans un monde que la pensée nietzschéenne se donnera précisément pour but de retrouver.

Le mythe remplit en fait trois fonctions distinctes, qui se rejoignent dans le même projet d'élucider l'essence du cheminement philosophique. Il permet d'abord à Socrate d'exposer à Glaucon, sur le mode *pédagogique*, la nature de cette παιδεία qui arrache l'homme à son absence initiale de formation, l'ἀπαιδευσία. Il oriente ensuite, de manière *polémique*, la réflexion platonicienne contre les images sophistiques qui règnent au fond de la caverne. Enfin il entreprend, sur le plan *ontologique*, de fonder la nécessité du retour, en découvrant l'inquiétude qui commande la libération philosophique.

Dès l'abord le récit se présente sous une forme violemment paradoxale : ce ne sont point seulement les « images » (εἰκόνα) du mythe et les « prisonniers » (δεσμώτας) de la caverne qui se révèlent « atopiques » (ἀτόπους, 515 *a*) au regard quotidien, mais l'ensemble de la parole platonicienne qui avoue à trois reprises son arrachement originaire. Arrachement à la quiétude du dialogue commun, arrachement à la séduction du théâtre d'ombres, arrachement à l'orientation solaire de la caverne. La libération du philosophe ne connaît aucune pause : comme conquête de la *paideia*, elle met en jeu, selon une lutte violente et peut-être mortelle, l'essence de la πόλις et la maîtrise du pouvoir de l'ἀρχή. De façon surprenante, la rupture décisive avec tous les liens traditionnels, que met en évidence le mouvement de l'exil, prépare la venue d'une nouvelle fondation, selon la double et unique figure du Retour.

Si nous envisageons la topographie du mythe, à partir de cette demeure en forme de caverne où sont enchaînés depuis la naissance,

par le cou et les cuisses, des hommes hors d'état de se mouvoir et
de se rebeller, nous constaterons l'existence de deux surfaces, à
première vue bien différentes. La première, verticale, constituée
par la paroi placée en face des captifs, reçoit les ombres mouvantes
projetées par les objets fabriqués (copies-icônes), que d'autres hommes
portent sur un chemin, le long d'un mur bas, dans la lumière d'un
feu qui brûle au loin. Les porteurs parlent ou se taisent, et la caverne
reproduit fidèlement l'écho de leurs paroles. Quant aux prisonniers,
fascinés par les ombres sonores, ils ne peuvent détacher leurs regards
de la paroi rocheuse. En cet écran où jouent les ombres, nous reconnaissons la surface sophistique des simulacres à laquelle les captifs
accordent spontanément leur confiance :

> « Les hommes dont telle est la condition ne tiendraient, pour
> être le vrai (τὸ ἀληθές), absolument rien d'autre que les ombres
> projetées par les objets fabriqués » (515 c).

A cette première surface souterraine répond une seconde hors
de la caverne, horizontale cette fois, que le prisonnier, défait de ses
liens, va durement conquérir. Remonté en effet « à la surface », il
doit maintenant s'habituer à la lumière naturelle, accoutumer ses
yeux aux reflets des objets réels projetés sur de nouveaux plans :
sols, eaux, miroirs... On notera que le récit n'insiste guère sur les
surfaces exposées aux rayons solaires, et privilégie l'écran souterrain
soumis à l'invisible action du feu caché derrière la murette. La libération n'illustre pas la conquête sophistique de nouvelles surfaces
qui, seraient-elles « divines », font naître de nouveaux « fantasmes »
(φαντάσματα θεῖα, 532 c), mais l'apprentissage de la *verticalité*. Sorti
de la caverne platonicienne qui s'inscrit, comme celle de Zarathoustra,
dans la hauteur d'une montagne, le prisonnier continue son *ascension*
vers le soleil; il ne change pas de plan, mais bien de dimension.

Le mythe met en évidence *quatre semblances*, organisées selon
deux ordres radicalement distincts :

1. La semblance sophistique *SIMULE au fond de la caverne* les
objets fabriqués, eux-mêmes les imitations des objets réels de
l'extérieur.

2. La semblance de la caverne tout entière *DISSIMULE sous la terre* les prisonniers, l'écran des ombres, le mur, le feu et les porteurs. La simulation immédiate joue donc au sein d'une dissimulation originelle qui demeure inconnue en regard du chatoyant spectacle des simulacres. Les captifs se trouvent dans l'impossibilité naturelle de se détourner des ombres mouvantes pour considérer la caverne elle-même, à l'intérieur de laquelle celles-ci se manifestent. L'origine de la machinerie/machination leur échappe initialement, dans la mesure où, s'ils voient des ombres, ils ne saisissent pourtant jamais les ombres *de la caverne*. La provenance se tient en retrait, comme la source de lumière, justement parce qu'elle produit les fascinants fantasmes.

3. La semblance des surfaces extérieures à la caverne *SIMULE sur les eaux et les miroirs* les vivants reflets des objets réels, mais aussi bien la *surface* propre de ces objets.

4. La semblance ultime du *Soleil* : il semble se trouver où il n'est pas, et *SE DISSIMULE dans l'éblouissant éclat* que nul ne peut soutenir.

Quatre domaines donc, emboîtés les uns dans les autres : la simulation sophistique joue à l'intérieur de la caverne, elle-même dissimulée dans la montagne; elle se redouble ensuite à la surface de la terre, à son tour dissimulée dans l'éclosion de la lumière. Et comme le feu demeure caché à l'abri du petit mur, le soleil se tient occulté en son lieu propre.

Quelles sont les conditions de la libération du prisonnier ? Deux points sont ici à retenir : 1. L'arrachement des liens s'accomplit *instantanément* (ἐξαίφνης, 515 *c*), comme la révélation du *Banquet*, le trou dans le temps du *Parménide*, la volte-face du monde dans le *Politique*, l'intuition philosophique de la *Lettre 7*, et le retour des âmes dans un corps mortel à la fin de la *République : ici, en effet, tout se retourne*. 2. Le libérateur est un sauveur *anonyme* qui délie l'un des prisonniers, en silence, sans justifier son geste ni son choix, avant de l'abandonner à lui-même. Que ce libérateur soit un dieu, *étranger* aux chaînes de la caverne, qui viendrait juger de la mesure et la démesure des hommes, ou un simple prisonnier qui, d'un seul coup,

prend conscience de son *étrange* situation, importe peu : l'origine
de la libération reste aussi dissimulée que l'origine de la servitude.
Or c'est précisément la Dissimulation qui fait naître la révolte du prisonnier.
Platon ne décrit pas une révolte *contre* la dissimulation, mais une
révolte *de* la dissimulation. Il faudrait dire que la Dissimulation,
incarnée par le libérateur anonyme et étranger, se ré-volte contre les
simulacres et re-tourne le corps tout entier du prisonnier vers l'orifice
de la caverne. Quels que soient maintenant les risques d'aveuglement ou de mort, l'homme de la caverne se *dé-tourne* des surfaces et
se confie à la hauteur, guidé par la lueur éblouissante du feu. Il n'est
pas initialement exilé de l'origine, mais bien plutôt exilé dans l'origine.
Le philosophe découvre en un éclair que *l'exil et l'origine sont le*
même.

En conséquence, la première libération effectue davantage qu'un
retournement du corps (περιστροφή); une *conversion* de l'âme (περιαγωγή)
vers *ce qui est* (τὸ ὄν) conduit le prisonnier d'une sorte de jour nocturne
vers le vrai jour en une ascension (ἐπανοδος, 521 *c*; cf. 518 *c*) vers
l'être qui est l'unique voie de la philosophie. Mais son mouvement
échoue devant la transcendance du Soleil, dissimulé derrière l'éclat
de sa manifestation. Le prisonnier libéré, qui ne saurait s'identifier
au divin, détourne son regard de l'aveuglante présence et accomplit
une nouvelle ré-volte, aussi soudaine que la première (ἐξαίφνης,
516 *e*). Dans un véritable éblouissement d'obscurité, l'homme aux
yeux pleins de nuit et à l'âme brûlante de soleil achève son périple
en redescendant (καταβὰς) vers son lieu natal. Il y a bien un *double*
nostos comme un *double exil* dans le mythe, figurés par le *double éblouis-*
sement (518 *a*) : le philosophe est à jamais un étranger, exilé de lui-
même et des lieux qu'il habite, *déplacé* au fond de la caverne ou au
sommet de la montagne. En un autre sens pourtant, l'exil de l'ombre
et l'exil de la lumière annoncent le retour de la lumière et le retour
de l'ombre. Chacun des *revirements* est marqué par un violent éblouissement qui interdit aux mouvements montant et descendant de se
figer dans l'unilatéralité. A l'image de la génération des êtres dans le
Phédon, le chemin *prend le tournant* (72 *b*) pour revenir à chaque reprise
vers son point de départ. La philosophie naît de cette καμπή, ou du

tournant, comme sauront, à leur heure, le redécouvrir des penseurs plus récents.

L'Eternel Retour du Même, *qui fait la différence*, domine donc déjà la pensée platonicienne comme elle dominera celle de Nietzsche, parce que le circuit philosophique, du Multiple à l'Un et de l'Un au Multiple, obéit au commandement de l'Origine. Privilégier la dialectique ascendante au détriment de la dialectique descendante, selon l'interprétation couramment reçue, revient à méconnaître l'originalité absolue de la démarche platonicienne et, sans doute, de la philosophie elle-même. Le *déclin* du philosophe est appelé par son *ascension*, à l'imitation du trajet du Soleil, forme sensible du Bien, qui déploie son mouvement unique de l'Orient à l'Occident. Aussi le train d'ascensions et de chutes, que certains reprochent au platonisme, constitue le mouvement initial de la philosophie, même et surtout dans la pensée de celui qui disait accomplir le renversement du platonisme.

On s'interdit en effet de comprendre *Ainsi parlait Zarathoustra* si l'on néglige de voir qu'il reprend exactement le parcours de la pensée platonicienne. *Zarathoustra est le poème de l'exil et du retour*[56]. Le prophète chante d'abord l'exil, dans le prologue, lorsqu'il s'en va conquérir la dure solitude des montagnes, dix années durant. Son déclin commence quand il adresse, à l'aurore, son invocation au soleil : « Je dois descendre dans les profondeurs comme tu fais le soir lorsque tu vas derrière la mer, portant ta clarté au monde souterrain, astre trop riche. Je dois disparaître comme toi, *me coucher*, disent les hommes vers qui je veux descendre. » Les quatre parties de l'ouvrage confirment le modèle solaire du prologue, en alternant selon le rythme platonicien, les périodes d'exil et de retour du voyageur. Ainsi, à la fin de la deuxième partie, le prophète abandonne ses disciples pour retrouver ses montagnes, à l'issue d'un voyage

---

56. PORPHYRE, dans *L'antre des Nymphes*, 6, rapporte que « Zoroastre avait choisi dans les montagnes proches de la Perse une caverne naturelle fleurie et irriguée de sources pour la consacrer en l'honneur de Mithra, créateur et père de l'univers. C'est que la caverne lui offrait une image du monde, dont Mithra est le démiurge ». Numenius n'avait donc pas tort d'essayer de concilier Platon et Homère, sous l'égide de ZARATHOUSTRA et de PYTHAGORE.

de quatre jours qui le conduit, au cinquième, à revoir sa caverne. Celui qui brûle de « la grande nostalgie » n'interrompt à aucun moment son voyage circulaire. Quelle est cependant sa patrie ? Son pays natal et son lac ? Sa caverne ? Les îles bienheureuses ? La ville qu'on appelle « la vache multicolore » ? — ou bien plutôt la demeure du Soleil, en son abîme de lumière ?

C'est paradoxalement parce qu'il est le seul à dessiner la topographie de l'être que le philosophe se situe dans l'extravagante atopie. Comme l'Arpenteur du Château, il est *ailleurs chez soi*, en un état de perpétuelle conversion. Le mythe de la caverne affirme cette singularité : seuls les mouvements *forcés* peuvent rendre raison des mouvements *naturels*. Dans la caverne, quand tous les regards se tendent vers la paroi mouvante, le philosophe tourne le dos aux simulacres et regarde le feu qui fait rougeoyer le mur, là-haut. Il s'enfonce dans la nuit vers la lumière, selon cette *métanoia* que l'on nommerait aussi bien — donnons des armes au sophiste — *para-noia*, puisque son esprit va « à l'encontre » de l'orientation naturelle des autres esprits.

En haut, au contraire, où toute chose s'épanouit vers le soleil, le philosophe effectue une volte-face et choisit de revenir parmi les ombres incertaines. A deux reprises, il retourne le mouvement naturel au lieu envisagé en un mouvement forcé, il transmue son action en une *ré-action* qui essaie de rendre raison du *double jeu* de l'origine. Son attitude est un défi à l'opinion commune : dans l'ombre, debout vers la lumière ; dans la lumière, tourné vers l'ombre. Grâce à la répétition qui naît à contretemps, dans l'éclair de l'ἐξαίφνης, l'Etranger assure la Différence des deux mondes. L'origine joue double jeu, qui à la fois se donne et se retire, s'offre et se refuse, dans l'ombre philosophique ou dans l'éclat sophistique. Alors le mouvement du penseur est double, lui aussi, dans la caverne ou à l'air libre, en un périple continu qui découvre, à l'appel du retour, le sens de l'éternité.

Or ce cheminement répète les *quatre étapes* du mouvement ontologique dont nous avons souligné la constance chez Platon et Nietzsche. Heidegger ne s'y est pas trompé, dans son admirable étude du texte platonicien : le mythe ne propose pas simplement le tableau allégorique des correspondances entre le séjour des hommes et le monde solaire, « le mythe raconte une histoire (...) En fait, les événements rapportés sont des passages de la caverne à la lumière du jour ou, en sens inverse, de celle-ci à la caverne ». Les changements de direction, qui symbolisent les ruptures nécessaires de la *paideia*, considérée dans l'unité native de ses revirements, définissent explicitement quatre domaines. « L'histoire du mythe, écrit Heidegger, se divise suivant quatre séjours différents formant une gradation montante et descendante bien caractéristique »[57].

Heidegger n'interprète pas encore le texte platonicien, il essaie plus simplement de le lire. Nous voulons nous-même suivre sa lecture et voir si, par hasard, elle ne dissimulerait pas quelque chose d'aussi révélateur de la pensée secrète de Heidegger que de celle de Platon. Au *premier degré*, nous dit-on, les hommes demeurent dans la caverne, fascinés par les ombres des objets. Au *deuxième degré*, l'un des prisonniers perd ses chaînes et, quittant sa place, explore çà et là le monde souterrain. Il réussit à voir les objets transportés derrière le mur, s'approche même du feu et, « un peu plus près de l'étant », accède ainsi à « ce qui est plus dévoilé » (VII, 515 d). Une certaine libération est apparue, « mais la liberté de mouvements n'est pas encore la véritable liberté ».

Au *troisième degré*, le prisonnier parvient à s'arracher de la caverne et se trouve enfin à l'air *libre*, en cet espace ouvert où les choses brillent toutes de l'éclat du soleil. « La véritable libération », commente Heidegger, « est la constance d'une orientation, par laquelle l'homme demeure tourné vers ce qui apparaît dans sa figure propre et qui, apparaissant ainsi, se dévoile au maximum »[58].

A aucun moment Heidegger ne mentionne *ici* l'existence du Soleil en lui-même; son exposé reste en retrait par rapport au texte de Platon que nous donnons parallèlement : « Finalement, ce serait, je pense, le soleil qu'il serait capable dès lors de regarder, non pas réfléchi sur la surface de l'eau, pas davantage l'apparence du soleil en une place où il n'est pas, mais le soleil lui-même dans le lieu qui

---

57. HEIDEGGER, Doctr. plat. vér., in *Quest. II*, p. 138.
58. HEIDEGGER, *ibid.*, p. 140; pp. 141-142.

est le sien » (ἀλλ' αὐτὸν καθ' αὐτὸν ἐν τῇ αὐτοῦ χώρᾳ, 516 b). Heidegger passe sous silence le séjour suprême du soleil et, sans s'attarder à cette contemplation (θεάσασθαι), évoque le *quatrième degré* qui décrit la redescente dans la caverne. Le retour sous la terre, suivi du combat entre l'étranger et les prisonniers qui s'opposent à leur libération, constitue « un degré propre au « mythe », le quatrième degré, par lequel il se complète et s'achève ».

A partir de ces quatre moments, Heidegger envisage la doctrine platonicienne de la vérité comme une nouveauté radicale dans la pensée grecque : l'ἰδέα, ce qui a pouvoir de briller, l'emporte désormais sur l'ἀλήθεια, le non-voilement de l'étant, et fait naître la philosophie comme « un regard levé vers les idées »[59]. Plus tard, elle prendra le nom de métaphysique, et sera entendue comme le règne de cet étant souverain qu'est l'homme — l'humanisme.

Ce n'est pas ici le lieu d'interroger cette brillante interprétation qui montre comment le *début* de la métaphysique, avec Platon, s'arrache à sa propre *origine*, pour exiler la vérité de l'être comme dévoilement. Nous voulons plutôt faire apparaître, dans le discours heideggerien, la tache aveugle — *le cinquième terme* — qui oriente les quatre mouvements ordonnés du mythe : *l'absence du Soleil*. Heidegger ne la mentionne en effet, incidemment, qu'à l'occasion de sa critique de l'assimilation traditionnelle du Soleil à l'Idée de Bien, idée qui ne tardera pas à dégénérer dans l'objectivation moderne de la « valeur ». Mais il ne considère pas le soleil dans son « lieu propre » (ἐν τῇ αὐτοῦ χώρᾳ), alors que les quatre séjours de l'homme ne sont manifestement rendus possibles que grâce au cinquième et suprême séjour vers lequel nul passage ne mène. Le dévoilement progressif, initiatique, du soleil se retourne paradoxalement en un nouveau voilement de ce qui est le plus dévoilé — dans le texte de Platon *et* dans le commentaire heideggerien qui, en offusquant le soleil, renforce la dissimulation de l'origine.

Si le philosophe osait soutenir le regard éclatant du dieu, il s'exposerait à un risque beaucoup plus grave que celui de l'illusion

59. *Ibid.*, p. 143; p. 159.

des fantasmes. Aveuglé par l'excès de lumière, il ne verrait plus
alors qu'un *soleil noir*. Aussi l'occultation du « plus dévoilé » (τὸ
ἀληθέστατον, VI, 484 c) répond-elle à la dissimulation du moins
dévoilé : l'être se retire des quatre séjours qui trouvent en lui sa demeure.

En ce sens, la différence entre l'être et l'étant nous paraît encore
présente dans le mythe, comme dans les précédents textes platoniciens que nous avons abordés. Quant aux étants d'abord, la différence
distingue les quatre moments du voyage, selon leur progressif dévoilement, comme l'exprime la fonction immanente de l'Autre du
Sophiste. Au sein de la dialectique, l'altérité conduit la tension continue
des deux exils et des deux retours dans l'unité de la même démarche.
Mais, à son tour, le double mouvement dialectique, ascendant et
descendant, tient son identité de la Différence ontologique ; dans la
mesure où la *dialectique* incarne *la différence de l'origine*, elle se renverse
en *généalogie* et recherche *l'origine de la différence*. Il y a chez Platon une
Différence ontologique radicale entre l'être et les quatre genres du
Sophiste, le soleil et les quatre séjours de la *République*, que Heidegger
ne relève pas. Pour retrouver l'Oubli de l'être que la métaphysique
aurait elle-même oubliée, Heidegger occulte l'être du texte platonicien — peut-être le biffe-t-il en d'autres lieux.

La Pentade exprime la loi du Retour Eternel du Même. Ce qui revient
toujours, dans l'alternance des montées et des déclins, c'est la Différence ontologique qui ne laisse pas le voyageur demeurer en repos.
Source de la quadrature et des quatre séjours, l'être se tient secrètement dans la dissimulation et fait revenir l'identité de ses différences.
La Pentade marque la volonté du Retour, dont la brûlure nostalgique — le πόθος du *Phèdre*[60] — interdit au repos de se figer dans
l'indifférence. Le retour dans la caverne fait donc justice des pétitions
de platonisme ou d'anti-platonisme. La philosophie ne cherche pas à
trouver refuge dans un autre monde qui viendrait redoubler celui-ci,

---

60. *Phèdre*, 253 e; cf. *Cratyle*, 420 a. Le terme de πόθος, utilisé par Platon dans le mythe
nostalgique de l'attelage ailé, auquel Nietzsche fait allusion dans sa quatrième conférence,
se trouve dans HOMÈRE (*Iliade*, XVII, 439), et surtout dans l'*Odyssée* (XIV, 144), quand
Eumée confie à l'étranger vagabond son *désir* du maître aimé, plus fort que celui de ses
propres parents.

à l'image de la conduite sophistique (fuite de caverne en caverne,
d'arrière-fond en arrière-fond chez Deleuze, « fuite en avant » chez
Barthes), elle ne perd à aucun moment le sens de la terre. Le thème
de l'*enracinement* revient au contraire chez Platon comme un *leitmotiv*,
du mythe des autochtones de la *République* (III, 414 *e*) au mythe du
Phédon qui décrit le creux de la terre où nous vivons (109 *c*) et au
mythe des γηγενεῖς dans le *Politique* (271 *a*). Il culmine évidemment
avec le mythe de la caverne qui reste la *patrie*, ou plutôt la *matrie*
inoubliable en laquelle le cheminement prend racine et vers laquelle
le voyageur revient. *La Caverne est le seul monde platonicien* — tout le
reste n'est que platonisme. A aucun moment Socrate ne met en cause
la caverne, s'il dénonce les ombres qui prétendent incarner la réalité,
renient leur origine et refusent d'être les ombres *de* la caverne; il
défend plutôt celle-ci contre les simulacres, leur haine du *génitif*, du
géniteur et de la *généalogie*. Quand le prisonnier achève son ascension,
en lui retentit l'appel du monde souterrain qui ne le cède en rien à
celui du monde d'en haut. Dans les deux appels parle une même
voix — celle de l'origine; chante un même désir — celui du retour;
se lève une même inquiétude — celle de l'exil.

Comme le navigateur qui, de caverne en caverne, a parcouru les
mondes perdus — grotte sophistique de Circé, antre du Cyclope,
Cachette de Calypso, demeure infernale où siège l'ombre de Tirésias —
et revient au lit enraciné dans le bois d'olivier, l'Etranger a quitté
l'antre obscur du natal pour mieux prendre possession de sa patrie.
Semblable au voyageur nietzschéen, il s'est « laissé enlever à son
rivage » pour conquérir la mer et, « reportant ses regards vers la
côte », embrasser « pour la première fois sans doute la configuration
d'ensemble ». Il a eu ainsi, « au moment de s'en rapprocher, l'avantage
de la comprendre mieux en totalité que ceux qui ne l'ont jamais
quittée »[61].

---

61. Nietzsche, *Humain...*, I, p. 293. Cf. la deuxième *Considération Inactuelle* : « C'en
est assez, et plus qu'assez des recherches passionnées, des voyages à l'aventure sur les
mers sombres et étrangères ! Enfin la côte apparaît. Quelle que soit cette côte, c'est là
qu'il faut atterrir, et le plus mauvais port de fortune vaut mieux que le retour dans l'infini
sceptique et sans espoir. Tenons-nous-en toujours à la terre ferme » (p. 240).

L'objet présent et éternel de toutes ses recherches conduit le philosophe échappé au bourdonnement sophistique de la caverne à rebrousser chemin, afin de mieux entendre l'appel silencieux du sol natal. Ici encore, il s'agit d'un beau risque à courir.

4
Le Quadriparti

L'Etranger et le Voyageur, ces belles figures de la Nostalgie, ancrent la démarche de Platon et de Nietzsche dans une volonté commune d'assurer la maîtrise de la Paidéia, grâce à l'accomplissement renouvelé de la fondation ontologique. Heidegger souligne donc à bon droit l'intime parenté des deux penseurs, même s'il prend soin de la laisser voilée : « La pensée nietzschéenne *était*, elle n'*est* partout qu'un unique et souvent ambigu dialogue avec Platon »[62].

Peut-être cependant cette remarque concerne-t-elle au premier chef Heidegger lui-même qui, s'il a parfois livré quelques brèves confidences sur le tournant majeur de sa pensée, n'en a pas moins soigneusement tu l'origine de son propre itinéraire. Il n'est sans doute pas inutile de voir dans quelle mesure Heidegger reste aussi étranger qu'il veut bien le dire au cheminement platonicien. Peut-il développer dans son œuvre entière la question conductrice de la métaphysique — *qu'est-ce que l'étant ?* — pour retrouver, à l'aube de la pensée grecque, une interrogation plus originelle encore, sans entamer à son tour un dialogue ambigu et soigneusement dissimulé avec l'auteur du *Sophiste* ?

On sait que *Sein und Zeit* s'ouvre précisément sur une parole de l'Etranger du *Sophiste* (244 *a*), dont Heidegger propose en épigraphe la traduction suivante :

> « Car sans doute êtes-vous depuis longtemps au fait de ce que vous entendez en usant du mot *étant*; quant à nous, nous pensions autrefois le comprendre, mais maintenant nous sommes tombés dans l'embarras. »

62. HEIDEGGER, *Nietzsche*, II, p. 176.

Le chemin de pensée heideggerien rencontre dès l'origine celui de Platon quand il s'efforce d'*éclaircir* la position dominante de la métaphysique à partir d'un dévoilement initial de la vérité que le platonisme aurait aussitôt assombri. Quand Heidegger effectue une percée vers l'impensé de la métaphysique, afin de risquer le « dépassement » *(Uberwindung)* de celle-ci, il n'abandonne à aucun moment le terrain de l'*arché* philosophique au profit de cette « déconstruction » de la tradition qui séduit tant la modernité. La question de la provenance de la pensée, de son τινός, s'avère radicalement étrangère à son démantèlement *an-archique* et aux informes délires des flux nomadiques jetés aux quatre vents. Elle remonte au contraire vers la source vive dont elle procède pour dire la libre instauration du Monde. Jean Beaufret souligne à bon droit cette herméneutique essentielle de la *généalogie* heideggerienne qui, « contre l'attaque de l'entendement sophistique », exprime « la nostalgie du σοφόν »[63] : « Ce qui la caractérise, c'est le sens de la filiation qui rapproche de l'origine ce qui sort de l'origine, et ainsi la maintient à l'œuvre même dans le plus extrême éloignement »[64]. Au cours de sa méditation originelle du domaine métaphysique de l'étant, Heidegger fraye en celui-ci le seul chemin qui soit en mesure de faire retour à l'expérience *archaïque* de la philosophie.

Sans souci des vagabondages sophistiques, un tel chemin suit avec patience la question fondamentale de la pensée que Heidegger nomme parfois : *le Simple*. Comme l'indique la conférence de Cerisy, « la question elle-même est un chemin »[65], qui conduit le chemin de *pensée* métaphysique vers la région sourcière où s'effectue son renversement proprement ontologique en pensée du *chemin*. *Weg* — le chemin — est pour Heidegger le terme originel de la parole, « le chemin qui met tout en chemins, le chemin qui à tout trace sa voie »[66]. Ce simple tracé vers l'être, hésitant en ses multiples détours, à l'image de l'humble chemin de campagne à l'écoute de sa terre

---

63. HEIDEGGER, Qu'est-ce que la philosophie ?, in *Quest. II*, p. 22.
64. Jean BEAUFRET, Préface du *Principe de Raison*, pp. 12.
65. HEIDEGGER, Qu'est-ce que la Phil. ?, p. 19.
66. HEIDEGGER, *Acheminement vers la parole*, p. 183.

natale, donne aux philosophes la contrée de leur communauté initiale. Heidegger reprend sans se lasser le thème majeur de ses recherches : les grands penseurs disent constamment le Même, qui savent demeurer fidèles à leur unique sentier. Les diverses échappées de la pensée alors se rejoignent à la première incitation de l'être : « La réponse à la question : qu'est-ce que la philosophie ? — consiste en ceci que nous correspondions à ce vers quoi est en chemin la philosophie »[67]. Si la teneur la plus originale d'une pensée demeure toujours inexprimée, « parce que le mot dicible reçoit sa détermination à partir de l'indicible »[68], peut-être convient-il de se pencher sur le « non-dit » de Heidegger. Son écriture secrète, égale à elle-même à travers ses plus déroutants détours, se montre d'autant plus paradoxale qu'elle s'inscrit avec une excessive clarté en *cinq moments distincts* au cœur de ses textes essentiels. Car Heidegger jalonne toujours son itinéraire des bornes les plus évidentes quand il laisse négligemment apparaître le *chiffre* de l'être chaque fois que son chemin *croise* celui du penseur ou du poète qu'il interroge. Qu'en est-il alors de l'être de l'étant, et d'abord de l'être de cet étant qui chemine à travers les choses pour méditer l'étant dans sa totalité ? Afin d'assurer la mutuelle appartenance de l'être et de l'homme dans l'unité du Même qui ne se laisse jamais réduire à l'Identique, Heidegger fait explicitement appel, dans sa conférence de 1957 sur *Le Principe d'Identité*, à la communauté platonicienne des cinq genres :

> « Dans le *Sophiste*, 254 d, Platon parle de στάσις et de κίνησις, d'arrêt et de changement, et il fait dire à l'Etranger, en ce même passage : οὐκοῦν αὐτῶν ἕκαστον τοῖν μὲν δυοῖν ἕτερόν ἐστιν, αὐτὸ δ' ἑαυτῷ ταὐτόν. « Maintenant chacun d'eux est différent des deux autres, mais il est lui-même à lui-même le même. » »[69].

Si nous pensons l'identité d'une chose à elle-même comme le trait fondamental de tout étant, nous sommes conduits à poser

---

67. HEIDEGGER, Qu'est-ce que la Phil. ?, p. 29.
68. HEIDEGGER, *Nietzsche*, II, p. 394.
69. Cf. *supra*, p. 274. *Qu'appelle-t-on penser ?* mentionne le *Sophiste* comme « un des dialogues les plus profonds que Platon nous ait laissés » (p. 205). Rappelons que Heidegger consacra à Marbourg, en 1924-1925, un cours (non publié) au *Sophiste*.

l'identité de la pensée et de l'être en leur appartenance commune. Dans la mesure pourtant où la pensée est *accordée* seulement à l'homme, c'est maintenant la co-appartenance de l'homme et de l'être qui fait question, non pas à partir de l'identité représentée comme fond de l'être, mais à partir d'un saut vers l'absence de fond *(Abgrund)* où se dévoile la constellation de l'homme et de l'être dans leur *Copropriation (Ereignis)*. Ce domaine primordial où l'être se tourne vers l'homme et où l'homme s'expose au souffle de l'être n'est pas envisagé par Heidegger comme le néant vide de l'éléatisme (le *nicht* ou *nihil negativum* au sens du οὐκ grec) ou l'obscure béance de la sophistique (le *chaosmos* destructeur), mais comme la *Di-mension (Unter-Schied)* qui abrite l'être et l'étant dans leur *Conciliation (Austrag)*. Aussi la méditation de l'identité contraint-elle le penseur à ouvrir et découvrir la *Différence ontologique* entre l'être et l'étant, encore nommée « Di-mension de la Survenue et de l'Arrivée », grâce au « pas en arrière »[70] qui assure l'harmonie de la Copropriation et de la Conciliation.

Un second texte de la même époque (1958), *Ce qu'est et comment se détermine la* φύσις, fait appel aux deux autres genres platoniciens du « Mouvement » et du « Repos », pour saisir en un mode différent l'unité de l'homme et de l'être. Comme il convient d'approprier en un espace commun le « Même » et l' « Autre », sans les réduire à la stérilité de l'Egal où toute différence s'abolit, on doit repenser l'opposition neutralisée du Mouvement et du Repos selon l'expérience grecque de la mobilité. En écho à l'Etranger du *Sophiste* qui n'hésitait pas à parler d'un « mouvement immobile » (256 *b*), Heidegger comprend le Repos, non pas comme l'absence de mouvement, mais comme cette suspension frémissante « où la mobilité se rassemble dans le faire-halte ». Στάσις et Κίνησις s'avèrent initialement appropriés l'un à l'autre, de même que Ταὐτον et Θάτερον, en cette Ouverture du Jeu du Monde où les choses viennent à *être*. Ce texte de Heidegger caractérise de façon différente l'appartenance de la pensée et de l'être au regard de la métaphysique : « le *petere principium*, autrement dit tendre vers le fondement et sa fondation, c'est là le seul et

---

70. Heidegger, Onto-théo-log., *Quest. I*, p. 284.

unique pas de la philosophie, le pas qui passe outre, en avant... »[71].

Il paraît ici indispensable de distinguer le « pas en avant » de la fondation *métaphysique* qui, en s'enquérant d'un fondement pour l'être de l'étant, conduit le questionnement vers l'*identité* de l'être et de l'étant conçue comme « fond », « principe » ou « raison » — et le « pas en arrière » de la *fondation de* la métaphysique qui cherche plus originellement à établir la *différence* de l'être et de l'étant. Pourquoi cependant conserver ce terme ambigu de « fondation » qui semble pris dans la langue habituelle de la métaphysique ? Parce que la pensée, dans son effort pour accéder à l'être, ne saurait en rien se détourner de la tradition métaphysique, qu'il lui faut au contraire inlassablement reprendre pour en révéler l'essence. A l'inverse des idées couramment reçues aujourd'hui sur la « destruction » heideggerienne de l'onto-théologie, nous ne croyons pas que Heidegger songe un seul instant à *sortir* de la métaphysique, moins encore à l'*anéantir*; cette entreprise de fuite, de subversion ou de démolition, demeure toujours tributaire de la position traditionnelle de la métaphysique, qui s'établit depuis les Grecs comme un mouvement de sortie de l'expérience vers un arrière-fond ultime. Ces grossières méprises, point trop innocentes sans doute, ont été expressément dénoncées par l'auteur de *Qu'est-ce que la métaphysique ?* « Une pensée qui pense la vérité de l'être ne se contente plus de la métaphysique; mais elle ne pense pas pour autant contre la métaphysique. Pour parler en image, elle n'arrache pas la racine de la philosophie. Elle en fouille le fondement et en laboure le sol »[72]. Heidegger cherche une origine à la métaphysique, non une issue : son pas en arrière veut revenir vers cette contrée oubliée, la pensée de l'être lui-même dans l'être (*Andenken an das Sein selbst*), qui rend seule possible la marche en avant de la métaphysique. Aussi devons-nous rapprocher ces deux chemins de pensée afin de mettre en lumière leur différence comme leur nécessaire unité : « Nous pouvons aller sur eux en marchant en avant aussi bien qu'en

---

71. HEIDEGGER, Ce qu'est et comment se détermine la Physis, *Quest. II*, p. 246; p. 187.
72. HEIDEGGER, Qu'est-ce que la métaphysique ?, in *Quest. I*, p. 26.

arrière; mieux encore : le chemin qui recule, seul, nous mène de l'avant »[73].

Il est permis d'emprunter deux voies distinctes, et cependant fort proches, pour aller à la rencontre de l'être et en élucider l'essence : la parole qui chante et la parole qui pense, ces « troncs voisins de l'acte poétique » évoqués par *L'expérience de la pensée*. Parfois leurs tracés cheminent parallèlement, parfois ils se rejoignent pour bifurquer un peu plus loin, laissant le voyageur, hésitant, à la croisée des chemins; ils conduisent malgré tout vers les cinq sources platoniciennes, dès lors que Heidegger envisage la *répétition*, dans sa lecture des poètes et des philosophes, comme le mouvement radical de la *question* qui *retourne* à l'origine de ce qui est. S'il est vrai que « penser, c'est se limiter à une unique idée, qui un jour demeurera comme une étoile au ciel du monde »[74], il nous faut alors, une nouvelle fois, imaginer cette étoile à cinq branches.

L'approche de Hölderlin, vers qui nous sommes en premier lieu conduits, annonce déjà, en son mode propre, l'approche de Nietzsche et de Platon chez qui Heidegger va retrouver un semblable destin. Comme l'étranger éléate s'arrachait à la terre natale pour faire l'expérience de la filiation au cœur de l'exil, le penseur souabe ne découvre la patrie qu'à l'issue de la traversée de ce qui lui est le plus étranger. Le propre d'abord demande à être appris. Hölderlin le savait, qui écrivait :

> « Car l'esprit n'est pas chez lui au commencement.
> Il n'est pas à la source. »

La pensée se met alors en chemin, soudainement, au choc de la réminiscence, ce retour de l'immémorial qui origine la mémoire en l'arrachant à l'oubli. Eclair de l'ἐξαίφνης. Parce que l'être se soustrait en son premier surgissement, le natal n'est pas reconnu dans sa proximité étrangère, et le voyageur doit se risquer à parcourir les mers. Départ et Retour *fondent la différence*, tension féconde entre le

---

73. HEIDEGGER, *Achem. par.*, p. 97.
74. HEIDEGGER, L'expér. de la pensée, *Quest. III*, p. 21.

Même et le Même, qui inscrit l'homme dans le partage de ce qui
est, et que Heidegger, après les mythes de Platon, les élégies de
Hölderlin et les chants nietzschéens, nomme : le *sacré*. Du voyage
du poète qui s'acheva par la marche au pays, Heidegger écrit :

> « Etre ainsi, dans le calme attentif, ouvert pour le sacré, c'est en
> même temps la recollection qui achemine vers le siège du repos,
> vers ce point qui correspond au « repos » auquel pense le poète. Se
> reposer ainsi, c'est pouvoir demeurer dans le propre. Demeurer, à
> son tour, est un apprentissage au long du retour qui conduit le
> poète à l'origine de ce qui lui est propre »[75].

Ce n'est pas ici le lieu d'examiner la structure particulière de ce
que Hölderlin, dans ses *Remarques sur Antigone*, nomme « retournement natal » *(vaterländische Umkehr)*, en quoi certains interprètes,
depuis les magistrales analyses de Beda Allemann, voient le principe
de toute l'esthétique hölderlinienne, sinon le destin de l'homme
occidental. Qu'il suffise de rappeler l'antinomie des deux principes
entre lesquels s'accomplit le retournement : le Principe Empédocléen,
caractéristique de la tendance natale des Grecs à quitter ce monde
pour retrouver le feu céleste, principe qui, selon le poète, est leur
« élément proprement national »; le Principe Royal, comme l'appelle
Beda Allemann dans son interprétation de *La mort d'Empédocle*,
définissant à l'inverse la tendance culturelle des Grecs à résister à cet
appel vers l'illimité, pour conquérir, dans « la *sobriété junonienne* »[76],
ce qui leur était le plus étranger : la demeure sur cette terre. L'opposition du National et de l'Anti-National se renverse elle-même dans
le monde moderne, car la tendance naturelle des Hespériques s'inscrit
dans la sobriété junonienne, alors que leur tendance culturelle rejoint
l'emportement pathétique vers une existence chaotique. Dès lors, le
Retournement natal, qu'il concerne les Grecs ou les Occidentaux,
est une insurrection contre la tendance culturelle propre à chaque
monde, « le retournement de tous les modes de représentation et
de toutes les formes ». D'une manière plus précise, pour nous Occi-

---

75. HEIDEGGER, Souvenir, *App. Höld.*, p. 152.
76. HOLDERLIN, *Lettre à Böhlendorff* (4-12-1801), *Œuvres*, p. 1003.

dentaux qui vivons, dit Hölderlin, sous le règne de Zeus, Père de la Terre, il nous faut « retourner le DÉSIR DE QUITTER CE MONDE POUR L'AUTRE EN UN DÉSIR DE QUITTER UN AUTRE MONDE POUR CELUI-CI »[77].

A cette condition seulement, nous pourrons clore la courbe de notre destin en retrouvant l'élément de la terre natale. Hölderlin exposera ainsi le paradoxe du retournement à Böhlendorff : « Mais ce qui nous est propre, il faut l'apprendre comme ce qui nous est étranger. » Quel est cependant le *lieu* du retournement, l'espace de jeu où s'accomplit le virage des Grecs et celui des Hespériens, l'Ouverture où Célestes et Mortels se rencontrent et se détournent les uns des autres ? Bien avant l'œuvre tardive (1804), en laquelle Beda Allemann discerne l'élaboration du retournement natal, à l'époque d'*Hypérion* (1794-1798), le poète nommait déjà l'Entre-Deux où Dieux et Mortels s'affrontent dans l'espace du Sacré. Ecoutons la parole d'Hypérion à Diotima :

« Je te l'ai dit déjà, je n'ai plus besoin ni des dieux, ni des hommes. Je sais que le ciel est mort, qu'il est vide, que la terre, jadis débordante de beauté et de vie, est près de se réduire à une fourmilière. Mais il est encore un lieu où le ciel ancien, la terre ancienne me sourient. En toi, j'oublie tous les dieux du ciel et tous les hommes habités du divin »[78].

Nous voyons ici s'ébaucher, pour la première fois, la *Quaternité hölderlinienne*, héritée de Pythagore et de Platon, qui inspirera la *Quadrature heideggerienne*. Nous pouvons en tracer le cercle à partir du lieu central où se déploient les Quatre : l' « île bienheureuse » de Diotima, celle en qui tout réside.

Diotima — penserons-nous en même temps à la prêtresse pythagoricienne ? Diotima, au cœur de la Communauté — songerons-nous aussi à la divinité du foyer ? Diotima, seule, exprime l'Unité de la Quaternité,

« ... liaison
Vraiment totale, et centre en même temps »[79].

77. HÖLDERLIN, *Remarques...*, Œuvres, p. 962; p. 965.
78. HÖLDERLIN, *Hypérion*, Œuvres, p. 208.
79. HÖLDERLIN, *... le Vatican*, Œuvres, p. 916.

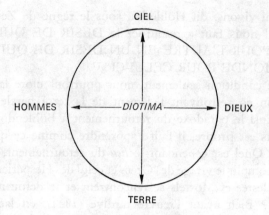

Pentade de Hölderlin

La Quaternité hölderlinienne oriente ainsi secrètement *la démarche de l'esprit poétique* vers le nombre de la Fondation. On sait que le poète a appliqué à son hymne au *Rhin* la loi de composition poétique en 5 phases successives, en laquelle il voyait le rythme même de la vie et de la connaissance. Il expose en ces termes la structure en chiasme du texte :

« La loi de ce poème est que les deux premières parties sont, pour la forme, opposées par progression et régression, mais pour le fond, égales; que les deux suivantes sont, pour la forme, égales, mais, pour le fond, opposées, alors que la dernière équilibre tout au moyen d'une métaphore intégrale. »

Beda Allemann a lumineusement montré comment l'hymne est distribué en cinq parties de trois strophes chacune, laissant progresser, par le jeu de leurs oppositions, un équilibre entre le principe empédocléen et le principe royal, qui autorise alors *la réconciliation de la cinquième partie*. Hölderlin tente ici, à l'aide des oppositions polaires, d'édifier un monde au statut équilibré qui annonce déjà la structure ultérieure du retournement natal. Dans le *Rhin*, cependant, la fin du poème tient dans l'accommodement des principes opposés et la volonté

d'apaisement qui en résulte. Beda Allemann commente ainsi le passage
décisif : « La cinquième partie, qui doit être la réconciliation aussi bien
du fond que de la forme, commence conséquemment ainsi : « Alors
fêtent les hommes et les dieux la cérémonie du mariage » (vers 180).
Ici, où commence la réconciliation de la cinquième partie, sont
nommés les dieux et les hommes (...) L'espace de jeu du Retournement natal est ouvert, mais le Retournement n'est pas encore saisi
en tant que tel »[80].

Quand Hölderlin envisage la Réconciliation des hommes et des
dieux, et se prépare à célébrer la cérémonie du mariage, il détermine
le statut poétique de l'œuvre à l'aide du nombre *nuptial*. On ne
s'étonnera donc pas de voir Heidegger, dans sa conférence décisive
sur *Hölderlin et l'essence de la poésie*, interpréter l'intuition fondatrice
du poète à partir de « *cinq leitmotive* », sans justifier le choix de ces paroles
ni leur nombre. On pourrait supposer que le nombre de ces extraits
importe peu à l'*essence* de la poésie; pourtant, le commentaire
de Heidegger livre deux indications qui incitent à penser que le
nombre et la disposition des 5 fragments de Hölderlin ne sont
pas dus au hasard. D'une part Heidegger les nomme, à deux
reprises, des *leitmotive*, mettant ainsi en évidence le caractère
rythmé de leur retour; d'autre part il avance avec une réserve
énigmatique :

« L'ordre de succession de ces paroles ainsi que leur connexion
interne nous mettront devant les yeux l'essence essentielle de la
poésie »[81].

Cette insistance serait hors de propos si Heidegger se contentait
de détacher, au hasard de sa lecture, quelques vers remarquables de
l'œuvre hölderlinienne, au lieu d'entrer dans un patient dialogue
avec le poète. Or la suite de la conférence conforte, croyons-nous, la
justesse de l'hypothèse. Heidegger soutient en effet que la lente
conquête poétique du « pouvoir parler » et du « pouvoir entendre »

---

80. BEDA ALLEMANN, *Hölderlin et Heidegger*, pp. 187-188.
81. HEIDEGGER, Höld. et l'ess. de la poésie, *App. Höld.*, p. 43.

exige la délimitation de cinq étapes qui s'achèvent dans *la parole hölderlinienne de la fondation* :

> « Riche en mérites, mais poétiquement toujours
> Sur terre habite l'homme » *(En bleu adorable...).*

L'interprète étudie cette parole plus longuement que les précédentes, et la met même graphiquement en valeur — « Cette *cinquième* parole » — en insistant sur sa position, alors qu'il ne prend pas la peine de souligner les quatre premières expressions. Celles-ci sont destinées à préparer l'avènement de l'ultime parole dont Heidegger dit qu'il la tire d'un « poème inouï ». Elle seule exprime de façon appropriée « la fondation de l'être par la parole », en un libre don qui met en commun les signes des dieux et les gestes des mortels. Elle seule révèle que le retournement natal, en les conduisant à proximité de leur séjour terrestre, permet aux mortels de conquérir la « position d'une base ferme et fixe » *(Gründung)*[82].

Le penseur témoignera alors, une dernière fois, de la fermeté de l'origine :

> « La fondation est la demeure qui s'approche de l'origine et qui demeure, parce qu'étant la marche à la source sous la gouverne de la pudeur, elle ne peut que difficilement quitter le lieu du proche »[83].

Heidegger fait usage du même principe herméneutique à l'œuvre dans sa lecture de Hölderlin pour mettre en lumière l'originalité de l'entreprise de Nietzsche. A trois reprises en effet Heidegger décide d'articuler l'ensemble de la pensée nietzschéenne, considérée comme le point d'aboutissement de la métaphysique, en fonction d'une architecture à cinq niveaux. Sans justifier ce choix, le texte de 1940 intitulé *La métaphysique de Nietzsche* dégage abruptement, dès son introduction, « les cinq termes fondamentaux *(die fünf Grundworte)* de la métaphysique de Nietzsche : la volonté de puissance, le nihilisme, l'Eternel retour du Même, le Surhomme, la Justice »[84], puis se dis-

82. HEIDEGGER, *op. cit.*, pp. 52, 53, 55, 57, 58.
83. HEIDEGGER, Souvenir, *op. cit.*, p. 188.
84. HEIDEGGER, *Nietzsche*, II, p. 209.

tribue en cinq parties qui en démontrent l'essentielle *communauté*. La connexion de ces cinq termes exprime l'unité du questionnement de l'être et de l'étant : « Chacun de ces termes fondamentaux nomme dans le même temps ce que désignent les autres. Ce n'est que si *ce qu'*ils disent (chacun en particulier) est *pensé* à chaque fois dans le contexte de tous, que la force dénominatrice de chaque terme fondamental est pleinement épuisée. »

Nous serons d'autant plus porté à faire ressortir le choix inhabituel de ces cinq termes que les interprètes de Nietzsche n'ont jamais envisagé un tel nombre. Interrogeant les concepts nouveaux introduits par la pensée nietzschéenne, Henri Birault écrit : « La tradition en distingue trois : le surhomme, l'éternel retour, la volonté de puissance »[85]. A notre connaissance, Heidegger est le seul auteur à tenter de comprendre Nietzsche à partir de l'imbrication de cinq termes. Or ce nombre ne saurait être l'effet du hasard puisque Heidegger, dans une deuxième étude datée de la même année, *Le nihilisme européen*, revient sur un découpage légèrement différent de la pensée nietzschéenne, en fonction de cinq déterminations. Un concept, le plus important de tous, change de nom, mais le nombre total demeure intact. Le texte mentionne dès le premier paragraphe, *Die Fünf Haupttitel im Denken Nietzsches*, « cinq termes capitaux » *(Die genannten fünf Haupttitel)*, et substitue au terme précédent — la « Justice » — une nouvelle expression — la « transvaluation de toutes les valeurs » — comme si l'interprète hésitait sur le nom à donner au cinquième et ultime concept de la pensée nietzschéenne.

La « connexion originelle » *(ursprünglichen)* des cinq termes capitaux, parente de la « connexion interne » des cinq fragments hölderliniens, remplit à nouveau la fonction de commander l'ensemble de la démarche nietzschéenne. Est-ce alors une nouvelle coïncidence si un troisième texte, *La Volonté de Puissance en tant qu'art* (1936-1940), présente « cinq propositions choisies dans des textes qui en font foi »[86] ? Dorénavant, la structure de la pensée capitale de Nietzsche

85. H. BIRAULT, De la béatitude chez Nietzsche, in *Nietzsche*, p. 13.
86. HEIDEGGER, *Nietzsche*, 1, pp. 69, 75, 129.

s'ordonne autour des « cinq propositions sur l'art » *(Die fünf Sätze über die Kunst)*, assemblées par Heidegger à partir de quinze fragments de Nietzsche, plus particulièrement autour de la *cinquième*, dont il est dit cette fois qu'elle met en question *l'ensemble de la philosophie elle-même*. Heidegger interprète les quatre premières réflexions :

1. « L'art est la plus transparente et la plus connue des structures de la Volonté de puissance »;

2. « L'art doit être compris à partir de l'artiste »;

3. « L'art, selon le concept élargi de l'artiste, constitue l'événement fondamental de tout étant : l'étant, pour autant qu'il est, est quelque chose qui se crée, quelque chose de créé »;

4. « L'art est le mouvement antinihiliste par excellence »;

comme une préparation progressive de la dernière qui, en retour, « se répand sur les autres propositions (...) De la sorte, tout dépend de l'élucidation et du fondement de la cinquième proposition : l'art a plus de valeur que la vérité. Qu'est-ce que la vérité ? En quoi consiste son essence ?

« Cette question se trouve depuis toujours dans la question fondamentale et conductrice de la philosophie »[87].

Le projet identique de récapituler dans son ouvrage sur Nietzsche l'ensemble du questionnement philosophique à partir de la communauté initiale de cinq paroles nietzschéennes, délibérément tirées par l'interprète d'un grand nombre de fragments divers, se répète donc chez Heidegger comme un *leitmotiv*. Le premier texte sur la métaphysique de Nietzsche privilégie le *cinquième terme* — la Justice; le deuxième texte sur le nihilisme établit que le *cinquième concept* — la Transvaluation de toutes les valeurs — met en cause toute l'histoire du nihilisme, c'est-à-dire la métaphysique depuis son origine platonicienne; le troisième texte sur l'art affirme que la *cinquième proposition* — l'art a plus de valeur que la vérité — fait retour à la question préliminaire de la philosophie. *La métaphysique de Nietzsche*, après avoir abordé l'un après l'autre les cinq termes fondamentaux, ajoute

87. *Ibid.*, pp. 74-75; pp. 131-132.

qu'ils « correspondent *aux cinq parties de l'essence de la métaphysique* »[88], et termine, tout aussi énigmatiquement :

« Mais l'essence de cette unité, voilée à l'intérieur de la métaphysique, le demeure encore à elle-même. »

Or nous ne trouvons nulle part, dans les études nietzschéennes de Heidegger ou dans le reste de son œuvre, de dénomination et d'élucidation de ces cinq parties, dont le nombre est ici présenté comme allant de soi. Qu'en est-il alors de ces parties de la métaphysique, dont Heidegger se contente de dire que, sous la direction de chacun des cinq termes, Nietzsche « prospecte l'ensemble et perçoit l'unisson de tous » ?[89]. Que doit-on penser de leur voilement essentiel et de leur communauté persistante à l'intérieur de la tradition occidentale ?

La section *centrale* de *Kant et le problème de la métaphysique* nous met peut-être sur la voie : elle se trouve en effet organisée en *cinq étapes* distinctes, dont il est dit qu'elles constituent « le mode de dévoilement de l'origine ». Heidegger esquisse cette fois la figure de la fondation à travers le système kantien, et la reconnaît comme *la* constante primordiale de la métaphysique. Il écrit :

« L'instauration du fondement de l'ontologie parcourt donc les cinq étapes suivantes : 1. Les éléments essentiels de la connaissance pure; 2. L'unité essentielle de la connaissance pure; 3. La possibilité interne de l'unité essentielle de la synthèse ontologique; 4. Le fondement de la possibilité interne de la synthèse ontologique; 5. La pleine détermination de l'essence de la connaissance ontologique »[90].

En parcourant ces cinq étapes, dont on aura noté la disposition ordonnée en deux couples (« connaissance pure » / « synthèse ontologique ») surmontés par une dernière étape dont la détermination, déjà sur le plan grammatical, fonde et relie les domaines précédents (« essence de la connaissance ontologique »), Heidegger fait observer qu'il interprète la *Critique de la Raison pure* par-delà sa propre disposition et les formules proposées par Kant. Il cherche à suivre « le

---

88. *Ibid.*, p. 262. Nous soulignons.
89. *Ibid.*, p. 263.
90. HEIDEGGER, *Kant*, iie section, A, 2, p. 98; p. 100.

mouvement interne de l'instauration kantienne du fondement », en poussant au-delà du langage de celle-ci, « afin de pouvoir apprécier, à partir d'une saisie plus originaire du dynamisme interne de l'instauration du fondement, la justesse, le bien-fondé et les limites de l'architecture extérieure de la *Critique de la Raison pure* »[91].

Dès 1929 donc, en reprenant ses travaux sur Kant du semestre d'hiver 1925-1926, Heidegger reconnaissait à l'*architecture intérieure* de la métaphysique, celée dans le texte kantien qui révélerait ainsi son « bien-fondé » et ses « limites », une *forme pentadique* sur laquelle il ne s'expliquait pas plus que dans les études ultérieures sur Nietzsche. On sait, d'autre part, que le thème de l'ouvrage sur Kant devait se trouver traité « en fonction et au niveau d'une problématique plus générale » dans la seconde partie non publiée de *Sein und Zeit*. Or, si l'on suit avec Heidegger les cinq étapes de la réalisation de l'ontologie dans le texte kantien, on s'apercevra que les quatre premières étapes préparent la possibilité intrinsèque de la synthèse ontologique, mais que *seule la cinquième la détermine dans sa totalité*. Elle prend pour charge d'effectuer la *récapitulation* des étapes antérieures, en déterminant de façon complète « l'essence de la connaissance ontologique ». Cette essence manifeste clairement sa provenance : la « transcendance ». *La cinquième étape de la philosophie est l'étape de la transcendance*, que Heidegger, chez Kant comme chez tous les autres auteurs qu'il interroge, à la fois éclaire et laisse dans l'ombre.

La parenté de structure de ces textes d'horizon divers, régulièrement distribués en cinq phases distinctes, paraîtra au premier abord accidentelle. Il ne s'agit pas là, pourtant, d'une singularité fortuite, puisque l'on retrouve ce rythme pentadique, parfois à peine esquissé, parfois scandé plus fermement, dans une série de textes plus personnels où Heidegger délaisse un moment la lecture des grands penseurs pour se pencher sur l'*avènement* de la chose même qu'il met en question. Le nombre cinq semble alors avoir pour fonction de régir systématiquement la multiplicité des significations de la chose considérée afin d'en laisser apparaître l'unité directrice.

---

91. *Ibid.*, p. 103.

1. Le cours du semestre d'été de 1952, *Qu'appelle-t-on penser ?*, commence par énumérer les quatre modes selon lesquels la question posée doit être envisagée : (1) Qu'est-ce qui est désigné sous le terme « penser » ? (2) Comment la pensée est-elle définie dans la doctrine traditionnelle de la pensée ? (3) Quelles conditions doivent être réunies pour que nous puissions penser de façon adéquate ? (4) Qu'est-ce qui nous appelle à la pensée ?

Heidegger ajoute aussitôt que « les quatre modes énumérés ne sont pas juxtaposés l'un à l'autre extérieurement. Ensemble, ils s'entre-appartiennent. C'est pourquoi ce qu'il y a d'inquiétant dans la question : « Qu'appelle-t-on penser ? » est moins dans la multiplicité que dans l'unité de sens qu'indiquent ces quatre modes (...) Comment sont-ils unis, et de quelle union ? Est-ce que l'unité vient s'ajouter en cinquième à la multiplicité des quatre modes, à la façon d'un toit ? Ou bien l'un quelconque des quatre modes d'ouverture de la question a-t-il la préséance ? »[92].

Bien que l'auteur choisisse finalement la seconde solution, et situe la mutuelle appartenance des quatre modes dans la quatrième question sur Ce qui nous appelle à penser, l'hypothèse d'un cinquième mode, auquel reviendrait la préséance de l'unité, se trouve néanmoins avancée.

2. La célèbre conférence de 1953 sur *La question de la Technique* montre, dès ses premières lignes, comment le caractère instrumental de la technique s'appuie sur la quadruple dimension de la causalité : (1) La cause matérielle; (2) La cause formelle; (3) La cause finale; (4) La cause efficiente.

Pourquoi cependant la tradition reconnaît-elle *quatre* causes, comme si leur nombre et leur nature allait de soi, sans jamais se demander « à partir de quoi le *caractère* causal des quatre causes se détermine (...) d'une façon si une qu'elles (sont) solidaires les unes des autres » ? Nous cherchions précédemment l'unité de la pensée à partir de l'unité de ses quatre modes; nous sommes maintenant en quête de la *provenance* de « l'unité des quatre causes », grâce à laquelle

92. HEIDEGGER, *Qu'appelle-t-on penser ?*, p. 128.

peuvent apparaître les produits de la nature et de l'art. Dans la mesure où cette unité, « l'acte dont on répond » *(Verschulden)*, renvoie, au cours de l'analyse régressive du texte, à la « pro-duction », elle-même fondée dans le « dévoilement » (ἀλήθεια), c'est le Dévoilement qui rassemble en lui — comme un cinquième terme — les « quatre modes du faire-venir », et libère l'*être* de la pro-duction. La technique désormais comprise comme un mode du dévoilement, il faut admettre qu'elle « déploie son être *(west)* dans la région où le dévoilement et la non-occultation, où ἀλήθεια, où la vérité a lieu »[93].

3. Il convient encore de comprendre comment la Vérité peut advenir dans le monde, en quelques rares modes essentiels. *L'origine de l'œuvre d'art* (1935-1936) énumère, sans apporter le moindre commentaire, les *cinq modes (weise)* de l'avènement de la vérité : (1) « Une manière essentielle dont la vérité s'institue dans l'étant qu'elle a ouvert elle-même, c'est la vérité se mettant elle-même en œuvre »; (2) « Une autre manière dont la vérité déploie sa présence, c'est le geste qui fonde une cité »; (3) « Une autre manière encore pour la vérité de venir à l'éclat, c'est la proximité de ce qui n'est plus tout bonnement un étant, mais le plus étant des étants »; (4) « Une nouvelle manière pour la vérité de fonder son séjour, c'est le sacrifice essentiel »; (5) « Une dernière manière enfin pour la vérité de devenir, c'est le questionnement de la pensée qui, en tant que pensée de l'être, nomme celui-ci en sa dignité de question »[94].

L'Œuvre, la Cité, le Dieu, le Sacré, l'Etre : telles sont les cinq modalités qui instituent l'espace de jeu où la vérité advient, selon le constant combat entre éclaircie et réserve. Elles seules révèlent les trois significations indissolubles de la véritable *instauration* qui est, selon le même texte, DON, FONDATION et EMPRISE. Aussi ne nous étonnerons-nous pas de voir l'*emprise* (ἀρχή) de l'être manifester continûment le mouvement de *fondation* à travers la *libre donation* du Cinq : grâce à ces modes essentiels d'avènement de la vérité, l'homme peut trouver un séjour à sa mesure et habiter le monde.

93. HEIDEGGER, Quest. Techn., *Ess. Conf.*, p. 12; p. 15; p. 17; p. 19.
94. HEIDEGGER, L'origine de l'œuvre d'art, *Chemins*, p. 48.

4. Nous habitons le monde, révèle *La parole d'Anaximandre* (1946), selon *cinq modes* qui correspondent à autant d'envois du Destin. « (1) Le grec; (2) Le chrétien; (3) Le moderne; (4) Le planétaire et (5) L'hespérial, nous les pensons à partir d'un trait fondamental de l'être que celui-ci, en tant qu'ἀλήθεια, dérobe dans la Λήθη plutôt qu'il ne le dévoile. »

Du mode grec, « l'aurore de la pensée », jusqu'au mode hespérial marqué par « la parole tardive de la pensée arrivant à son terme »[95], l'être se dévoile à cinq reprises, mais se retire d'un même mouvement en tant qu'il laisse paraître l'étant. Cette retenue de la vérité, qui cependant ouvre un monde *historial*, Heidegger la nomme l'ἐποχή de l'être. Les *cinq époques* de l'Histoire du monde écrivent le Destin de la pensée en termes d'errance, tant que nous ne savons pas laisser advenir l'être en sa vérité augurale.

5. Un dernier texte nous arrêtera ici. *L'époque des conceptions du monde* (1938) expose la façon dont la métaphysique fonde une ère, et présente en ces termes les *cinq phénomènes essentiels* de notre époque :

> « (1) Un phénomène essentiel des Temps Modernes est la science; (2) Un phénomène non moins important, quant à son ordre essentiel, est la technique mécanisée (...); (3) Un troisième phénomène, non moins essentiel, des Temps Modernes, est constitué par le processus de l'entrée de l'art dans l'horizon de l'esthétique (...); (4) Une quatrième manifestation de la modernité s'annonce dans le fait que l'activité humaine soit comprise et accomplie en tant que civilisation *(Kultur)*; (5) Une cinquième manifestation des Temps Modernes est le dépouillement des dieux *(Entgötterung)* »[96].

Heidegger ne fournit aucune autre précision sur le nombre de ces traits essentiels et sur leur connexion interne, pour limiter son étude au premier phénomène mentionné : la science, qui trouve sa place légitime dans l'ensemble des cinq manifestations grâce à une méditation suffisamment exhaustive. Quant au *principe* qui régit l'économie de la méditation elle-même, et sur lequel l'auteur, à son habitude, se tait, nous n'avons pas de peine à le reconnaître : qu'il

95. HEIDEGGER, La Parole d'Anaximandre, *Chemins*, p. 271; p. 274.
96. HEIDEGGER, L'époque des conceptions du monde, *Chemins*, pp. 69-70.

s'agisse d'interroger la pensée, la causalité, la vérité, l'histoire du monde ou les traits essentiels de la modernité, le mouvement régressif de la réflexion parcourt invariablement les cinq étapes de la dispensation de l'être. C'est en elles que toute remontée à l'origine *repose*. Que l'on ne conçoive pas hâtivement ce *repos* de l'être comme une absence de mouvement qui paralyserait la pensée : il faut plutôt comprendre que le mouvement lui-même repose dans le repos, c'est-à-dire exprime le *recueil* des multiples chemins de pensée ouverts par l'éclosion de l'être. Peut-être alors les indications précédentes nous autorisent-elles maintenant à nous *tourner* vers elle.

Cette approche de la région sourcière de la parole, marquée par la présence insolite du nombre cinq, pourra sembler à bon droit choir dans l'inessentiel. Sommes-nous cependant en mesure de négliger les indications réitérées d'un penseur, seraient-elles en apparence de pure forme, dès lors que nous nous proposons de suivre le *tournant* *(die Kehre)* de son chemin de pensée — puis de faire le SAUT ? Nous interrogeons le tournant *heideggerien*, dont le penseur souligne avec insistance, dans la *Lettre à Richardson*, qu'il constitue moins la teneur de sa réflexion propre que la teneur de la philosophie tout entière en son fond originel. La *Lettre sur l'humanisme* (1946) mentionne à mots couverts deux marques du retournement heideggerien, présentes dans la *lettre* même du texte. Parce que sa pensée ne parvenait pas à exprimer, dans la langue de la métaphysique, la nécessité du retour à la source de celle-ci, Heidegger ne publia pas la 3ᵉ section de la première partie de *Sein und Zeit*, intitulée *Zeit und Sein*. « C'est en ce point que tout se renverse », écrit Heidegger, sans pour autant expliciter ce renversement sous une forme autre que typographique. Il ajoute, cependant, que la conférence de 1930 *De l'essence de la vérité* laisse déjà apercevoir quelque lueur sur la nature du renversement qui va accentuer l'*être* à partir des étants. Dans cet essai qui lance le questionnement au-delà de la conception courante du vrai, occultée par « la domination *expresse* du sens commun (de la sophistique) », Heidegger en vient à poser la question de la vérité « dans son originalité radicale », à partir du mystère de l' « errance » de l'homme entendu comme « simultanéité du dévoilement et de la dissimulation » de l'étant. « Dès ce moment », ajoute-t-il, « se dévoile l'origine de l'imbrication de l'essence de la vérité avec la vérité de l'essence »[97]. *La structure en miroir* de la proposition, dans l'évidence de son renversement littéral, se retrouve dans le dernier paragraphe du texte : l'auteur demande une nouvelle fois « si la question de l'essence de la vérité ne doit pas être, en même temps et d'abord, la question de la vérité de l'essence ». Inversement, le cours du semestre d'été 1936 sur Schelling indique que la question de la vérité de l'être « ne peut pas (...) se maintenir pour soi, elle vire et se transforme en question de l'être de la vérité »[98].

Heidegger tente ici le pas en arrière hors de la métaphysique qui lui permettrait de penser l'espace de déploiement de l'être *et* de l'étant, leur *Entre-deux (das Zwischen)* ou *Différence (Differenz)*, qu'il nomme parfois encore « *Di-mension* » *(Unter-Schied)*, *Conciliation (Austrag)* de la Survenue de l'être et de l'Arrivée de l'étant, ou, plus simplement, *Duplication (Zwiefalt)* de l'être et de l'étant. Il s'agit de faire retour à la Duplication, en ce sens précis où la Duplication est justement la pensée du retour de l'être et de l'étant, l'espace de jeu qui libère l'investigation philosophique elle-même.

Il serait donc erroné de faire crédit à Heidegger de la pensée du « tournant », ou de s'inquiéter de son allure plus suggestive que rationnelle; elle est bien plutôt le secret destin de la Philosophie. Heidegger confiera en ce sens à Richardson : « Le tournant joue au sein de la question elle-même. Je ne l'ai pas plus inventé qu'il ne concerne ma seule pensée. Jusqu'à cette heure, je n'ai eu aucune connaissance d'aucune tentative qui ait poursuivi par la méditation la « teneur de la question » et en ait entrepris une discussion critique. » Et, plus loin, ce mot étonnant :

« *L'être ne se laisse penser qu'à partir du tournant* »[99].

97. HEIDEGGER, De l'essence de la vérité, *Quest. I*, p. 188; p. 189; p. 190.
98. HEIDEGGER, *Schelling*, p. 118.
99. HEIDEGGER, Lettre Richardson, in *Quest. IV*, pp. 185, 187. Nous soulignons.

Le tournant est l'affaire propre de la pensée — le tournant tourne autour de la question de l'être — le tournant retourne à la Di-mension originaire qui ouvre le jeu de l'être et de l'étant... et d'abord, il *retourne* la parole elle-même :

« *Das Wesen der Sprache* » :
« *Die Sprache des Wesens* »

non pas selon l'artificiel renversement qui substitue un mot à un autre, sans égard pour la *provenance essentielle* de cette Parole, mais en fonction de l'ensemble des deux tournures qui se *croisent* en un *point* qui sauvegarde l'*écart* des *quatre* domaines désormais ouverts. Car si l'être se donne toujours comme *l'être de* (τινός), ainsi que Platon nous l'a appris, « avec un génitif qui implique une différence »[100], comment penser la *différence* en dehors du retour à la *provenance* ?

Chiasme de la Parole

Certes, Heidegger ne matérialise pas le *Chiasme*, du moins sous cette forme et dans ce texte, et se contente d'opposer en miroir les deux tournures comprises comme la même « parole directrice » *(Leitwort)*, de chaque côté des points qui les séparent :

« L'essence de la parole : la parole de l'essence. »

Il ajoute cependant cette indication, plus décisive que la remarque grammaticale sur la permutation du sujet et de son complément : « En l'ensemble de la parole directrice joue une ouverture, un faire-signe, qui pointe sur quelque chose que, venant à partir de la première

100. HEIDEGGER, Ident. Diff., in *Quest. I*, p. 298.

tournure, nous ne pouvons présumer dans la seconde »[101]. Qu'il nous suffise, pour le moment, de retenir la présence de cette *ouverture* qui met en lumière, en son aveugle retrait, la quadruple dimension du déploiement de la parole et de la parole du déploiement.

Introduction à la métaphysique (1935), l'un des plus anciens ouvrages de Heidegger, bien antérieur aux années du grand « tournant », lève topographiquement le voile sur la Quadrature et dessine directement la figure de la *Pentade*. Le texte est distribué en quatre parties, dont la quatrième, *La limitation de l'être*, concerne notre propos, plus particulièrement encore la quatrième et dernière distinction de celle-ci : *Etre et Devoir*. Dans toute l'histoire de la métaphysique, remarque Heidegger, l'être se trouve en effet *délimité* par sa relation à un *autre*, selon *quatre* points de vue différents — et quatre seulement — qui demeurent liés entre eux comme les quatre modes de la pensée et les quatre déterminations de la causalité. Heidegger nomme ces distinctions qui « maintiennent dans un état de scission » *ce qui* « a une tendance originaire à ne faire qu'un »[102] : 1. *Etre et Devenir*; 2. *Etre et Apparence*; 3. *Etre et Penser*; 4. *Etre et Devoir*.

Ces quatre scissions définissent le champ d'inspection de l'être, la perspective propre à partir de laquelle il apparaît, sans pour autant se réduire aux quatre dimensions de l'ouverture ; nécessaires et légitimes, elles creusent de leur commune racine l'être qui, de ce fait, ne se dissout pas dans le vide, mais possède à tout instant une signification déterminée : la permanence, l'identité, la subsistance et la projacence de l'ὄν en tant qu'οὐσία.

Heidegger présente ainsi le schéma des limitations de l'être selon la tradition métaphysique :

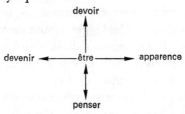

101. HEIDEGGER, *Achem. Par.*, p. 185.
102. HEIDEGGER, *Introduction à la métaphysique*, p. 105. Schéma de HEIDEGGER, p. 209.

Pour la première et seule fois, à notre connaissance, dans son œuvre publiée, Heidegger dessine le schéma tétradique de la Communauté de l'Etre, selon deux axes de coordonnées qui se recoupent en une origine cinquième, explicitement indiquée. La pensée qui fraye un passage en suivant ces quatre voies pour s'ouvrir à l'être, découvre ainsi que ce dernier n'est pas un terme vide ou le néant opaque de l'unité éléatique, mais la *dé-limitation* (πέρας) multiple de l'unité qu'il s'avère impossible de penser en dehors de ces scissions. Sans doute Heidegger privilégie-t-il la troisième scission — *être et penser* — tant dans l'analyse que dans le diagramme lui-même (avec sa double flèche), l'orientant en outre vers le bas afin de mettre en évidence que le penser constitue le *fondement* majeur de l'être. Trois raisons cependant justifient le rattachement de la figure et de son interprétation à la Pentade platonicienne :

1. Heidegger situe l'οὐσία, l'être au sens de la *présence constante*, à l'origine de la Pentade, comme Platon place la déesse du foyer commun, *Hestia*, au cœur de la maison des dieux. Celle en qui tout réside est la Demeure de l'être, mais la déesse virginale se tient à l'abri des dieux et des hommes, de la terre et du ciel. La Quadrature ne parvient même pas à l'effleurer, bien qu'elle la touche de toutes parts.

2. Les quatre scissions apparentes sur le schéma dérivent à leur tour d'une scission plus originaire — *une cinquième scission* — que nous avons nommée, pour notre part, *coupure ontologique*, et que les écrits ultérieurs de Heidegger nommeront *Différence*. Elle disjoint l'unité de l'être en une quadruple déchirure, sans que jamais le χωρίσμος se résorbe. « Ainsi un questionner originaire et poussé jusqu'au bout à travers les quatre scissions conduit à comprendre ceci : l'être qu'elles encerclent doit lui-même être transformé en un cercle entourant tout l'étant et le fondant. » Heidegger ajoute cette précision capitale pour qui veut penser le « tournant » de la philosophie : « *La* scission originaire qui, par sa connexion intime et sa discession originaire, porte l'histoire, est la distinction de l'être et de l'étant. »

3. La *pré-éminence* de l'être reste obscurcie dans tout le cours de la pensée occidentale, laquelle, traitant de l'être comme néant, s'établit nécessairement dans le nihilisme. Nous n'avons donc pas encore

conquis le sol ferme de la pensée, nous ne nous tenons pas debout *(stehen)* — « nous titubons ». Toujours en chemin au milieu des étants, nous avons oublié l'événement et l'avènement fondamental qui fait qu'il y a des routes et un croisement. « Nous ne savons même pas que nous ne le savons plus. Nous titubons encore quand nous nous assurons l'un à l'autre que nous ne titubons pas... »[103].

Nous sommes désormais prêt à faire le *saut*. Le texte intitulé *De la ligne. Contribution à la question de l'être* (1955) constitue la réponse à l'ouvrage que Ernst Jünger avait dédié à Heidegger, *Über die Linie (Au-delà de la ligne)*, pour tenter de faire le bilan du nihilisme en *situant* sa « ligne » ultime, nommée encore « méridien » ou « point zéro ». Dans le droit-fil de l'interprétation nietzschéenne, Jünger se demandait si le monde moderne pouvait atteindre, et même franchir, la limite zéro du nihilisme. Mais alors que Jünger entendait *über die Linie* au sens *métaphysique* d'un « au-delà » de la ligne *(trans lineam)*, pour en dessiner le franchissement dans sa « topographie », Heidegger envisage plus initialement l'être du nihilisme selon la « topologie » *(de linea)* qui effectue le retour à l'origine de ce mouvement historial. Car peut-être s'agit-il moins de *dépasser le lieu* du nihilisme, pour en terminer une bonne fois avec le néant, que de *revenir* à son origine en accomplissant « le pas en arrière » vers l'oubli de l'être — où prend naissance le nihilisme occidental. Heidegger pense la *provenance* platonicienne du τινός avec son interprétation *de linea* : « Le chemin d'une telle entrée dans l'essence du nihilisme a tous les aspects d'un retour (...) « En arrière » signifie ici la direction de ce lieu (l'oubli de l'être) qui a donné déjà et donne encore à la métaphysique sa provenance. »

Pour situer ce lieu, Heidegger semble une nouvelle fois jouer d'un artifice typographique, en décidant de ne plus écrire le mot « être » que sous cette forme :

$$\cancel{\text{Être}}$$

---

103. *Ibid.*, p. 218; p. 219.

Si l'on veut en effet annuler la représentation de l' « être » comme un « en face » qui se tiendrait *objectivement* devant l'homme, il convient d'éliminer cette détermination propre à la relation cartésienne *subjectum/objectum*, et de suggérer les *axes* de la topique de l'être. Or « *la biffure en croix* », où nous reconnaissons le *chiasme* du *Déploiement de la parole*, lui-même héritier du *chiasme platonicien* de la *République* et du *Timée*, ne se réduit pas à « une rature simplement négative ». C'est une biffure *en croix*, $\times$ qui montre clairement, en son déchirement, « les quatre régions du Cadran et leur Assemblement dans le Lieu où se croise cette croix »[104].

La remarque, fort brève, s'avère pourtant d'une importance extrême dans la mesure où elle révèle *le lieu unique* où l'être se rassemble : *le croisement de la croix*, distingué des quatre branches qu'il oriente. L'être doit nécessairement se biffer en croix, parce qu'il se tient au carrefour de ses propres chemins : *crucifié*, il disparaît au confluent des quatre régions qu'il ouvre.

Dès lors, même si la topographie jüngerienne décrit avec exactitude la situation du Travailleur dans le monde moderne, elle ne suffit pas à dessiner l'espace du nihilisme : la pensée doit risquer le pas en arrière de la topologie et situer le site de cette situation elle-même. Le site oublié du nihilisme — *le site dont l'oubli est nihilisme* — est le Lieu de la philosophie depuis Platon : la figure pentadique, qui expose et cèle l'être.

> « L'homme est dans son être la Mémoire de l'Etre, mais de l'Etre »[105].

Il ne suffit donc pas d'espérer, avec Jünger, la *trans*gression de la ligne, ou d'affirmer, avec Nietzsche, la *trans*valuation des valeurs : le *trans*, pris dans la langue métaphysique, se trouve dans l'incapacité d'accomplir le pas en arrière. Nous ne pourrons maîtriser le nihilisme qu'en prenant le risque de régresser vers l'oubli de son origine *(de)*. Si le monde joue toujours dans l'unité du Quadriparti, l'être est

---

104. HEIDEGGER, De la ligne, *Quest. I*, p. 247.
105. HEIDEGGER, *ibid.*, p. 233.

étranger à sa demeure : « Etre reste absent d'une façon singulière. Il se voile. Il se tient dans un retrait voilé qui se voile lui-même. Or c'est dans un tel voilement que consiste l'essence de l'oubli... »[106].

Le cours du semestre d'hiver 1955-1956, consacré au *Principe de Raison*, lève le voile sur cet oubli et permet de faire le saut décisif jusqu'au centre de la pensée heideggerienne. Nous suivrons un moment les premières étapes de sa démarche.

1. L'énoncé traditionnel du principe de raison — Nihil *est* sine *ratione : Rien n'*est *sans *raison —, en mettant en parallèle l'absence de la chose et la privation de la raison, revient à affirmer que « tout étant a une raison ». Cela ne nous apprend rien toutefois sur la raison du temps d'incubation d'un principe que la philosophie mettra deux mille trois cents ans à faire apparaître, ni sur la raison de sa formulation négative, ni enfin sur la raison du principe lui-même : le principe de raison est-il à son tour fondé en raison ? Pour répondre à cette question, il convient de suivre le chemin qui mène vers le fond du principe et en exprime le fondement dernier.

A considérer le principe de raison comme le « fil conducteur » de son enquête, Heidegger demande quelle est l'origine de ce fil : où s'attache-t-il et comment nous attache-t-il ? Nous qui sommes en route, « lors de notre voyage sur terre » (*PdR*, 58), vers le fond, devons contraindre le chemin qui questionne la raison à se soumettre à son propre questionnement et à rechercher « la raison du principe de raison » (p. 59). Peut-être a-t-il une raison suprême, peut-être n'en a-t-il aucune : car si la raison demande une raison, la raison de la raison va exiger à son tour la raison de la raison de la raison, et régresser indéfiniment vers le néant. Ἀνάγκη στῆναι. Il faut bien trouver une source au principe de raison qui ne lui soit pas elle-même soumise, si nous voulons éviter le cercle : « le principe de raison est la raison du principe » *(Der Satz vom Grund ist der Grund des Satzes)* (p. 64).

2. Tel est le tourbillon du principe de raison, qui nous enserre

106. *Ibid.*, p. 237.

dans le cercle de la proposition/principe *(Satz)* de raison *(Gründ)*. Mais s'il est vrai que chaque tourbillon possède un centre, qui échappe à l'agitation violente de la périphérie, alors il est possible d'atteindre son être calme — le centre du Cercle est en repos (p. 73). Comment rendre raison du tourbillon et faire le saut dans le calme, en ce centre immobile d'où le mouvement tire son énergie ? Simplement en *répondant* à ce mystérieux *appel* à fournir la raison qu'exprime la formulation complète du *principium reddendae rationis*. Nous la rencontrons pour la première fois chez Leibniz lorsqu'il expose la nécessité de *rendre* raison de la chose telle qu'elle s'offre dans l'acte de représentation.

3. La grande puissance du principe tient à ce qu'il régit la totalité de l'étant comprise comme Nature, jusqu'à l'étant suprême nommé Dieu. Son application est donc absolument totale, dans la mesure où tout ce qui est succombe à son pouvoir et doit ainsi fournir sa *raison d'être*. Cependant le principe dissimule la provenance de son appel, que jamais la science, son expression privilégiée, ne songe à interroger. Aussi les hommes s'avèrent-ils, en notre époque *planétaire* où la Raison accroît jour après jour son empire, des êtres d'*errance* désormais *unheimlich*, plongés dans l'étrangeté. Le penseur veut redonner au contraire un « enracinement » dans le « natal » *(Heimische)* (p. 96), afin de permettre de nouveau à l'homme de « bâtir et d'habiter ».

4. Le principe de raison cherche le « pourquoi » de tout ce qui est. Mais si l'on prend garde à la sentence d'Angelus Silesius :

> « La rose est sans pourquoi, fleurit parce qu'elle fleurit
> N'a souci d'elle-même, ne désire être vue »,

peut-être verra-t-on qu'il y a une limite au « pourquoi », un « sans pourquoi » qui est un « parce que ». Chaque fois que nous jetons « un regard en arrière » (p. 111) sur le principe de raison et le chemin suivi pour en manifester l'essence, nous constatons qu'il reste muet sur l'essence de la raison.

Mais ici tout se retourne. Un changement soudain d'accentuation permet à Heidegger de sauter de la formulation habituelle du principe de raison : nihil *est* sine *ratione*, rien *n'*est *sans* raison, à une formulation plus originelle : *nihil* est *sine* ratione, rien n'*est* sans *raison*. Alors que la première accentuation soulignait le lien du rien et de l'absence, en dirigeant les regards vers l'étant, la seconde fait ressortir le lien de l'être et de la raison, et oriente la pensée vers le *chiasme* paradoxal de l'être et de l'absence de raison — de l'être et du sans-fond.

5. Avec la méditation nouvelle qui ouvre l'horizon du principe de raison, nous arrivons dans « une zone critique de la pensée » (p. 120). Cette brève allusion évoque la région où vont se croiser les chemins de la Pentade et de l'Etre, en cette contrée où l'homme doit faire le saut. Pour la première fois, nous devinons l'harmonie secrète du « est » et de la « raison », et nous nous orientons décisivement vers l'être compris comme « fond de raison » : l'être est la raison qui fonde l'étant. Nous sommes désormais *au bord de l'abîme* avec cette remarque soulignée par Heidegger : *le principe de raison est un dire concernant l'être* (p. 128).

A ce point de son enquête, le penseur témoigne avec justesse de son « recueillement » : le chapitre 7 des treize chapitres du *Principe de Raison*, que le traducteur français intitule *Les cinq points principaux*, pénètre en effet au centre du tourbillon — *l'être* — en même temps qu'il occupe stratégiquement le cœur de l'ouvrage. Ici s'effectuent le retournement du chemin de pensée et le saut dans l'être, après la préparation des six premiers chapitres qui a conduit au bord de l'abîme, et avant le chemin ultérieur des six derniers chapitres qui ouvre l'espace de jeu de l'être.

Or ce septième chapitre, au centre le plus secret du *recueil*, utilise explicitement le nombre pentadique pour dévoiler le mystère de l'être. Pour la première fois, il est dit que la seconde accentuation du principe de raison met en évidence que *l'être fonde en tant qu'être* (p. 130, nous soulignons) : *Sein ist als Sein gründend*. Comme l'assure la Conférence qui complète le Cours : « Le parce que nomme le fond » (p. 266). *Parce qu'*il est fond, l'être ne saurait à son tour être fondé par une origine plus initiale; l'être, « à fond perdu », est donc « abîme » ou « sans fond » *(ab-grund)*. Seul l'étant demeure soumis au fond et, à ce titre, « seul l'étant « est » ». Quant à l'être lui-même, paradoxalement absent dans la présence de la copule, « *l'est* lui-

même », « l'*être* n' « est » pas » (p. 132). Il ne s'agit en aucune manière
d'un « contraire de l'être », selon le mot de l'éléate, οὐχ ὄν, mais du
μή ὄν qui traduit le retrait de l'être lorsque l'étant éclot, paraît dans
sa présence et, ainsi, *est*.

C'est à l'instant où le « est » nous plonge dans l'abîme que le SAUT
de la pensée se voit appelé (p. 134). Un tel saut, en sa soudaineté,
a été rétrospectivement permis par les premiers détours qui nous
faisaient inlassablement tourner *autour* du principe de raison. Quels
étaient ces détours ? Ils étaient, écrit l'auteur, au nombre de *cinq*.
On notera, pourtant, que les démarches antérieures ne les avaient à
aucun moment mentionnés, d'autant qu'ils se trouvaient dissimulés
par l'articulation du texte en six chapitres. Le cinq marque ici le
regard *rétrospectif*, le retour au cheminement effectif de la pensée
et le tournant du même cheminement. Les cinq points sont un
« rappel » (p. 134) qui éclaircit, comme à l'occasion des lectures hei-
deggeriennes de Nietzsche et de Hölderlin, une « corrélation interne »
unique des diverses étapes parcourues (p. 135).

Rappelons brièvement ces cinq points principaux, à la suite de
Heidegger qui les expose une première fois dans ce chapitre central,
les récapitule à la fin du même chapitre pour en manifester la simplicité et l'unité, et les reprend en dernier lieu au chapitre 11, « L'être et
la pensée ». La démarche qui prépare et effectue « le saut dans l'être en
tant qu'être » (p. 143), souligne à chaque étape la présence de l'un
des cinq genres platoniciens.

(1) La durée d'incubation du principe de raison atteste du
MOUVEMENT de l'histoire, en tant que celle-ci apparaît de façon
dissimulée comme la dispensation de l'être.

(2) La formulation leibnizienne du principe de raison suffisante
met fin à son incubation, et libère sa puissance propre en laquelle
REPOSE l'essence intime des Temps Modernes.

(3) L'éminence du principe de raison tient sa supériorité sur les
autres principes du fait qu'il est bien « un principe concernant l'ÊTRE »
(p. 140, nous soulignons).

(4) Comme la rose d'Angelus Silesius, l'être est sans pourquoi,
ne tombe pas sous la coupe d'une raison, parce que lui seul est en

mesure de donner la raison. *L'être donne raison à l'étant.* Le « parce
que » ne renvoie pas, déclare Heidegger, « à quelque chose d'autre » :
« le « parce que » de la sentence renvoie simplement la floraison à
elle-MÊME. La floraison est fondée en elle-MÊME, a sa raison avec
et en elle-MÊME » (p. 141, nous soulignons). La substitution du
« parce que » au « pourquoi » laisse entendre la libre gratuité du Don
qui est lié à la Fondation dans une commune Instauration. Il n'y a pas
de justification en raison de la Fondation qui ne renvoie qu'à elle-
MÊME : aussi est-elle un abîme.

   (5) « Le *cinquième* des cinq points principaux » provient d' « *une
AUTRE accentuation* » du principe de raison, qui ouvre ainsi la voie
à la DIFFÉRENCE de l'être et de l'étant (p. 142). « Avec la nouvelle
accentuation, le principe de raison devient un tout AUTRE principe » (p. 143, nous soulignons). Alors que les quatre points précédents définissaient « le domaine de départ » (p. 148) de la recherche,
et devaient dès lors se trouver « réintégrés dans l'histoire de l'être
et pensés dans son contexte » (p. 197), le cinquième point seul concerne
le changement d'accentuation qui autorise le saut dans l'abîme de
l'être. « Derrière ce changement d'accentuation se dissimule le saut
qui fait passer du principe de raison entendu comme principe touchant
l'étant, au même principe entendu comme dire concernant l'être. »

   Le changement d'accentuation permis par le cinquième point a
conduit la méditation de l'étant vers l'être comme un saut, « mais un
saut qui regarde en arrière » (p. 172, cf. p. 160). Ce saut dans l'abîme
est l'expression *instantanée* de la Différence, puisqu'il « traverse tout
l'espace qui s'étend entre l'étant et l'être » (p. 179). Répétition de
l'ἐξαίφνης platonicien : « Le changement d'accent est subit. Il représente un saut de la pensée » (p. 134). En un éclair, il ouvre l'écart
irrémédiable, le χωρισμός entre l'être et l'étant où se dévoile la
coupure de l'abîme.

   Nous demandons maintenant quel est le sens de l'être comme
abîme. Tout se joue en effet dans l'interprétation de ce terme énigmatique qui risque de faire basculer la méditation de l'être vers l'inquiétante béance de la sophistique. Le « dépassement » de la métaphysique, prenant en charge « la tâche de destruction de l'histoire de

l'ontologie » du paragraphe 6 de *Sein und Zeit*, permet-il de considérer l'entreprise de Heidegger sous l'angle nihiliste d'un désir acharné de démolition ? Ou bien plutôt ces contresens, « d'un grotesque à peine surpassable » comme l'indique Heidegger lui-même[107], ne concernent-ils à aucun moment la légitimité et la vérité de la recherche du penseur ?

Tel qu'il est envisagé par Hésiode et Hölderlin, ou par Heidegger qui médite l'enseignement des poètes, l'abîme n'est pas le néant vide, la confusion trouble et le pêle-mêle indifférent des fantasmes jetés en vrac dans l'im-monde. L'*Abîme*, que l'hymne hölderlinien aux *Titans* nomme « Celui qui retient tout », doit être originellement pensé comme *Nature*, ou *Sacré*, ou *Chaos*, ou encore *Terre* : ces termes désignent l'Ouverture primordiale d'où procède tout ce qui est et peut ainsi s'appartenir. Le Chaos heideggerien n'est pas plus « chaotique », au sens ordinaire du terme, que le Non-Etre platonicien n'est Rien ; il n'évoque pas le Chaosmos deleuzien qui, selon le mot de Baudelaire, « ferait volontiers de la terre un débris », mais le retrait de l'être de l'espace qu'il ouvre. L'Ouvert règne

« haut de l'Ether jusqu'à l'abîme en bas »,

de cet air lumineux que Heidegger nomme ailleurs le *Ciel* jusqu'à Celle qui porte, donne un ferme statut et dissimule en sa constante réserve, la *Terre*. « Ce qui renferme tout, ce qui est porté par la *Terre maternelle*, cela s'appelle *l'abîme* »[108]. Le saut dans l'abîme n'est donc pas plus l'oubli de la rive métaphysique, et des chemins qui y conduisent, que la perte du sens de la terre. « Le saut qui s'élance ne repousse pas loin de lui le domaine du départ, au contraire, au moment même où il saute, le saut devient appropriation commémorante de la dispensation de l'être ; (...) le saut ne demeure un saut que s'il commémore » (*PdR*, p. 207). Grâce à lui, la pensée est en mesure de s'approcher de l'être, « *centre* » *(die Mitte)* du jeu éternel de l'étant qu'il tient

---

107. HEIDEGGER, De la ligne, *op. cit.*, p. 240.
108. HEIDEGGER, Comme au jour de fête, *App.*, *Höld.*, p. 79.

constamment en balance, pour trouver la calme sérénité conquise dans le repos[109].

Aussi le dernier chapitre du *Principe de Raison* peut-il s'*ouvrir*, et non se clore, sur *L'être, le fond et le jeu*, afin de laisser advenir le *Monde*. Beauté, Nature et Monde disent le libre jeu de l'être qui fonde la ronde des étants enroulés autour de lui et leur donne ainsi une Assise. Tel *est* le centre calme du Monde : « C'est parce que tout étant demeure déterminé par l'être, à savoir par la Fondation, que l'étant lui-même est toujours appuyé sur des raisons, qu'il est fondé » (*PdR*, p. 235). Quand donc nous disons que l'être *est* abîme, nous affirmons simplement que l'être *est* fond, s'il n'*a* pas de fond : *l'être n'a pas de raison d'être*. Et comme il ouvre la demeure des hommes, lui-même demeure en retrait de cette demeure, « parce que toute fondation — même celle de soi-même par soi-même et justement celle-là — demeure inappropriée à l'être comme fond. Toute fondation, et même toute apparence de pouvoir être fondé, ne pourrait que rabaisser l'être au niveau de ce qui est » (p. 239).

Nous touchons désormais au but. Les quatre conférences de Brême, prononcées en décembre 1949 et réunies sous le titre *Einblick in das, was ist (Regard dans ce qui est)* :

1. *Das Ding (La Chose)* ;
2. *Das Gestell (L'Arraisonnement)* ;
3. *Die Gefhar (Le Danger)* ;
4. *Die Kehre (Le Tournant)*,

font définitivement signe vers l'unité des Quatre. Comme l'ouvrage en son entier reste inédit, la troisième conférence n'ayant pas été publiée, nous consulterons d'autres textes de la même période qui disent le Même : le Quadriparti et son Monde où se manifeste l'habitation des hommes.

Bâtir habiter penser (1951) interroge en direction de l' « habitation » et de l'acte de « bâtir », de la manière la plus simple, afin de com-

---

109. HEIDEGGER, Pourquoi des poètes ?, *Chemins*, p. 230.

prendre le sens du séjour de l'homme parmi les choses du monde. Que signifie originellement *Bauen*, « bâtir », « cultiver », mais aussi « demeurer », « séjourner » » ? Heidegger appréhende l'habitation en considérant la langue comme la demeure de l'être de l'homme déployée dans la quadruple dimension du sacré. En ménageant notre séjour *entre* la terre et le ciel, les divins et les mortels, la langue rassemble en effet *(legein)* l'être de l'homme autour de la simplicité du silence :

> « Les Quatre : la terre et le ciel, les divins et les mortels, forment un tout à partir d'une unité *originelle* »[110].

Laissons résonner, à travers cette parole énigmatique, un autre discours que nous connaissons bien :

> « Le ciel et la terre, les Dieux et les Hommes, sont liés entre eux par une communauté faite d'amitié et de bon arrangement, de sagesse et d'esprit de justice. »

Heidegger reprend ici mot à mot la parole *cardinale* du *Gorgias* (508 *a*) qui engendre la *Communauté cosmique* pythagoricienne à partir de l'*Egalité géométrique*, pour dévoiler la simplicité de ce qu'il nomme le *Quadriparti (Das Geviert)*. En des pages admirables qu'aucune interprétation ne voudrait troubler, il expose la *connexion* primordiale de la *Terre* qui porte et nourrit ; du *Ciel* qui voit monter et décliner la course du soleil ; des *Divins* qui viennent manifester les signes du sacré ; des *Mortels* que sont les hommes qui, seuls parmi les vivants, sont en mesure d'assumer la mort ; des *Quatre* enfin qui *tournent* autour du centre invisible et silencieux pour faire éternellement retour au *simple*. Evoquant le ménagement qui protège et libère, Heidegger assemble les traits du Quadriparti selon une disposition analogue aux quatre genres du *Sophiste* et aux quatre partages du *Gorgias*, selon deux couples de termes opposés dont le *chiasme* dessine la provenance. Dans tous les textes qui reviennent sur cette figure, Heidegger présente invariablement les Quatre en agençant le chiasme

Terre-*Ciel*/*Divins*-Mortels

---

110. HEIDEGGER, Bâtir habiter penser, *Ess. Conf.*, p. 176.

de façon à révéler le *retournement* essentiel qui permet l'enlacement autour du point central. Dès lors, si « habiter est la manière dont les mortels sont sur terre »[111], on peut pressentir qu'il y a une autre manière dont « les divins sont au ciel » : à l'unicité de l'*habitation* des mortels correspond l'unicité de la *manifestation* des dieux, comme à la multiplicité des *signes des dieux* correspond la multiplicité des *gestes des mortels*.

Mais il ne faut pas penser le séjour parmi les Quatre « comme un cinquième terme » qui viendrait « s'adjoindre simplement aux quatre modes de ménagement »; bien plutôt ce terme se soustrait. Le Quadriparti *est* le séjour ouvert au cœur de l'unité, son *Cadre* qui, en chaque mode, échappe à la prise de la parole, parce que celle-ci cèle son initialité : « Le langage dérobe à l'homme son simple et haut parler. Mais son appel initial n'en est pas devenu muet pour cela, il se tait seulement »[112]. Que le logos trouve son lieu natal dans le silence, nous le savons pourtant depuis le *Sophiste* : « Pensée et discours c'est la même chose, sauf que c'est le dialogue intérieur et silencieux de l'âme avec elle-même que nous avons appelé de ce nom de pensée » (263 *e*). Διάλογος ἄνευ φωνῆς. Nous souvenons-nous que Platon ajoute, au même instant, que le discours est toujours discours *de quelque chose* (τινός) ? *Sein und Zeit* nous le rappelle, en revenant nommément au *Sophiste* : « Où est le fondement de l'unité de cet ensemble ? On le trouve, ainsi que Platon l'a reconnu, en ce que le λόγος est toujours λόγος τινός »[113].

A l'écoute du signe de la provenance, le génitif de la généalogie, nous comprendrons donc la Quadrature du *Gorgias* comme Quadrature τινός — *de* l'Egalité Géométrique; la Communauté du *Sophiste* comme Communauté τινός — *de* l'Etre; le Quadriparti de *Bâtir habiter penser* comme Quadriparti τινός — *d'*une unité *originelle*, que Heidegger nommera *le Simple (das Einfache)* ou *le Sacré (das Heilige)*. Comme la parole se lève à l'écho du silence de l'être (ἄνευ φωνῆς), le Quadriparti ménage le séjour des mortels *sur* la terre et *sous* le ciel

111. HEIDEGGER, *ibid.*, p. 175.
112. *Ibid.*, p. 179; p. 174.
113. HEIDEGGER, *L'Etre et le Temps*, pp. 196-197 (*SuZ*, p. 159).

à partir de l'unité rassemblante : alors *l'être a lieu (Ort)*, qui déchire
originellement, d'un trait de lance, les quatre régions où séjourne la
parole[114].

La Chose approche au plus près le Quadriparti, à partir de la propriété fondamentale de la civilisation moderne qui abolit les distances
et les différences entre les choses, au profit d'une vide uniformité
où tout est ramené à un nivellement identique. Pouvons-nous encore
rassembler Terre et Ciel, Divins et Mortels, autour d'une simple
chose — une cruche par exemple ? Ou serons-nous contraints,
comme le signale avec force *Le Tournant*, d'affronter le péril du
Gestell qui masque sa provenance essentielle et oublie son propre
oubli de l'être ? *Gestell*, dans la langue allemande courante, « assemblage, montage, support... », est pensé par Heidegger comme « rassemblement » *(Ge-stell)* de ce qui demeure, mais aussi, d'un même
élan, comme l'occultation de ce rassemblement : il peut être considéré
comme l'oubli décisif du Quadriparti ou comme sa révélation en
creux. *Le Gestell EST Dissimulation*, c'est-à-dire dissimulation τινός
— *de l'être*, non pas l'occultation superficielle qui recouvrirait l'être
comme un mouchoir une pièce, mais l'essentielle offuscation qui
laisse advenir ce qu'elle voile. « Le *Gestell*, même voilé, est encore
regard et non pas destin aveugle au sens d'une fatalité totalement
masquée »[115]. Il faut saisir son ambiguïté : en lui l'être se donne et
se refuse, éclaircit le Quadriparti et l'assombrit en même temps. Dans
ce plus extrême péril, le tournant peut, *en un éclair*, se re-tourner,
selon le renversement hölderlinien qui fascine Heidegger :

> « Mais aux lieux du péril, croît
> Aussi ce qui sauve » *(Hymne Patmos)*.

La mise en présence des Quatre, à travers l'*éclaircie* de l'être, est
pensée sur le mode d'un retournement *instantané* : l'Ouverture de

---

114. HEIDEGGER, *Achem. Par.*, p. 41 : « Originellement, site *(Ort)* désigne la pointe
de la lance. C'est en lui que tout vient se rejoindre. Le site recueille à soi comme au
suprême ou à l'extrême. »
115. HEIDEGGER, Le Tournant, *Quest. IV.*, p. 152.

l'*Ereignis*. *Das Ereignis ereignet* — l'Avènement advient, qui déploie en un éclair l'éclaircie de l'être. *Retour platonicien de l'ἐξαίφνης* : « C'est soudainement qu'advient le tournant du péril. Dans le tournant s'éclaircit soudainement la clairière de l'essence de l'être. Cette soudaine éclaircie est l'éclair. Elle se porte d'elle-même dans la clarté qu'en propre elle apporte et importe »[116]. S'il *approprie* le monde à l'homme, un tel avènement demeure aussi obscur, en sa source de clarté, que le noir soleil platonicien :

> « L'être s'évanouit dans l'Ereignis »[117].

Quand nous savons penser la « chose » — cruche, pont, maison —, nous laissons advenir la simplicité du Quadriparti rassemblée dans son être. La chose la plus humble, cette paire de souliers de paysan par exemple, ouvre le *monde*, espace de combat où s'opposent les quatre dimensions, et, plus originellement, l'ouverture et la clôture de l'être : « La terre ne surgit à travers le monde, le monde ne se fonde sur la terre que dans la mesure où la vérité advient comme le combat originel entre éclaircie et réserve »[118]. Un tel combat nous approche de la proximité et conduit à célébrer « les noces du ciel et de la terre »[119] dont l'eau de la source témoigne. Le versement de l'eau dans la cruche est destiné à apaiser la soif des mortels ou à consacrer une libation aux divinités. Nous sommes partis une fois encore de la *Terre*, en laquelle coule la source, pour rencontrer le *Ciel*, qui donne la pluie, et voir les signes des *Dieux* éclairer les gestes quotidiens des *Mortels*. La Copropriation des Quatre, en un véritable « jeu de miroirs du Quadriparti »[120] où chacun d'eux conduit aux trois autres, exprime l'unité du monde. Heidegger nomme cette Unité la Quadrature : elle ne gouverne pas le jeu du monde en s'ajou-

---

116. HEIDEGGER, *Ibid.*, p. 149.
117. HEIDEGGER, Temps et être, *Quest. IV*, p. 44. Cf. *Achem. Par.*, p. 125:« L'ouvert sans retrait se laisse voir dans le désabritement entendu comme *éclaircir*. Mais cet éclaircir lui-même, il demeure à tout point de vue impensé en tant qu'éclair *(Ereignis)*. »
118. HEIDEGGER, L'origine de l'œuvre d'art, *Chemins*, p. 37.
119. HEIDEGGER, La chose, *Ess. Confér.*, p. 204.
120. HEIDEGGER, *Ibid.*, p. 214. Cf. *Le Tournant*, p. 150.

tant aux quatre ou en les enveloppant, de même que l'être platonicien n'advient pas à la Communauté par une *addition* ultime. Bien au contraire, « l'être même se soustrait. La soustraction advient »[121] et laisse le Quadriparti au seul jeu de la Quadrature :

> « La Quadrature est *(west)* en tant qu'elle est le jeu de miroir qui fait paraître, le jeu de ceux qui sont confiés les uns aux autres dans la simplicité. L'être de la Quadrature est le jeu du monde. Le jeu de miroir du monde est la ronde du faire-paraître *(Der Reigen des Ereignens)* »[122].

Le rassemblement de n'importe quelle chose du monde place dans l'éclaircie du jeu la Quadrature et l'invisible simplicité qui la gouverne. Son Arrangement, son Ordre et sa Beauté, ne renvoient plus à rien d'autre qu'au jeu de miroirs lui-même : il n'y a pas de plus haute instance, et la pensée humaine découvre ici les *limites* de la Fondation. Les choses les plus simples — « la cruche et le banc, la passerelle et la charrue » — dévoilent ainsi, en leur présence ontique si modeste, la structure ontologique du Monde : le rassemblement dans l'anneau de la communauté.

Acheminement vers la Parole (1959) essaie de penser dans la proximité du Même, à l'écoute des poèmes *Un soir d'hiver*, de Georg Trakl, et *Un Mot*, de Stefan George, pour explorer le domaine de l'être. Désormais, ce qui rassemble les quatre contrées du monde n'est plus nommé le *Simple* ou le *Sacré*, mais *la Proximité (Die Nahnis)* et *cette large ampleur* en laquelle les quatre se font vis-à-vis. Chaque contrée se tend vers les trois autres, tout en laissant soigneusement dissimulée la proximité de son origine. Une semblable proximité ne saurait cependant être comprise comme le rapprochement égalisant qu'impose aux choses le calcul des Temps Modernes. Heidegger pense l'espace de la Rencontre des quatre contrées sur le mode différencié de « l'espace (de) Jeu (du) Temps » *(der Zeit-Spiel-Raum)*[123],

121. HEIDEGGER, *Nietzsche*, II, p. 285.
122. HEIDEGGER, *La Chose*, p. 215.
123. HEIDEGGER, *Achem. Par.*, p. 200.

en fonction de leur provenance silencieuse. Comme la typographie laisse ailleurs deviner, au croisement des deux chemins :

« l'essence de la parole :
la parole de l'essence »

cela même qui met en chemin les deux tournures et permet leur retournement, la langue heideggerienne fait signe, sans la nommer, vers l'origine de la rencontre :

« terre et ciel, dieu et homme — Jeu du monde »,

laissant ainsi reposer, dans la *séparation initiale* du tiret, l'éclaircie où naît toute parole. Il y a une mise en jeu des quatre, Cadre ou Quadrature *(Geviert)*, dont l'unité se retire du rassemblement *(Ge-)* qu'elle effectue, et se révèle par là *quinte* essence. Si Heidegger essaie de penser la Différence entre l'être et les quatre, leur *Entre-deux (das Zwischen)*, il la pose toujours comme l'Unique qui, « à partir d'elle-même (...) tient ouvert le milieu vers lequel et à travers lequel monde et choses sont réciproquement à l'unisson ». La Différence (Διαφορά) est « *la* dimension » qui déchire et enjoint le Quadriparti, dans l'appropriement de chaque chose à elle-même, permet au pain et au vin, chantés par Hölderlin, de recueillir « auprès d'eux ces quatre à partir de ce qu'il y a de simple et d'un dans le partage en quatre »[124]. Puisque la Différence n'est rien d'autre que la modalité silencieuse de l'être qui apporte sa paix à la parole, le texte heideggerien ne se contente plus de jouer entre l'Appropriement, la Dif-férence, l'Entre-deux ou l'Eclaircie, il nomme maintenant, en sa simplicité traditionnelle, la provenance des quatre contrées du monde donnée dans le déploiement de la parole (la Dite) :

« C'est la Dite qui fait grâce de ce que nous nommons du minuscule mot « est » (...) La Dite donne le « est » dans l'éclaircie — liberté *et* abri — où il peut être mémorablement pensé ».

---

124. *Ibid.*, p. 27, p. 29; p. 31.

Il est alors permis, en revenant au vers de Stefan George dont la méditation était partie :

« Aucune chose ne soit, là où le mot faillit »

de suggérer l'identité dernière de l'*être* et du *silence* comme la source d'où le monde nous est offert :

« Un « est » se donne, là où le mot se brise »[125].

Il nous est possible maintenant de nous confier, dans l'éclaircie de la sérénité, à la Commémoration heideggerienne du natal. Le fragment d'un entretien, qui sert de commentaire au texte nommé *Sérénité*, dévoile, d'une écriture admirable, la nécessité de l'enracinement dans le sol véritable de la pensée. Ici se fondent en une même unité les trois plus hautes idées de la Philosophie :

1. Le cheminement du *Retour*, dont le cours *Qu'appelle-t-on penser ?* dit : « Ce que veut dès l'abord la volonté de l'éternel retour du même, et tout ce qu'elle veut, c'est le « Re- », c'est-à-dire le rebroussement et le retour » (p. 79). De Platon à Nietzsche, la marche vers le natal hante l'Odyssée philosophique. Heidegger revient ainsi lui-même à l'inspiration initiale et toujours jaillissante de la pensée quand il écrit : « Sans un retour continuel aux sources, les seaux et les tonneaux demeurent vides, ou leur contenu demeure éventé » (p. 142).

2. La volonté de l'*Enracinement* qui, seule, peut offrir une demeure à la mesure de l'être de l'homme. Si l'enracinement nous est aujourd'hui, plus que jamais, refusé, la transgression du nihilisme ou la fuite en avant ne réussiront pas à nous rapprocher de la terre natale. Il faut affronter le risque de la question de l'être, en effectuant l'audacieux pas en arrière de la pensée fidèle.

3. Nous connaîtrons alors la *Sérénité*, qui est la marque propre de la Maîtrise philosophique. La Sérénité *(Gelassenheit)* s'éveille à l'approche d'un simple chemin de campagne, quand celui-ci, en silence, quitte à l'aube le jardin du Château pour conduire les pas

125. *Ibid.*, p. 202. Cf. encore : « La parole parle comme recueil où sonne le silence » (p. 34); « le silence de la dif-férence » (p. 35).

du penseur vers cette *croix*, au carrefour du temps et de l'éternité, où il se *tourne* vers la forêt. Il salue au passage les grands arbres dont la croissance est « seule à pouvoir fonder ce qui dure et porte des fruits »[126], frôle les libres clairières et joue dans les basses prairies d'Ehnried avant de retrouver au soir, en descendant une dernière colline, le jardin où il est né. « Il luit faiblement à la clarté des étoiles. » Nous apprenons peu à peu, en le suivant, à laisser s'épanouir le monde...

... Trois hommes cheminent sur le paisible chemin de campagne, et parlent simplement de la sérénité : un Savant, un Professeur et un Erudit, à l'ombre de leur anonymat. Semblables aux trois vieillards des *Lois*, ils frayent une voie commune dans la campagne solitaire pour s'en revenir, le soir, près des habitations des hommes. A chercher ainsi la demeure de la pensée, en toute égalité d'âme, ils s'engagent insensiblement dans la question qui vient à leur rencontre. Peut-être la pensée n'est-elle pas autre chose que l'espace large et clair en quoi les multiples échappées sur l'horizon se rejoignent. La pensée éclôt en cette unique ouverture que le Professeur voit « comme une *contrée*, par la magie de laquelle tout ce qui est de son appartenance revient au lieu de son repos ». Heidegger rapproche, d'une écriture discrète, le Retour et les Quatre régions de la Contrée, à peine esquissées, où nous reconnaissons le Quadriparti de la Terre et du Ciel, des Divins et des Mortels. Bien plus, il les nomme, cette fois, à l'écoute des déterminations platoniciennes elles-mêmes.

A la pensée en effet, les choses adviennent librement dans l'étendue et la durée ouvertes par la Contrée, reposant dans l'unité de leur appartenance. Si nous savons éviter le langage de la représentation pour méditer de façon plus initiale, nous apercevrons la claire disposition des choses dans l'immédiate communauté qui nous entoure. Les choses « reposent dans le retour à la durée de l'étendue de leur appartenance à elles-mêmes. » A l'Erudit qui alors questionne :

« Un repos est-il possible dans un retour qui est un mouvement ? »

---

126. HEIDEGGER, Le chemin de campagne, *Quest. III*, p. 11.

répond le Professeur :

« Certes, si le repos est le foyer et la force de tout mouvement »[127].

Repos et *Mouvement* ouvrent l'horizon de la contrée heideggerienne, comme ils ouvraient le cheminement du *Sophiste*. Ils mettent en place le *monde*, en un espace aussi libre que la plus simple clairière. Que l'on ne voie pas en ce terme un nouvel effet de cette violence arbitraire que, d'après certains, Heidegger imposerait à la parole. N'est-ce pas notre Jules Renard qui écrivait dans son *Journal* : « Penser, c'est chercher des clairières dans une forêt » ?[128] Telle est la *Lichtung* : non pas la lumière qui vient visiter les sous-bois, en son éclaircie, et jouer aussi de ses jeux d'ombres, mais l'Ouvert lui-même en quoi naît la lumière. Le libre espace d'une *prairie* platonicienne où se dresse, aux yeux des voyageurs de l'éternel, la Colonne de Lumière. Mais la tension du Mouvement vers le foyer du Repos n'est rendue possible que grâce à l'unité du second couple, l'Identité et la Différence, qui s'appartiennent dans la Conciliation : « On ne peut dire « le même » que lorsque la différence est pensée »[129].

Dès lors, nous ne voyons plus la demeure de l'être où nous séjournons comme la représentation de quatre objets qui nous font face, dans l'horizon de la métaphysique. Nous laissons venir à notre encontre, en sa libre étendue, le Quadriparti qui gouverne le chemin de la philosophie. Nous goûtons maintenant tous les jeux de l'Analogie platonicienne *entre*

la *Terre* dont les larges flancs donnent
le *Repos* aux vivants,

La Terre est celle qui porte et qui sert, elle fleurit et fructifie, étendue comme roche et comme eau, s'ouvrant comme plante et comme animal.

127. HEIDEGGER, Sérénité, Commentaire, *Quest. III*, p. 191; p. 194.
128. Jules RENARD, *Journal*, 28 mars 1894.
129. HEIDEGGER, L'homme habite en poète, *Ess. Conf.*, p. 231.

le *Ciel* qui, de son immensité, exprime
le *Mouvement* du Cosmos,

> *Le Ciel est la course arquée du soleil, le cheminement de la lune sous ses divers aspects, la translation brillante des étoiles, les saisons de l'année et son tournant, la lumière et le déclin du jour, l'obscurité et la clarté de la nuit, l'aménité et la rudesse de l'atmosphère, la fuite des nuages et la profondeur azurée de l'éther.*

les *Dieux* éternels venus,
dans l'éclaircie,
découvrir aux mortels
la nature du *Même*,

> *Les divins sont ceux qui nous font signe, les messagers de la Divinité.*

Et les *Mortels*, surgis entre Ciel
et Terre,
pour révéler aux dieux
la présence de l'*Autre*.

> *Les mortels sont les hommes. On les appelle mortels parce qu'ils peuvent mourir.*

Dans la langue sacrée d'Hésiode, de Pythagore, de Hölderlin, ou dans la parole pensante de Platon, Nietzsche et Heidegger, la Pentade dit éternellement le Même : le Séjour de l'être et le Chemin du retour.

La contrée secrète de la Sérénité dessine la pure éclaircie de l'être, « la contrée de la parole qui est seule à répondre d'elle-même », parce qu'elle s'ouvre à l'appel silencieux de tout ce qui *est*. La sérénité du penseur tient au souvenir du croisement de ces étranges chemins qui reviennent sur leurs pas afin de parvenir au

« repos rendu possible par le retour »[130].

---

130. HEIDEGGER, *Sérénité*, *Quest. III*, p. 212.

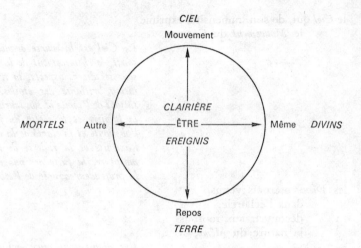

Pentade de la Sérénité

L'homme habite en poète sur cette terre dans la mesure où, seul d'entre les vivants, il demeure dans le Cercle éternel de l'Anneau enlacé autour du Simple.

Comme le faisaient déjà Platon et Nietzsche, nous qualifions de *noble* la sérénité qui accomplit le retour à l'initial. Ecoutons les deux hommes, à la tombée du jour :

> « ERUDIT. — Est noble ce qui possède une ascendance.
> PROFESSEUR. — Ce qui ne la possède pas seulement, mais séjourne à l'origine de son être »[131].

Noblesse du philosophe qui retrouve, en sa *généalogie*, la droite filiation de l'être, et demeure en repos près de lui. Sa pensée ne s'immobilise pas pour autant : « Demeurer, c'est retourner », c'est-à-dire revenir au « repos dans le Même »[132], selon le Mouvement continu

---

131. *Ibid.*, p. 216.
132. *Ibid.*, p. 196. Cf. p. 220.

de la Différence. Les dernières paroles de l'entretien, évanouissantes, le rappellent au loin avec nostalgie :

« ERUDIT. — ... l'être de l'homme demeure ap-proprié...
PROFESSEUR. — ... à Ce d'où nous sommes appelés. »

L'expérience de la pensée réside ainsi dans sa *vocation*, à laquelle Heidegger est resté fidèle jusqu'au soir de sa vie.

« Marcher vers une étoile, rien d'autre »[133].

Aujourd'hui encore, sur la tombe du penseur souabe, nous ne verrons aucune indication — si ce n'est l'énigme de cette *étoile*, cette *simple* petite étoile...

5

ITHAQUE

'Η Αἰδώς : l'être se retire en silence...
Heidegger n'ignore pas la *pudeur* d'Ulysse, caché derrière ses larmes, tandis qu'il écoute chanter l'aède dans le palais d'Alkinoos. La parole envers ce qui est le plus proche n'est-elle pas toujours portée par la pudeur ? Et devons-nous la rapprocher de l'hésitation de l'Etranger lors des premiers mots qu'il adresse à Socrate ?

«—'Ω Σώκρατες, αἰδώς τίς μ' ἔχει τὸ νῦν πρῶτον συγγενόμενον...»
« — O Socrate, j'ai un peu honte, alors qu'aujourd'hui je me
trouve pour la première fois en votre compagnie... » (*Sophiste*, 217 *d*).

« Avoir honte », commente par ailleurs Heidegger, « voudrait dire alors : demeurer à l'abri et caché et en même temps rester en arrêt, se retenir »[134]. Songe-t-il, en dehors d'Ulysse, à quelque obscur

133. HEIDEGGER, L'expérience de la pensée, *Quest. III*, p. 21.
134. HEIDEGGER, Alétheia, *Ess. Conf.*, p. 319.

étranger, à la réserve du donateur qui garde toujours le visage masqué, ou à la retenue du poète devant l'*Unique ?*

« Vivre dans une immense et orgueilleuse sérénité »[135].

Immense sérénité, il est vrai, d'Homère, de Platon, de Hölderlin, de Nietzsche et de Heidegger ! Une même lignée relie les étranges penseurs dont la noblesse a lieu auprès de l'origine. Ils ont expérimenté que, comme « l'Etre est ce qu'il y a de plus dit », il est en même temps « ce qui *se tait* le plus... en ce qu'il tait sa propre essence et peut-être est lui-même silence »[136]. Aussi le dernier *mot* de Heidegger, après qu'il a crucifié l'être pour révéler son éternelle absence de la Quadrature, répond *trait pour trait* à la parole redoutable de l'Etranger au moment du geste parricide :

> « Il nous faudra nécessairement (...) mettre à la question la thèse de notre père Parménide et, de force, établir que le non-être est, sous un certain rapport, et que l'être, à son tour, en quelque façon, n'est pas » (*Sophiste*, 241 *d*).
>
> « L'Etre en tant que tel est un autre que lui-même, un autre si décisivement qu'il n' « est » même pas » (*Nietzsche*, II, p. 284).

La philosophie meurt et renaît de ce retour. Et sa quête de l'être parvient, jusqu'au cœur de la parole, à établir que celle-ci est destinée enfin à s'effacer comme un souffle léger sur le sable. Qu'est-ce alors que la sérénité, sinon la richesse même du dénuement chez le penseur qui ne peut évoquer l'au-delà de sa parole ? Retentit en lui l'écho oublié de la pensée natale qui se déploie en d'étranges rencontres :

> « Cet écho est la réponse humaine à la parole de la voix silencieuse de l'être »[137].

Homère — Platon — Nietzsche — Heidegger — *le Crucifié ?*
« Cinq pieds de terre, l'aurore qui point »[138].

---

135. NIETZSCHE, *Par-delà...*, § 284.
136. HEIDEGGER, *Nietzsche*, II, p. 200.
137. HEIDEGGER, Qu'est-ce que la méta. ?, *Quest. I*, p. 81.
138. NIETZSCHE, *Dithyrambes de Dionysos*, p. 141.

Alors nous renouerons une dernière fois le fil du retour pour revenir à ceux dont nous sommes parti, et accompagner un moment encore Socrate et ses compagnons. Nous avons vu que leur communauté de recherche répétait la structure de la κοινωνία dans l'unité de la Pentade[139]. Cette figure mythique, d'origine pythagoricienne,

139. Nous avons essayé, pour étayer notre hypothèse de recherche, de comparer la fréquence du Cinq par rapport à celle des autres nombres dans les dialogues. Indépendamment des erreurs ou omissions inévitables, le relevé exhaustif que nous avons effectué se révèle peu concluant dans la mesure où la statistique est incapable d'apprécier l'importance philosophique accordée par Platon à tel ou tel nombre en fonction du contexte. C'est une mauvaise métrétique que celle qui met sur le même plan les osselets du *Théétète* (154 *c*) et les éléments du *Timée* (32 *b-c*), sous le prétexte que le nombre 4 est utilisé dans les deux cas. Accordera-t-on une égale valeur au seau de 8 cotyles du *Banquet* (214 *a*) et aux 5 genres de l'être du *Sophiste*, aux 3 fonctions de l'âme de la *République* (440 *e*-441 *a*) et à la marmite à 2 anses d'une capacité de 6 conges du *Grand Hippias* (288 *d*) ? On notera sans surprise que les occurrences de la Triade et de la Pentade sont de loin les plus importantes : symbole pythagoricien de la totalité parfaite, qui embrasse le commencement, le milieu et la fin de toute chose, la triade détermine l'unité du devenir; mais la pentade conserve le rôle premier de révéler la structure harmonique de l'être, du monde et de la connaissance.

Nombres	Occurrences	Multiples du nombre	Total
1	33		33
2	100	8	108
3	156	23	179
4	51	6	57
5	100	30	130
6	19	9	28
7	17	6	23
8	6	5	11
9	4	9	13
10	28	22	50
11	2		2
12	16	2	18

Nous présentons maintenant le tableau récapitulatif des occurrences majeures du Cinq, en laissant délibérément de côté les exemples à l'évidence peu significatifs ('es 5 mines d'Evenos de Paros, *Apologie*, 20 *b*, ou la puissance de 5 pieds du *Théétète*, 147 *d*); pour les autres occurrences du Cinq dans les *Lois*, nous renvoyons au tableau précédent (n. 58, pp. 388-389).

A) Ontologie

5 genres du *Sophiste* (254 *b*-256 *d*); 5 formes du *Philèbe* (23 *c*-27 *b*); 5 premières hypothèses du *Parménide* (137 *c*-160 *b*).

B) Cosmologie

5 polyèdres du *Timée* (54 *d*-55 *c*); 5 éléments du *Cratyle* (408 *d*; 409 *d*); 5 éléments de l'*Epinomis* (981 *b-c*); 5 mondes du *Timée* (55 *d*); 5 astres errants du *Timée* (38 *c*); 5 mou-

peut-être orientale, nous a paru assurer chez Platon comme chez
d'autres penseurs la fonction ontologique de FONDATION, et
jouer le rôle de PRINCIPE régissant les domaines du mythe, du
logos, de la paideia et de la politique. L'Eternel retour du Même,
chez Nietzsche, et le retour à l'origine dissimulée de la métaphysique,

vements des astres du *Timée* (40 *b*); 5 éléments cosmiques du *Timée* (Démiurge, Forme,
Matière, Ame et Corps du Monde : 30 *a*, 34 *b-c*, 30 *c-34 b*, 27 *d-29 a*, 49 *e-51 a*); 5 causes
du *Timée* (28 *a-b*); 5 âmes du *Timée* (69 *c-71 a*; 91 *a*); 5 vivants de l'*Epinomis* (984 *b-*
985 *c*).

C) Gnoséologie

5 niveaux de connaissance (*Lettre 7*, 342 *a-343 d*); 5 degrés de l'être et de la connais-
sance (*Rép.*, VI, 509 *d-511 d*); 5 facteurs de la connaissance (*Rép.*, VI, 508 *a-b*); 5 sciences des
Gardiens de la Cité (*Rép.*, VII, 522 *b-534 e*); 5 années de préparation à la Dialectique
(*Rép.*, VII, 539 *e*); 5 sciences du *Gorgias* (463 *a-465 e*); 5 sciences du *Philèbe* (57 *e-58 d*).

D) Symbolisme religieux et mythique

5 délires du *Phèdre* (265 *a-b* : 4 divins, 1 humain); 5 caractéristiques du mystère
(*Phèdre*, 250 *c*); 5 disciples d'Eros (*Banquet*, 197 *a-b*); 5 discours préparatoires sur l'Amour
(*Banquet*, 178 *a-198 a*); 5 degrés de l'initiation amoureuse de Diotime (*Banquet*, 210 *a-d*,
211 *b-c*); 5, nombre nuptial de la génération divine (*Rép.*, VIII, 546 *b-d*); 5e jour après la
naissance, fête de l'amphidromie : on promène le nouveau-né autour du foyer (*Théétète*,
160 *e-161 a*); 5 premiers dieux grecs et barbares (*Cratyle*, 379 *d*); 5 directions de la Prairie
(*Gorgias*, 524 *a*); 5 directions de la Prairie (*Rép.*, X, 614 *c*); 5 lieux infernaux (*Phédon*,
112-*e-113 d*); 5 jours de voyage vers la colonne de lumière (*Rép.*, X, 616 *b*); 5 espèces
d'âmes des morts (*Phédon*, 113 *d-114 c*); 5 parures de l'âme (*Phédon*, 114 *e-115 a*); 5 pris
comme exemple de nombre (*Phédon*, 105 *a*); 5 et l'imparité (*Phédon*, 104 *a*); 5 exemples
d'Idées (*Phédon*, 75 *c*); 5 paires de jumeaux de Poséidon (*Critias*, 113 *e*); 5 enceintes de
terre et d'eau (*Critias*, 113 *d*); 5 stades de diamètre pour l'ilôt consacré à Poséidon (*Critias*,
116 *a*); 5 (ou 6) ans : réunion des rois Atlantes (*Critias*, 119 *d*).

E) Morale et politique

5 vertus (*Protagoras*, 349 *b*; 349 *d*; 359 *a-b*); 5 exemples de vertus (*Ménon*, 71 *e* :
l' « essaim » de vertus); 5 nouvelles vertus (*Ménon*, 73 *e-74 a*); 5 composants du Bien
(*Philèbe*, 62 *d-64 e*); 5 formes de Bien (*Philèbe*, 66 *a-c*); 5 Biens (*Lois*, I, 613 *d*); 5 fils de la
marionnette humaine (*Lois*, I, 664 *c-665 a*); 5 occupations du courage (*Lois*, I, 633 *b-c*);
5 sortes de faute morale (*Lois*, IX, 863 *b-d*; 864 *b-c*); 5 formes d'impiété (*Lois*, X, 884 *a-*
885 *a*); 5 tempéraments humains (*Rép.*, IV, 445 *d*; VIII, 544 *e*); 5 régimes politiques (*Rép.*,
IV, 445 *d*; VIII, 544 *e*); 5 régimes politiques (*Polit.*, 291 *d*; 300 *a*).

F) Classements divers

5 travaux littéraires d'Hippias (*Hip. min.*, 368 *c*); 5 définitions du Beau (*Hip. maj.*,
287 *e-298 a*); 5 définitions du sophiste (*Soph.*, 223 *b-231 b*); 5 enseignements du sophiste
(*Soph.*, 232 *b-e*); 5 formes de poésie (*Ion*, 534 *c*); 5 doigts de la main (*Ion*, 538 *e*); 5 définitions
de la Justice (*Rép.*, I, 336 *d*); 5 métiers primitifs (*Rép.* II, 369 *d-e*); 5 professions (*Gorgias*,
517 *e*); 5 concurrents au concours de la Justice (*Rép.*, IX, 580 *b*); 5 concurrents à la compé-

chez Heidegger, pour ne mentionner que les plus grands penseurs qui ont cherché à sauter par-dessus l'ombre de Platon, s'enracinent dans la ferme volonté de fondation qui définit la pensée platonicienne.

On ne saurait pourtant ériger celle-ci en système. Il n'y a pas de platonisme qui enfermerait les intuitions platoniciennes dans la clôture d'un discours dogmatique, pas plus qu'il n'y a de système nietzschéen ou de philosophie heideggerienne. De Protagoras à Deleuze, la sophistique n'a jamais pu le comprendre : la *répétition* philosophique, entendue comme *retour de la question de l'être*, ne ramène pas l'identité vide de l'Egal où toute différence s'évanouit; elle fait au contraire revenir la juste mesure du μέτριον qui laisse s'épanouir les libres différences. Alors que la pensée du Semblant, dans son désir insensé de voir divaguer les altérités anarchiques, aboutit à engloutir les différences dans l'océan immobile des fantasmes, la philosophie reprend avec patience le chemin du Même afin d'arriver à penser l'Autre. Il faut imaginer le paysage de la philosophie : le Quadriparti maintient la Terre et le Ciel, les Divins et les Mortels, dans l'unité du Simple — l'ordre du monde. La sophistique, quant à elle, refuse tout point d'attache et toute orientation,

---

tition du plaisir (*Lois*, II, 658 *b*); 5 hommes des *Lois* accordant l'existence aux dieux (X, 901 *c-e*); 5 parties du corps (tête et quatre membres) (*Timée*, 44 *d-e*); 5 sortes de maladies (*Timée*, 86 *b*); 5 espèces de terre (*Timée*, 60 *b-e*).

G) *Personnages des dialogues*

Cinq dans les dialogues : *Lachès, Lysis, Euthydème, Gorgias, Parménide, Sophiste, Politique, Timée*. En dehors de la signification symbolique des cinq protagonistes du *Sophiste* et du *Timée*, on peut relever la communauté des participants exprimée par le nombre 5 dans le *Lachès* et le *Lysis* surtout, sous forme de deux couples, le cinquième demeurant à part. Dans le *Lachès*, les pères de famille, Lysimaque et Mélésias, Nicias et Lachès, sont dits associés tous les quatre (179 *e*-180 *e*; 184 *e*; 186 *a*; 186 *c-d*; 189 *d*; 200 *c*) alors que Socrate, le cinquième homme, est l' « arbitre des délibérations » (184 *d*). C'est surtout dans le *Lysis* que la distribution des personnages est la plus éclairante : Socrate, Ctésippe, Ménéxène, et Lysis sont assis sur le même banc lors de l'entretien, alors qu'Hippothalès reste debout, dissimulé aux regards de l'aimé (207 *a-b*; 210 *e*). Dans ce dialogue apparaît pour la première fois le proverbe pythagoricien : « Entre amis tout est commun » (207 *c*), qui répond à l'analyse « en commun » de la sagesse de Charmide (*Charm.*, 158 *c*) et à la recherche « en commun » du *Lachès* (187 *d*; 189 *c*; 201 *a*), présentes dès les premiers dialogues socratiques.

exige la dissolution du Quadriparti et la disparition de la Colonne au carrefour de l'être[140].

On l'aura compris : le *différend* entre le philosophe et le sophiste porte sur le *différent*. Celui-ci doit-il s'arracher aux modèles, aux copies et à lui-même, puisqu'il n'y a pas de Même, et se dissoudre dans le nomadisme furieux des fantasmes ? Ou bien doit-il instaurer la Conciliation qui unit, en son rassemblement quadripartite, les multiples perspectives de l'étant ? La sophistique peut fasciner un moment le signifiant, à conduire la bacchanale des simulacres. Elle finira toujours par s'épuiser en une marée sans rivage, battant éternellement la grève du néant, et le sophiste restera ce *vagabond* de la parole, qui ne goûtera jamais le repos du *voyageur*... Loin, infiniment loin de l'*atopia* socratique, voici une dernière fois décrite l'*utopie* sophistique, de la bouche même du maître de Platon :

« Quant à l'espèce des sophistes, je la tiens pour très experte en discours et autres belles choses, mais je crains que, vagabondant de ville en ville et n'ayant jamais eu nulle part de domicile propre, elle ne soit hors d'état de comprendre ce que des hommes, à la fois philosophes et politiques, qui agissent dans la guerre ou dans les combats, qui se mêlent aux affaires, soit par leurs actes, soit par leurs discours, peuvent accomplir et dire » (*Timée*, 19 *e*).

Face à l'Etranger d'Elée et au jeune homonyme, deux voies s'ouvraient à Socrate, également périlleuses. *S'assimiler à l'homonyme*, c'était tomber dans le piège des simulacres, et, avec la confusion des noms, entraîner la confusion du langage. Si Socrate avait pris la parole à l'Etranger pour s'entretenir avec son double, nul n'aurait pu distinguer le philosophe du sophiste. Mais une semblable méprise n'atteint que ceux qui ont la vue basse, ou pas de vue du tout, et cherchent à réduire le modèle souverain au nivellement des fantasmes. Socrate saura entendre ce que dit Socrate dans le seul dialogue silencieux de l'âme avec elle-même, préparé par les quatre dialogues

---

140. DERRIDA, *Diss.*, chap. 8 (la « colonne ») et 9 (« le carrefour de l' « est » ») scinde l'être en quatre, le met à l'écart et le rature, à la manière de Heidegger, afin de disséminer la moindre esquisse d'une présence.

de la tétralogie. Hors de cette communauté, l'Etre et le Même sombrent dans l'indifférence du Semblant régie par l'onanisme sophistique qui prétend se passer de l'autre. Le langage endormi s'enfonce dans ses fantasmes et bredouille, hébété : Socrate simule Socrate, Deleuze simule Deleuze, la Mimésis simule la Mimésis.

S'identifier à l'anonyme s'avérait aussi dangereux pour le philosophe. L'atopie de l'Autre ne se confond pas avec l'atopie de l'Etre qui demeurent étrangers, en dépit de leur amitié d'étoiles. Si l'Etranger prenait en effet, comme on veut bien le dire, la *place* de Socrate dans le *Sophiste*, pourquoi ne prendrait-il pas aussi son *nom* ? Pourquoi l'éléate perd-il au contraire le sien et se dissimule-t-il derrière l'anonymat de ... Personne ? Toute identité abolie, l'Etranger c'est l'Autre, qui, par son exil parricide, fait penser à la patrie et prépare les voies du retour. Il est aussi vain d'identifier Socrate à celui qui manque d'identité que d'assimiler Socrate à celui qui le simule ! L'Etre, *autre* que ses propres genres, comme Socrate de ses compagnons, n'est pas *l'*Autre; réciproquement, l'Autre est bien *un* être dont l'étrange nature le distingue des genres restants, mais n'est pas *l'*Etre. Le silence de Socrate répond à la parole de l'Etranger, et, derechef, Platon évite de faire dialoguer les deux personnages que tout semblait rapprocher. Il s'avère impossible de construire le discours commun à partir de l'Autre et de l'Etre, ou à partir de l'Etre et du Même, comme, parallèlement, l'entretien entre Socrate et l'Etranger ou entre le jeune homonyme et Socrate demeure irréalisable.

Se trouve en revanche réalisée la *Quadrature* du cercle philosophique : autour de Socrate, pivot silencieux de la question de l'être, se distribuent symétriquement les deux paires d'amis — deux adultes, deux jeunes gens; deux étrangers, deux athéniens. Chacun des quatre existe dans le jeu de miroirs du Quadriparti, en une ronde de la pensée qui s'enroule sur elle-même pour répéter les jeux scintillants du retour. « A partir de la simplicité de cet être, ils sont tournés les uns vers les autres »[141].

---

141. HEIDEGGER, *La chose, op. cit.*, p. 205.

Théodore, en qui la rencontre repose, rapproche Théétète de Socrate et de l'Etranger, puis le jeune Socrate des deux hommes. Quand nous pensons à Théodore, nous pensons aux trois autres avec lui — pourtant nous omettons de considérer Celui autour duquel tous font retour : la simplicité des Quatre.

Théétète, qui anime les débats, court d'un interlocuteur à l'autre, et repart toujours d'un mouvement souple et égal. Quand nous pensons à Théétète, nous pensons aux trois autres avec lui — pourtant nous omettons de considérer Celui autour duquel tous font retour : la simplicité des Quatre.

L'Etranger au visage de dieu apparaît soudain dans sa présence insolite, mais reste protégé par un anonymat que nul n'interroge. Quand nous pensons à l'Etranger, nous pensons aux trois autres avec lui — pourtant nous omettons de considérer Celui autour duquel tous font retour : la simplicité des Quatre.

Le jeune Socrate est la Ressemblance. Il n'accepte de sortir du silence que pour répondre aux questions de Personne. Quand nous

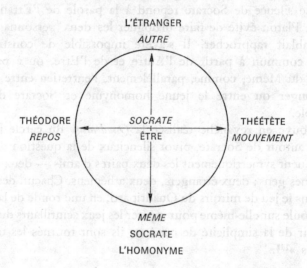

Fig. V

pensons à Socrate, *surtout à Socrate*, nous pensons aux trois autres avec lui — pourtant nous omettons de considérer Celui autour duquel tous font retour : la simplicité des Quatre...

Le silence croît à l'approche de l'origine. Comme plus tard chez Nietzsche, *le Philosophe manque à l'appel*, lui qui précisément en est la source. Il ouvre le grand livre du silence, ce dialogue pour cinq compagnons et pour personne. En lui se dévoile la figure initiale qui oriente les quatre scissions de l'être et remet enfin Socrate à sa vraie place. *La cinquième figure du Sophiste*, dernière pour nous mais première en soi, gouverne la progression des quatre précédentes ; elle évoque l'espace symbolique du Silence et de la Fondation.

Comme Socrate et tous « les maîtres éternellement voilés de l'esprit »[142], le philosophe nietzschéen possède la maîtrise du silence. Que le *cinquième* livre du *cinquième* évangile n'ait jamais été composé, il n'y a rien là qui puisse surprendre un lecteur de Platon. Bien avant son effondrement intellectuel, Nietzsche avait délibérément abandonné le projet du Grand Livre final. Resterait-elle évasive et dissimulée, comme la pensée platonicienne elle-même, la pensée du retour était pourtant déjà dite dans les quatre livres du *Zarathoustra*. Le philosophe peut-il, doit-il tout confier et dénuder son âme dans une écriture apatride, ou bien lui faut-il suggérer que son cheminement s'avère étranger aux masques volubiles des sophistes ? Zarathoustra et le Voyageur taisent déjà leurs paroles pour préparer la garde du silence. Alors la Quadrature ouvre et referme l'espace de son retour en formant la ronde autour du Simple. Socrate *est* le Simple, qui a osé s'avancer vers ce qui s'abrite en pleine lumière :

« C'est pourquoi il est le plus pur penseur de l'Occident, c'est pourquoi aussi il n'a rien écrit »[143].

Il a ainsi permis à l'écriture philosophique, vibrante encore de la parole du père, de naître à la pensée du retour. Comment réussirait-

142. NIETZSCHE, *Vol. Puiss.*, éd. BIANQUIS, II, p. 205.
143. HEIDEGGER, *Qu'appelle-t-on penser ?*, p. 91.

elle à *situer* dans son atopie celui à qui il est revenu de lui donner à jamais un site ?

Nous évoquerons alors, pour finir, l'ultime absence d'un personnage au nom inconnu, qui creuse en secret la rencontre de ses compagnons. Le prologue du *Timée*, plus bref que celui du *Sophiste*, le reproduit comme en négatif. Dans celui-ci, un étranger anonyme, que nul n'avait convié, s'en vient participer à la réunion des quatre amis ; dans celui-là, l'un des partenaires, dont nous ignorons l'identité, manque sans raison apparente le rendez-vous des quatre autres. Il appartient à Socrate de souligner, dans les deux occasions, l'intempestivité de l'apparition et de la disparition inattendues. Rencontrant ainsi un matin les compagnons avec lesquels il a convenu de se retrouver la veille, il entreprend innocemment de les compter. Ce sont les toutes premières lignes du grand dialogue :

« — Εἷς, δύο, τρεῖς · ὁ δὲ δὴ τέταρτος ἡμῖν, ὦ φίλε Τίμαιε, ποῦ τῶν χθὲς μὲν δαιτυμόνων, τὰ νῦν δὲ ἑστιατόρων. »
« — Un, deux, trois. Mais notre quatrième, mon cher Timée, le dernier de ceux que j'ai festoyés hier et qui maintenant m'ont convié, où est-il ? »

Timée hésite à répondre : sans doute un malaise passager a dû le retenir, car leur hôte commun n'aurait pas manqué, de sa propre volonté, la réunion d'aujourd'hui. Et Socrate de rétorquer : « Mais n'est-ce pas votre office et celui de ceux-ci de tenir aussi le rôle de l'absent ? »
Recomptons avec soin les personnages : Socrate, Timée, Hermocrate, Critias — et le *cinquième invité*, anonyme, absent ! Comment ne pas être intrigué par la disparition de l'un des cinq qui devaient terminer, le lendemain, leur commune recherche concernant la *fondation* de la cité et celle du cosmos ? Jugera-t-on naturel, dramatiquement et littérairement, d'ouvrir un dialogue — peut-être le plus important de Platon, en tout cas le plus ambitieux — sur le constat injustifié de l'absence d'un convive inconnu ?
Comme on pouvait s'y attendre, ce curieux prologue a aiguisé la sagacité des néo-platoniciens, en premier lieu de Proclus, qui

s'étend longuement sur les explications de ses prédécesseurs. Selon Porphyre, qui paraît bien embarrassé, « puisqu'il en manquait un dont nous ignorons le nom, la numération des présents met en relief l'absent, comme si elle regrettait vivement le restant et qu'elle fût en manque, partiellement, du nombre total (...) Comme l'absent était un étranger et que Socrate ne le connaissait pas, c'est seulement grâce au compte qu'il constate lui-même qu'il n'est pas là »[144]. Plus audacieux, Jamblique pense que l'absence de l'hôte anonyme témoigne qu'il est adapté à la contemplation des intelligibles, alors que la conversation du *Timée* ne concerne que le seul sensible (I, 19, 17-18). Aristoclès de Rhodes établit que l'absent est Théétète; Ptolémée, de son côté, penche pour Clitophon, Dercyllidès pour Platon lui-même (I, 20, 3-10). Quant à Syrianus, le maître de Proclus, il souligne l'analogie entre le nombre d'auditeurs, symbole de la confrontation dialectique, et la tétrade qui a part à l'identité, par son affinité avec la monade, et à l'altérité, par sa nature de nombre pair; si l'auditoire s'est réduit, c'est parce que le discours devient plus pur (I, 21, 8-16). Proclus, enfin, se contente d'interpréter l'anonymat de l'absent comme le symbole de l'indétermination, et situe en conséquence le cinquième personnage en dessous des quatre autres (I, 23, 5-8). Les commentateurs modernes proposent Philolaos, Philèbe, Platon, ou encore supposent que l'auteur, par cette indication, se réserverait le droit d'annoncer un personnage qui reviendrait plus tard, si la trilogie *Timée-Critias-Hermogène* ne suffisait pas à épuiser le sujet.

Aucune de ces réponses embarrassées ne paraît bien probante, tant en ce qui concerne l'identité de l'étranger que la fonction qu'il remplit dans ce prologue. Pourquoi en effet dissimuler les noms bien connus de Théétète, Philolaos ou Philèbe, et leur interdire en même temps de venir sur la scène ? Pourquoi surtout chercher à *identifier* un personnage dont le texte souligne l'anonymat comme l'absence ? Comment admettre que Platon, dont on connaît la répugnance à paraître dans ses dialogues, aurait jugé bon d'intervenir si mal à propos dans le récit ? Quant à préparer la venue d'un hypothétique

---

144. PROCLUS, *Comm. Tim.*, I, 15, 11-22, trad., p. 42.

partenaire, absent d'un hypothétique dialogue, voilà qui est d'abord propre à faire oublier son absence de l'entretien réel ! Se contentera-t-on pour autant de noter, avec Albert Rivaud, qu' « il est sans doute imprudent de chercher à savoir ce que Platon n'a pas voulu nous dire » ?[145].

Il convient plutôt de se demander pourquoi il n'a pas voulu le dire, et quelle est la relation entre l'absence de l'étranger et l'économie générale du dialogue. Or l'hypothèse directrice de notre étude rend aisément raison, croyons-nous, de cette petite énigme. Trois indications liées à Timée permettent en effet d'affirmer que la Pentade régit entièrement ce texte, depuis le nombre des interlocuteurs jusqu'aux spéculations cosmiques les plus hardies.

1. Timée de Locres, qui conduit l'enquête, est un *étranger* au sol athénien; tout comme l'éléate du *Sophiste*, il vient des rives de la Grande-Grèce. Sa nationalité pourrait bien évoquer celle de l'étranger absent, dont Atticus, selon Proclus, faisait remarquer qu'il était « du nombre des étrangers compagnons de Timée » (1, 20, 22-24).

2. Comme philosophe et mathématicien de l'école *pythagoricienne*, Timée ne doit rien ignorer des propriétés cosmiques de la Pentade. En exposant la fondation du cosmos par le démiurge, il substitue à l'hypothèse d'un monde unique, nous l'avons vu, l'hypothèse de l'existence de cinq mondes.

3. La constitution du monde exige la présence des cinq solides élémentaires. Pourtant Timée se tait sur le nom et les propriétés du *cinquième polyèdre*, dont nous saurons seulement que la divinité s'en est servie pour le Tout, au moment de l'arrangement final.

Il est curieux que Proclus, si attentif aux moindres indications des textes platoniciens, n'ait pas songé à mettre en correspondance l'absence et l'anonymat communs de l'*étranger* et du *dodécaèdre*, alors qu'il multiplie dans son commentaire du *Timée* les formes les plus diverses d'analogie fondées sur la Pentade, dont il met en évidence le rôle ordonnateur[146]. Si nous mettons en parallèle la *consti-*

---

145. A. RIVAUD, *Notice du Timée*, p. 19.
146. PROCLUS, *op. cit.*, 5 éléments (III, 42, 15; 49, 19-27), 5 centres (III, 107, 6-10), 5 propriétés de l'âme cosmique groupées en pentade (III, 126, 30-127, 1-24), 5 genres de

tution du monde et celle *du dialogue*, grâce aux cinq personnages dont la commune recherche *aurait dû* découvrir les cinq corps qui, en leurs communs échanges, dessinent la figure du *Tout*, comment ne pas associer, trait pour trait, l'absence du dodécaèdre, cinquième solide auquel Timée dédaigne de donner un nom, et celle de l'étranger, cinquième partenaire que Socrate laisse dans l'anonymat ? Comment ignorer la commune *fonction de substitution* des quatre compagnons restants (« n'est-ce pas votre office et celui de ceux-ci de tenir aussi le rôle de l'absent ? ») et des quatre corps fondamentaux qui engendrent à eux seuls la totalité de l'univers, rapportée alors symboliquement au cinquième corps ? Comment, enfin, oublier que la figure de *l'étranger*, oscillant entre la présence du *Sophiste* et l'absence du *Timée*, mais demeurant toujours anonyme, à l'image du dodécaèdre, ouvre pourtant l'espace de jeu de la Quadrature et permet, seule, l'expérience de la Fondation ?

Il faut penser le mouvement de la Pentade, dont la course est engagée par l'absence de l'Autre, comme le retour éternel des Quatre autour de leur foyer secret. Le Quadriparti revient à partir du Simple à jamais hors de ses prises, — les Quatre genres de l'être échouent à maîtriser le πέμτον τί, — les Quatre corps du monde se combinent dans l'épure cinquième de l'univers divin. Dès *Sein und Zeit*, Heidegger nommait l'être : « *le transcendens par excellence* »[147], éprouvant l'absolue différence que, le premier, Platon instaura entre l'être et ses propres catégories. Aussi la dernière et cinquième figure du *Sophiste*, centrée autour du philosophe, se tient dans la dissimulation de la transcendance, au-delà de la parole comme de l'écriture. Le recueil du *logos* dit en même temps l'ouverture des longs chemins silencieux.

Et Socrate choisit de se taire.

---

l'être (III, 133, 12-17; 133, 26-30), 5 substances (III, 135, 11-13), 5 figures de l'univers liées par l'accord parfait de quinte (III, 207-208, 1-2), etc. La Pentade est citée encore en II, 454, 28; III, 126, 30; III, 208, 14-20; III, 232, 15-18; III, 233, 18-20; III, 234, 17-20, etc.
147. HEIDEGGER, *Sein und Zeit*, p. 38; trad. p. 56; souligné par l'auteur.

Epilogue

... *alors repart l'Etranger sur les eaux absentes de l'exil. Il lui faut à nouveau subir l'épreuve des flots comme le navigateur privé de royaume qui, d'île en île, poursuit la quête de sa terre natale. L'exil est le voyage sur la mer sans mémoire, en laquelle nulle assise ne se trouve et sur quoi rien ne demeure. Perdu en ce lieu « où rien ne pousse qui mérite qu'on en parle, où il n'y a pour ainsi dire rien d'accompli » (Phédon, 111 a), le voyageur songe à Ithaque qui s'étend, toute basse, vers le couchant...*

Certes le repos, et la sérénité qui naît de la maîtrise reconquise, demeurent la fin du périple du voyageur conduit par l'origine comme le fils de Laerte par la fille de Zeus, dissimulée derrière sa nuée. Mais la fin se confond avec le recommencement du cercle : le voyage du retour ne se termine pas dès que l'on rentre chez soi, du moins pour le voyageur du degré supérieur qui doit revivre tout ce qu'il a vu. Reposant sur le lit nuptial, le héros du nostos n'est pas encore à la source ; il sait qu'il lui faudra de nouveau porter un fardeau, s'il veut rester fidèle au destin qui le guide.

Athéna peut retenir l'Aurore aux bords de l'Océan pour prolonger le repos des amants, Pénélope l'avisée sait que son époux l'abandonnera un matin. « Les navigateurs », écrit Heidegger, « doivent d'abord jeter l'ancre au rivage de la terre patrie, renoncer à la mer et entreprendre la marche qui les conduit dans la proximité de l'origine » (Souvenir). Devrait-il une nouvelle fois affronter les mers oublieuses et les cavernes aveugles, Ulysse reprendra sa route pour accomplir la prédiction du Devin et sacrifier à l'Ebranleur du monde. Arraché à son île, le roi se fera semblable à celui qui a nom : Personne, et que d'autres voyageurs croiseront, un jour, sur une piste empoussiérée.

Peut-être alors quelque passant étonné le questionnera sur la pelle à grains qu'il porte de son bras fatigué. Ulysse reconnaîtra en cette parole simple la marque de l'origine. La rame à l'épaule, il s'arrêtera enfin pour dévisager les étranges habitants d'une lointaine contrée qui, à ignorer le goût de l'exil, n'ont jamais connu que le sel de la terre...

Bibliographie sélective

I. — Editions de Platon

Œuvres complètes, textes et traductions, 14 tomes, Paris, Les Belles-Lettres, 1920-1964, Collection des Universités de France.
Œuvres complètes, trad. Léon Robin, Paris, Gallimard, 2 vol., 1950.
Apelt, O., *Der Sophist*, Leipzig, 1897; Hamburg, 1967.
Boutang, P., *Le Banquet*, trad. et commentaire, Paris, Hermann, 1972.
Campbell, L., *The « Sophistes » and the « Politicus » of Plato*, Oxford, 1867.
Cornford, F. M., *Plato's theory of knowledge. The « Theaetetus » and the « Sophist »*, London, 1935.
Taylor, A. E., *The Sophist and the Statesman*, London, 1961.

II. — Textes

1. *Auteurs anciens*

Diels, H., *Doxographi Graeci*, Berlin, 1879; *Die Fragmente der Vorsokratiker*, Berlin, 1903; 7e éd. par W. Kranz, Berlin, 1954.
Albinus, *Epitomé*, trad. P. Louis, Rennes, 1945.
Aristote, *Métaphysique*, trad. J. Tricot, Paris, Vrin, 1953; *Traité du Ciel*, trad. P. Moraux, Paris, lbl, 1966.
Damascius, *Problèmes et solutions touchant les Premiers Principes*, trad. A. E. Chaignet, Paris, 1898; Bruxelles, 1964.
Diogène Laerce, *Vie, Doctrines et Sentences des philosophes illustres*, trad. R. Genaille, Paris, 1933; Paris, Garnier-Flammarion, 1965.
Héraclite, *Héraclite ou la séparation*, trad. et comm. des fragments J. Bollack-H. Wismann, Paris, Ed. de Minuit, 1972.
Héraclite le Rhéteur, *Allégories d'Homère*, trad. F. Buffière, Paris, lbl, 1962.

HÉSIODE, *Théogonie*, trad. P. MAZON, Paris, LBL, 1947.

HOMÈRE, *Iliade*, trad. P. MAZON, Paris, LBL, 1947; *Odyssée*, trad. V. BÉRARD, Paris, LBL, 1924; *Hymnes à Hermès, Hymnes à Hestia*, trad. J. HUMBERT, Paris, LBL, 1936.

NUMÉNIUS, *Fragments*, trad. E. DES PLACES, Paris, LBL, 1973.

PARMÉNIDE, *Poème*, trad. et comm. J. BEAUFRET, Paris, PUF, 1955.

PLOTIN, *Ennéades*, trad. E. BRÉHIER, Paris, LBL, 1936.

PORPHYRE, L'antre des Nymphes, *in* F. BUFFIÈRE, *Les mythes d'Homère et la pensée grecque*, Paris, LBL, 1956.

PROCLUS, *Commentaire sur le Parménide*, trad. A. E. CHAIGNET, Paris, 1900; *Commentaire sur le Timée*, trad. A.-J. FESTUGIÈRE, Paris, Vrin, 1966-1968; *Commentaire sur la République*, trad. A.-J. FESTUGIÈRE, Paris, Vrin, 1970; *Théologie platonicienne*, trad. SAFFREY-WESTERINK, Paris, LBL, 1968-1978.

SEXTUS-EMPIRICUS, *Œuvres choisies*, trad. J. GRENIER et G. GORON, Paris, Aubier, 1948.

SIMPLICIUS, *In Aristotelis physicorum libros*, Ed. DIELS, Berolini, 1882.

THÉOPOMPE DE CHIO, Des choses merveilleuses, *in* ELIEN, *Histoires diverses*, III, 18, trad. DACIER, Paris, 1772.

2. *Auteurs modernes*

HEGEL, Différence des systèmes philosophiques de Fichte et de Schelling, in *Premières publications*, trad. M. MERY, Gap, Ophrys, 1952; *Leçons sur l'histoire de la Philosophie*, tr. P. GARNIRON, Paris, Vrin, 1971-1975.

HEIDEGGER, *Sein und Zeit*, Halle, Niemeyer, 1927; trad. R. BOEHM et A. de WAEHLENS, *L'Etre et le Temps*, Paris, Gallimard, 1964; *Kant et le problème de la métaphysique*, Gallimard, 1953; *Essais et conférences*, Gallimard, 1958; *Introduction à la métaphysique*, PUF, 1958; *Qu'appelle-t-on penser ?*, PUF, 1959; *Approche de Hölderlin*, Gallimard, 1962; *Chemins qui ne mènent nulle part*, Gallimard, 1962; *Le principe de raison*, Gallimard, 1962; *Questions I, II, III, IV*, Gallimard, 1966-1976; *Nietzsche*, I et II, Gallimard, 1971; *Acheminement vers la parole*, Gallimard, 1976; *Schelling*, Gallimard, 1977.

KANT, *Qu'est-ce que s'orienter dans la pensée ?*, trad. A. PHILONENKO, Paris, Vrin, 1959; *Prolégomènes*, trad. J. GIBELIN, Paris, Vrin, 1967.

NIETZSCHE, *Œuvres philosophiques complètes*, XIV vol., Paris, Gallimard. *Considérations inactuelles*, trad. H. ALBERT, Paris, 1922; *Ecce Homo*, trad. H. ALBERT, Paris, 1909; Paris, Gonthier, 1971; *La volonté de puissance*, trad. G. BIANQUIS, Paris, Gallimard, 23e éd., 1947-1949; *Ainsi parlait Zarathoustra*, trad. M. BETZ, Paris, Gallimard, 1947; *Sur l'avenir de nos établissements d'enseignement*, trad. J. L. BACKES, Paris, Gallimard, 1973.

3. Littérature

BORGES, J.-L., *Fictions*, trad. VERDEVOYE et IBARRA, Paris, Gallimard, 1974.
CARROLL, L., *De l'autre côté du miroir*, trad. A. BAY, Paris, Le Livre Club du Libraire, 1961; *La chasse au Snark*, trad. H. PARISOT, Paris, J.-J. Pauvert, 1962.
CASARÈS, A.-B., *L'invention de Morel*, trad. A. PIERHAL, Paris, Laffont, 1973.
HÖLDERLIN, *Œuvres*, trad. P. JACOTTET, Paris, Gallimard, 1967.
KAFKA, *La muraille de Chine*, trad. J. CARRIVE et A. VIALATTE, Paris, Gallimard, 1950.

III. — ETUDES HISTORIQUES ET CRITIQUES

1. Etudes platoniciennes

AUBENQUE, P., Une nouvelle dimension du platonisme, la doctrine « non-écrite » de Platon (avec A. SOLIGNAC), *Archives de Philosophie*, avril-juin 1965.
BOUSSOULAS, N. I., *L'Etre et la composition des mixtes dans le « Philèbe » de Platon*, Paris, PUF, 1952.
BRISSON, L., *Le Même et l'Autre dans la structure ontologique du « Timée » de Platon*, Paris, Klincksieck, 1974.
BROCHARD, V., *Etudes de philosophie ancienne et de philosophie moderne*, Paris, 1912.
DIÈS, A., *La définition de l'être dans le « Sophiste »*, Paris, 1909; *Autour de Platon*, Paris, 1927; *Notices de ses traductions des dialogues*, Paris, LBL.
FESTUGIÈRE, R. P., *Contemplation et vie contemplative selon Platon*, Paris, Vrin, 1936.
FRUTIGER, P., *Les mythes de Platon*, Paris, 1930.
FRIEDLÄNDER, P., *Plato*, trad. anglaise revue et augmentée par l'auteur, New York, 1958-1964; Princeton, 1969.
GAYSER, K., *Platons ungeschriebene Lehre*, Stuttgart, E. K. Verlag, 1963.
GENETTE, G., *Figures II*, Paris, Le Seuil, 1969.
GOLDSCHMIDT, V., *Etude sur le Cratyle*, Paris, 1940; *Les dialogues de Platon*, Paris, PUF, 1947; *Le paradigme dans la dialectique platonicienne*, Paris, PUF, 1947; *La religion de Platon*, PUF, 1949; *Platonisme et pensée contemporaine*, Paris, Aubier 1970; *Questions platoniciennes*, Paris, Vrin, 1970.
GRENET, P., *Les origines de l'analogie philosophique dans les dialogues de Platon*, Paris, 1948.
JOLY, H., *Le renversement platonicien*, Paris, Vrin, 1974.
KOYRÉ, A., *Introduction à la lecture de Platon*, Paris, Gallimard, 1962.
KUCHARSKI, P., *La spéculation platonicienne*, Paris, B. Nauwelaerts, 1971.

LACHELIER, J., Note sur le *Philèbe*, *Revue de métaphysique et morale*, 1902.

MOREAU, J., *La construction de l'idéalisme platonicien*, Paris, 1939; *Réalisme et idéalisme chez Platon*, Paris, PUF, 1951.

MUGLER, Ch., *Platon et la recherche mathématique de son époque*, Strasbourg-Zurich, 1948; La philosophie physique et biologique de l'*Epinomis*, *Revue Etudes grecques*, LXI, 1949; *La physique de Platon*, Paris, Klincksieck, 1960.

RICŒUR, P., *Etre, essence et substance chez Platon et Aristote*, Paris, CDU, 1957.

ROBIN, L., *La théorie platonicienne des Idées et des Nombres d'après Aristote*, Paris, 1908; *La théorie platonicienne de l'amour*, Paris, 1908; *Platon*, Paris, 1915; *Les rapports de l'être et de la connaissance d'après Platon*, Paris, PUF, 1957.

RODIER, G., Sur l'évolution de la dialectique de Platon, *Année philosophique*, 1905.

RODIS-LEWIS, G., *Platon et la « chasse de l'être »*, Paris, Seghers, 1965.

SACHS, E., *Die Fünf platonnischen Körper*, Berlin, 1917.

SCHAERER, R., *La question platonicienne*, Neuchâtel, 1938; *Dieu, l'homme et la vie d'après Platon*, La Baconnière, 1944; La structure des dialogues métaphysiques, *Revue Internationale de Philosophie*, 1955.

SCHUHL, P.-M., *Platon et l'art de son temps*, Paris, 1933; *La fabulation platonicienne*, Paris, 1947.

SOUILHÉ, J., *La notion platonicienne d'intermédiaire dans la philosophie des dialogues*, Paris, 1919; *Etude sur le terme* Δύναμις *dans les dialogues de Platon*, Paris, 1919.

VIDAL-NAQUET, P., Athènes et l'Atlantide, *Revue Etudes grecques*, LXXVII, 1964.

WAHL, J., *Etude sur le « Parménide » de Platon*, Paris, 1926.

WEIL, R., *L'Archéologie de Platon*, Paris, Klincksieck, 1959.

2. *Mystères et initiation religieuse*

BIDEZ, J., CUMONT, F., *Les Mages hellénisés, Zoroastre Otanès et Hystaspe*, Paris, 1938.

CUILLANDRE, J., *La droite et la gauche dans les poèmes homériques*, Rennes, 1943.

CUMONT, F., *Recherches sur le symbolisme funéraire des Romains*, Paris, 1948.

DEFRADAS, J., *Les thèmes de la propagande delphique*, Paris, Klincksieck, 1954.

FESTUGIÈRE, R. P., *La révélation d'Hermès Trismégiste*, Paris, 1944-1954.

FOUCART, P., *Les Mystères d'Eleusis*, Paris, 1914.

GERMAIN, G., *Genèse de l' « Odyssée », le fantastique et le sacré*, Paris, PUF, 1954.

GERNET, L., *Anthropologie de la Grèce antique*, Paris, Maspero, 1968.

JÉQUIER, G., *Considérations sur les religions égyptiennes*, Neuchâtel, 1946.

LABARBE, J., *L'Homère de Platon*, Liège, 1949.

Magnien, V., *Les Mystères d'Eleusis*, Paris, 1929.
Moulinier, L., *Le pur et l'impur dans la pensée des Grecs*, Paris, Klincksieck, 1952.

3. Naissance de la pensée grecque

Beaufret, J., *Dialogue avec Heidegger*, t. 1, Paris, Ed. de Minuit, 1974.
Brunschwig, J., compte rendu de P. Kucharski, Etude sur la doctrine pythagoricienne de la tétrade, *Revue Phil.*, 1956.
Delatte, A., *Etudes sur la littérature pythagoricienne*, Paris, 1915; *Etudes sur la politique pythagoricienne*, Paris, 1922; *La constitution des Etats-Unis et les Pythagoriciens*, Paris, lbl, 1948.
Dodds, E., *Les Grecs et l'irrationnel*, Paris, Aubier, 1965.
Gomperz, Th., *Les penseurs de la Grèce*, Paris, 1905.
Kucharski, P., *Etude sur la doctrine pythagoricienne de la tétrade*, Paris, lbl, 1952; Les Principes des Pythagoriciens et la Dyade de Platon, *Archives de Philosophie*, xxii, 1959.
Meautis, G., *Recherches sur le pythagorisme*, Neuchâtel, 1922.
Philip, J. A., *Pythagoras and early pythagoreanism*, Phoenix, 1966.
Ramnoux, C., *Etudes présocratiques*, Paris, Klincksieck, 1970.
Raven, J. E., *Pythagoreans and Eleatics*, Cambridge, 1947.
Vernant, J.-P., *Mythe et pensée chez les Grecs*, Paris, Maspero, 1971.

4. Symbolisme du nombre et nombre Cinq

a | Commentateurs anciens :

Aetius, De placitis philosophorum, *Doxographi*, Diels, I, 3.
Alexandre d'Aphrodise, *In Aristotelis Metaphysica Commentaria*, Berlin, Ed. Hayduck, 1891.
Anatolius, Sur la Décade et les nombres qu'elle comprend, in *Theologoumena Arithmeticae* du Ps. Jamblique, Paris, Ed. Heiberg, 1901.
Ps. Jamblique, *Theologoumena arithmeticae*, Leipzig, Ed. De Falco, 1922.
Lucien, *Sur un lapsus commis en saluant*, trad. Chambry, Paris, Garnier, 1933.
Nicomaque de Gérase, *Introduction à l'arithmétique*, trad. anglaise, New York, 1926; *Théologie arithmétique*, extraits dans Photius, *Bibliothèque*, codex 187, trad. R. Henry, Paris, lbl, 1959-1974.
Plutarque, *Dialogues pythiques*, trad. Flacelière, Paris, lbl, 1974; trad. Amyot, Paris, 1784.
Sénèque, *Lettres à Lucilius*, trad. H. Noblot, Paris, lbl, 1957-1969.
Stobée, Eclogae Physicae, *Doxogr. Gr.*, 97, Diels, Berlin, 1879.
Théon de Smyrne, *Exposition des connaissances mathématiques utiles pour la lecture de Platon*, trad. Dupuis, Paris, 1892.
Vitruve, *Les dix livres d'architecture*, trad. Cl. Perrault, Paris, 1965.

b | *Commentateurs modernes* :

BRUMBAUGH, R. S., *Plato's mathematical imagination*, Bloomington, 1954.

DAVY, M.-M., *Initiation à la symbolique romane*, Paris, Flammarion, 1964.

DENKINGER, M., L'énigme du nombre de Platon, *Revue Etudes grecques*, 1955.

DIÈS, A., *Le nombre de Platon*, Paris, Klincksieck, 1936.

DUPUIS, J., Le nombre géométrique de Platon, *Rev. Et. grecques*, XV, 1902.

GERMAIN, G., *Homère et la mystique des nombres*, Paris, PUF, 1954.

GHYKA, M., *Le nombre d'or*, Paris, 1931; Gallimard, 1977; *Philosophie et mystique du nombre*, Paris, Payot, 1952.

MORAUX, P., Quinta Essentia, *Paulys-Wissowa*, Stuttgart, 1963.

NICOLLE, J., *La symétrie*, Paris, PUF, 1965.

TANNERY, P., *Le nombre nuptial de Platon*, Paris, Mémoires scientifiques, nº 2.

TARRANT, H. A. S., Speusippus' ontological classification, *Phronésis*, 1974, nº 2, vol. XIX.

5. Sophistique ancienne et moderne

AUBENQUE, P., *Le problème de l'être chez Aristote*, Paris, PUF, 1962; De l'humanisme à la métaphysique, E. DUPREEL, *Rev. Intern. Phil.*, nº 83-84, 1968.

AUDOUARD, X., Le Simulacre, *Cahiers pour l'analyse*, Le Seuil, nº 3, 1966.

BERLOQUIN, P., *Un souvenir d'enfance d'Evariste Galois*, Paris, Balland, 1974.

BOLLACK, J., Les Sophistes, *Athènes au temps de Périclès*, Paris, Hachette, 1964.

DELEUZE, G., *Différence et répétition*, Paris, PUF, 1968; *Logique du sens*, Paris, Ed. de Minuit, 1969, rééd. 1973, « 10-18 ».

DELEUZE, G.-GUATTARI, F., *L'anti-Œdipe*, Paris, Ed. de Minuit, 1972; *Rhizome*, Ed. de Minuit, 1976.

DERRIDA, J., *La Dissémination*, Paris, Le Seuil, 1972; *L'écriture et la différence*, Le Seuil, 1967; *Marges de la philosophie*, Ed. de Minuit, 1972; *Positions*, Ed. de Minuit, 1972.

DETIENNE, M., *Les maîtres de vérité dans la Grèce archaïque*, Paris, Maspero, 1967.

DUMONT, J.-P., *Les Sophistes*, Paris, PUF, 1969.

DUPRÉEL, E., *Les Sophistes*, Neuchâtel, 1948.

FOUCAULT, M., *L'archéologie du savoir*, Paris, Gallimard, 1969.

GADAMER, H. G., *Dialektik und Sophistik im siebenten platonischen Brief*, Heidelberg, 1964.

GOMPERZ, Th., *Sophistik und Rhetorik*, Leipzig, 1912.

IJSSELING, S., Rhétorique et Philosophie, Platon et les Sophistes, *Rev. Phil. de Louvain*, 1976, nº 22.

MASSON-OURSEL, P., La Sophistique, *Rev. Métaph. Morale*, 1916.
PIETRA, R., Les sophistes, nos contemporains, *Rev. Métaph. Mor.*, 1972, n⁰ 3.
RAMNOUX, C., Nouvelle réhabilitation des sophistes, *Rev. Mét. Mor.*, 1968, n⁰ 1.
RODIS-LEWIS, G., Note sur les définitions du *Sophiste*, *Revue Phil.*, 1956.
ROLLAND DE RENÉVILLE, J., *Essai sur le problème de l'Un-Multiple et de l'attribution chez Platon et les sophistes*, Paris, Vrin, 1962.
ROSSET, C., *Le réel et son double*, Paris, Gallimard, 1976; *Le réel, traité de l'idiotie*, Ed. de Minuit, 1977.
UNTERSTEINER, M., *I Sofisti*, Firenze, 4 vol., 1961-1967.

6. Etudes néoplatoniciennes

CHAIGNET, A. E., *Damascius, Fragment de son commentaire sur la 3ᵉ hypothèse du « Parménide »*, Paris, 1897.
COMBES, J., Damascius, lecteur du *Parménide*, *Archives de Phil.*, 38, 1975; Négativité et procession des principes chez Damascius, *Revue des études augustiniennes*, 22, 1976; Damascius et les hypothèses négatives du *Parménide*, *Revue des sciences phil. théol.*, 1977, n⁰ 2.
TROUILLARD, J., La notion de Dynamis chez Damascios, *Revue Etudes grecques*, LXXXV, 1972.

7. Logique et histoire des sciences

CAILLOIS, R., *Cohérences aventureuses*, Paris, Gallimard, 1976.
DUBARLE, R. P. D., Dialectique hégélienne et formalisation, *Logique et dialectique*, Paris, Larousse, 1972; Le Poème de Parménide, *Revue sciences phil. théol.*, 1973, n⁰ 1 et 3.
FRITSCH, V., *La gauche et la droite*, Paris, Flammarion, 1967.
LE LIONNAIS, F., *Les grands courants de la pensée mathématique*, Paris, Blanchard, 1962.
PIAGET, J., *Traité de Logique*, Paris, A. Colin, 1949; *Introduction à l'épistémologie génétique*, PUF, 1950; *Essai sur les transformations des opérations logiques*, PUF, 1952; Les structures mathématiques et les structures opératoires de l'intelligence, in *L'enseignement des mathématiques*, Delachaux-Niestlé, 1955; *Logique et connaissance scientifique*, Encycl. La Pléiade, Gallimard, 1967; *Le structuralisme*, PUF, 1968; *Six études de Psychologie*, Gonthier, 1969.
PIAGET, J.-BETH, E. W., *Epistémologie mathématique et Psychologie*, Paris, PUF, 1961.

PIAGET, J.-INHELDER, B., *De la logique de l'enfant à la logique de l'adolescent*, PUF, 1955.

WEYL, H., *Symétrie et mathématique moderne*, Paris, Flammarion, 1964.

8. *Hölderlin, Nietzsche, Heidegger*

ALLEMANN, B., *Hölderlin et Heidegger*, trad. F. FEDIER, Paris, PUF, 1959.

ANDLER, Ch., *Nietzsche, sa vie, sa pensée*, Paris, Gallimard, 1958.

BIRAULT, H., De la béatitude chez Nietzsche, *Nietzsche, Cahiers de Royaumont*, 1967.

BLANCHOT, M., Le Tournant, *NNRF*, n° 25, 1955.

FEDIER, F., Hölderlin en fuite, *in* HÖLDERLIN, *Remarques sur Œdipe. Remarques sur Antigone*, Paris, UGE, 1965.

HALÉVY, D., *Nietzsche*, Paris, 1944; rééd., Le livre de Poche, 1977.

9. *Philosophie générale*

BOUTANG, P., *Ontologie du secret*, Paris, PUF, 1973.

ELIADE, M., *Aspects du Mythe*, Paris, Gallimard, 1963.

GILSON, E., *Linguistique et Philosophie*, Paris, Vrin, 1969.

GLUCKSMANN, A., Un structuralisme ventriloque, *Les Temps Modernes*, n° 250, 1967.

GUÉRIN, M., Le malin génie et l'instauration de la pensée comme philosophie, *Rev. Métaph. Mor.*, n° 2, 1974.

Table

TABLE 573

Imprimé en France
Imprimerie des Presses Universitaires de France
73, avenue Ronsard, 41100 Vendôme
Mars 1983 — Nº 28 522

Collection « ÉPIMÉTHÉE »

Série d'ouvrages publiés sous la direction de Jean Hyppolite

HUSSERL	**Philosophie de l'arithmétique.** *Traduction par J. English*, 1972.
—	**Articles sur la logique.** *Traduction par J. English*, 1975.
HYPPOLITE J.	**Figures de la pensée philosophique, 2 vol., 1972.**
LANTERI-LAURA G.	**Phénoménologie de la subjectivité, 1968.**
SCHÉRER R.	**La phénoménologie des « Recherches logiques » de Husserl,** 1967.
SIMONDON G.	**L'individu et sa genèse physico-biologique, 1964.**
TROTIGNON P.	**L'idée de vie chez Bergson et la critique de la métaphysique, 1968.**
VUILLEMIN J.	**La philosophie de l'algèbre, t. I, 1962.**